Suzanne Collins ha cosechado un rotundo éxito con la serie Los Juegos del Hambre (*Los Juegos del Hambre, En llamas, Sinsajo, Balada de pájaros cantores y serpientes* y *Amanecer en la cosecha*) y ha alcanzado las primeras posiciones en la lista de los más vendidos en Estados Unidos y en todo el mundo. Ha recibido innumerables críticas positivas, así como multitud de elogios y galardones. La serie ha sido traducida a más de cincuenta idiomas y se ha adaptado a la gran pantalla. Suzanne Collins también es la autora de la saga de fantasía Gregor (*Gregor. Las Tierras Bajas*; *Gregor. La Segunda Profecía*; *Gregor. La Gran Plaga*; *Gregor. El Oscuro Secreto* y *Gregor. La Profecía Final*), publicada por Editorial Molino.

Papel certificado por el Forest Stewardship Council®

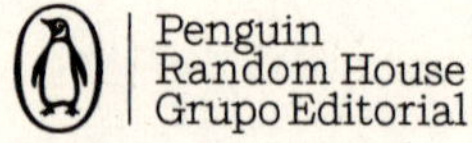

Título original: *The Ballad of Songbirds and Snakes*

Noviembre de 2025

Printed in Spain – Impreso en España

ISBN: 978-84-10381-99-5
Depósito legal: B-17.306-2025

Impreso en Novoprint
Sant Andreu de la Barca (Barcelona)

BB 8 1 9 9 5

Balada de pájaros cantores y serpientes

SUZANNE COLLINS

Traducción de Pilar Ramírez Tello
y Manuel de los Reyes

Para Norton y Jeanne Juster

Por tanto, resulta evidente que, cuando los hombres viven sin un poder común que los atemorice, se hallan en un estado que denominamos guerra; y se trata de una guerra de todos contra todos.

THOMAS HOBBES, *Leviatán* (1651)

El estado de naturaleza tiene una ley de naturaleza que lo rige y que concierne a todos; esa ley es la razón, y enseña a toda la humanidad que desee consultarla que, siendo todos iguales e independientes, nadie debe perjudicar a otro en lo que atañe a su vida, su salud, su libertad o sus posesiones...

JOHN LOCKE, *Segundo tratado sobre el gobierno* (1689)

El hombre nace libre; pero siempre va cargado de cadenas.

JEAN-JACQUES ROUSSEAU, *El contrato social* (1762)

Dulce es el saber de la naturaleza;
nuestros entrometidos intelectos
sus hermosas formas alteran:
para diseccionar, matamos.

WILLIAM WORDSWORTH, «Cambian las tornas»
Baladas líricas (1798)

Pensé en las prometedoras virtudes que había demostrado al principio de su existencia, antes de que la aversión y el desdén de sus protectores erradicaran sus bondadosos sentimientos.

MARY SHELLEY, *Frankenstein* (1818)

Primera parte

EL MENTOR

1

Coriolanus dejó caer el puñado de col en la olla de agua hirviendo y juró que llegaría el día en que aquella verdura no volvería a tocar sus labios. Sin embargo, el día todavía no había llegado. Necesitaba comerse un cuenco enorme del anémico vegetal y beberse cada gota de la sopa para que no le gruñera el estómago durante la ceremonia de la cosecha. Era una de las precauciones de la larga lista que preparaba para ocultar el hecho de que su familia, a pesar de residir en el ático del edificio de viviendas más opulento del Capitolio, era más pobre que la escoria de los distritos. Que, a sus dieciocho años, el heredero de la casa de los Snow, antes tan grandiosa, no contaba más que con su ingenio para sobrevivir.

Le preocupaba el estado de su camisa para la cosecha. Contaba con un par de pantalones oscuros bastante aceptables, comprados en el mercado negro el año anterior, pero la gente se fijaba en la camisa. Por suerte, la Academia proporcionaba los uniformes que debía llevar a diario. Sin embargo, habían pedido a los estudiantes que, para la ceremonia, se vistieran con elegancia, sin olvidar la solemnidad que requería la ocasión. Tigris le había pedido que confiara en ella, y él así lo hacía, ya que la habilidad de su prima con la aguja lo había salvado hasta ese momento. Aun así, no esperaba un milagro.

La camisa que habían desenterrado del fondo del armario (de su padre, recuerdo de tiempos mejores) estaba manchada y amarillenta por el paso del tiempo, le faltaban la mitad de los botones y tenía una quemadura de cigarrillo en uno de los puños. Una prenda que estaba en tan malas condiciones que ni siquiera la habían vendido cuando les acució la necesidad, esa era su camisa para la cosecha. Aquella mañana, al entrar en el dormitorio de su prima, no estaban ni ella ni la camisa. No era buena señal. ¿Acaso Tigris se había rendido y había decidido aventurarse en el mercado negro, en un último intento desesperado por encontrarle una vestimenta? ¿Y qué demonios poseía que pudiera entregar a cambio? Solo una cosa: ella misma, y la casa de los Snow todavía no había caído tan bajo. ¿O acaso lo estaba haciendo mientras él salaba la col?

Pensó en la gente que podría ponerle precio. De nariz larga y puntiaguda, y extrema delgadez, Tigris no era una gran belleza, aunque su dulzura y su vulnerabilidad invitaban al abuso. Encontraría compradores si decidía buscarlos. La idea le revolvió el estómago, se sentía impotente y se despreciaba por ello.

Desde el interior del piso oyó que sonaba la grabación del himno del Capitolio, *La joya de Panem.* La trémula voz de soprano de su abuela se unió a ella y rebotó por las paredes.

Joya de Panem,
poderosa ciudad
resplandeciente desde el albor.

Resultaba doloroso oírla desafinar y cantar siempre desacompasada. El primer año de la guerra ponía la grabación los días festivos para inculcar el patriotismo en Coriolanus, que entonces tenía cinco años, y en Tigris, que tenía ocho. El recital diario no había dado comienzo hasta aquel negro día en que los rebeldes de los distritos rodearon el Capitolio, dejándolo sin suministros durante los dos años siguientes de la guerra. «Recordad, niños —solía decirles—: nos han sitiado, pero ¡no vencido!». Entonces cantaba el himno por la ventana del ático, mientras las bombas llovían sobre ellos. Su pequeño acto de desafío.

> Humildes nos arrodillamos
> ante tu ideal,

Y las notas que nunca lograba alcanzar...

> y te prometemos nuestro amor.

Coriolanus esbozó una mueca. Los rebeldes llevaban una década guardando silencio, no así su abuela. Todavía quedaban dos estrofas para terminar.

> Joya de Panem,
> corazón de la justicia,
> coronado tu mármol de sabiduría.

Se preguntó si sería posible absorber parte del sonido añadiendo más muebles a la casa, aunque se trataba de un planteamiento puramente teórico. En aquel momento, su ático era un microcosmos del Capitolio en sí, marcado por las cicatrices de los implacables ataques rebeldes. Las grietas recorrían las paredes de seis metros de altura, las molduras del techo estaban salpicadas de agujeros dejados por fragmentos de yeso caído y unas feas tiras de cinta aislante negra sujetaban los cristales rotos de las ventanas en arco que daban a la ciudad. A lo largo de la guerra y la década posterior, la familia se había visto obligada a vender o trocar muchas de sus posesiones, de modo que algunas de las habitaciones estaban completamente vacías y cerradas, y, en las demás, pocos muebles quedaban. Y, lo que era peor, durante el frío intenso del último invierno del asedio habían tenido que sacrificar elegantes enseres de madera labrada e innumerables volúmenes de libros para alimentar la chimenea y evitar morir congelados. Había llorado cada vez que veía las coloridas páginas de sus libros ilustrados (los mismos que había leído junto a su madre con tanta atención) reducidas a cenizas. Pero mejor triste que muerto.

Como había estado en los pisos de sus amigos, Coriolanus sabía que la mayoría de las familias ya habían empezado a reparar sus hogares, pero los Snow ni siquiera se podían permitir unos metros de lino para una nueva camisa. Pensó en sus compañeros de clase, que estarían examinando sus armarios o poniéndose sus nuevos trajes a medida, y se preguntó durante cuánto tiempo podría mantener las apariencias.

Tú nos das la luz,
tú nos unes de nuevo,
y a ti te entregamos nuestra vida.

Si la camisa remozada por Tigris resultaba inservible, ¿qué haría? ¿Fingir que tenía la gripe y avisar de que estaba enfermo? Lo tacharían de débil. ¿Presentarse con la camisa del uniforme? Lo considerarían irrespetuoso. ¿Embutirse en la camisa roja que le quedaba pequeña desde hacía dos años? Lo tildarían de pobre. ¿La opción aceptable? Ninguna de las anteriores.

Puede que Tigris hubiera ido a pedir ayuda a su jefa, Fabricia Loque, una mujer tan ridícula como su nombre, pero con evidente talento para la moda reciclada: ya se pusieran de moda el cuero, las plumas, el plástico o la felpa, ella encontraba la forma de incorporarlos a un precio razonable. Como a Tigris no se le daban bien los estudios, había renunciado a la universidad tras graduarse en la Academia para perseguir su sueño de convertirse en diseñadora. Se suponía que era una aprendiza, pero Fabricia la trataba casi como a una esclava, y le exigía masajes en los pies y que quitara sus largos cabellos de color magenta, que obstruían los desagües. No obstante, Tigris no se quejaba nunca, y no permitía que nadie criticara a su jefa porque estaba encantada y muy agradecida de haber conseguido un puesto dentro de la industria de la moda.

> Joya de Panem,
> reflejo del poder,
> fuerza en la paz, escudo en la guerra.

Coriolanus abrió el frigorífico con la esperanza de encontrar algo con lo que darle más sabor a la sopa. La única ocupante del electrodoméstico era una sartén metálica. Cuando levantó la tapa, una pastosa papilla de patatas ralladas le devolvió la mirada. ¿Acaso su abuela por fin había decidido cumplir su amenaza de aprender a cocinar? ¿Sería comestible aquella porquería? Tapó de nuevo la sartén hasta tener más información que analizar. Menudo lujo habría sido tirarla a la basura sin pensárselo dos veces. Menudo lujo tener basura. Recordó, o creyó hacerlo, cuando era muy pequeño y veía los camiones de la basura de los que se encargaban los avox (los obreros sin lengua eran los más cumplidores, según su abuela) zumbar por las calles, vaciar las enormes bolsas de basura, los contenedores, los artículos domésticos viejos. Hasta que llegó el momento en que nada era desechable, todas las calorías eran buenas y cualquier objeto podía cambiarse por algo, quemarse para protegerse del frío o pegarse a la pared a modo de aislamiento. Todos habían aprendido a despreciar el despilfarro, aunque empezaba a ponerse de moda otra vez, insidioso. Señal de prosperidad, como una camisa en condiciones.

> Con tu mano acorazada
> protege nuestro Capitolio, nuestra vida,

La camisa. La camisa. Su mente a veces se obsesionaba así con un problema (con cualquier cosa, en realidad) y no lo soltaba. Como si controlar un elemento de su mundo lo salvara de la ruina. Era una mala costumbre que le impedía ver otros posibles riesgos. La tendencia a la fijación estaba programada en su cerebro, y era muy probable que acabara con él si no aprendía a superarla.

La voz de su abuela graznó el crescendo final.

¡nuestra tierra!

La vieja loca todavía se aferraba a los días anteriores a la guerra. La adoraba, pero hacía muchos años que había perdido el contacto con la realidad. Siempre que se sentaban a comer, parloteaba sobre la legendaria grandeza de los Snow, incluso cuando su dieta consistía en sopa aguada de alubias y galletas saladas rancias. Y oyéndola hablar se diría que les esperaba un futuro glorioso, sin lugar a dudas. «Cuando Coriolanus sea presidente...», solía comenzar sus frases. «Cuando Coriolanus sea presidente» todo se corregiría como por arte de magia, desde la cochambrosa fuerza aérea del Capitolio hasta el desorbitado precio de las chuletas de cerdo. Era una suerte que el ascensor roto y sus piernas artríticas le impidieran salir mucho de casa, y que sus escasas visitas estuviesen tan fosilizadas como ella.

La col rompió a hervir y perfumó la cocina con el aroma de la pobreza. Coriolanus la apuñaló con una cuchara de madera. Tigris seguía sin aparecer. Pronto sería demasiado tarde para llamar y poner una excusa. Ya estarían todos reunidos en el Salón Heavensbee de la Academia. Tendría que enfrentarse al enfado y a la decepción de su profesora de comunicaciones, Satyria Click, que había hecho campaña para que le concedieran uno de los veinticuatro codiciados puestos de mentor de los Juegos del Hambre. Además de ser el favorito de Satyria, era su asistente, y seguro que lo necesitaría aquel día. La profesora era impredecible, sobre todo cuando bebía, y eso se daba por hecho el día de la cosecha. Lo mejor sería llamar y avisarla, decirle que no paraba de vomitar o algo así, pero que haría todo lo posible por recuperarse. Se preparó mentalmente y, cuando se disponía a coger el teléfono para alegar enfermedad extrema, se le ocurrió otra cosa: si no aparecía, ¿dejaría la profesora que lo sustituyeran como mentor? Y, en tal caso, ¿mermaría eso sus posibilidades de conseguir uno de los premios que entregaba la Academia a los graduados? Sin ese premio no podría permitirse ir a la universidad, lo que significaba quedarse sin carrera, lo que a su vez significaba decirle adiós a su futuro, y a saber qué pasaría con su familia, y...

La puerta principal, combada, se abrió entre raspones y gruñidos.

—¡Coryo! —lo llamó Tigris, y él colgó el teléfono de golpe. Se había quedado con el apodo que su prima le había puesto de pequeño.

Salió corriendo de la cocina, chocó contra ella y a punto estuvo de derribarla, pero la muchacha estaba demasiado emocionada para regañarlo.

—¡Lo conseguí! ¡Lo conseguí! Bueno, al menos he conseguido algo. —Dio unos cuantos pasos rápidos sin moverse del sitio mientras levantaba una percha envuelta en una vieja funda para trajes—. ¡Mira, mira, mira!

Coriolanus abrió la cremallera de la funda y sacó la camisa.

Era preciosa. No, mejor aún: era elegante. El grueso lino ya no era ni del blanco original ni amarillento por el paso de los años, sino de un delicioso color crema. Había sustituido los puños y el cuello por terciopelo negro, y los botones eran cubos de oro y ébano. Teselas. Cada una de ellas tenía dos agujeritos diminutos para introducir el hilo.

—Eres un genio —le dijo con total sinceridad—. Y la mejor prima del mundo. —Procurando mantener un brazo estirado para proteger la camisa, la abrazó con el otro—. ¡Los Snow siempre caen de pie!

—¡Los Snow siempre caen de pie! —se pavoneó Tigris. Era el dicho que los había ayudado a sobrevivir a la guerra, cuando cada día era una lucha constante por no acabar bajo tierra.

—Cuéntamelo todo —le pidió, sabiendo que su prima estaría deseando hacerlo; le encantaba hablar de ropa.

Tigris alzó las manos y dejó escapar una risa entrecortada.

—¿Por dónde empiezo?

Y empezó por la lejía. Le comentó a Fabricia que las cortinas blancas de su dormitorio parecían sucias y, al dejarlas en remojo con lejía, metió también la camisa. La prenda había reaccionado muy bien, pero, por mucho que la empapara, era imposible eliminar las manchas. Así que la había hervido con un puñado de caléndulas marchitas que había encontrado en el contenedor de basura de la vecina de Fabricia, y las flores habían teñido el lino lo justo para ocultar las manchas. El terciopelo de los puños procedía de una enorme bolsa de terciopelo con cordones en la que guardaban una de las placas, ya inservibles, de su abuelo. Las teselas las había arrancado del interior de un armario del baño de la doncella. Le había pedido al encargado de mantenimiento del edificio que les taladrara unos agujeros a cambio de arreglarle el mono de trabajo.

—¿Eso ha sido esta mañana? —le preguntó Coriolanus.

—No, no, ayer. El domingo. Esta mañana... ¿Has encontrado mis patatas? —La siguió a la cocina, donde abrió el frigorífico y sacó la sartén—. Me quedé despierta hasta las tantas sacándoles el almidón. Después fui corriendo a casa de los Dolittle para usar una plancha en condiciones. ¡Estas las he reservado para la sopa!

Tigris volcó el revoltijo de la sartén sobre la col que hervía al fuego y lo removió todo con la cuchara.

Su primo se fijó en los círculos violáceos bajo sus ojos de color castaño dorado y no pudo reprimir una punzada de culpa.

—¿Cuánto hace que no duermes? —le preguntó a Tigris.

—Bah, estoy bien. Me comí las peladuras de patata. Dicen que ahí están las vitaminas. Además, hoy es la cosecha, ¡así que podríamos decir que es día de fiesta! —añadió alegremente.

—No con Fabricia.

En realidad, no lo era en ninguna parte. El día de la cosecha era algo horrible en los distritos, pero tampoco se celebraba mucho en el Capitolio. Como a él, a casi nadie le agradaba recordar la guerra. Tigris se pasaría el día pendiente de Fabricia y de su variopinto grupo de invitados, que intercambiarían lúgubres historias de las privaciones pasadas durante el sitio y beberían hasta perder el conocimiento. Lo peor vendría al día siguiente, cuando le tocara ayudarlos con sus resacas.

—Deja de preocuparte. Toma, ¡date prisa y come!

Tigris sirvió sopa en un cuenco y lo dejó sobre la mesa.

Coriolanus le echó un vistazo al reloj, se tragó la sopa sin importarle que le quemara la lengua y corrió a su dormitorio con la camisa. Ya estaba duchado y afeitado, y, por suerte, no le había salido ninguna espinilla que afeara sus pálidas facciones. La ropa interior y los calcetines negros que le proporcionaba la Academia estaban bien. Se subió los pantalones de vestir, que eran más que aceptables, y se calzó un par de botas de cuero con cordones. Le quedaban demasiado pequeñas, pero podía soportarlo. Después se puso la camisa con mucha cautela, se la remetió y se volvió hacia el espejo. No era tan alto como debiera. Como había ocurrido con muchos de los de su generación, lo más probable era que la pobreza de su dieta hubiera frenado su crecimiento. Sin embargo, tenía un cuerpo atlético, un porte excelente, y la camisa enfatizaba los puntos fuertes de su físico. No lucía un aspecto tan regio desde que era pequeño, cuando su abuela lo paseaba por las calles vestido con su traje de terciopelo morado. Se alisó los rizos rubios mientras le susurraba a su imagen con un tono de burla:

—Coriolanus Snow, futuro presidente de Panem, yo te saludo.

A modo de agradecimiento a Tigris, realizó una entrada triunfal en la sala de estar, extendiendo los brazos mientras daba una vuelta completa para presumir de camisa.

Ella chilló, encantada, y aplaudió.

—¡Estás fantástico! ¡Guapísimo y a la moda! ¡Ven a verlo, abuelatriz!

Era otro de los apodos acuñados por la pequeña Tigris, para la que «abuela» o, peor aún, «yaya», no estaban a la altura de alguien tan imperial.

Su abuela apareció con una rosa roja recién cortada acunada entre las trémulas manos. Vestía una túnica larga y suelta, de color negro, de las que eran tan populares antes de la guerra y se habían quedado ya tan anticuadas que daban risa, y un par de babuchas bordadas con las puntas en curva que habían pertenecido a un disfraz. Algunos mechones de fino cabello blanco le asomaban por el borde de un turbante de terciopelo enmohecido. Eran los restos de lo que antes fuera un armario fastuoso; las pocas prendas decentes se guardaban para las visitas o para sus escasas incursiones en la ciudad.

—Toma, niño. Póntela. Recién cortada de mi jardín de la azotea —le ordenó.

Al aceptar la rosa de las temblorosas manos de su abuela, se pinchó con una espina. La sangre brotó de la herida de la palma, así que mantuvo la mano alejada del cuerpo para no mancharse su preciada camisa. La anciana parecía perpleja.

—Solo quería que estuvieras elegante —le dijo.

—Claro que sí, abuelatriz —repuso Tigris—. Y así será.

Mientras conducía a Coriolanus a la cocina, él se recordó que el autocontrol era una habilidad esencial y que debía sentirse agradecido por las oportunidades que su abuela le ofrecía todos los días para practicarlo.

—Las heridas de punción no sangran mucho —le aseguró Tigris mientras se la limpiaba y vendaba a toda prisa. Después cortó el tallo de la rosa, dejó unas cuantas hojas y se la prendió en la camisa—. Sí que estás elegante. Ya sabes lo importantes que son para ella las rosas. Dale las gracias.

Eso hizo. Les dio las gracias a las dos y se fue disparado hacia la puerta, bajó a toda velocidad los doce tramos de recargadas escaleras, cruzó el vestíbulo y salió al Capitolio.

La entrada principal del edificio daba al Corso, una avenida tan amplia que, en los viejos tiempos, cuando el Capitolio organizaba sus demostraciones de pompa militar para regocijo de la multitud, cabían cómodamente ocho carros en paralelo. Coriolanus recordaba verlas de pequeño desde los balcones del piso, mientras los invitados a la fiesta se jactaban de tener asientos de primera fila para los desfiles. Entonces llegaron los bombarderos y, durante mucho tiempo, su bloqueo fue infranqueable. Aunque las calles ya estaban despejadas, los escombros todavía se apilaban en las aceras y había edificios enteros tan destrozados como el primer día. Diez años después de la victoria, todavía tenía que rodear fragmentos de mármol y granito para llegar a la Academia. A veces, Coriolanus se preguntaba si los dejaban allí para recordarles a los ciudadanos lo que habían sufrido. La gente tenía muy mala memoria. Era necesario que esquivaran escombros, que arrancaran los mugrientos cupones de racionamiento y asistieran a los Juegos del Hambre para mantener la guerra viva en su recuerdo. El olvido daba lugar al exceso de confianza, y entonces volverían todos a la casilla de salida.

Cuando dobló por la calle de los Sabios intentó controlar su ritmo. Quería llegar a tiempo, pero fresco y sereno, no hecho un espantajo sudoroso. Aquel día de la cosecha, como la mayoría, prometía ser abrasador. ¿Qué se podía esperar del cuatro de julio? Agradecía el perfume de la rosa de su abuela porque su camisa, cada vez más caliente, despedía un tenue aroma a patatas y caléndulas marchitas.

La Academia, la mejor escuela del Capitolio, educaba a la progenie de los ciudadanos destacados, ricos e influyentes. Con sus más de cuatrocientos alumnos en cada curso, Tigris y Coriolanus habían logrado entrar sin muchas dificultades gracias a la larga historia de su familia en la institución. A diferencia de la universidad, era gratuita, y ofrecía la comida de mediodía y el material escolar, además de los uniformes. Todo el que era alguien asistía a la Academia, y Coriolanus necesitaba esos contactos para cimentar su futuro.

La majestuosa escalera que daba entrada a la Academia tenía cabida para todo el alumnado, así que había espacio de sobra para el flujo constante de autoridades, profesores y estudiantes que acudían a las festividades del día de la cosecha. Coriolanus la subió despacio, intentando moverse con una dignidad natural, por si alguien lo miraba. La gente lo conocía (o, al menos, habían conocido a sus padres y abuelos), y de los Snow se esperaba un mínimo estándar. Aquel año, empezando por ese mismo día, esperaba lograr también el reconocimiento personal. La mentoría en los Juegos del Hambre era su proyecto final antes de la graduación de la Academia en verano. Una actuación impresionante como mentor, sumada a su excelente expediente académico, le aseguraría un premio en metálico lo bastante cuantioso como para pagar su matrícula universitaria.

Habría veinticuatro tributos —un chico y una chica por cada uno de los doce distritos derrotados—, elegidos mediante sorteo para luchar a muerte en la arena de los Juegos del Hambre. Estaba todo recogido en el Tratado de la Traición que había acabado con los Días Oscuros de la rebelión de los distritos, uno de los muchos castigos impuestos a los insurgentes. Como en el pasado, meterían a los tributos en el Estadio del Capitolio —un anfiteatro que se usaba para los deportes y el entretenimiento antes de la guerra—, y se les proporcionarían armas con las que asesinarse entre ellos. El Capitolio animaba a sus ciudadanos a ver el espectáculo, pero mucha gente lo evitaba. El reto consistía en convertirlo en un acontecimiento más atractivo.

Con esto en mente, por primera vez se había decidido que los tributos contaran con mentores. Veinticuatro de los mejores alumnos de último curso de la Academia eran los elegidos para el trabajo, aunque todavía se estaban concretando los detalles de lo que eso suponía. Se hablaba de preparar a cada uno de los tributos para una entrevista personal, quizá incluso mostrarlos acicalados ante las cámaras. Todo el mundo coincidía en que, para que continuaran los Juegos del Hambre, debían evolucionar hasta convertirse en una experiencia significativa, y emparejar a la juventud del Capitolio con los tributos de los distritos intrigaba a los ciudadanos.

Coriolanus cruzó una entrada adornada con pendones negros, recorrió un pasillo de techo abovedado y entró en el cavernoso Salón Heavensbee, desde donde verían la retransmisión de la ceremonia de la cosecha. No llegaba tarde, ni mucho menos, pero el salón ya estaba repleto de profesores y estudiantes, además de unos cuantos encargados de los Juegos cuya presencia no era necesaria para retransmitir el día de la inauguración.

Los avox circulaban entre la multitud con bandejas de posca, un brebaje de vino aguado mezclado con miel y hierbas. Se trataba de una versión alcohólica del ácido mejunje del que había dependido el Capitolio durante la guerra y que, supuestamente, protegía de las enfermedades. Coriolanus cogió una copa y se enjuagó la boca con la esperanza de que borrara cualquier rastro del aliento a col. Sin embargo, solo se permitió un trago. La bebida era más fuerte de lo que pensaba la mayoría, y en los años anteriores había visto al alumnado de último curso ponerse en ridículo por ingerir demasiada.

El mundo todavía pensaba que Coriolanus era rico, aunque su

única moneda de cambio era su encanto, que procuraba repartir con generosidad mientras se paseaba entre la gente. Los rostros se iluminaban cuando saludaba con simpatía a unos y a otros, preguntando por miembros de la familia y soltando algún que otro cumplido.

—No me quito de la cabeza su clase sobre la represalia de los distritos.

—¡Me encanta tu flequillo!

—¿Cómo fue la operación de espalda de tu madre? Bueno, dile que es mi heroína.

Dejó atrás las sillas acolchadas dispuestas para la ocasión y siguió hasta la tarima, donde Satyria regalaba los oídos de un grupo de profesores de la Academia y responsables de los Juegos con una de sus alocadas historias. Aunque solo logró escuchar la última frase («Bueno, le dije, siento lo de su peluca, pero ¡fue usted el que insistió en que llevara un mono!»), se unió obedientemente al coro de risas posterior.

—Ah, Coriolanus —dijo Satyria arrastrando las palabras mientras le hacía señas para que se acercara—. Aquí está mi pupilo estrella.

Él le dio el consabido beso en la mejilla y se fijó en que la profesora ya le llevaba varias copas de posca de ventaja. Lo cierto era que tenía que empezar a controlar su problema con la bebida, aunque lo mismo cabía decir de la mitad de los adultos que conocía. La automedicación era una epidemia que asolaba la ciudad. A pesar de todo, Satyria era graciosa y no demasiado estirada, uno de los pocos profesores que permitía que los alumnos la llamaran por su nombre de pila. La mujer se retiró unos pasos y lo examinó.

—Una camisa preciosa. ¿De dónde la has sacado?

Él se miró la prenda como si le sorprendiera su existencia y se encogió de hombros, como un joven con opciones ilimitadas.

—Los Snow tenemos armarios con mucho fondo —respondió alegremente—. Intentaba conseguir un aspecto respetuoso pero festivo.

—Y lo has conseguido. ¿Qué son esos ingeniosos botones? —preguntó Satyria mientras tocaba uno de los cubos del puño—. ¿Teselas?

—Ah, ¿sí? Bueno, eso explica por qué me recuerdan al baño de la doncella —respondió él, lo que provocó las risas de los amigos de la profesora.

Aquella era la impresión que se esforzaba por dar: un recordatorio de que era una de las pocas personas del Capitolio con un cuarto de baño para la doncella (y, encima, uno con mosaicos de teselas), templado por la chanza sobre su camisa.

Señaló a Satyria con la cabeza.

—Un vestido precioso. Es nuevo, ¿verdad?

Le había bastado un vistazo para saber que se trataba del mismo vestido que siempre lucía en la ceremonia de la cosecha, al que había añadido unos penachos de plumas negras. No obstante, ella había validado su camisa, así que tenía que devolverle el favor.

La profesora recibió la pregunta con los brazos abiertos.

—Lo encargué especialmente para la ocasión —respondió—. Por ser el décimo aniversario y tal.

—Elegante —dijo Coriolanus.

La verdad es que no hacían mal equipo.

Su deleite se interrumpió en seco al ver a la encargada del gimnasio, la profesora Agrippina Sickle, que usaba sus musculosos hombros para abrirse camino entre la multitud. A su lado se encontraba su asistente, Sejanus Plinth, que cargaba con el escudo decorativo que la profesora Sickle insistía en llevar todos los años para la fotografía de grupo. Se lo habían concedido al final de la guerra por el éxito obtenido en la supervisión de los simulacros de seguridad de la Academia durante los bombardeos.

Sin embargo, lo que llamó la atención de Coriolanus no fue el escudo, sino la ropa de Sejanus: un suave traje de color gris oscuro, con una camisa de un blanco cegador compensado por una corbata de cachemira, ajustado para aportar elegancia a su figura, alta y angulosa. El conjunto era moderno y nuevo, y olía a dinero. A especulación en tiempos de guerra, en concreto. El padre de Sejanus era un fabricante del Distrito 2 que había tomado partido por el presidente. La fortuna que había amasado con las municiones le permitió comprarle una vida a su familia en el Capitolio. Los Plinth disfrutaban de los privilegios que las familias más antiguas y poderosas se habían ganado tras varias generaciones. Era algo sin precedentes que Sejanus, un chico nacido en los distritos, fuera alumno de la Academia, pero la generosa donación de su padre había pagado gran parte de la reconstrucción de la escuela tras la guerra. Un ciudadano nacido en el Capitolio habría esperado que bautizaran un edificio con su apellido, pero el padre de Sejanus solo había pedido una educación para su hijo.

Coriolanus consideraba que la gente como los Plinth suponía una amenaza para todo lo que valoraba. Los arribistas nuevos ricos del Capitolio socavaban el viejo orden con su mera presencia. Era más molesto, si cabe, porque el grueso de la fortuna de la familia Snow también se había invertido en munición... en el Distrito 13. Tras las bombas, su enorme complejo, los innumerables edificios de fábricas e instalaciones de investigación habían quedado reducidos a polvo. Habían destruido el Distrito 13 con armas nucleares, y la zona aún emitía unos niveles de radiación incompatibles con la vida humana. El centro de fabricación militar del Capitolio se había trasladado al Distrito 2, donde había caído en manos de los Plinth. Cuando las noticias de la desaparición del Distrito 13 llegaron al Capitolio, la abuela de Coriolanus le había restado importancia en público, afirmando que, por suerte, tenían muchos otros activos. Pero no era cierto.

Sejanus había llegado al patio del colegio diez años antes; era un niño tímido y sensible que examinaba con cautela a los demás críos con unos enternecedores ojos castaños demasiado grandes para su fatigado rostro. Cuando se corrió la voz de que procedía de los distritos, el primer impulso de Coriolanus fue unirse a la campaña de sus compañeros para convertir la vida del nuevo en un infierno. Tras pensárselo con calma, decidió que lo mejor era no hacerle caso. Mientras los demás niños del Capitolio lo interpretaron como que cebarse del mocoso de los distritos era indigno de él, Sejanus lo tomó por decencia. Ninguna de las dos explicaciones era del todo correcta, aunque ambas reforzaban la imagen ejemplar que Coriolanus deseaba ofrecer.

La profesora Sickle, una mujer de formidable estatura, se plantó en el círculo de Satyria y desperdigó a sus inferiores a los cuatro vientos.

—Buenos días, profesora Click.

—Ah, Agrippina, bien. Te has acordado de tu escudo —respondió Satyria tras aceptar un firme apretón de manos—. Me preocupa que la juventud olvide el verdadero significado de este día. Sejanus, qué elegante estás.

Sejanus intentó hacer una reverencia y le cayó un mechón de pelo rebelde sobre los ojos. El engorroso escudo le dio en el pecho.

—Demasiado elegante —comentó la profesora Sickle—. Le he dicho que, de querer un pavo real, habría llamado a la tienda de mascotas. Deberían ir todos de uniforme. —Miró a Coriolanus—. Ese no es del todo horrendo. ¿La antigua camisa del uniforme de gala de tu padre?

¿Lo era? Coriolanus no tenía ni idea. Le vino a la cabeza el borroso recuerdo de su padre con un impecable traje de gala repleto de medallas. Decidió aprovechar la oportunidad.

—Gracias por fijarse, profesora. Encargué los arreglos para dejar claro que yo no he luchado en el frente. Pero quería que él estuviese hoy conmigo.

—Muy apropiado —respondió la profesora Sickle, que después se concentró en Satyria y en sus opiniones sobre el último despliegue de tropas de agentes de la paz, los soldados de la nación, al Distrito 12, donde los mineros no cumplían sus cuotas.

Como las profesoras estaban a lo suyo, Coriolanus señaló el escudo con la cabeza.

—Hoy te toca entrenamiento, ¿eh?

—Siempre es un honor ser de ayuda —respondió Sejanus sonriendo con ironía.

—Se ve que te has esforzado mucho en darle brillo —contestó Coriolanus. Sejanus se tensó por si insinuaba... ¿Qué? ¿Que era un lameculos? ¿Un lacayo? Permitió que la situación se volviera incómoda antes de suavizarla—. Sé lo que me digo: yo me encargo de todas las copas de vino de Satyria.

—¿En serio? —preguntó Sejanus, más relajado.

—No, qué va. Pero solo porque todavía no se le ha ocurrido —respondió Coriolanus, que oscilaba entre el desdén y la camaradería.

—La profesora Sickle siempre piensa en todo. No duda en llamarme, ya sea de día o de noche. —Daba la impresión de que Sejanus quería continuar, pero al final se limitó a dejar escapar un suspiro—. Y, por supuesto, ahora que voy a graduarme, nos mudamos más cerca de la escuela. Una sincronización perfecta, como siempre.

—¿Adónde? —preguntó su compañero, receloso.

—A algún sitio del Corso. Dentro de poco sacarán a la venta muchas de esas viviendas tan lujosas. Los propietarios no pueden permitirse los impuestos o algo sí, según me contó mi padre. —El escudo arañó el suelo, así que Sejanus volvió a levantarlo.

—En el Capitolio no se pagan impuestos por las propiedades. Eso solo pasa en los distritos.

—Es una ley nueva. Para recaudar dinero con el que reconstruir la ciudad.

Coriolanus intentó reprimir el pánico. Una ley nueva. Que establecía un impuesto por su piso. ¿A cuánto ascendería? Apenas sobrevivían con el miserable sueldo de Tigris, la irrisoria pensión militar que recibía la abuela por los servicios prestados por su marido a Panem, y su retribución como dependiente y huérfano de un héroe de guerra, y que se acabaría en cuanto se graduase. Si no podían pagar los impuestos, ¿perderían el piso? Era lo único que tenían. Venderlo no ayudaría; sabía que su abuela había pedido prestado hasta el último centavo que valía. Si lo vendían, se quedarían prácticamente sin nada. Tendrían que mudarse a algún barrio perdido y unirse a las mugrientas filas de los ciudadanos corrientes, sin estatus, sin influencia, sin dignidad. La deshonra mataría a su abuela. Sería más humano tirarla por la ventana de su ático; al menos, sería rápido.

—¿Estás bien? —le preguntó Sejanus, desconcertado—. Acabas de quedarte blanco como la cal.

—Creo que es la posca —respondió Coriolanus tras recuperar la compostura—. Me revuelve el estómago.

—Sí. Ma siempre me obligaba a beberla durante la guerra.

¿Ma? ¿Acaso a Coriolanus le iba a usurpar el puesto alguien que se refería a su madre como «Ma»? La col y la posca amenazaban con reaparecer. Respiró hondo y obligó a su estómago a retenerlas; nunca antes había odiado tanto a Sejanus desde la primera vez que el rechoncho niño de los distritos se le acercó con su palurdo acento y una bolsa de gominolas en la mano.

Coriolanus oyó una campana y vio que sus compañeros se reunían frente al estrado.

—Supongo que ha llegado el momento de asignarnos tributos —dijo Sejanus con tristeza.

El otro chico lo siguió a una sección especial de asientos, de seis filas por cuatro, que habían preparado para los mentores. Intentó quitarse de la cabeza la crisis de la vivienda para centrarse en la tarea crucial que tenía entre manos. Era más importante que nunca que destacara y, para ello, debían asignarle un tributo competitivo.

El decano Casca Highbottom, el hombre al que se le atribuía la creación de los Juegos del Hambre, supervisaba en persona el programa de mentorías. Se presentó al alumnado con el ímpetu de un sonámbulo, con la mirada perdida, como siempre, dopado de morflina. Su cuerpo, antes esbelto, se había encogido y cubierto de pliegues de piel sobrante. La precisión de su reciente corte de pelo y el traje nuevo no servían más que para poner de relieve su deterioro. Todavía conservaba a duras penas su puesto gracias a la fama obtenida como inventor de los Juegos, pero se rumoreaba que la Junta de la Academia empezaba a perder la paciencia.

—Hola a todos —dijo arrastrando las palabras mientras agitaba por encima de la cabeza un trozo arrugado de papel—. Voy a leer esto. —Los estudiantes guardaron silencio para intentar oírlo por encima del ruido del salón—. Os leeré un nombre y después a quién le toca, ¿vale? De acuerdo. El chico del Distrito 1 es para... —El decano Highbottom examinó el papel con los ojos entornados, intentando enfocarlo—. Mis gafas —masculló—, se me han olvidado. —Todo el mundo se quedó mirando sus gafas, que ya llevaba puestas, y esperó a que sus dedos las encontraran—. Ah, eso es. Livia Cardew.

La carita puntiaguda de Livia se iluminó con una sonrisa antes de alzar un puño al aire, victoriosa, y gritar un «¡Sí!» estridente. Tenía tendencia a regodearse. Como si le hubieran asignado aquel tributo tan goloso por sus méritos y no porque su madre dirigía el banco más grande del Capitolio.

La desesperación de Coriolanus aumentó a medida que el decano Highbottom bajaba a trompicones por la lista y asignaba un mentor al chico y a la chica de cada distrito. Al cabo de diez años, había acabado por establecerse un patrón: los distritos 1 y 2, mejor alimentados y en mejores términos con el Capitolio, producían más vencedores, seguidos de cerca por los tributos del 4 y el 11, los distritos de la pesca y la agricultura. Coriolanus había esperado que le tocara uno del 1 o del 2, pero no fue así, lo que le resultó aún más insultante cuando a Sejanus le asignaron el chico del Distrito 2. El Distrito 4 pasó sin que se mencionara su nombre, y su última oportunidad de conseguir un posible vencedor (el chico del Distrito 11) se perdió al recibirlo Clemensia Dovecote, hija del secretario de Energía. A diferencia de Livia, Clemensia recibió la buena noticia con tacto, y se echó la larga melena negro cuervo por encima del hombro mientras anotaba meticulosamente el nombre del tributo en su carpeta.

Algo iba mal cuando un Snow, que además resultaba ser uno de los mejores alumnos de la Academia, no recibía el merecido reconocimiento. Coriolanus empezaba a pensar que se habían olvidado de él (¿acaso pensaban concederle un puesto especial?) cuando, horrorizado, oyó que el decano balbuceaba:

—Y, por último, pero no por ello menos importante, la chica del Distrito 12... pertenece a Coriolanus Snow.

2

¿La chica del Distrito 12? No se le ocurría un insulto peor. El Distrito 12, el más pequeño de todos, un distrito de chiste, con sus críos desnutridos y artríticos que siempre morían durante los primeros cinco minutos. Y, encima..., ¿la chica? Las chicas podían ganar, claro, pero en su cabeza los Juegos del Hambre premiaban la fuerza bruta, y las chicas eran, por naturaleza, más pequeñas que los chicos y, por tanto, partían con desventaja. Coriolanus nunca había estado entre los favoritos del decano Casca Highbottom. De hecho, lo había apodado Cascajo Highbottom, y así lo llamaba cuando estaba con sus amigos. Sin embargo, no se esperaba una humillación pública de ese calibre. ¿Acaso se había enterado de lo del apodo? ¿O no era más que la constatación de la insignificancia de los Snow en el nuevo orden mundial?

Notó que se le subía la sangre a las mejillas a pesar de que intentaba mantener la compostura. Casi todos los alumnos se habían levantado y charlaban entre ellos. Tenía que unirse al grupo, fingir que aquello carecía de importancia, pero no lograba moverse. Lo único de lo que se veía capaz era de girar la cabeza a la derecha, donde Sejanus seguía sentado a su lado. Coriolanus abrió la boca para felicitarlo, pero se detuvo al percatarse de la tristeza apenas disimulada que se reflejaba en el rostro del muchacho.

—¿Qué te ocurre? —le preguntó—. ¿No estás contento? El Distrito 2, un chico... Es lo mejor del grupo.

—Se te olvida que yo formo parte de ese grupo —replicó con voz ronca Sejanus.

Coriolanus tomó nota: diez años en el Capitolio y Sejanus había desperdiciado los privilegios de aquella vida. Todavía se consideraba un ciudadano de los distritos. Tonterías sentimentales.

Sejanus arrugó la frente, consternado.

—Seguro que es cosa de mi padre. Siempre está intentando enderezarme.

«No me cabe duda», pensó Coriolanus. Aunque no se respetara el linaje del viejo Strabo Plinth, su riqueza y su influencia eran otra cosa. Y, aunque se suponía que se elegía a los mentores por sus méritos, resultaba evidente que se había movido más de un hilo.

El público ya se había sentado. En la parte trasera del estrado, las cortinas se abrieron para dejar al descubierto una pantalla que iba del suelo al techo. La cosecha se emitía en directo desde cada distrito, empezando por la costa este y avanzando hacia la oeste, y se retransmitía a todo el país. Eso significaba que el Distrito 12 inauguraría la jornada. Todos los presentes se levantaron cuando el emblema de Panem ocupó la pantalla, acompañado por el himno del Capitolio.

Joya de Panem,
poderosa ciudad
resplandeciente desde el albor.

Algunos estudiantes tenían dudas sobre la letra, pero Coriolanus, que había escuchado a su abuela masacrarla a diario desde hacía años, cantó los tres versos con voz potente y recibió algunos gestos de aprobación. Era lamentable, pero necesitaba cada migaja que pudiera reunir.

El sello desapareció y dio paso al presidente Ravinstill; de cabello entrecano, vestía su uniforme militar anterior a la guerra, como recordatorio de que controlaba los distritos desde mucho antes de los Días Oscuros de la rebelión. Recitó un breve pasaje del Tratado de la Traición, en el que se instauraban los Juegos del Hambre como reparación tras la victoria: las vidas de los jóvenes del distrito para compensar las muertes de los jóvenes del Capitolio. El precio de la traición de los rebeldes.

Los Vigilantes de los Juegos pasaron a la imagen de la desoladora plaza del Distrito 12, donde habían erigido un escenario temporal, ahora lleno de agentes de la paz, justo frente al Edificio de Justicia. El alcalde Lipp, un hombre achaparrado y pecoso con un traje completamente pasado de moda, estaba de pie entre dos sacos de arpillera. Metió la mano hasta el fondo en el saco de su izquierda, sacó un trozo de papel y apenas lo miró.

—La tributo del Distrito 12 es Lucy Gray Baird —dijo al micrófono.

La cámara barrió la multitud de rostros grises y hambrientos, vestidos con prendas grises e informes, en busca de la tributo. Hizo zoom en una zona en la que había movimiento porque las chicas se apartaban de la desafortunada elegida.

El público murmuró, sorprendido, al verla.

Lucy Gray Baird permanecía muy erguida, con un andrajoso vestido de volantes multicolores que en algún momento tuvo que haber sido precioso. Llevaba el pelo, oscuro y rizado, recogido en un moño decorado con flores silvestres mustias. Su colorido conjunto llamaba la atención, como una mariposa deslucida en un campo de polillas. No se dirigió directamente al escenario, sino que se dedicó a pasearse entre las chicas de su derecha.

Sucedió deprisa. Metió la mano en los volantes de la cadera, algo de color verde chillón y en movimiento pasó de su bolsillo al cuello abierto de la blusa de una sonriente pelirroja, y la tributo se alejó con un susurro de su falda. La atención pasó a la víctima, cuya satisfacción se tornó en horror; entre chillidos, cayó al suelo sacudiéndose la ropa. El alcalde empezó a gritar. Y, de fondo, su agresora seguía paseándose entre la gente, todavía camino del escenario, sin volver la vista atrás ni una vez.

El Salón Heavensbee cobró vida, todos dándose codazos.

—¿Has visto eso?

—¿Qué le ha metido en el vestido?

—¿Un lagarto?

—¡Yo he visto una serpiente!

—¿La habrá matado?

Coriolanus examinó a la multitud y sintió una chispa de esperanza. El tributo con menos posibilidades, el descarte que le habían echado a la cara, aquel insulto, había captado la atención del Capitolio. Eso era bueno, ¿no? Quizá lograra conservar esa atención si él la ayudaba, lo que podría transformar su deshonra en un espectáculo respetable. De un modo u otro, sus destinos estaban unidos sin remedio.

En la pantalla, el alcalde Lipp bajó volando los escalones del escenario y apartó a empujones a las chicas reunidas para llegar a la que estaba en el suelo.

—¿Mayfair? ¿Mayfair? —gritaba—. ¡Mi hija necesita ayuda!

A su alrededor se había despejado un círculo, pero los escasos intentos de ayudar, además de poco entusiastas, habían resultado infructuosos porque la chica seguía retorciéndose en el suelo. El alcalde llegó a su lado justo en el momento en que una pequeña serpiente verde iridiscente salía disparada de entre los pliegues del vestido de su hija y se perdía entre la multitud, provocando gritos y carreras para evitarla. La huida de la serpiente calmó a Mayfair, que pasó en un segundo del miedo a la vergüenza. Miró a la cámara y se dio cuenta de que todos los ciudadanos de Panem tenían los ojos puestos en ella. Con una mano intentó enderezarse el lazo del pelo mientras que, con la otra, se adecentaba la ropa, sucia por la carbonilla que lo cubría todo y desgarrada por sus tirones. Cuando su padre la ayudó a levantarse, resultó evidente que se había orinado encima. Él se quitó la chaqueta para envolverla con ella y le pidió a un agente de la paz que se la llevase. Después se volvió hacia el escenario y lanzó una mirada cargada de odio a la nueva tributo del Distrito 12.

Coriolanus observaba la subida al escenario de Lucy Gray Baird un tanto alarmado. ¿Estaría perturbada? La muchacha tenía algo que le resultaba vagamente familiar, aunque inquietante. Las hileras de volantes de color frambuesa, azul intenso y amarillo narciso...

—Es como una artista circense —comentó una de las chicas. Los demás mentores asintieron para darle la razón.

Eso era. Coriolanus hurgó en sus recuerdos hasta dar con los circos de su infancia. Malabaristas y acróbatas, payasos y bailarinas con vestidos acampanados dando vueltas, mientras el cerebro se le empachaba de algodón de azúcar. Que su tributo hubiera elegido un atuendo tan festivo para el acontecimiento más oscuro del año evidenciaba algo que iba más allá de un simple error de juicio.

El tiempo asignado para la cosecha del Distrito 12 ya había pasado, sin duda, pero todavía les faltaba el tributo masculino. Aun así, cuando el alcalde Lipp retomó su lugar en el escenario, en vez de dirigirse a los sacos con los nombres se fue directo a por la tributo y le propinó una bofetada que la hizo caer de rodillas. Levantó la mano para pegarle otra vez, pero un par de agentes de la paz intervinieron, lo agarraron por los brazos e intentaron que retomara el asunto que lo había llevado hasta allí. Sin embargo, su resistencia los obligó a llevarlo en volandas al Edificio de Justicia y detener todo el proceso.

La atención se concentró de nuevo en la chica del escenario. La cámara tomó un primer plano de ella; Coriolanus cada vez albergaba más dudas sobre la salud mental de Lucy Gray Baird. No sabía de dónde habría sacado el maquillaje, ya que en el Capitolio hacía poco que podía conseguirse, pero llevaba sombra azul y lápiz negro en los ojos, colorete en las mejillas y los labios de un rojo oleoso. En el Capitolio habría sido un estilo atrevido. En el Distrito 12 resultaba desmesurado. Era imposible apartar la vista de ella, sentada en el escenario, alisándose compulsivamente los volantes de la falda con la mano. Cuando por fin los consideró correctamente ordenados, levantó una mano para tocarse la marca de la mejilla. Le tembló un poco el labio inferior y le brillaron los ojos, rebosantes de lágrimas que pugnaban por brotar.

—No llores —susurró Coriolanus.

Se dio cuenta de que había hablado en voz alta y miró a su alrededor, nervioso; los demás alumnos estaban cautivados, preocupados por ella. Se había ganado su simpatía, a pesar de ser tan extraña. No tenían ni idea de quién era ni por qué había atacado a Mayfair, pero todos coincidían en que la muchacha de sonrisita satisfecha era odiosa y que su padre era un bruto capaz de golpear a una chica a la que acababan de condenar a muerte.

—Seguro que lo han amañado —dijo Sejanus en voz baja—. Su nombre no estaba en ese papel.

Justo cuando la chica estaba a punto de perder su batalla contras las lágrimas, sucedió algo inusual. Alguien entre la multitud empezó a cantar. Era una voz joven que tanto podía pertenecer a un chico como a una chica, pero con la potencia suficiente como para oírse por toda la plaza.

No podéis robarme el pasado.
No podéis robarme mi historia.

Una ráfaga de viento recorrió el escenario, y la chica alzó la cabeza poco a poco. Entre la gente, en alguna parte, una voz claramente masculina y más grave cantó:

A mi padre os lo regalo,
pero no sé el nombre de esa escoria.

La sombra de una sonrisa bailó en los labios de Lucy Gray Baird. De repente, se puso en pie, caminó hasta el centro del escenario, agarró el micrófono y se dejó llevar.

No hay nada que robar que merezca la pena guardar.

Metió la mano libre entre los volantes de la falda, la agitó de un lado a otro, y entonces todo empezó a cobrar sentido: el disfraz, el maquillaje, el pelo. Fuera quien fuera, se había vestido desde el principio para asistir a una representación. Tenía una voz bonita, alegre y clara en las notas agudas, ronca y profunda en las graves, y se movía con aplomo.

No podéis robarme el encanto
ni tampoco el humor.
Dinero no tengo tanto,
es solo un rumor.
No hay nada que robar que merezca la pena guardar.

Al cantar se transformaba, y a Coriolanus dejó de parecerle tan desconcertante. Tenía algo emocionante, incluso atractivo. La cámara bebía de Lucy Gray Baird mientras la chica avanzaba al frente del escenario y se inclinaba hacia el público, dulce e insolente.

Crees que eres lo mejor,
crees que me puedes quitar lo mío,
crees que tienes el control,
crees que puedes cambiarme, crees que puedes arreglarme.
Olvídate, cariño mío,
porque...

Y entonces se apartó y empezó a contonearse por el escenario, pasando por delante de los agentes de la paz, a algunos de los cuales les costaba reprimir la sonrisa. Ninguno hizo ademán de detenerla.

No podéis robarme el descaro.
No me podéis callar.
Me podéis besar el culo
y luego echar a andar.
No hay nada que robar que merezca la pena guardar.

Las puertas del Edificio de Justicia se abrieron de golpe, y los agentes de la paz que se habían llevado al alcalde regresaron al escenario. La chica miraba al frente, aunque estaba claro que se había percatado de su llegada. Se dirigió al otro extremo del estrado para su gran final.

No, señor,
no tengo nada que merezca la pena quitar.
Para vosotros, os lo doy gratis, qué más da.
No hay nada que robar que merezca la pena guardar.

Se las apañó para enviar un beso a los presentes antes de que cayeran sobre ella.

—¡Mis amigos me llaman Lucy Gray! ¡Espero que vosotros también! —gritó.

Uno de los agentes de la paz le quitó el micrófono de la mano mientras otro la llevaba en volandas de vuelta al centro del escenario. Ella saludó con la mano como si la hubieran recompensado con un sonoro aplauso en vez de con un silencio sepulcral.

El Salón Heavensbee también enmudeció durante unos segundos. Coriolanus se preguntaba si, como él, el resto esperaba que siguiera cantando. Entonces todos se pusieron a hablar a la vez, primero sobre la chica, después sobre la persona que había tenido la suerte de conseguirla. Los demás alumnos estiraban el cuello para buscarlo con la mirada y felicitarlo levantando el pulgar, aunque algunos lo contemplaban con celos. Él sacudió la cabeza, como si estuviera perplejo, pero por dentro estaba encantado. Los Snow siempre caen de pie.

Los agentes de la paz sacaron de nuevo al alcalde y se plantaron a ambos lados del hombre para evitar más conflictos. Lucy Gray hizo caso omiso de su regreso; al parecer, había recuperado el aplomo gracias a la actuación. El alcalde miraba con rabia a cámara mientras metía la mano en la segunda bolsa, la sacaba y tiraba por el suelo varios trozos de papel en el proceso. Leyó el que le quedaba en la mano.

—El tributo masculino del Distrito 12 es Jessup Diggs.

Los niños de la plaza se movieron y abrieron paso a Jessup, un chico con un flequillo negro aplastado contra una frente prominente. Para ser un tributo del 12, era un buen ejemplar, más grande que la media y de aspecto fuerte. Mugriento, lo que indicaba que ya trabajaba en las minas. Un intento de limpieza poco entusiasta le había dejado al descubierto un óvalo relativamente limpio en el centro del rostro, circundado de negro, y tenía carbonilla bajo las uñas. Ascendió los escalones con torpeza para colocarse en su sitio. Al acercarse al alcalde, Lucy Gray dio un paso adelante y alargó la mano. El chico vaciló y después se la estrechó. Lucy Gray se colocó frente a él, cambió la mano derecha por la izquierda, y los dos quedaron de pie hombro con hombro, con los dedos entrelazados. La chica hizo una profunda reverencia tirando del chico para que se inclinara. Se oyeron unos aplausos dispersos y un hurra en la plaza antes de que los agentes de la paz se acercaran y la transmisión pasara al Distrito 8.

Coriolanus fingió estar absorto en el espectáculo cuando llamaron a los tributos de los distritos 8, 6 y 11, aunque su cerebro daba vueltas a causa de las repercusiones de haber recibido a Lucy Gray Baird. Era un regalo, lo sabía, y debía tratarla como tal. Pero ¿cómo aprovechar mejor aquella entrada triunfal? ¿Cómo convertir un vestido, una serpiente y una canción en un éxito? Los tributos tendrían muy poco tiempo con el público antes del inicio de los Juegos. ¿Cómo conseguir que la gente se preocupara por ella y, por extensión, por él, con tan solo una entrevista? Estuvo pendiente a medias del resto de los participantes, criaturas lamentables en su mayoría, y tomó nota de los más fuertes. Sejanus recibió a un tipo imponente del Distrito 2, y Livia, a un chico del Distrito 1 que también parecía prometedor. La chica de Coriolanus presentaba un aspecto bastante saludable, aunque su constitución menuda resultaba más apropiada para el baile que para el combate cuerpo a cuerpo. Por otro lado, seguro que era capaz de correr bastante deprisa, y eso era importante.

Cuando la cosecha llegaba a su fin, el olor a comida del bufé flotó hasta los asistentes. Pan recién horneado. Cebollas. Carne. Coriolanus no lograba impedir que le rugiera el estómago, así que se arriesgó a beber otros dos tragos de posca para calmarlo. Estaba en tensión, mareado y hambriento. Cuando la pantalla se fundió en negro, tuvo que emplear toda su disciplina para no correr al encuentro de la comida.

El interminable baile con el hambre había definido su vida. No los primeros años, antes de la guerra, pero todos los días posteriores habían sido una batalla, una negociación, un juego. ¿Cuál era el mejor modo de mantener el hambre a raya? ¿Comérselo todo de una sola vez? ¿Repartirlo a lo largo del día, con cuentagotas? ¿Engullirlo todo o masticar cada bocado hasta licuarlo? No era más que un juego mental para distraerse del hecho de que nunca tenía suficiente. Nadie le permitiría nunca tener suficiente.

Durante la guerra, los rebeldes se habían quedado con los distritos que producían alimentos. Siguiendo el ejemplo del Capitolio, habían intentado matar de hambre a los ciudadanos para someterlos, usando la comida (o la falta de ella) como un arma. Ahora se volvían las tornas de nuevo, de modo que el Capitolio controlaba el suministro, y lo habían llevado un paso más allá al crear los Juegos del Hambre para retorcer el cuchillo que previamente habían clavado en el corazón de los distritos. En medio de la violencia de los Juegos se palpaba una agonía silenciosa que todo Panem había experimentado: la desesperación por conseguir el sustento suficiente para sobrevivir hasta el siguiente amanecer.

Aquella desesperación había convertido en monstruos a los habitantes del Capitolio. La gente que caía muerta de hambre en las calles formaba parte de una horripilante cadena alimenticia. Una noche de invierno, Coriolanus y Tigris habían salido con mucho sigilo del piso para recoger unas cajas de madera que habían visto en un callejón. Por el camino pasaron junto a tres cadáveres y reconocieron a uno: la joven doncella que servía tan bien el té en las reuniones vespertinas de los Crane. Empezaba a caer una manta de nieve y creían que las calles estarían desiertas, pero, de camino a casa, vieron una figura cubierta y corrieron a esconderse detrás de un seto. Observaron a su vecino, Nero Price, un titán de la industria ferroviaria, amputarle una pierna a la doncella con un cuchillo aterrador; aserró adelante y atrás hasta que la extremidad se separó. La envolvió en la falda que le había arrancado de la cintura y salió corriendo por el callejón que conducía a la parte de atrás de su casa. Los primos nunca sacaron el tema, ni siquiera entre ellos, pero se había grabado en la memoria de Coriolanus. El rostro de Price, desfigurado por el salvajismo; el calcetín corto blanco y el zapato negro rozado que coronaban la pierna cercenada, y el horror absoluto de saber que, en aquel momento, a él también podrían considerarlo comestible.

Coriolanus atribuía su salvación, tanto literal como moral, a la previsión de la abuelatriz en cuanto se inició el conflicto. Sus padres estaban muertos, Tigris también se había quedado huérfana, y los dos niños vivían con su abuela. Los rebeldes avanzaban, lentos pero seguros, hacia el Capitolio, aunque la arrogancia evitaba que el grueso de los habitantes aceptara aquella realidad. La escasez de comida obligaba a todos, incluso a los ricos, a recurrir al mercado negro en busca de algunos suministros. Así fue como Coriolanus se encontró una noche de octubre en la puerta trasera de lo que antes fuera un club de moda con una mano agarrada a una carretilla roja y la otra a la mano enguantada de la abuelatriz. El intenso frío del aire amenazaba ya a invierno, y una manta de nubes grises y plomizas ocultaba el cielo. Habían ido a visitar a Pluribus Bell, un hombre de edad avanzada que llevaba gafas con cristales color limón y una peluca blanca empolvada que le llegaba hasta la cintura. Él y su pareja, Cyrus, un músico, eran los propietarios del club cerrado, y en aquel momento se ganaban la vida traficando con mercancía en su callejón trasero. Los Snow habían ido a buscar una caja de leche en lata (la fresca había desaparecido hacía semanas), pero Pluribus les dijo que no le quedaba. Lo que acababa de llegar eran varias cajas de alubias secas que estaban apiladas frente al espejo del escenario que tenía detrás.

«Aguantarán muchos años —le prometió Pluribus a la abuelatriz—. Voy a quedarme con unas veinte para usarlas nosotros».

«Qué horror», había respondido la abuela de Coriolanus entre risas.

«No, querida. El horror es lo que sucede sin ellas», repuso Pluribus.

No entró en detalles, pero la abuelatriz dejó de reír. Echó un vistazo a Coriolanus y le dio un apretón a su mano. En apariencia fue algo involuntario, semejante a un espasmo. Después miró las cajas mientras le daba vueltas a algo. «¿De cuántas puedes prescindir?», le preguntó al dueño del club. Coriolanus se llevó una caja a casa en la carretilla, y las veintinueve restantes llegaron en plena noche porque, técnicamente, acaparar comida era ilegal. Cyrus y un amigo subieron las cajas por las escaleras y las amontonaron en medio de la lujosa sala de estar. En lo alto de la pila colocaron una única lata de leche, cortesía de Pluribus, y les dieron las buenas noches. Coriolanus y Tigris ayudaron a la abuelatriz a esconder las alubias en despensas, en elegantes armarios e incluso en el viejo reloj.

«¿Quién se va a comer todo eso?», preguntó el niño. En aquel momento, en su vida todavía había beicon, pollo y, de vez en cuando, un asado. No quedaba mucha leche, pero sí queso de sobra, y siempre podía contar con un postre en la cena, aunque no fuera más que pan con mermelada.

«Una parte nos la comeremos nosotros. Quizá podamos cambiar el resto por otras cosas —respondió la abuelatriz—. Será nuestro secreto».

«No me gustan las alubias —se quejó Coriolanus—. O eso creo».

«Bueno, le pediremos al cocinero que busque una buena receta», respondió la abuelatriz.

Pero al cocinero lo llamaron a filas y murió de una gripe. Al final resultó que la abuelatriz no sabía ni encender la hornilla, así que menos aún seguir una receta. La responsabilidad de hervir las alubias para preparar un denso estofado recayó sobre la pequeña Tigris, que por entonces contaba ocho años de edad; después se vieron obligados a tomar sopa y, por último, el caldo aguado que los había mantenido durante la guerra. Alubias. Col. La ración de pan. De eso vivieron día sí, día no, durante unos cuantos años. Sin duda, había afectado a su crecimiento. Sin duda, habría sido más alto y más ancho de hombros de haber tenido más comida. Pero su cerebro se había desarrollado bien; al menos, eso esperaba. Alubias, col, pan integral. Llegó a odiar las tres cosas, aunque fueran las que los habían mantenido vivos sin pasar vergüenza ni canibalizar los cadáveres de las calles.

Coriolanus se tragó la saliva que le llenaba la boca al coger el plato de borde dorado con el sello de la Academia. Incluso en los peores días, al Capitolio no le habían faltado las vajillas elegantes, y el chico había comido más de una hoja de col en la delicada porcelana de su casa. Cogió también una servilleta de lino, un tenedor y un cuchillo. Cuando levantó la tapa de plata de la primera bandeja caliente, el vapor le bañó los labios. Cebollas con crema. Se sirvió una modesta ración e intentó no babear. Patatas hervidas. Calabaza de verano. Jamón asado. Panecillos calientes y una porción de mantequilla. Pensándolo mejor, dos. Un plato lleno pero no exagerado, al menos para un adolescente.

Dejó el plato en la mesa, al lado de Clemensia, y fue a por un postre del carro, porque el año anterior se les habían acabado y se perdió la tapioca. Le dio un vuelco el corazón cuando vio las hileras de tarta de manzana, cada pedazo decorado con una bandera de papel que lucía el sello de Panem. ¡Tarta! ¿Cuándo las había probado por última vez? Estaba a punto de coger una ración mediana cuando alguien le metió debajo de la nariz un plato con una porción enorme.

—Venga, llévate una grande. Un chico en pleno crecimiento, como tú, puede con ella.

Los ojos del decano Highbottom estaban legañosos, aunque habían perdido el aspecto vidrioso de aquella mañana. De hecho, estaban clavados en Coriolanus y parecían muy despiertos.

El joven aceptó el plato de tarta con una sonrisa que, esperaba, fuera infantil a la par que campechana.

—Gracias, señor. Siempre hay hueco para la tarta.

—Sí, nunca cuesta demasiado encontrarles un sitio a los placeres. Nadie lo sabe mejor que yo.

—Supongo que no, señor.

Eso sonaba mal. Su intención era coincidir con la parte de los placeres, pero le había salido como si fuera un comentario despectivo sobre la personalidad del decano.

—Supones que no —repitió Highbottom mientras entornaba los ojos sin dejar de mirar al chico—. Entonces, ¿qué planes tienes para después de los Juegos, Coriolanus?

—Espero ir a la universidad —contestó.

Qué pregunta tan extraña. Viendo su expediente académico, resultaba evidente.

—Sí, ya he visto tu nombre entre los aspirantes al premio —repuso el decano Highbottom—. Pero ¿y si no lo obtienes?

—Bu... Bueno —tartamudeó Coriolanus—, entonces ten... tendremos que pagar la matrícula, claro.

—Ah, ¿sí? —El decano rio—. Mírate, con tu camisa remendada y tus zapatos apretados, intentando mantener las apariencias. Pavoneándote por el Capitolio, cuando a los Snow no debe de quedarles ni una escupidera. Incluso con un premio, ya sería complicado, y todavía no tienes ninguno, ¿verdad? ¿Qué pasará contigo entonces? ¿Eh? —Coriolanus no pudo evitar mirar a su alrededor para ver quién más había oído aquellas horribles palabras, pero casi todos charlaban sentados a la mesa—. No te preocupes —siguió diciendo el decano—. Nadie lo sabe. Bueno, casi nadie. Disfruta de la tarta, muchacho.

El decano Highbottom se alejó sin molestarse en llevarse un pedazo de tarta para él.

Coriolanus sintió el impulso de soltar el postre y huir de allí, pero procuró dejar con mucha delicadeza el plato en el carro. El apodo. Estaba claro que el apodo había llegado hasta el decano, junto con el nombre de su creador. Había sido una estupidez por su parte. A pesar de no estar en su mejor momento, el hombre seguía siendo demasiado importante para ridiculizarlo en público. Pero ¿de verdad había sido una ocurrencia tan horrible? Todos los profesores tenían, como mínimo, un mote, y muchos de ellos eran aun menos compasivos. Y Cascajo Highbottom tampoco se esforzaba demasiado por ocultar su adicción, como si invitara al escarnio. ¿Tendría alguna otra razón para odiar tanto a Coriolanus?

Fuera lo que fuera, necesitaba solucionarlo. No podía arriesgarse a perder su premio por algo así. Después de la universidad tenía pensado embarcarse en una profesión lucrativa. Sin una educación, ¿qué puertas se le abrirían? Intentó imaginar su futuro en un puesto de baja categoría en la ciudad... ¿Haciendo qué? ¿Gestionando la distribución de carbón a los distritos? ¿Limpiando las jaulas de los monstruos genéticos del laboratorio de las mutaciones? ¿Recaudando los impuestos de Sejanus Plinth, en su piso palaciego del Corso, mientras él vivía en un agujero mugriento cincuenta manzanas más allá? ¡Eso si tenía suerte! Costaba encontrar trabajo en el Capitolio, y él sería un graduado de la Academia sin dinero, nada más. ¿Cómo iba a vivir? ¿De créditos? Las deudas con el Capitolio solían saldarse con el ingreso en el cuerpo de agentes de la paz, y eso suponía un compromiso de veinte años quién sabía dónde. Seguro que lo enviaban a un espantoso distrito atrasado en el que sus habitantes serían poco más que animales.

El día, tan prometedor al comienzo, se derrumbaba a su alrededor. Primero, la amenaza de quedarse sin piso; después, la asignación del peor tributo del lote (quien, ahora que lo pensaba mejor, estaba mal de la cabeza), y, para terminar, la revelación de que el decano lo odiaba lo suficiente como para arrebatarle la posibilidad de obtener un premio y condenarlo a pasar el resto de su vida en los distritos.

Todo el mundo sabía lo que ocurría si uno se mudaba a los distritos. Te daban por perdido. A ojos del Capitolio, estabas muerto.

3

A solas en el andén, Coriolanus aguardaba la llegada de su tributo sujetando una rosa blanca de tallo largo en delicado equilibrio entre el pulgar y el índice. Llevarle un regalo había sido idea de Tigris. La joven había vuelto a casa muy tarde la noche de la cosecha, pero él había querido esperarla levantado para hablarle de sus humillaciones y sus temores. Tigris se había negado a dejar que la conversación adquiriese tintes desesperados. Él obtendría su recompensa, seguro, y gozaría de una carrera brillante en la universidad. En cuanto al piso, lo principal era averiguar todos los detalles. Cabía la posibilidad de que el impuesto no les afectara y, aunque así fuese, quizá se demorara algún tiempo. De una forma o de otra, se las apañarían para poder pagarlo. Pero él no debía pensar en eso. Tan solo en los Juegos del Hambre y en cómo salir victorioso.

En la fiesta de la cosecha de Fabricia, le contó Tigris, todo el mundo estaba como loco con Lucy Gray Baird. La tributo de Coriolanus poseía «madera de estrella», habían declarado sus amistades, ebrias de posca. Los primos coincidieron en la necesidad de causarle una buena impresión a la chica para que esta se mostrase dispuesta a colaborar con él. No debía tratarla como a una prisionera condenada a muerte, sino como a una invitada. Coriolanus, por tanto, había decidido adelantarse y recibirla en la estación de ferrocarril. Eso le concedería ventaja en su cometido, además de una oportunidad de ganarse su confianza.

«Imagínate lo aterrada que debe de estar, Coryo —había dicho Tigris—. Lo sola que debe de sentirse. Si me encontrara en su lugar, cualquier gesto tuyo que me indicase que te importa mi bienestar me animaría a seguir. No, más que eso. Me haría sentir valorada. Llévale cualquier cosa, aunque sea algo simbólico; algo que le transmita cuánto la aprecias».

Coriolanus se había acordado de las rosas de su abuela, tan estimadas aún en el Capitolio. La anciana las cultivaba con mimo en el jardín de la azotea del ático, tanto al aire libre como en un pequeño invernadero equipado con paneles solares. Las atesoraba como si se tratara de diamantes, por lo que había tenido que emplear todas sus dotes de persuasión para que le permitiera llevarse esa preciosidad. «Necesito establecer una conexión con ella. Y las rosas, como tú siempre me repites, pueden abrir cualquier puerta». El hecho de que su abuela hubiese accedido atestiguaba lo preocupada que estaba por la situación.

Habían transcurrido dos días desde la cosecha. En la ciudad se había instalado un calor sofocante y, aunque acababa de salir el sol, la estación comenzaba a parecer un horno. La presencia de Coriolanus en aquel andén tan grande y desierto quizá levantara suspicacias, pero prefería no arriesgarse a que el tren hiciese acto de presencia antes que él. La única información que había logrado sonsacarle a su vecino de abajo, el Vigilante de los Juegos en prácticas Remus Dolittle, era que su llegada estaba programada para el miércoles. La familia de Remus, cuya graduación en la universidad aún era un hecho reciente, había recurrido a todos los favores que se le debían para garantizarle ese puesto, el cual conllevaba un sueldo decente y representaba un trampolín profesional de cara al futuro. Coriolanus podría haber preguntado en la Academia, pero ignoraba si recibirla en la estación estaría mal visto. Aunque no existiese ninguna norma sobre ese particular en concreto, presentía que la mayoría de sus compañeros de clase esperarían a conocer a sus respectivos tributos en la sesión supervisada por la Academia que se celebraría al día siguiente.

Pasó una hora, que se transformó en dos, y allí seguía sin aparecer tren alguno. El sol caía a plomo sobre las cristaleras del techo de la estación. Regueros de sudor se deslizaban por su espalda, y la rosa, tan majestuosa aquella mañana, empezaba a agachar la cabeza con actitud resignada. Asaltado por la sospecha de que la idea había sido un disparate, Coriolanus se preguntó si obtendría alguna palabra de agradecimiento por haber ido a recibir a su tributo de esa manera. Quizá cualquier otra chica, una chica normal, pudiera sentirse impresionada, pero Lucy Gray Baird no encajaba en absoluto con la definición de «normal». De hecho, había algo de intimidatorio en alguien capaz de improvisar una actuación tan atrevida con el asalto al alcalde aún tan reciente. Y, poco después, colarle una serpiente venenosa por el vestido a otra muchacha. En realidad no estaba claro que fuese venenosa, de acuerdo, pero eso era lo primero que pensaba uno, ¿verdad? La chica le infundía pavor. Y allí estaba él, de uniforme, aferrado a su rosa como un escolar enamorado, esperando que ella..., ¿qué? ¿Que le tomase cariño? ¿Que se fiara de él? ¿Que no lo matase en cuanto lo viera?

Su cooperación era fundamental. La jornada anterior, Satyria había convocado una asamblea de mentores para detallar en qué consistiría su primera misión. En el pasado, tras haberse reunido en el Capitolio, los tributos acudían directamente al estadio a la mañana siguiente, pero los plazos se habían ampliado ahora que también los alumnos de la Academia estaban involucrados. Se acordó que, tras haberse entrevistado con su tributo, cada mentor dispondría de cinco minutos para presentárselo a Panem en un programa de televisión en directo. Si la gente tuviera algún favorito, quizá aumentase su interés por ver los Juegos del Hambre. Con un poco de suerte, se transformaría en un espectáculo de máxima audiencia; quizá invitaran incluso a los mentores para que hablasen de sus tributos durante los Juegos. Como le concedieran alguna vez esos cinco minutos de gloria, Coriolanus se prometió hacer todo lo posible por convertirlos en la atracción principal de la noche.

Ya se disponía a tirar la toalla, después de haber transcurrido otra hora interminable, cuando al fondo del túnel resonó el pitido de un tren. Durante los primeros meses de la guerra, ese silbato anunciaba la llegada de su padre, procedente del campo de batalla. Su padre opinaba que, como magnate de la industria armamentística, servir en el frente reforzaba la legitimidad del negocio familiar. Con sus prodigiosas dotes de estratega, sus nervios de acero y su imponente presencia, había subido como la espuma en el escalafón. A fin de exhibir en público su entrega a la causa del Capitolio, los Snow en pleno se acercaban a la estación, Coriolanus engalanado con un elegante traje de terciopelo, para aguardar el regreso del venerable cabeza de familia. Hasta el día en que el tren solo trajo la noticia de que una bala rebelde había dado en el blanco. En el Capitolio era difícil encontrar un rincón que no estuviese ligado a algún recuerdo espantoso, pero este costaba especialmente evitarlo. Aunque el muchacho no podía decir que le hubiese profesado un cariño tremendo a aquel hombre tan distante y estricto, lo cierto era que se había sentido protegido por él. Asociaba su muerte a un miedo y una vulnerabilidad que jamás había conseguido sacudirse por completo de encima.

El pitido volvió a sonar cuando el tren entró en la estación y frenó con un estrepitoso chirrido. Era modesto, con tan solo dos vagones enganchados a la locomotora. Coriolanus buscó algún atisbo de su tributo en las ventanillas antes de percatarse de que no había ninguna. La máquina no estaba diseñada para transportar pasajeros, sino mercancías. Unos candados de antigua factura enganchados a recias cadenas metálicas aseguraban las puertas.

«Este no es el tren que esperaba —pensó—. Será mejor que me vaya a casa». En ese momento, sin embargo, un grito inconfundiblemente humano escapó de uno de los vagones de mercancías y lo dejó petrificado en el sitio.

Se imaginaba que los agentes de la paz acudirían en tromba, pero el tren permaneció inmóvil e ignorado durante veinte minutos antes de que unos pocos se acercasen a las vías. Cruzaron unas cuantas palabras con un maquinista invisible y un juego de llaves salió volando por la ventana. El agente de la paz que las recogió se dirigió remoloneando al primero de los vagones, examinó el manojo de llaves antes de seleccionar una, la introdujo en su cerradura y giró. El candado y las cadenas cayeron al suelo, y el hombre abrió la pesada puerta corredera. El vagón daba la impresión de estar vacío. El agente de la paz sacó su porra y le propinó unos cuantos golpes al marco.

—¡Venga, todos, en marcha!

Un chico alto, de piel muy morena y vestido con harapos de arpillera, apareció en la puerta. Coriolanus reconoció en él al tributo de Clemensia, del Distrito 11, desgarbado pero musculoso. Detrás de él salió una muchacha de tez también bronceada, aunque esquelética y estremecida por una tos perruna. Los separaba del suelo una caída de un metro y medio, por lo que ambos se sentaron en el borde del vagón antes de arrojarse al andén con torpeza. Una niña paliducha y menuda, con un vestido de rayas y una bufanda roja, llegó gateando a la puerta, pero parecía incapaz de dilucidar cómo salvar la distancia hasta el suelo. El agente de la paz tiró sin miramientos de ella, que aterrizó de cualquier manera y a duras penas logró usar las manos atadas para mitigar el impacto. A continuación, el hombre introdujo los brazos en el vagón para sacar a rastras a un pequeño que no aparentaba más de diez años, aunque debía de tener doce, por lo menos, y también lo arrojó al andén.

Llegado ese punto, el fuerte olor a estiércol y humedad que emanaba del interior del vagón había llegado ya a Coriolanus. Estaban transportando a los tributos en coches para el ganado, y no demasiado limpios, además. Se preguntó si les habrían dado algo de comer y permitido salir a respirar aire fresco, o si llevarían encerrados desde sus respectivas cosechas. Acostumbrado como estaba a ver a los tributos en la pantalla, no se había preparado adecuadamente para este encuentro en carne y hueso; le sobrevino una oleada de conmiseración y asco. Eran criaturas de otro mundo, sin duda. Un mundo caracterizado por la brutalidad y la desesperanza.

El agente de la paz pasó al segundo vagón y quitó las cadenas. La puerta se deslizó para revelar a Jessup, el tributo masculino del Distrito 12, con los párpados entornados frente a la luz cegadora de la estación. Coriolanus notó una sacudida eléctrica de expectación y enderezó la espalda. Seguro que ella lo acompañaba. Jessup bajó al suelo de un salto, envarado, y se volvió de nuevo hacia el tren.

Lucy Gray Baird salió con las manos esposadas cubriéndole a medias los ojos mientras se acostumbraban al resplandor. Jessup le tendió los brazos, con las muñecas separadas tanto como se lo permitía la cadena que las ceñía, y ella se dejó caer hacia delante, confiando en él para que la sujetase por la cintura y la depositara en el suelo con un movimiento sorprendentemente elegante. La muchacha le dio una palmadita de agradecimiento en la manga e inclinó la cabeza hacia atrás para empaparse del sol que bañaba la estación. Usó los dedos para peinarse el cabello ensortijado, deshaciendo nudos y retirando briznas de paja.

La atención de Coriolanus se volcó por un momento en los agentes de la paz, que vociferaban con gesto amenazador dirigiéndose al interior del vagón. Cuando se volvió, Lucy Gray lo miraba fijamente. Se sobresaltó un poco, pero después recordó que era la única persona presente en el andén, aparte de los agentes de la paz. Los soldados maldecían en esos instantes mientras aupaban a uno de los suyos al interior del vagón para sacar a los tributos más reticentes.

Ahora o nunca.

Se acercó a Lucy Gray, le tendió la rosa e inclinó la cabeza.

—Bienvenida al Capitolio —dijo. Su voz sonaba ligeramente ronca después de tantas horas sin hablar, pero pensó que eso le confería una madurez agradable.

La muchacha lo miró de arriba abajo, y por un momento Coriolanus temió que fuese a marcharse o, peor aún, a reírse de él. Sin embargo, estiró el brazo y arrancó con delicadeza un pétalo de la flor que él sostenía aún en la mano.

—Cuando era pequeña, solían bañarme en suero de leche y pétalos de rosa —dijo de un modo que, pese a lo improbable de su aseveración, resultaba completamente plausible. Deslizó el pulgar por la superficie blanca y lustrosa, se metió el pétalo en la boca y cerró los ojos para paladearlo—. Sabe a buenas noches.

Coriolanus aprovechó la ocasión para examinarla. No lucía el mismo aspecto que durante la cosecha, salvo por las pecas dispersas. Le habían quitado el maquillaje y, sin él, parecía más joven. Tenía los labios agrietados, el pelo suelto y su vestido arcoíris estaba arrugado y cubierto de polvo. La marca que le había dejado la bofetada del alcalde había dado paso a una magulladura violácea. Pero no solo se trataba de eso. Volvió a tener la impresión de estar presenciando una actuación, aunque, en esta ocasión, era privada.

Lucy Gray le dedicó toda su atención cuando abrió los ojos.

—Sospecho que no deberías estar aquí.

—Probablemente no —admitió él—. Pero soy tu mentor, y quería conocerte cuando controlara yo la situación, no los agentes de la paz.

—Ah, un rebelde.

Esa palabra era veneno en boca de los ciudadanos del Capitolio, pero ella la había pronunciado con aprobación, como si pretendiese hacerle un cumplido. ¿O se burlaba de él? Coriolanus recordó que llevaba serpientes escondidas en el bolsillo y que las reglas habituales no se aplicaban a ella.

—¿Y qué va a hacer por mí mi mentor, aparte de regalarme rosas?

—Haré todo lo posible por cuidar de ti.

Ella miró de reojo por encima del hombro a los agentes de la paz que arrojaban al andén a dos niños medio desfallecidos de hambre. La pequeña de la pareja se partió un diente contra el suelo, mientras que el chico recibió una lluvia de violentas patadas al aterrizar.

—Pues buena suerte, guapo —replicó Lucy Gray a modo de despedida, con una sonrisa, antes de regresar junto a Jessup, dejándolos atrás a él y a su rosa.

Mientras los agentes de la paz agrupaban a los tributos y los obligaban a cruzar la estación, camino de la entrada principal, Coriolanus notó que su oportunidad se le escurría entre los dedos. No se había asegurado la confianza de la muchacha. Estaba claro que lo tenía por un incompetente, y quizá estuviera en lo cierto; pero, con todo lo que había en juego, debía intentarlo. Echó a correr y alcanzó a la manada de tributos cuando estos ya estaban llegando a la puerta.

—Con permiso —le dijo al agente de la paz al mando—. Soy Coriolanus Snow, de la Academia. —Ladeó la cabeza en dirección a Lucy Gray—. Se me ha asignado esa tributo para los Juegos del Hambre. Me pregunto si sería posible acompañarla a su alojamiento.

—¿Por eso te has pasado toda la mañana dando vueltas por aquí? ¿Para conseguir un viajecito gratis al espectáculo? —El soldado apestaba a licor y tenía los ojos enrojecidos—. Bueno, cómo no, señor Snow. Únase a la fiesta.

En ese preciso instante, Coriolanus vio la camioneta que esperaba a los tributos. Una jaula con ruedas, más bien. La caja estaba rodeada de barrotes metálicos y cubierta por un techo de acero. Lo asaltó de nuevo el recuerdo del circo de su niñez, donde había visto animales salvajes (osos y grandes felinos) confinados en transportes parecidos. Siguiendo órdenes, los tributos levantaron sus grilletes para que se los quitaran y subieron a la jaula.

Coriolanus se había quedado atrás, pero entonces vio que Lucy Gray lo observaba y supo que era la hora de la verdad. Si se echaba atrás, todo habría acabado. La muchacha lo tomaría por un cobarde y se olvidaría de él. Respiró hondo y se encaramó a la jaula.

La puerta se cerró de golpe a su espalda y la camioneta arrancó con una sacudida que le hizo perder el equilibrio. Se agarró a los barrotes con la mano derecha en un acto reflejo y terminó con la cabeza encajada entre dos de ellos cuando un par de tributos se cayeron encima de él. Empujó con fuerza hacia atrás y se contorsionó hasta quedar de cara a sus compañeros de viaje. Todo el mundo se había sujetado ya a algún barrote, excepto la niña con el diente partido, que se aferraba a la pierna del chico de su distrito. Empezaron a acomodarse mientras la camioneta traqueteaba por una amplia avenida.

Coriolanus tuvo la certeza de que había cometido un error. Incluso al aire libre, el hedor era abrumador. Los tributos habían absorbido la peste del vagón de ganado y esta se mezclaba con un tufo a humanidad sin lavar que le provocaba arcadas. De cerca se distinguía mejor la mugre que los recubría, sus ojos inyectados en sangre, los moratones de sus extremidades. Lucy Gray, que se había apretujado contra una esquina en la parte delantera, usaba el arrugado dobladillo de su vestido para limpiarse el rasponazo que se acababa de hacer en la frente. Aunque ella parecía indiferente a su presencia, los demás no le quitaban la vista de encima, como una manada de fieras acechando a un perrito faldero.

«Por lo menos estoy en mejores condiciones que ellos —pensó, apretando el tallo de la rosa que sostenía en el puño—. Si me atacan, tendré alguna oportunidad». Pero ¿la tendría realmente? ¿Contra tantos de ellos?

La camioneta aminoró la marcha para ceder el paso a uno de los coloridos carromatos callejeros, atestado de pasajeros. Pese a encontrarse en la parte trasera, Coriolanus se encorvó para evitar que alguien lo reconociera.

El carromato pasó de largo, la camioneta reanudó la marcha y él se atrevió a enderezarse. Los tributos se reían de él, o por lo menos unos cuantos sonreían de oreja a oreja, divertidos por su evidente incomodidad.

—¿Qué pasa, cara bonita? ¿Te has equivocado de jaula? —le preguntó el chico del Distrito 11, cuyo tono de voz no denotaba ni sombra de humor.

El odio indisimulado que destilaban sus palabras sorprendió a Coriolanus, pero procuró no mostrarse impresionado.

—No, esta es justo la jaula que estaba esperando.

Las manos del muchacho recorrieron como centellas la distancia que los separaba, rodearon el cuello de Coriolanus con sus largos dedos cubiertos de cicatrices y lo empujaron hacia atrás. Sus antebrazos le inmovilizaron el cuerpo contra los barrotes. Vencido, Coriolanus recurrió a la única maniobra que no le había fallado nunca en las escaramuzas del patio del colegio y proyectó la rodilla contra la entrepierna de su adversario. El chico del distrito jadeó y se dobló por la cintura, liberándolo.

—Ahora puede que te mate —le tosió a la cara la tributo del Distrito 11—. Ya se cargó a un agente de la paz en el 11. Nunca encontraron al culpable.

—Cállate, Dill —gruñó el aludido.

—¿Y ahora qué más da? —replicó ella.

—Matémoslo entre todos —sugirió con crueldad el canijo—. Ya no pueden hacernos nada peor.

Algunos tributos asintieron entre murmullos y dieron un paso adelante.

Coriolanus se quedó paralizado de miedo. ¿Matarlo? ¿De verdad pretendían molerlo a palos allí mismo, a plena luz del día, en el corazón del Capitolio? De repente, comprendió que esa era su intención. Al fin y al cabo, ¿qué tenían que perder? Con el corazón martilleándole desbocado en el pecho, flexionó las rodillas y esgrimió los puños ante él, preparándose para repeler el asalto inminente.

Desde su esquina, la melodiosa voz de Lucy Gray rompió la tensión.

—A nosotros tal vez no, pero ¿nadie tiene familia en casa? ¿Seres queridos que podrían sufrir represalias?

Aquello aplacó los ánimos de los otros tributos. Lucy Gray se abrió paso para interponerse entre Coriolanus y ellos.

—Además —dijo—, es mi mentor. Se supone que debería ayudarme. Quizá lo necesite.

—¿Cómo es que tú tienes un menda? —preguntó Dill.

—«Mentor». Todos tenéis uno —explicó Coriolanus, que se esforzaba por aparentar que era dueño de la situación.

—¿Y dónde están? —lo desafió Dill—. ¿Por qué no ha venido nadie más?

—Falta de motivación, supongo —dijo Lucy Gray, guiñándole un ojo a Coriolanus mientras le daba la espalda a la niña.

La camioneta se internó en una bocacalle estrecha y continuó avanzando, bamboleándose, hasta lo que parecía ser un callejón sin salida. Coriolanus no lograba orientarse. Intentó recordar dónde se habían alojado los tributos en ediciones anteriores. ¿En los establos, tal vez, donde se guardaban los caballos de los agentes de la paz? Sí, le sonaba haber oído alguna mención de pasada. En cuanto llegaran, buscaría a un soldado y aclararía las cosas; quizá solicitara protección, dado lo hostil de las circunstancias. Después del guiño de

Lucy Gray, cabía la posibilidad de que hubiera merecido la pena quedarse.

Se acercaban marcha atrás a un edificio tenuemente iluminado, tal vez algún almacén. Coriolanus aspiró una combinación almizcleña de pescado podrido y heno viejo. Desconcertado, intentó hacerse una idea mejor de su entorno; al forzar la vista distinguió dos puertas metálicas que se abrían en esos momentos. Un agente de la paz abrió la puerta trasera de la camioneta y, antes de que nadie pudiera apearse, la jaula se inclinó y los volcó sobre una losa de cemento frío y mojado. No una losa, sino más bien una especie de rampa, pues describía un desnivel tan extremo que Coriolanus empezó a resbalar de inmediato junto con los demás. Se le cayó la rosa cuando sus manos y sus pies se esforzaron por encontrar sin éxito un asidero. El grupo recorrió al menos seis metros antes de aterrizar en una pila desmadejada sobre una superficie de grava. El resplandor del sol deslumbró a Coriolanus mientras se revolvía para liberarse de la maraña. Trastabilló unos cuantos metros, se irguió y se quedó petrificado. Aquello no era ningún establo. Recordaba con nitidez ese sitio, aunque llevara años sin visitarlo. La franja de arena. Las formaciones rocosas artificiales que se elevaban a gran altura como columnas retorcidas. La hilera de barrotes metálicos grabados como enredaderas curvadas, en forma de arco, para proteger a los espectadores. Entre las rejas, las caras de niños del Capitolio que lo observaban boquiabiertos.

Estaba en la casa de los monos del zoo.

4

No se habría sentido más expuesto ni desnudo en medio del Corso. Al menos entonces habría tenido la opción de escapar. Ahora estaba atrapado y a la vista de todos, consciente por vez primera de la incapacidad de los animales para esconderse. Los niños habían empezado a parlotear animadamente y a señalar su uniforme de la escuela, lo que atraía la atención de los adultos. Todo el espacio disponible entre los barrotes comenzaba a llenarse de rostros. Sin embargo, el auténtico horror lo constituían las dos cámaras ubicadas a ambos lados de los visitantes.

Noticias del Capitolio. Con su cobertura omnipresente y su fanfarrón eslogan: «Si no lo has visto aquí, no ha pasado».

Oh, pero sí que estaba pasando. Estaba pasándole a él. En vivo y en directo.

Podía sentir su imagen, retransmitida por todo el Capitolio en tiempo real. Por suerte, la consternación lo retenía anclado en el sitio, puesto que lo único peor que Coriolanus Snow rodeado de la chusma de los distritos en el zoológico sería Coriolanus Snow correteando de un lado a otro, como un cretino, intentando salir de allí. No había escapatoria posible. Aquello estaba diseñado para contener animales salvajes. Intentar ocultarse resultaría aún más patético. No quería ni imaginarse las deliciosas imágenes que le regalaría a Noticias del Capitolio. Las reproducirían *ad nauseam*. Acompañadas de una sintonía ridícula y con subtítulos: «¡Snow y sus monerías!». Para la sección de cotilleos: «¡Snow, más mono que nunca!». Se lo recordarían mientras viviera. La humillación sería irreversible.

¿Qué opción le quedaba? Aguantar el tipo y sostenerles la mirada a las cámaras hasta que lo rescataran.

Se irguió cuan alto era, echó los hombros discretamente hacia atrás y adoptó una estudiada pose de hastío. El público empezó a llamarlo: primero las agudas voces infantiles, a las que enseguida se sumaron las de los adultos para preguntarle qué hacía, por qué estaba en la jaula, si necesitaba ayuda. Alguien lo reconoció y su nombre se propagó como un incendio desatado por toda la multitud, más numerosa a cada minuto que pasaba.

«¡Es el chico de los Snow!».

«¿De quién?».

«¡Los que tienen la azotea llena de rosas, ya sabes!».

¿Quién era toda esa gente sin otra cosa mejor que hacer que pasarse un día laborable en el zoo? ¿Acaso no tenían trabajo? ¿Esos mocosos no deberían estar en la escuela? Así se explicaba que el país estuviese hecho un desastre.

Los tributos de los distritos lo empezaron a rodear, provocándolo. Allí estaba la pareja del Distrito 11, y el renacuajo sediento de sangre que había sugerido matarlo, además de unos cuantos nuevos. Recordó el odio que se respiraba en la camioneta y se preguntó qué sucedería si se abalanzaban sobre él en manada. Quizá el público se limitase a jalear y a animarlos.

Aunque Coriolanus procuró no sucumbir al pánico, notó cómo le caía el sudor por los costados. Todos los rostros (los de los tributos que se cernían sobre él, los de la muchedumbre que se agolpaba contra los barrotes) comenzaron a difuminarse. Las facciones se volvieron borrosas, lo que dejó tan solo parches claroscuros de piel interrumpidos por el rojo sonrosado de sus bocas abiertas. Sentía las extremidades entumecidas; los pulmones hambrientos de aire. Empezaba a valorar la posibilidad de salir corriendo hacia la rampa e intentar escalar por ella cuando, a su espalda, alguien murmuró con voz queda:

—Hazte con las riendas.

Sin necesidad de volverse supo que se trataba de la chica, su chica, y lo embargó un alivio inmenso al comprobar que no estaba completamente solo. Pensó en la astucia con la que Lucy Gray se había ganado a la audiencia tras la agresión del alcalde, en cómo se los había metido a todos en el bolsillo con su canción. Tenía razón, por supuesto. Debía lograr que ese momento no pareciese fortuito o todo habría acabado.

Respiró hondo, se volvió hacia donde ella estaba sentada y le colocó despreocupadamente la rosa blanca detrás de una oreja. Siempre daba la impresión de estar mejorando su aspecto. Arreglándose los volantes en el Distrito 12, atusándose el cabello en la estación de ferrocarril y ahora adornándose con la flor. Coriolanus le tendió una mano, como si Lucy Gray fuese la dama más venerable de todo el Capitolio.

Las comisuras de los labios de la muchacha se curvaron hacia arriba. Cuando lo tomó de la mano, el contacto le provocó un chispazo que le recorrió todo el brazo; Coriolanus se sintió como si la muchacha acabase de transmitirle una fracción del carisma que irradiaba sobre el escenario. Le hizo una reverencia mientras ella se incorporaba con exagerada elegancia.

«Está en un escenario. Como tú. El espectáculo ha comenzado», pensó. Levantó la cabeza y preguntó:

—¿Te gustaría conocer a algunos de mis vecinos?

—Será un placer —respondió ella, como si estuvieran disfrutando de la hora del té—. Mi lado izquierdo es el bueno —murmuró a continuación, acariciándose la mejilla con delicadeza.

Tras reflexionar sobre la mejor manera de utilizar esa información, Coriolanus empezó a guiarla hacia la izquierda. Lucy Gray dedicó una sonrisa radiante a los espectadores, aparentemente encantada de estar allí, pero mientras la conducía hacia los barrotes notó sus dedos crispados como un cepo sobre los de él.

Entre las estructuras rocosas y las rejas de la casa de los monos discurría un foso poco profundo que en otros tiempos había servido de barrera acuática entre los animales y los visitantes, aunque ahora estaba seco. Bajaron tres escalones, cruzaron el foso y se encaramaron a una cornisa que se extendía alrededor del recinto, con lo que se colocaron a la altura de los ojos de los curiosos. Coriolanus eligió situarse a varios metros de una de las cámaras (que lo buscase ella a él), donde se había arracimado una patulea de niños pequeños. Entre los barrotes mediaban diez centímetros de separación; espacio insuficiente para que se colase un cuerpo entre ellos, pero de sobra si lo que quería uno era introducir la mano. Los pequeños se callaron al verlos llegar y se acurrucaron contra las piernas de sus progenitores.

Coriolanus pensó que la imagen del té era tan buena como cualquier otra, por lo que continuó tratando la situación con la misma ligereza.

—¿Qué tal? —dijo, inclinándose en dirección a los niños—. Hoy me acompaña una amiga. ¿Queréis conocerla?

Los chiquillos se rebulleron en el sitio y se escucharon algunas risitas disimuladas, hasta que uno de ellos exclamó:

—¡Sí! —Descargó unas cuantas palmadas contra los barrotes antes de meter las manos en los bolsillos, dubitativo—. La hemos visto en la tele.

Coriolanus acercó a Lucy Gray a los barrotes.

—Os presento a la señorita Lucy Gray Baird.

El público había enmudecido; inquieto por la proximidad de la muchacha pero deseoso de escuchar lo que la extraña tributo se dispusiera a decir. Lucy Gray apoyó una rodilla en el suelo, aproximadamente a un palmo de los barrotes.

—Hola. Soy Lucy Gray. ¿Y tú cómo te llamas?

—Pontius —contestó el niño después de solicitar con la mirada la aprobación de su madre.

Esta vigilaba el intercambio de palabras con suspicacia, pero Lucy Gray decidió fingir que no se había percatado de ello.

—¿Cómo estás, Pontius?

El pequeño, como buen chico educado del Capitolio que era, le tendió la mano. Lucy Gray lo imitó, pero se abstuvo de rebasar la barrera que representaban los barrotes para que su gesto no pareciese amenazador. De resultas de ello, tuvo que ser él quien la introdujera en la jaula para establecer contacto. La muchacha estrechó su manita con cordialidad.

—Encantada de conocerte. ¿Esta es tu hermana?

Lucy Gray señaló con la cabeza a la pequeña que estaba a su lado, observándolos con los ojos como platos mientras se chupaba el pulgar.

—Se llama Venus. Solo tiene cuatro años.

—Vaya, me parece una edad estupenda —dijo Lucy Gray—. Es un placer conocerte, Venus.

—Me gustó tu canción —susurró la niña.

—¿De verdad? Qué amable eres. Bueno, pues tú sigue atenta a lo que pase, preciosa, y procuraré dedicarte la siguiente. ¿De acuerdo?

Venus asintió con la cabeza antes de enterrar la cara en la falda de su madre, lo que suscitó risas y unos cuantos «oooh» entre la multitud.

Lucy Gray empezó a recorrer las rejas, saludando sobre la marcha a todos los niños que le salían al paso. Coriolanus se quedó rezagado para cederle el protagonismo.

—¿Te has traído la serpiente? —preguntó ilusionada una chiquilla cuyos deditos estrujaban un polo de fresa medio derretido.

—Ya me gustaría. Esa serpiente en particular y yo éramos buenas amigas. ¿Tienes alguna mascota?

—Tengo un pez —respondió la niña mientras se pegaba a la reja—. Se llama Bub. —Se cambió de mano el helado y pasó la que se le había quedado libre entre los barrotes, acercándola a Lucy Gray—. ¿Puedo tocar tu vestido? —Pese a las franjas de sirope rubí que la cubrían desde el puño hasta el codo, la tributo se rio y le ofreció un trocito de falda. Tras un momento de vacilación, su diminuta interlocutora se atrevió a deslizar un dedo sobre los volantes—. Qué bonito.

—A mí el tuyo también me gusta. —La niña llevaba puesta una prenda con estampados, descolorida e insulsa. Sin embargo, Lucy Gray añadió—: Los lunares siempre me levantan el ánimo. —La sonrisa de la pequeña se iluminó.

Coriolanus notó que el público comenzaba a perderle el miedo a su tributo; ya no se molestaban en guardar las distancias. La gente era fácil de manipular cuando había mocosos en juego. Les gustaba verlos contentos.

Lucy Gray, como si ya lo hubiera sabido de forma instintiva, hizo caso omiso de los adultos mientras proseguía la marcha. Estaba muy cerca de una de las cámaras y del periodista que la acompañaba. Era imposible que no se hubiese dado cuenta, pero cuando levantó la cabeza y se la encontró de frente, fingió sobresaltarse y soltó una carcajada.

—Ay, hola. ¿Estamos saliendo en la tele?

El reportero del Capitolio, olfateando la exclusiva, se aproximó con avidez.

—Ya lo creo.

—¿Y con quién tengo el placer de hablar?

—Soy Lepidus Malmsey, de Noticias del Capitolio —replicó él, con una sonrisa radiante—. Así que..., Lucy, ¿tú eres la tributo del Distrito 12?

—Mi nombre es Lucy Gray, y en realidad no vengo del 12. Mi gente es Bandada. Músicos de profesión. Un buen día torcimos por donde no era y nos vimos obligados a quedarnos allí.

—Vaya. Entonces, ¿cuál es vuestro distrito? —quiso saber Lepidus.

—Ninguno en particular. Nos desplazamos de un sitio a otro, según nos apetece. —La muchacha hizo una pausa—. Bueno, así era antes, al menos. Hasta que los agentes de la paz nos detuvieron hace unos años.

—Pero ahora sois ciudadanos del Distrito 12 —insistió él.

—Si tú lo dices...

Lucy Gray dejó vagar la mirada en dirección a la muchedumbre, como si empezara a aburrirse.

El periodista se dio cuenta de que la estaba perdiendo.

—¡Tu vestido ha causado sensación en el Capitolio!

—¿De verdad? Bueno, a la Bandada le encantan los colores, y a mí sobre todo. Este perteneció a mi madre, así que le tengo un cariño especial.

—¿Está en el Distrito 12? —preguntó Lepidus.

—Solo sus huesos, cielo. Tan solo sus huesos, blancos como perlas. —Lucy Gray miró a los ojos al reportero, que daba la impresión de no saber muy bien cómo formular la siguiente pregunta. Tras observar cómo se debatía durante unos instantes, la muchacha señaló a Coriolanus con un ademán—. En fin, ¿conoces ya a mi mentor? Dice llamarse Coriolanus Snow. Es un chico del Capitolio y está claro que me ha tocado el pastelito de nata, porque ningún otro mentor se ha dignado acudir a la estación para recibir a sus tributos.

—Bueno, nos ha sorprendido a todos. ¿Te han pedido los profesores que vengas aquí, Coriolanus?

El interpelado se acercó a la cámara y, con una mezcla de atrevimiento y amabilidad, contestó:

—No me han pedido que no lo haga. —Una oleada de risas se extendió por la muchedumbre—. Aunque recuerdo haberles oído decir que debería presentar a Lucy Gray ante el Capitolio, y me tomo mi trabajo muy serio.

—Entonces, ¿no te lo pensaste dos veces antes de zambullirte en una jaula llena de tributos? —inquirió el reportero.

—Dos, tres, y me imagino que la cuarta y la quinta no tardarán en pasárseme por la cabeza —confesó Coriolanus—. Pero, si ella es tan valiente como para estar aquí, ¿por qué no lo iba a ser yo también?

—Eh, que conste que yo no tenía elección —aclaró Lucy Gray.

—Ni yo, que conste eso también —dijo Coriolanus—. Después de oírte cantar, no podía mantenerme al margen. Lo reconozco, soy fan.

Lucy Gray le agradeció sus palabras recogiéndose la falda con una delicada inclinación de cintura mientras sonaban aplausos dispersos procedentes de la multitud.

—Bueno, por tu propio bien, espero que la Academia opine lo mismo —observó Lepidus—. Sospecho que estás a punto de averiguarlo.

Coriolanus se volvió a tiempo de ver que al fondo de la casa de los monos empezaban a abrirse unas puertas metálicas, con las ventanas reforzadas con barrotes. Cuatro agentes de la paz entraron en formación y encaminaron sus pasos hacia él. El chico se volvió hacia la cámara, listo para despedirse a lo grande.

—Gracias por acompañarnos —dijo—. Y acordaos: es Lucy Gray, representante del Distrito 12. Pasaos por el zoológico a saludar si tenéis un momento. Os garantizo que vale la pena.

Lucy Gray le tendió la mano con una grácil flexión de muñeca que invitaba a depositar un beso en ella. Coriolanus la complació y notó un placentero cosquilleo al rozarle la piel con los labios. Tras dedicarle a su público un último adiós con la mano, acudió tranquilamente al encuentro de los agentes de la paz. Uno de ellos lo saludó con un gesto adusto de cabeza y, sin mediar palabra, el muchacho salió del recinto detrás de ellos con un generoso aplauso resonando en los oídos.

Cuando las puertas se cerraron detrás de él, se le escapó un resoplido de alivio y adquirió conciencia del miedo que había pasado. Se felicitó para sus adentros por haber sabido guardar la compostura bajo tanta presión, aunque el semblante ceñudo de los agentes de la paz dejaba claro que estos no compartían la misma opinión.

—¿A qué estás jugando? —le preguntó una soldado—. No tienes permiso para entrar ahí.

—Eso pensaba yo, hasta que uno de tus secuaces me lanzó con cajas destempladas por un tobogán —repuso Coriolanus, pensando que la combinación de términos como «secuaz» y «cajas destempladas» poseía el timbre exacto de autoridad—. Creía que solo iban a llevarme al zoo. Con mucho gusto se lo explicaré todo a tu superior e identificaré a los agentes de la paz responsables. A ti, de momento, solo puedo darte las gracias.

—Ajá —replicó la mujer, desabrida—. Nos han ordenado escoltarte a la Academia.

—Mejor que mejor —dijo Coriolanus, mostrándose más confiado de lo que en realidad se sentía. Lo inquietaba la rápida reacción de la escuela.

Aunque el televisor del asiento trasero del furgón de los agentes de la paz no funcionaba, por el camino consiguió entrever retazos de la historia en las gigantescas pantallas públicas que salpicaban el Capitolio. Una mezcla de nerviosismo y energía vigorizante comenzó a atenazarlo al ver las imágenes de Lucy Gray, primero, y después de sí mismo, resplandeciendo sobre toda la ciudad. Jamás podría haber planificado con antelación una maniobra tan audaz, pero, ya que había ocurrido, nadie le impedía disfrutar de los resultados. Además, pensó, lo cierto era que había representado su papel a la perfección. La cabeza fría. Nervios de acero. Había presentado en sociedad a la chica, que tenía un don natural. Lo había sobrellevado todo con dignidad y un toque de humor e ironía.

Para cuando llegaron a la Academia, Coriolanus ya había recuperado la compostura y subió los escalones con aplomo. Ayudaba el hecho de que todas las cabezas se girasen a su paso; de no ser por el aura disuasoria que exudaban los agentes de la paz, estaba seguro de que sus compañeros de estudios lo habrían acribillado a preguntas. Creía que iban a llevarlo al despacho, pero la soldado lo dejó ni más ni menos que en el banco que había frente a la puerta del laboratorio de biología avanzada, área restringida a los alumnos de cursos superiores con más aptitudes para las disciplinas científicas. Aunque no fuera su asignatura preferida (el olor a formaldehído le provocaba arcadas y le desagradaba trabajar por parejas), la manipulación genética se le daba lo suficientemente bien como para haber obtenido una plaza en el curso. Ni de lejos tan bien como a la geniecillo esa, Io Jasper, que parecía haber nacido con un microscopio pegado a los ojos. Sin embargo, Coriolanus siempre trataba a Io con cordialidad, así que ella lo adoraba. Con los chicos que gozaban de menos popularidad en la escuela, el gesto más nimio surtía un efecto espectacular.

Aunque, ¿quién era él para sentirse tan superior? Enfrente del banco, en el tablón de anuncios del centro, alguien había colgado una lista. Rezaba:

DÉCIMOS JUEGOS DEL HAMBRE

MENTORES ASIGNADOS

DISTRITO 1

Chico	Livia Cardew
Chica	Palmyra Monty

DISTRITO 2

Chico	Sejanus Plinth
Chica	Florus Friend

DISTRITO 3

Chico	Io Jasper
Chica	Urban Canville

DISTRITO 4

Chico	Persephone Price
Chica	Festus Creed

DISTRITO 5

Chico	Dennis Fling
Chica	Iphigenia Moss

DISTRITO 6

Chico	Apollo Ring
Chica	Diana Ring

DISTRITO 7

Chico	Vipsania Sickle
Chica	Pliny Harrington

DISTRITO 8

Chico	Juno Phipps
Chica	Hilarius Heavensbee

DISTRITO 9

Chico	Gaius Breen
Chica	Androcles Anderson

DISTRITO 10

Chico	Domitia Whimsiwick
Chica	Arachne Crane

DISTRITO 11

Chico	Clemensia Dovecote
Chica	Felix Ravinstill

DISTRITO 12

Chico	Lysistrata Vickers
Chica	Coriolanus Snow

¿Habría un recordatorio público más humillante de lo precario de su posición que ver su nombre allí descolgado, al final de la lista, casi como si lo hubieran añadido en el último momento?

Después de que Coriolanus dedicara varios minutos a intentar averiguar por qué lo habían conducido a ese laboratorio, la soldado le indicó que ya podía entrar. Tras un dubitativo golpe en la puerta con los nudillos, lo invitó a pasar una voz que el muchacho reconoció como la del decano Highbottom. Esperaba que Satyria estuviese presente, pero solo había otra persona en el laboratorio: una anciana encorvada y bajita, con el pelo gris encrespado, que se dedicaba a incordiar con una barra de metal a un conejo enjaulado. Lo aguijoneó con ella a través de la reja hasta que la criatura, modificada para que sus fauces poseyeran tanta fuerza como las de un pitbull, se la arrebató de las manos y la partió por la mitad. A continuación, la mujer se irguió cuanto pudo, reparó en la presencia de Coriolanus y exclamó:

—¡Deprisa, deprisa!

La doctora Volumnia Gaul, Vigilante Jefe de los Juegos y mente maestra tras el departamento de armas experimentales del Capitolio, llevaba toda la vida sacándolo de sus casillas. En una excursión con su clase, compuesta por niños de nueve años, había tenido que ser testigo de cómo la doctora fundía la carne de una rata de laboratorio con una especie de láser antes de preguntarles si no tenía nadie alguna mascota de la que quisiera librarse. Coriolanus no tenía mascotas (¿cómo habrían podido permitirse su manutención?), pero Pluribus Bell sí que tenía una gata blanca y peluda, llamada Boa Bell, que se tumbaba en el regazo de su dueño para jugar con los extremos de su peluca empolvada. Le había tomado cariño a Coriolanus y comenzaba a emitir un ronroneo grave de forma automática en cuanto el muchacho le acariciaba la cabeza. En días desapacibles, cuando se veía obligado a recorrer las calles cubiertas de nieve embarrada para conseguir más coles a cambio de un saquito de alubias, su único consuelo era la simpática y sedosa calidez de Boa Bell. Se le formó un nudo en la garganta al imaginársela en ese laboratorio.

Aunque Coriolanus sabía que la doctora Gaul daba clases en la universidad, en contadas ocasiones la había visto por la Academia. Sin embargo, como Vigilante Jefe, todo lo que estuviera relacionado con los Juegos del Hambre pertenecía a su jurisdicción. ¿Estaría allí debido a su paso por el zoológico? ¿Habría ido para informarle de que se quedaba sin mentoría?

—Deprisa, deprisa —repitió la doctora Gaul, que esbozaba una sonrisa de oreja a oreja—. ¿Qué tal en el zoo? —Se echó a reír—. Es como una rima infantil. «Deprisa, deprisa, ¿qué tal en el zoo? ¡Ella se cae en una jaula y antes me había caído yo!».

Los labios de Coriolanus se tensaron en una débil sonrisa mientras buscaba con la mirada al decano Highbottom, esperando que este le proporcionase alguna pista sobre cuál debería ser su reacción. El hombre estaba sentado a una mesa de laboratorio, con los hombros caídos, masajeándose las sienes de una manera que sugería que le iba a estallar la cabeza. No podía esperar ninguna ayuda de él.

—Eso hice —dijo Coriolanus—. Hicimos. Nos caímos en una jaula.

La doctora Gaul enarcó las cejas en su dirección, como si esperase algo más.

—¿Y?

—Y... ¿aterrizamos en el escenario? —añadió el muchacho.

—¡Ja! ¡Correcto! ¡Precisamente eso fue lo que hicisteis! —La doctora Gaul lo miró con aprobación—. Se te dan bien los juegos. Puede que algún día llegues a ser Vigilante.

Ni siquiera se le había pasado por la cabeza esa idea. Sin ánimo de ofender a Remus, como trabajo no parecía gran cosa. Como si hiciese falta algún talento especial para arrojar a la arena a un puñado de mocosos armados y dejar que se peleasen a muerte. Imaginó que también habría que organizar las cosechas y grabar los Juegos, pero él aspiraba a que su carrera conllevase más desafíos.

—Me queda mucho por aprender antes de contemplar siquiera esa posibilidad —dijo con toda modestia.

—El instinto está ahí. Eso es lo que cuenta. Bueno, cuéntame, ¿qué te impulsó a meterte en la jaula?

Había sido un accidente. Eso era lo que se disponía a decir cuando recordó las palabras que le había susurrado Lucy Gray: «Hazte con las riendas».

—Pues... Mi tributo es más bien pequeña. De las que no duran ni cinco minutos en los Juegos del Hambre. Pero también posee encanto, a su desaliñada manera, con las canciones y todo eso. —Coriolanus se quedó callado un momento, como si estuviera revisando su plan—. No creo que tenga la menor posibilidad de ganar, pero de eso se trata, ¿no es cierto? Se me había informado de que estábamos intentando implicar a la audiencia. Ese es mi cometido. Conseguir que la gente vea los Juegos. Así que me pregunté cuál era la mejor manera de llegar al público y decidí acercarme a las cámaras.

La doctora Gaul asintió con la cabeza.

—Sí. Sí, sin el público no habría Juegos del Hambre. —Se volvió hacia el decano—. ¿Lo ves, Casca? Este chico sabe tomar la iniciativa. Comprende lo importante que es mantener los Juegos con vida.

El decano Highbottom lo observó con un destello de escepticismo en sus ojos entrecerrados.

—Ah, ¿sí? ¿No estará fanfarroneando para conseguir que le suban la nota? ¿Cuál crees tú que es el propósito de los Juegos del Hambre, Coriolanus?

—Castigar a los distritos por la rebelión —contestó sin vacilar el muchacho.

—Sí, pero el castigo puede adoptar mil formas distintas —insistió el decano—. ¿Por qué los Juegos del Hambre?

Coriolanus abrió la boca para responder, pero se lo pensó mejor. ¿Por qué los Juegos del Hambre? ¿Por qué no sencillamente bombardearlos, embargarles los alimentos o celebrar ejecuciones públicas en los escalones del Edificio de Justicia de cada distrito?

Su mente saltó de nuevo a Lucy Gray, arrodillada ante los barrotes de la jaula, hablando con los niños, ganándose el cariño de la multitud. No acertaba a expresar con exactitud la relación que se había forjado entre ellos.

—Porque... Es por los niños. Porque para la gente son importantes.

—¿En qué sentido? —presionó el decano Highbottom.

—A la gente le encantan los niños —respondió Coriolanus, que puso en tela de juicio sus propias palabras antes incluso de que hubieran terminado de brotar de sus labios.

Durante la guerra, le habían lanzado bombas, había pasado hambre y lo habían sometido a un sinfín de maltratos, y no solo los rebeldes. Una col arrebatada con violencia de entre sus manos. Un moratón en la barbilla, cortesía de un agente de la paz al acercarse en exceso, por error, a la mansión presidencial. Rememoró aquella vez que se había desplomado en la calle, atormentado por la gripe del cisne, sin que nadie, absolutamente nadie, se detuviese para auxiliarlo. Estremecido de escalofríos, ardiendo de fiebre, asaeteados de dolor los brazos y las piernas. Tigris lo había encontrado esa noche y, aunque también ella estaba enferma, consiguió cargar con él hasta su casa.

Titubeó.

—A veces —añadió, pero le faltaba convicción. Si uno se paraba a pensarlo, el cariño de la gente por los niños era algo voluble—. No sé por qué —admitió al final.

El decano Highbottom miró a la doctora Gaul.

—¿Lo ves? Es un experimento fallido.

—¡Lo será si no lo ve nadie! —replicó ella antes de dedicarle a Coriolanus una sonrisita indulgente—. También él es un niño. Dale tiempo. Este me da buena espina. En fin, voy a visitar a mis mutos. —Le dio una palmadita en el brazo a Coriolanus mientras se alejaba arrastrando los pies en dirección a la puerta—. Que no se entere nadie, pero está pasando algo maravilloso con los reptiles.

Coriolanus hizo ademán de seguirla, pero lo detuvo la voz del decano Highbottom.

—De modo que toda tu actuación ha sido premeditada. Qué curioso. Porque cuando te pusiste de pie dentro de esa jaula, juraría que tenías intención de salir corriendo.

—La entrada fue un poco más accidentada de lo que esperaba. Tardé unos instantes en ubicarme. Lo reitero: me queda mucho por aprender.

—Lo que son los límites, por ejemplo. Se te impondrá una sanción por haber incurrido en una conducta imprudente que podría haber puesto en peligro la integridad de un alumno. Tú, sin ir más lejos. Constará de forma permanente en tu expediente —concluyó el decano.

«Una sanción». ¿A qué se refería con eso? Coriolanus tendría que repasar la guía del estudiante de la Academia si quería recurrir el castigo por los cauces oficiales. Lo distrajo el decano, que se sacó un frasco del bolsillo, desenroscó el tapón y dejó caer tres gotas de líquido transparente sobre su lengua.

Hubiera lo que hubiese en esa botella (morflina, casi con toda seguridad), surtió efecto enseguida, puesto que todo el cuerpo del decano Highbottom se relajó y una especie de somnolencia le nubló la mirada. Esbozó una sonrisita desagradable.

—Tres sanciones más como esta y serás expulsado.

5

Coriolanus no había recibido nunca una reprimenda oficial de ningún tipo, nada que emborronara su historial impoluto.

—Pero... —empezó a protestar.

—Largo de aquí, si no quieres recibir otro castigo por insubordinación —lo atajó el decano Highbottom.

No había lugar a segundas lecturas en sus palabras, ni la menor posibilidad de negociación. Coriolanus obedeció.

¿De verdad acababa de amenazarlo el decano Highbottom con una expulsión?

Coriolanus salió de la Academia preocupado, pero ser el centro de atención le calmó los nervios. La atención de sus compañeros de estudios en los pasillos, de Tigris y la abuelatriz mientras daban cuenta de una cena rápida a base de huevos fritos y sopa de col, de completos desconocidos por el camino cuando regresó al zoológico esa noche, ansioso por ampliar su ventaja en los Juegos.

El suave resplandor anaranjado de la puesta de sol bañaba la ciudad y una brisa fresca disipaba el calor asfixiante de la jornada. Las autoridades habían ampliado hasta las nueve el horario de apertura del zoológico, lo que le concedía más tiempo a la ciudadanía para ver a los tributos, pero no habían vuelto a retransmitir en directo desde su visita anterior. Coriolanus había decidido dejarse caer otra vez por allí para ver cómo estaba Lucy Gray y sugerirle que cantase otra canción. Al público le encantaría, y quizá eso animara a volver a las cámaras.

Mientras recorría los sinuosos senderos del zoo, lo embargó la nostalgia por los días tan agradables que había pasado allí de pequeño, aunque lo entristecía ver tantas jaulas desiertas. En su momento habían estado repletas de fascinantes criaturas procedentes de las arcas genéticas del Capitolio. Ahora, en una de ellas un galápago solitario yacía resollando en el fango. Un tucán zarrapastroso chillaba con estridencia entre las ramas, aleteando sin impedimentos de un recinto a otro. Eran exóticos supervivientes de la guerra, pues casi todos los animales que no perecieron de inanición habían terminado por convertirse en el sustento de alguien. Una pareja de mapaches raquíticos que debían de vivir en el parque municipal adyacente se dedicaba a rebuscar en una papelera volcada. Las únicas bestias que prosperaban eran las ratas, que se perseguían por los bordes de las fuentes y correteaban por el camino a escasos metros de distancia.

Conforme Coriolanus se acercaba a la casa de los monos, los senderos se veían cada vez más poblados; una multitud de aproximadamente un centenar de personas se extendía de un extremo de los barrotes al otro. Alguien tropezó con su brazo al adelantarlo corriendo, y reconoció a Lepidus Malmsey, que se abría paso entre los visitantes con su cámara pisándole los talones. Más adelante daba la impresión de estar produciéndose algún tipo de conmoción, y se encaramó a un peñasco para disfrutar de una vista mejor.

Para su contrariedad, vio a Sejanus frente a la jaula, con una mochila de gran tamaño apoyada en el suelo a su lado. Sostenía lo que parecía un sándwich entre los barrotes, ofreciéndoselo a los tributos del interior. Estos, por el momento, preferían guardar las distancias. Aunque Coriolanus no alcanzaba a entender sus palabras, se diría que estaba intentando convencer a Dill, la chica del Distrito 11, para que lo aceptara. ¿Qué se proponía Sejanus? ¿Intentaba acaso superarlo a él y robarle el protagonismo de la jornada? ¿Robarle la idea de ir al zoológico y perfeccionarla de una manera con la que Coriolanus nunca podría competir, porque no podría permitírselo? ¿Estaría esa mochila llena de sándwiches? Esa niña ni siquiera era su tributo.

Al reparar en su presencia, las facciones de Sejanus se iluminaron y, por señas, le pidió que se acercara. Coriolanus avanzó entre el gentío sin apresurarse, disfrutando de la atención.

—¿Problemas? —preguntó mientras le echaba un vistazo a la mochila.

Estaba llena a rebosar, no solo de sándwiches, sino también de ciruelas frescas.

—Ninguno de ellos se fía de mí. Claro que, ¿por qué deberían hacerlo? —dijo Sejanus.

Una niña pequeña se dirigió a ellos con un mohín petulante y apuntó al letrero que había en una de las columnas al borde del recinto.

—Ahí pone que está totalmente prohibido dar de comer a los animales.

—Pero es que no son animales —replicó Sejanus—. Son niños, como tú y como yo.

—¡Esos no son como yo! —protestó la chiquilla—. Son de los distritos. ¡Por eso se merecen estar enjaulados!

—Como yo, insisto —dijo secamente Sejanus—. Coriolanus, ¿crees que podrías convencer a tu tributo para que se acercara? Si lo hace, quizá los otros también lo hagan. Tienen que estar muertos de hambre.

Los engranajes de la mente de Coriolanus empezaron a girar de inmediato. Ya lo habían amonestado una vez ese día y no le apetecía tentar a la suerte con el decano Highbottom. Por otra parte, la sanción había sido por poner en peligro la integridad de un alumno, y a ese lado de los barrotes estaban a salvo. La doctora Gaul, sin duda más influyente que el decano Highbottom, había elogiado su iniciativa. Y, la verdad, no tenía la menor intención de cederle el protagonismo a Sejanus. El zoológico era su espectáculo, y Lucy Gray y él, las estrellas. Ya oía a Lepidus susurrándole su nombre al cámara; notaba todas las miradas del Capitolio puestas en él.

Divisó a Lucy Gray al fondo del recinto, estaba lavándose las manos y la cara en un grifo que sobresalía de la pared a la altura de las rodillas. Se secó con los volantes de la falda, se arregló los rizos y se ajustó la rosa detrás de la oreja.

—No puedo llamarla como si fuese la hora de alimentar a las fieras —le dijo Coriolanus a Sejanus. Sería incongruente haber empezado tratándola como a una dama para luego pasarle alimentos a través de los barrotes—. Eso no. Pero podría invitarla a cenar.

Sejanus asintió con la cabeza sin vacilar.

—Coge lo que necesites. Ma ha preparado comida de sobra. Por favor.

Coriolanus eligió dos sándwiches y dos ciruelas de la mochila, y se dirigió a la casa de los monos, donde una roca plana le permitiría sentarse frente a ella. Jamás en su vida, ni siquiera durante los peores años, había salido de casa sin un pañuelo limpio en el bolsillo. La abuelatriz insistía en que era imprescindible respetar un mínimo de decoro para evitar el caos. Había grandes cajones llenos de ellos, que se remontaban a varias generaciones de la familia; desde los más sencillos hasta los de encaje, pasando por algunos bordados con flores. Extendió el arrugado recuadro de tela blanca, raída y ligeramente arrugada, y dispuso encima la comida. Mientras se acomodaba, Lucy Gray se acercó sin necesidad de pedírselo.

—¿Son para alguien esos sándwiches? —preguntó.

—Solo para ti —respondió él.

La muchacha se sentó sobre los talones y aceptó un sándwich. Tras examinar su contenido, le pegó un mordisquito a una esquina.

—¿Tú no comes?

No estaba seguro. De momento, la imagen era favorable: que destacara de nuevo ante los demás, presentarla como alguien valioso... Pero ¿compartir mesa con ella? Quizá eso fuera excesivo.

—Prefiero que lo disfrutes tú —dijo—. Conserva las fuerzas.

—¿Para qué? ¿Para poder partirle el cuello a Jessup en la arena? Los dos sabemos que esa no es mi especialidad.

El aroma del sándwich hizo que a Coriolanus le rugiera el estómago. Una gruesa loncha de pastel de carne entre pan blanco. Se había saltado el almuerzo en la Academia, y en casa el desayuno y la cena habían sido frugales. Inclinó la balanza una gota de kétchup que se escurría entre las rebanadas del pan de Lucy Gray. Coriolanus cogió el segundo sándwich y le hincó el diente. Una oleada de placer recorrió todo su cuerpo; resistió el impulso de zampárselo de dos bocados.

—Ahora es como si estuviéramos de pícnic. —Lucy Gray miró atrás, a los otros tributos, que se habían acercado pero aún parecían albergar dudas—. Deberíais probar uno. ¡Están deliciosos! —Llamó a su compañero—: ¡Anímate, Jessup!

Envalentonado, el fornido tributo de su distrito se aproximó a Sejanus y cogió el sándwich que este sostenía en la mano. Esperó a que añadiese una ciruela y se alejó sin pronunciar palabra. De repente, los otros tributos se agolparon contra la reja e introdujeron las manos entre los barrotes. Sejanus las llenó todo lo deprisa que pudo, y en menos de un minuto la mochila se quedó prácticamente vacía. Los tributos se desplegaron por toda la jaula, agachados con ademán protector sobre su comida, devorándola.

El único tributo que faltaba por acercarse a Sejanus era el suyo, el chico del Distrito 2. Se había quedado al fondo de la jaula, con los brazos cruzados sobre su torso colosal, mirando fijamente a su mentor.

Sejanus sacó el último sándwich de la mochila y lo extendió en su dirección.

—Marcus, esto es para ti. Acéptalo. Por favor. —Pero Marcus permanecía impertérrito e inmóvil—. Por favor, Marcus —imploró Sejanus—. Debes de estar famélico.

Marcus miró a Sejanus de arriba abajo, para, a continuación, girar sobre los talones y darle la espalda.

Lucy Gray observaba el duelo con interés.

—¿Qué les pasa a esos dos?

—¿A qué te refieres? —preguntó Coriolanus.

—No estoy segura, pero parece algo personal.

El diminuto muchacho que había querido asesinar a Coriolanus en la camioneta se acercó corriendo y se llevó el sándwich sin reclamar. Sejanus no hizo ademán de impedírselo. El equipo del noticiario intentó hablar con Sejanus, pero este se los sacudió de encima y se perdió de vista entre la muchedumbre, con la mochila vacía colgando del hombro. Grabaron unas cuantas imágenes de los tributos antes de dirigirse a Lucy Gray y Coriolanus, que enderezó la espalda en su asiento y se pasó la lengua por los dientes para eliminar los restos de pastel de carne.

—Nos encontramos en el zoológico con Coriolanus Snow y su tributo, Lucy Gray Baird. Otro alumno acaba de repartir sándwiches. ¿También es mentor?

Lepidus les tendió el micrófono aguardando una respuesta.

Aunque a Coriolanus no le hacía gracia compartir la atención, lo cierto era que la presencia de Sejanus podría servirle de escudo. ¿Se atrevería el decano Highbottom a sancionar al hijo del hombre que había reconstruido la Academia? Apenas unos días antes habría pensado que el apellido Snow tenía más peso que el de los Plinth, pero las asignaciones de las cosechas habían demostrado que se equivocaba. Si el decano Highbottom quería llevarlo ante el comité, le convendría tener a Sejanus como aliado.

—Es mi compañero de clase, Sejanus Plinth —informó a Lepidus.

—¿Qué se propone, trayéndoles sándwiches a los tributos? ¿El Capitolio no les da de comer? —preguntó el reportero.

—Bueno, para que conste en acta, llevaba sin probar bocado desde la noche antes de la cosecha —anunció Lucy Gray—. Así que supongo que hace tres días.

—Oh, vaya... ¡En fin, disfruta del sándwich!

Lepidus le hizo una señal a la cámara para que volviera a enfocar a los otros tributos.

Lucy Gray se levantó de un salto y se apoyó en los barrotes, con lo que recuperó el foco de atención.

—¿Sabes lo que estaría bien, señor reportero? Que, si alguien tuviera comida de sobra, la trajera al zoo. No creo que sean unos Juegos muy divertidos si estamos demasiado débiles para pelear, ¿no te parece?

—Eso es verdad —replicó el periodista, dubitativo.

—A mí me gustan los dulces, pero no soy maniática.

Sonrió y le pegó un mordisco a su ciruela.

—Vaya. Bueno, me alegro —respondió el reportero mientras se alejaba.

Coriolanus se dio cuenta de que el hombre estaba pisando un terreno resbaladizo. ¿Debería ayudarla a solicitar alimentos a la ciudadanía? ¿No parecería un reproche contra el Capitolio?

Mientras el equipo del noticiario se interesaba por los otros tributos, Lucy Gray volvió a acomodarse frente a él.

—¿Me he pasado?

—Por mí, no. Y lamento que no se me haya ocurrido traerte comida.

—Bueno, he acabado con los pétalos de rosa cuando nadie miraba. —La muchacha se encogió de hombros—. No lo sabías.

Terminaron de comer en silencio, contemplando los intentos fallidos del periodista por entablar conversación con los otros tributos. El sol ya se había puesto, y una luna creciente se encargaba ahora de la iluminación. El zoológico no tardaría en cerrar sus puertas.

—Estaba pensando que sería buena idea que cantases otra vez —sugirió Coriolanus.

Lucy Gray rebañó el último trocito de pulpa adherido al carozo de la ciruela.

—Mmm... mmm, es posible, sí. —Se alisó la falda tras haber usado uno de los volantes para limpiarse las comisuras de los labios. Su habitual tono despreocupado adoptó un timbre grave—. Entonces, como mentor mío que eres, ¿qué obtienes con todo esto? Estás en la escuela, ¿no? Así que ¿tu recompensa cuál es? ¿Mejores notas cuanto más destaque?

—Tal vez. —Coriolanus se sentía azorado. Allí, en la relativa intimidad de la esquina, acababa de darse cuenta por primera vez de que la muchacha habría fallecido en cuestión de días. Bueno, sí, eso lo sabía desde el principio, pero se la había imaginado como su luchadora. Su caballo en una carrera, su perro en una pelea. Cuanto más la trataba como si fuera especial, más humana se volvía. Como le había dicho Sejanus a esa mocosa, Lucy Gray en realidad no era un animal, aunque no perteneciera al Capitolio. Y, en cualquier caso, ¿qué pintaba él allí? ¿Pretendía fanfarronear, como había dicho el decano Highbottom?—. Ni siquiera yo sé con qué piensan recompensarnos, la verdad. Es la primera vez que nombran mentores. Tampoco es imprescindible que lo hagas. Cantar, digo.

—Lo sé.

Aunque, a pesar de todo, quería que lo hiciera.

—Pero, si le caes bien a la gente, quizá te traigan más comida. En casa no andamos sobrados de ella.

Se le encendieron las mejillas en la oscuridad. ¿Por qué había tenido que confesarle algo semejante?

—¿No? —dijo ella—. Creía que en el Capitolio siempre andabais sobrados de todo.

«Idiota», se recriminó Coriolanus para sus adentros. Pero entonces la miró a los ojos y vio que, por primera vez, la muchacha parecía mostrar un interés genuino por él.

—No, qué va. Y menos durante la guerra. Una vez me comí medio bote de engrudo tan solo para que dejase de dolerme el estómago.

—¿Sí? ¿Y qué tal estaba?

La pregunta desconcertó a Coriolanus, que se sorprendió a sí mismo soltando una carcajada.

—Muy pegajoso.

La sonrisa de Lucy Gray se ensanchó.

—Ya me imagino. Aun así, suena mejor que algunas de las cosas con las que me he tenido que apañar yo. Aunque tampoco es que se trate de una competición.

—Por supuesto que no. —El muchacho le devolvió la sonrisa—. Mira, lo siento. Te conseguiré algo de comer. No deberías tener que actuar a cambio de comida.

—Bueno, tampoco sería la primera vez que canto para ganarme la cena. Ni de lejos. Además, me apasiona cantar.

Resonó una voz por la megafonía para anunciar que el zoológico cerraría sus puertas en quince minutos.

—Me tengo que ir ya, pero ¿te veré mañana?

—Ya sabes dónde encontrarme.

Coriolanus se levantó y se sacudió los pantalones. Recogió el pañuelo, lo dobló y se lo pasó a Lucy Gray a través de los barrotes.

—Está limpio —le aseguró.

Por lo menos así tendría algo con lo que secarse la cara.

—Gracias. Me dejé el mío en casa.

Las palabras de Lucy Gray se quedaron flotando en el aire entre ambos. El recordatorio de una puerta que no volvería a abrir, unos seres queridos a los que ya no vería jamás. Coriolanus no podría soportar la idea de que lo separasen de su hogar. El piso era el único lugar al que pertenecía sin sombra de duda, su puerto en la tormenta, el bastión de su familia. Sin saber qué decir, se limitó a despedirse con un ademán.

Coriolanus no había recorrido ni veinte pasos cuando lo detuvo la voz de su tributo, resonando dulce y nítida en el aire nocturno.

> Abajo en el valle, más que un valle, un edén.
> Entrada la noche, se oye el silbato de un tren.
> El tren, amor mío, escucha el silbato del tren.
> Entrada la noche, se oye el silbato de un tren.

Los visitantes, que comenzaban a abandonar las instalaciones, se volvieron para escucharla.

> Dame una torre, más alta que el cielo raso,
> para que pueda ver a mi amor a su paso.
> Para verlo, amor mío, para verlo a su paso.
> Para que pueda ver a mi amor a su paso.

Todos habían enmudecido: el público, los tributos. Solo existían Lucy Gray y el zumbido de la cámara que la enfocaba en primer plano. Todavía estaba sentada en la esquina, con la cabeza apoyada en los barrotes.

> Escríbeme una carta, llena de letras un folio.
> Ponle tu firma y la dirección de la cárcel del Capitolio.
> La cárcel del Capitolio, amor mío, la cárcel del Capitolio.
> Ponle tu firma y la dirección de la cárcel del Capitolio.

Parecía tan triste, tan desamparada…

> Las rosas son rojas, la violeta es azul.
> Las aves del cielo saben que mi amor eres tú.
> Lo saben, amor mío, saben que él eres tú.
> Las aves del cielo saben que mi amor eres tú.

Coriolanus se quedó fascinado por la música y la oleada de recuerdos que la acompañaba. Su madre solía cantarle una canción a la hora de irse a la cama. No la misma, exactamente, aunque usaba algunas de esas palabras: «las rosas son rojas» y «la violeta es azul». Su letra contenía una parte en la que le decía cuánto lo quería. Pensó en la foto con el marco de plata que tenía en la mesita de noche, junto a su cama. Su madre, tan guapa, sosteniéndolo en brazos cuando él tenía alrededor de dos años. Estaban mirándose el uno al otro, se reían. Por mucho que se esforzara, no lograba recordar el momento exacto en que se había tomado aquella foto, pero esa canción le acariciaba la mente, conjurándola desde las profundidades. Podía sentir su presencia, percibir casi el delicado perfume del polvo compacto de rosas y notar el cálido manto de seguridad que lo envolvía todas las noches. Antes de su muerte. Antes de aquella espantosa sucesión de días, cuando la guerra duraba ya varios meses, en que la primera incursión rebelde por aire había paralizado la ciudad. Cuando se puso de parto, no pudieron llevarla al hospital, y algo se torció. ¿Una hemorragia, quizá? Las sábanas estaban empapadas de sangre y la cocinera y la abuelatriz se esforzaban por contenerla mientras Tigris lo sacaba a rastras de la habitación. Ella había muerto, y el bebé (que habría sido su hermana) había muerto también. El fallecimiento de su padre se había producido muy poco después del de su madre, pero esa pérdida no había sacudido su mundo de la misma manera. Coriolanus conservaba aún la polvera de su madre en un cajón de su mesita de noche. En los momentos difíciles, cuando le costaba conciliar el sueño, la abría y aspiraba el olor a rosas de la sedosa costra de polvo de su interior. Siempre lograba tranquilizarlo con el recuerdo de lo que había sentido al saberse amado de esa manera.

Bombas y sangre. Así fue como asesinaron los rebeldes a su madre. Se preguntó si habrían matado también a la de Lucy Gray. «Tan solo sus huesos, blancos como perlas». No daba la impresión de tenerle cariño al Distrito 12, siempre intentaba distanciarse de él, insistiendo en que era, ¿qué había dicho...? ¿Bandada?

—Gracias por intervenir.

La voz de Sejanus lo sobresaltó. Había permanecido sentado a escasos metros de distancia, oculto tras uno de los peñascos, escuchando la canción.

Coriolanus carraspeó.

—No ha tenido mérito alguno.

—Dudo que ningún otro compañero de clase me hubiese ayudado —señaló Sejanus.

—Tampoco ningún otro compañero de clase se ha dignado hacer acto de presencia —replicó Coriolanus—. Eso ya nos distingue. ¿Por qué has traído comida a los tributos?

Sejanus bajó la mirada hasta la mochila vacía que descansaba a sus pies.

—Desde la cosecha, no dejo de imaginarme que yo soy uno de ellos.

Coriolanus estuvo a punto de echarse a reír, pero se contuvo al ver que Sejanus no bromeaba.

—Qué pasatiempo tan curioso.

—No puedo evitarlo. —Sejanus bajó tanto la voz que Coriolanus se tuvo que esforzar para oírlo—. Leen mi nombre. Subo al escenario. Me esposan. Empiezan a golpearme sin motivo. Viajo en el tren, a oscuras, hambriento, sin más compañía que la de otros chicos a los que se supone que debo matar. Me exhiben delante de un montón de desconocidos que vienen con sus hijos para observarme a través de los barrotes...

El sonido de unos engranajes oxidados desvió su atención hacia la casa de los monos. Una docena aproximada de balas de heno salieron disparadas por la rampa y rodaron hasta formar una pila en el suelo de la jaula.

—Mira, esa sería mi cama.

—Eso no te va a pasar a ti, Sejanus —le aseguró Coriolanus.

—Pero podría haberme pasado. Tranquilamente. Si ahora no fuésemos ricos. Estaría otra vez en el Distrito 2, puede que en la escuela o en las minas, y seguro que en la cosecha. ¿Has visto a mi tributo?

—Como para no verlo —reconoció Coriolanus—. Sospecho que tiene muchas probabilidades de ganar.

—Fuimos compañeros de clase. Antes de que yo me trasladase aquí, ya sabes. En casa. Se llama Marcus —explicó Sejanus—. No éramos amigos, precisamente, pero tampoco rivales. Un día me pillé el dedo con una puerta, me lo aplasté con ganas, y él cogió un puñado de nieve del alféizar de una ventana para bajar la hinchazón. Ni siquiera le pidió permiso al maestro, lo hizo sin más.

—¿Crees que se acuerda de ti? —preguntó Coriolanus—. Erais pequeños. Han pasado muchas cosas desde entonces.

—Oh, claro que se acuerda de mí. Los Plinth somos famosos en casa. —Sejanus adoptó una expresión compungida—. Famosos y profundamente despreciados.

—Y ahora eres su mentor —dijo Coriolanus.

—Y ahora soy su mentor —repitió Sejanus.

Las luces se atenuaron en la casa de los monos. Unos cuantos tributos caminaban de un lado a otro, improvisando nidos de paja en los que pasar la noche. Coriolanus divisó a Marcus bebiendo del caño, echándose agua por la cabeza. Cuando se irguió y se acercó a las balas de heno, empequeñeció a los demás.

Sejanus tocó la mochila con la punta del pie.

—No ha querido aceptar ningún sándwich. Prefiere ir a los Juegos con el estómago vacío antes que aceptar mi comida.

—Eso no es culpa tuya —dijo Coriolanus.

—Lo sé. Lo sé. Soy tan inocente que hasta podría atragantarme con ello.

Coriolanus aún intentaba descifrar esa observación cuando se desató una pelea en la jaula. Dos chicos habían reclamado la misma bala de heno y se la disputaban a golpes. Marcus intervino y, agarrando por el cuello a cada uno de ellos, los arrojó en direcciones opuestas como si de un par de muñecos de trapo se tratara. Volaron por los aires y recorrieron varios metros antes de aterrizar en sendos montones desmadejados. Mientras se retiraban a las sombras, Marcus se llevó la bala para prepararse su propia cama con ella, indiferente a la escaramuza.

—Ganará, a pesar de todo —dijo Coriolanus. Si albergaba alguna duda, la demostración de fuerza y superioridad de Marcus acababa de despejarla. Volvió a experimentar el resentimiento que le producía el hecho de que le hubiesen concedido el tributo más aventajado a un Plinth. Y estaba harto de escuchar a Sejanus quejándose de que su padre le hubiese comprado al ganador—. Cualquiera de nosotros estaría encantado de ser su mentor.

Sejanus pareció animarse un poquito.

—¿De verdad? Pues quédatelo. Es tuyo.

—No estás hablando en serio —dijo Coriolanus.

—Por supuesto que sí. —Sejanus se puso en pie de un salto—. ¡Quiero que te lo quedes! Ya me llevo yo a Lucy Gray. Seguirá siendo horrible, pero por lo menos a ella no la conozco. Sé que al público le cae bien, pero ¿de qué le servirá eso en la arena? No tiene la menor oportunidad contra él. Tu tributo a cambio del mío. Gana los Juegos. Llévate toda la gloria. Por favor, Coriolanus, estaría en deuda contigo.

Por un momento, Coriolanus saboreó la dulzura de la victoria, los vítores de la multitud. ¡Si podía convertir a Lucy Gray en favorita, no quería ni imaginarse lo que sería capaz de hacer con un titán como Marcus! Además, ¿qué posibilidades tenía ella? Desvió la mirada hacia Lucy Gray, apoyada en los barrotes como un animal acorralado. A la luz mortecina, su color, lo que le confería un atractivo especial, se diluía hasta convertirla en otra criatura vapuleada y gris. Apenas rival para las demás chicas, menos aún para los chicos. La idea de que pudiese derrotar a Marcus era risible. Como enfrentar a un ave cantora contra un oso pardo.

Sus labios comenzaban ya a articular las palabras «trato hecho» cuando cambió de opinión.

Ganar con Marcus no sería ninguna victoria. No requeriría ingenio ni habilidad, ni siquiera una suerte especial. En cambio, ganar con Lucy Gray sería una apuesta tan descabellada como histórica si al final le sonreía el azar. Además, ¿era la victoria el verdadero objetivo? ¿O se trataba más bien de conquistar a la audiencia? Gracias a él, Lucy Gray era la estrella de los Juegos en esos momentos, el tributo más memorable, ganara quien ganase. Recordó sus manos entrelazadas en el zoo mientras cautivaban al mundo. Formaban un equipo. Ella confiaba en él. No lograba imaginarse diciéndole que iba a dejarla en la estacada por Marcus. O, peor aún, diciéndoselo al público.

Más aún, ¿quién le garantizaba que Marcus fuese a llevarse con él mejor que con Sejanus? Daba la impresión de ser muy capaz de ignorarlos a todos ellos. Y, entonces, Coriolanus quedaría como un cretino, mendigándole migajas de atención a Marcus mientras Lucy Gray hacía piruetas alrededor de Sejanus.

Una última consideración. Poseía algo que Sejanus Plinth quería, y lo quería con desesperación. Sejanus ya había usurpado su puesto, su herencia, su ropa, sus dulces, sus sándwiches..., el privilegio que le correspondía a un Snow. Ahora había puesto el punto de mira en su ático, su papel en la universidad, su futuro, y encima tenía la desfachatez de lloriquear por lo bien que le iban las cosas. De repudiarlo. De considerarlo incluso un castigo. Si tener a Marcus como tributo mortificaba a Sejanus, tanto mejor. Que sufriera. Lucy Gray era una de las pocas posesiones que nunca, jamás, conseguiría arrebatarle a Coriolanus.

—Lo siento, amigo —dijo con un tono de voz melifluo—. Pero me parece que voy a quedarme con ella.

6

Coriolanus procuró disfrutar de la decepción que se dibujaba en el rostro de Sejanus, pero no por mucho tiempo; eso habría sido mezquino.

—Mira, Sejanus, aunque no te lo creas, te estoy haciendo un favor. Piénsalo bien. ¿Qué diría tu padre si descubriera que has cambiado por otro el tributo que te ha conseguido?

—Me da igual —respondió sin demasiada convicción.

—De acuerdo, olvídate de tu padre. ¿Qué me dices de la Academia? Dudo que esté permitido intercambiar tributos. A mí ya me han encasquetado una sanción por reunirme con Lucy Gray antes de tiempo. ¿Qué pasaría si intento cambiarla por otro? Además, la pobre ya me ha tomado cariño. Abandonarla ahora sería como darle una patada a un gatito. No me veo capaz.

—No debería habértelo pedido. Ni siquiera me había parado a pensar que podría complicarte la vida. Lo siento. Es que... —Las palabras de Sejanus brotaron como si se hubiese roto una presa—. ¡Es que todo esto de los Juegos del Hambre me está volviendo loco! ¿Qué es lo que estamos haciendo? ¿Metemos a niños en una arena romana para que se maten entre ellos? Eso está mal en muchos aspectos. Los animales protegen a sus crías, ¿no? Y nosotros también. ¡Intentamos proteger a los niños! Forma parte de lo que somos, como seres humanos. ¿De verdad le gusta esto a alguien? ¡Es antinatural!

—No es bonito —coincidió Coriolanus mientras miraba a su alrededor.

—Es maligno. Va en contra de todo lo que considero bueno en este mundo. No puedo formar parte de ello. Y menos con Marcus. Necesito encontrar el modo de dejarlo —dijo Sejanus con los ojos anegados de lágrimas.

Su angustia incomodaba a Coriolanus, sobre todo porque él sí valoraba mucho aquella oportunidad de participar en los Juegos.

—Puedes pedírselo a otro mentor. No creo que te cueste encontrar a alguien dispuesto.

—No. No puedo entregarle a Marcus a cualquiera. Tú eres el único en quien confío lo suficiente. —Sejanus se volvió hacia la jaula, donde los tributos se habían acomodado para pasar la noche—. En fin, ¿qué más da? Si no es Marcus, será otra persona. Quizá me resultaría más fácil, pero seguiría sin estar bien. —Recogió su mochila—. Será mejor que me vaya a casa. Seguro que me espera un recibimiento muy agradable.

—No creo que hayas incumplido ninguna norma.

—Me he puesto de parte de los distritos en público. A ojos de mi padre, he incumplido la única norma que importa. —Sejanus esbozó una sonrisita—. De todos modos, gracias por echarme una mano.

—Gracias a ti por el sándwich. Estaba delicioso.

—Se lo comunicaré a Ma. Seguro que le alegra el día.

El regreso de Coriolanus a casa quedó ligeramente empañado por la reacción de la abuelatriz a su pícnic con Lucy Gray.

—Una cosa es alimentarla —lo reprendió la anciana— y otra muy distinta cenar con ella, lo que da a entender que la consideras tu igual. No lo es. Los distritos siempre han estado asilvestrados. Tu padre solía decir que la gente de allí solo bebía agua porque no llovía sangre. No lo olvides, Coriolanus, por tu propio bien.

—No es más que una niña, abuelatriz —intervino Tigris.

—Es de los distritos. Y esa hace tiempo que dejó de ser una niña, te lo digo yo.

Coriolanus recordó con inquietud la conversación de los tributos en la camioneta, cuando debatían sobre la conveniencia de matarlo o no. Habían demostrado una evidente sed de sangre. Y Lucy Gray fue la única que se opuso.

—Lucy Gray es distinta —razonó—. Se puso de mi parte cuando los demás intentaron atacarme. Y también me protegió en la casa de los monos.

—¿Se habría molestado en hacerlo si no fueras su mentor? —preguntó la abuelatriz, que no pensaba ceder—. Por supuesto que no. Es una pájara que no ha dejado de manipularte desde que os conocisteis. Mira por dónde pisas, mi niño... No te pido más.

Coriolanus no quiso seguir con la discusión porque ya sabía que la abuelatriz siempre veía lo peor de cualquier cosa que oliera a distrito. Se fue directo a la cama, muerto de cansancio, aunque no lograba aquietar sus pensamientos. Sacó del cajón de la mesita de noche la polvera de su madre y acarició la rosa grabada en la cajita de plata maciza.

> Las rosas son rojas, la violeta es azul.
> Las aves del cielo saben que mi amor eres tú.

Abrió el cierre, levantó la tapa y el olor a flores perfumó el aire. A la tenue luz que llegaba del Corso, sus pálidos ojos azules se reflejaban en el espejo redondo y un tanto deformado. «Iguales que los de tu padre», le recordaba la abuelatriz con frecuencia. Él habría preferido tener los ojos de su madre, pero nunca se lo dijo. Quizá fuera mejor parecerse a su padre. Su madre no era lo bastante fuerte para este mundo. Al final, se quedó dormido pensando en ella, aunque fue Lucy Gray la que le cantó en sueños mientras daba vueltas con su vestido arcoíris.

Al despertarse por la mañana, olía a las mil maravillas. Entró en la cocina y comprobó que Tigris llevaba horneando algo desde antes del alba.

Coriolanus le dio un apretón en el hombro.

—Tigris, necesitas dormir más.

—No podía dormir pensando en lo que está pasando en el zoo. Algunos de los niños de este año parecen muy pequeños. O puede que sea yo, que me hago mayor.

—A mí también me afecta verlos encerrados en esa jaula —reconoció Coriolanus.

—¡Y a mí también me afecta verte así! —exclamó ella mientras se ponía un guante para el horno y sacaba una sartén de pudin de pan—. Fabricia me pidió que tirara a la basura el pan duro de la fiesta, pero pensé: «¿Por qué tirarlo?».

Recién sacado del horno, chorreando sirope de maíz, el pudin de pan era uno de los favoritos de Coriolanus.

—Tiene una pinta fantástica —le dijo a Tigris.

—Y hay de sobra, así que puedes llevarle un pedazo a Lucy Gray. Dijo que le gustaban las cosas dulces, y... ¡dudo que le queden muchas posibilidades de probarlas! —Tigris dejó de golpe la sartén en el horno—. Lo siento. No pretendía decir eso. No sé qué me ha pasado. Estoy hecha un manojo de nervios.

—Son los Juegos —repuso Coriolanus, tocándole el hombro—. Sabes que tengo que ser mentor, ¿verdad? Es mi única opción para conseguir un premio. Necesito ganar por el bien de la familia.

—Por supuesto, Coryo. Por supuesto. Y estamos muy orgullosas de ti y de lo bien que lo estás haciendo. —Cortó una buena porción de pudin y la sirvió en un plato—. Come ya, que no quiero que llegues tarde.

En la Academia, el recelo de Coriolanus se disipó al ver las reacciones a su imprudente comportamiento del día anterior. A excepción de Livia Cardew, que dejó claro que había hecho trampa y que deberían descalificarlo de inmediato como mentor, sus compañeros lo felicitaron. A pesar de que sus profesores no lo apoyaron tan abiertamente, varios le sonrieron y más de uno le dio una sutil palmadita en la espalda.

Satyria se lo llevó aparte después de la asamblea de inicio del día.

—Bien hecho. La doctora Gaul está contenta, así que te has metido en el bolsillo al profesorado. La doctora enviará un informe positivo al presidente Ravinstill, y eso nos dejará en buen lugar a todos. Pero procura ir con cuidado. Has tenido suerte de que todo haya jugado en tu favor. ¿Y si esos mocosos te hubieran atacado en la jaula? Los agentes de la paz se habrían visto obligados a rescatarte y podríamos haber sufrido bajas en ambos bandos. El resultado habría sido muy diferente de no haberte tocado tu chica arcoíris.

—Por eso rechacé la oferta de Sejanus de intercambiar tributos.

—¡No! —exclamó Satyria, boquiabierta—. Imagínate lo que habría dicho Strabo Plinth de haberse hecho público.

—¡Imagínese lo que me debe si no se hace público! —repuso él.

La idea de chantajear al viejo Strabo Plinth tenía su atractivo.

—Has hablado como un verdadero Snow —dijo la profesora entre risas—. Ahora, a clase. Necesitamos que el resto de tu expediente siga impoluto si vas a seguir acumulando sanciones.

Los veinticuatro mentores se pasaron la mañana en un seminario dirigido por el profesor Crispus Demigloss, su excitable profesor de Historia. La clase se dedicó a aportar ideas, sin contar la incorporación de los mentores, para conseguir que la gente viera los Juegos del Hambre.

—Demostradme que no me he pasado cuatro años perdiendo el tiempo con vosotros —dijo con una risita nerviosa—. Si algo nos enseña la historia es a cómo conseguir que los reticentes acaten órdenes. —Sejanus levantó la mano al instante—. Ah, ¿Sejanus?

—Antes de hablar de cómo obligar a la gente a verlos, ¿no deberíamos preguntarnos si verlos es lo correcto?

—No nos apartemos del tema, por favor. —El profesor Demigloss examinó el aula en busca de una respuesta más productiva—. ¿Cómo convencemos a la gente para que los vea?

Festus Creed levantó la mano. Era un chico muy grande y corpulento para su edad, y pertenecía al círculo íntimo de Coriolanus desde que nació. Su familia era rica desde siempre. Su fortuna, casi por entero procedente de la madera del Distrito 7, se había tambaleado durante la guerra, pero se había recuperado satisfactoriamente a lo largo de la reconstrucción. El hecho de haber conseguido a la chica del Distrito 4 era fiel reflejo de su estatus: bueno, sin ser espectacular.

—Ilumínanos, Festus —dijo el profesor Demigloss.

—Fácil. Vamos directos a lo punitivo. En vez de sugerir que los vean, lo regulamos por ley.

—¿Qué ocurre si no los ves? —preguntó Clemensia sin molestarse en levantar la mano; ni siquiera apartó la vista de las notas.

Era popular tanto entre el alumnado como entre el claustro, y gracias a su simpatía le pasaban bastantes cosas por alto.

—En los distritos, te ejecutamos. En el Capitolio, te trasladamos a los distritos y, si vuelves a meter la pata al año siguiente, te ejecutamos —respondió Festus, muy satisfecho de sí mismo.

La clase se rio y después empezó a considerarlo seriamente. ¿Cómo hacer respetar la ley? No era posible enviar a los agentes de la paz puerta por puerta. Puede que un muestreo aleatorio en el que hubiera que responder a preguntas que demostraran que habías visto los Juegos. Y, si no, ¿cuál sería el castigo apropiado? Ni la ejecución ni el destierro; demasiado extremos. ¿Puede que alguna pérdida de privilegios en el Capitolio y unos latigazos en público si se trataba de los distritos? Así, el castigo sería personal para todos.

—El verdadero problema es que es un espectáculo asqueroso —dijo Clemensia—. Por eso la gente lo evita.

—¡Claro que sí! —exclamó Sejanus—. ¿Quién quiere ver a un grupo de niños matándose entre ellos? Solo una persona cruel y retorcida. Puede que los seres humanos no seamos perfectos, pero tampoco llegamos a esos extremos.

—¿Cómo lo sabes? —dijo Livia con brusquedad—. ¿Y cómo puede saber alguien de los distritos lo que queremos ver en el Capitolio? Ni siquiera estabas aquí durante la guerra.

Sejanus guardó silencio, ya que no podía negarlo.

—Porque la mayoría de nosotros somos, en esencia, personas decentes —respondió Lysistrata Vickers mientras cruzaba las manos con pulcritud sobre su cuaderno. Todo en ella era pulcro, desde su pelo, cuidadosamente trenzado, hasta las uñas, limadas a la perfección, pasando por los puños blancos de la blusa de su uniforme, que destacaban sobre su piel, impecable y morena—. La mayor parte de nosotros no quiere ver sufrir a los demás.

—Vimos cosas peores durante la guerra. Y también después —le recordó Coriolanus.

Durante los Días Oscuros retransmitieron imágenes muy sangrientas, además de unas cuantas ejecuciones brutales después de la firma del Tratado de la Traición.

—¡Pero había un motivo real, Coryo! —exclamó Arachne Crane tras propinarle un puñetazo en el brazo desde el asiento que Coriolanus tenía a su derecha. Siempre tan chillona. Siempre dando puñetazos. El piso de los Crane daba al de los Snow, y a veces la oía berrear por las noches, incluso desde el Corso—. ¡Estábamos viendo morir a nuestros enemigos! Escoria rebelde y demás. ¿A quién le importan estos niños, ni para bien ni para mal?

—Probablemente, a sus familias —respondió Sejanus.

—Estás hablando de un hatajo de gente insignificante de los distritos. ¿Y qué? —bramó Arachne—. ¿Por qué iba a importarnos a los demás quién gana?

—A mí no me importa —dijo Livia, mirando a Sejanus con intención.

—Me emociono más con una pelea de perros —reconoció Festus—. Sobre todo si apuesto.

—Entonces, ¿te gustaría si apostáramos a qué tributo gana? —bromeó Coriolanus—. ¿Serviría para que vieras los Juegos?

—Bueno, ¡seguro que animaba el asunto! —exclamó Festus.

Unos cuantos se rieron, pero, de repente, la clase guardó silencio; estaban sopesando la idea.

—Es espantoso —dijo Clemensia mientras se enrollaba un mechón de pelo en el dedo, pensativa—. ¿Lo has propuesto de verdad? ¿Crees que deberíamos apostar sobre quién será el ganador?

—La verdad es que no —respondió Coriolanus, y ladeó la cabeza—. Por otro lado, si resulta un éxito, entonces, sí; sin duda, Clemmie. ¡Quiero pasar a la historia como la persona que introdujo las apuestas en los Juegos!

Clemensia negó con la cabeza, exasperada. Sin embargo, de camino al comedor, Coriolanus tuvo que reconocer que la idea tenía sus virtudes.

En el comedor, los cocineros todavía estaban trabajando con las sobras del bufé de la cosecha, y el jamón con crema en tostadas era el plato estrella del menú escolar anual. Coriolanus saboreó cada bocado, a diferencia de lo ocurrido en el bufé, ya que el comportamiento amenazador del decano Highbottom le había inquietado tanto que apenas había probado bocado.

A los mentores se les había indicado que se reunieran en el palco del Salón Heavensbee después de comer, antes de su primera reunión oficial con los tributos. A cada uno le habían entregado un breve cuestionario que debía rellenar con la persona asignada, en parte para romper el hielo y en parte para el registro de la información. Tenían muy pocos datos archivados de los anteriores tributos, así que pretendían corregirlo. A muchos de sus compañeros les costaba disimular los nervios de camino al palco; hablaban y bromeaban con demasiado entusiasmo, mientras que Coriolanus les llevaba ventaja porque ya había hablado dos veces con Lucy Gray. Se sentía muy relajado, incluso deseoso de volver a verla. Para agradecerle la canción. Para darle el pudin de Tigris. Para preparar la estrategia de la entrevista.

La charla cesó en cuanto los mentores abrieron las puertas batientes del palco y vieron lo que les aguardaba abajo. Había desaparecido todo rastro de las festividades de la cosecha, de modo que el gran salón resultaba frío e imponente. Veinticuatro mesitas flanqueadas por dos sillas plegables cada una estaban dispuestas en ordenadas filas. En cada mesa había un cartel con un número de distrito seguido de una eme o una hache y, al lado, un bloque de hormigón con una argolla metálica encima.

Antes de que los estudiantes pudieran comentar la disposición de las mesas, entraron dos agentes de la paz que permanecieron de guardia junto a la entrada principal mientras los tributos entraban en fila de a uno. Había dos agentes por cada tributo, aunque era poco probable que intentaran escapar porque llevaban unos pesados grilletes en las muñecas y en los tobillos. Los condujeron a las mesas correspondientes a su distrito y sexo, les ordenaron que se sentaran y los encadenaron a las argollas del bloque de hormigón.

Algunos de los tributos se dejaron caer en sus respectivos asientos con la barbilla casi pegada al pecho, mientras que los más desafiantes volvieron la cabeza atrás y examinaron el salón. Era una de las cámaras más impresionantes del Capitolio, así que muchas bocas se abrieron, pasmadas por la grandiosidad de las columnas de mármol, las ventanas en arco y el techo abovedado. Coriolanus supuso que les parecería una maravilla comparado con las feas estructuras insulsas típicas de muchos distritos. Los ojos de los tributos, en su recorrido por la estancia, por fin dieron con el palco de los mentores, y ambos grupos se miraron a los ojos, sin disimulo, durante un buen rato.

Cuando la profesora Sickle abrió de golpe la puerta tras ellos, los mentores dieron un brinco.

—Dejad de observar a vuestros tributos y bajad ahí —les ordenó—. Solo tenéis quince minutos, así que aprovechadlos bien. Y recordad rellenar lo mejor posible el cuestionario para nuestros archivos.

Coriolanus encabezó el descenso por los escalones en espiral que llevaban al salón. Cuando sus ojos se encontraron con los de Lucy Gray, se percató de que la chica lo había estado buscando. Verla cargada de cadenas le causaba desazón, pero esbozó una sonrisa tranquilizadora que consiguió borrar parte de la preocupación del rostro de la muchacha.

Tras sentarse en la silla frente a ella, frunció el ceño al mirar sus manos engrilletadas y le hizo señas al agente de la paz más cercano.

—Perdone, pero ¿sería posible quitárselas?

El agente le hizo el favor de preguntarle a su superior, que estaba junto a la puerta, pero este negó rotundamente con la cabeza.

—Gracias por intentarlo, de todos modos —dijo Lucy Gray. Se había recogido el pelo en una trenza muy bonita, aunque parecía triste y cansada, y todavía se le veía el moratón. La chica se dio cuenta de que se lo miraba y lo tocó—. Es horrendo, ¿no?

—Se está curando.

—No tengo espejo, así que no me hago una idea.

No se molestó en interpretar el chispeante personaje que representaba ante las cámaras, y Coriolanus se alegró. Puede que empezara a confiar en él.

—¿Cómo estás?

—Adormilada. Asustada. Hambrienta —respondió Lucy Gray—. Esta mañana solo han pasado un par de personas por el zoo para alimentarnos. Conseguí una manzana, que ya es más de lo que recibieron otros, pero no sacia mucho.

—Bueno, en eso sí puedo servirte de ayuda.

Sacó el paquete de Tigris de la mochila.

Lucy Gray se animó un poco y desenvolvió con cuidado el papel encerado en el que estaba guardado el pudin de pan. De repente, los ojos se le llenaron de lágrimas.

—Oh, no. ¿No te gusta? —preguntó él—. Puedo intentar traerte otra cosa. Puedo...

—Es mi favorito —respondió la chica, negando con la cabeza.

Tragó saliva, desprendió un pedacito y se lo metió entre los labios.

—También el mío. Mi prima, Tigris, lo preparó esta mañana, así que debería estar fresco.

—Está perfecto. Sabe como el de mi madre. Por favor, dale las gracias de mi parte a Tigris.

Le dio otro bocado, aunque seguía intentando reprimir las lágrimas.

Coriolanus notó una punzada de tristeza. Quería tocarle la cara, decirle que todo saldría bien. Pero eso no era cierto. No para ella. Se metió la mano en el bolsillo trasero y sacó un pañuelo para ofrecérselo.

—Todavía tengo el de anoche —respondió ella, e hizo ademán de sacarlo.

—Tenemos los cajones llenos de pañuelos. Toma.

Lucy Gray aceptó su ofrecimiento; se secó los ojos y se sonó los mocos. Después respiró hondo y se enderezó.

—Entonces, ¿cuál es el plan de hoy?

—Se supone que tengo que rellenar este cuestionario sobre ti. ¿Te importa? —le preguntó mientras sacaba la hoja de papel.

—En absoluto. Me encanta hablar de mí.

La página empezaba con información básica: nombre, dirección en el distrito, fecha de nacimiento, color de pelo y ojos, altura y peso, y discapacidades. La cosa se complicaba al llegar a la estructura familiar. Tanto los progenitores de Lucy como sus dos hermanos mayores habían muerto.

—¿Has perdido a toda tu familia? —le preguntó Coriolanus.

—Tengo un par de primos. Y el resto de la Bandada. —Se inclinó para examinar el papel—. ¿Hay hueco para ellos?

No lo había. Sin embargo, el chico pensó que debería haberlo, teniendo en cuenta la cantidad de familias rotas a causa de la guerra. Debería haber un lugar para cualquiera que se preocupara por ti. De hecho, quizá debiera ser esa la pregunta inicial: «¿Quién se preocupa por ti?». O, incluso mejor: «¿Con quién puedes contar?».

—¿Casada? —Coriolanus se rio, aunque después recordó lo jóvenes que eran los contrayentes en algunos de los distritos.

¿Cómo iba a saberlo? Puede que tuviera un marido en el 12.

—¿Por qué? ¿Te ofreces para el puesto? —preguntó Lucy Gray muy seria. Él levantó la vista, sorprendido—. Porque creo que lo nuestro funcionaría.

—Estoy seguro de que podrías encontrar a alguien mejor —respondió Coriolanus, que se había ruborizado con la broma.

—Todavía no lo he hecho. —Por un momento, la tristeza se adueñó de su rostro, aunque lo disimuló con una sonrisa—. Seguro que tienes una cola de novias que da la vuelta al edificio.

El coqueteo lo dejó mudo. ¿Por dónde iban? Comprobó el papel. Ah, sí. Su familia.

—¿Quién te crio? Después de perder a tus padres, me refiero.

—Un anciano nos dio cobijo a cambio de unos honorarios... A los seis críos de la Bandada que quedábamos. En realidad, no es que nos criara, pero nos dejaba en paz, así que podría haber sido peor. De verdad, me siento agradecida. No había mucha gente dispuesta a acogernos a los seis. Murió el año pasado de la enfermedad del pulmón negro, aunque algunos de nosotros ya somos lo bastante mayores para encargarnos de todo.

Pasaron a la profesión. Con dieciséis años, Lucy Gray no era lo bastante mayor para las minas, pero tampoco iba al colegio.

—Me gano la vida entreteniendo a la gente.

—¿La gente te paga por... cantar y bailar? Creía que en los distritos no se podían permitir esas cosas.

—La mayoría no puede. A veces reúnen dinero, y dos o tres parejas se casan el mismo día y nos contratan. A mí y al resto de la Bandada, quiero decir. Lo que queda de nosotros. Los agentes de la paz nos permitieron conservar los instrumentos cuando nos detuvieron. Se cuentan entre nuestros mejores clientes.

Coriolanus recordaba que los agentes habían intentado no sonreír en la cosecha y que ninguno la había interrumpido cuando empezó a cantar y a bailar. Tomó nota de su profesión, lo que daba por concluido el formulario, pero todavía le quedaban muchas preguntas.

—Háblame de la Bandada. ¿A qué bando se unió en la guerra?

—A ninguno. Mi gente no tomó partido. Somos simplemente nosotros. —Algo detrás de Coriolanus le llamó la atención—. ¿Cómo decías que se llamaba tu amigo? ¿El de los sándwiches? Creo que tiene problemas.

—¿Sejanus?

Volvió la vista atrás hasta dar con Sejanus, que se encontraba unas cuantas mesas más allá, sentado frente a Marcus. Entre ellos había unos sándwiches de carne asada y una tarta sin tocar. Sejanus parecía implorarle, pero Marcus se limitaba a mirar al frente, con los brazos cruzados, impasible.

A su alrededor, los demás tributos colaboraban en distintos grados. Algunos se habían tapado la cara y se negaban a cooperar. Otros lloraban. Unos cuantos respondían con cautela a las preguntas, pero incluso esos parecían hostiles.

—Cinco minutos —anunció la profesora Sickle.

Eso le recordó a Coriolanus los otros cinco minutos de los que tenían que hablar.

—Vale, la noche previa al inicio de los Juegos tendremos una entrevista de cinco minutos en televisión y podremos hacer lo que queramos. Se me ha ocurrido que podrías volver a cantar.

—No estoy segura de que merezca la pena —respondió ella tras pensárselo—. Es decir, que la canción que canté en la cosecha no tenía nada que ver con la gente de aquí. No lo planeé. Solo forma parte de una historia larga y triste que no le importa a nadie más que a mí.

—Emocionaste a la gente —comentó Coriolanus.

—Y la canción del valle fue, como tú dijiste, una forma de conseguir comida.

—Fue algo precioso. Me hizo sentir como cuando mi madre... Murió cuando yo tenía cinco años. Me recordó a una canción que solía cantarme.

—¿Y tu padre?

—También lo perdí. El mismo año.

—Así que eres huérfano, como yo —repuso ella, comprensiva.

A Coriolanus no le gustaba que lo llamaran así. Livia había bromeado sobre su falta de progenitores cuando era pequeño, y se había sentido solo y sin nadie que lo quisiera, cuando no era cierto. Aun así, seguía existiendo un vacío que la mayoría de los otros críos no terminaba de comprender. Pero Lucy Gray, que también era huérfana, sí lo entendía.

—Podría ser peor. Tengo a la abuelatriz. A mi abuela, vamos. Y a Tigris.

—¿Echas de menos a tus padres?

—Bueno, no estaba muy unido a mi padre. A mi madre... Sí, claro. —Todavía le costaba hablar de ella—. ¿Y tú?

—Mucho. A los dos. Llevar el vestido de mi madre es lo único que evita que me derrumbe. —Acarició los volantes—. Es como si me envolviera con sus brazos.

Coriolanus pensó en la polvera de su madre. En el maquillaje perfumado.

—Mi madre siempre olía a rosas —dijo, y acto seguido se sintió incómodo. Rara vez mencionaba a su madre, ni siquiera en casa. ¿Cómo habían acabado hablando de ella?—. En fin, creo que tu canción conmovió a mucha gente.

—Eres muy amable. Gracias por decirlo. Pero la verdad es que no es razón suficiente para cantar en la entrevista. Si se lleva a cabo la noche anterior, la comida queda descartada. Y, llegados a ese punto, no tengo ningún motivo para ganarme a nadie.

Coriolanus se concentró en dar con una razón, pero, esta vez, la canción solo le beneficiaría a él.

—En cualquier caso, es una pena. Con tu voz.

—Te cantaré algo entre bambalinas —le prometió ella.

Tendría que esforzarse por convencerla, pero, de momento, decidió pasarlo por alto. Permitió que ella lo entrevistara a él durante unos minutos, y respondió a más preguntas sobre su familia y cómo habían sobrevivido a la guerra. Por el motivo que fuera, le resultaba sencillo hablar con ella. ¿Era porque sabía que todo lo que le contara desaparecería en la arena en cuestión de días?

Lucy Gray parecía más animada; no había vuelto a llorar. Mientras se narraban sus historias, entre ellos empezó a crecer la confianza. Cuando sonó el silbato para indicar el final de la sesión, la chica guardó con mimo el pañuelo en el bolsillo de la mochila de Coriolanus y le dio un apretón en el brazo, un gesto de agradecimiento.

Los mentores se dirigieron, obedientes, a la salida principal, donde la profesora Sickle les ordenó:

—Ahora tenéis que ir al laboratorio de biología avanzada para una reunión informativa.

Nadie se lo discutió, aunque en los pasillos todos se preguntaban el motivo. Coriolanus tenía la esperanza de que fuera porque allí los esperaba la doctora Gaul. Su cuestionario estaba prácticamente completado, en claro contraste con los irregulares intentos de sus compañeros, lo cual podría convertirse en otra oportunidad para sobresalir.

—El mío no quería hablar. ¡Ni una palabra! —se quejó Clemensia—. Solo tengo lo que ya tenía después de la cosecha: su nombre, Reaper Ash. ¿Te imaginas ponerle a tu hijo ese nombre, que significa cosechador, y que después acabe elegido en la cosecha?

—Cuando nació no existía la cosecha —comentó Lysistrata—. No era más que un nombre relacionado con la agricultura.

—Supongo —respondió Clemensia.

—La mía sí ha hablado. ¡Aunque habría sido mejor que no lo hiciera! —exclamó Arachne casi a voz en grito.

—¿Por qué? ¿Qué ha dicho? —quiso saber Clemensia.

—Bueno, al parecer, en el Distrito 10 se pasaba casi todo el tiempo sacrificando cerdos. —Arachne imitó el gesto de vomitar—. Puaj. ¿Qué voy a hacer con eso? Ojalá pudiera inventarme algo mejor. —De repente, se detuvo, de modo que Coriolanus y Festus se tropezaron con ella—. ¡Espera! ¡Ya lo tengo!

—¡Cuidado! —le dijo Festus, y la empujó.

Sin prestarle atención, ella siguió hablando y exigiendo la atención de todos.

—¡Podría inventarme algo genial! He estado en el Distrito 10,

¡es prácticamente mi segundo hogar! —Antes de la guerra, su familia construía hoteles de lujo en destinos vacacionales, así que Arachne había viajado por todo Panem. Todavía presumía de ello, aunque llevaba confinada en el Capitolio desde la guerra, como todos los demás—. En fin, ¡que seguro que se me ocurre algo mejor que los pormenores de un matadero!

—Tienes suerte —le dijo Pliny Harrington. Todos lo llamaban Pup para diferenciarlo de su padre, comandante de la Armada, que supervisaba las aguas más allá del Distrito 4. El comandante había intentado esculpirlo a su imagen y semejanza, insistía en que Pup llevara el pelo a cepillo y los zapatos relucientes, pero su hijo era guarro por naturaleza. Con la uña del pulgar se sacó un trozo de jamón de los bráquets y lo tiró al suelo—. Por lo menos no le da miedo la sangre.

—¿Por qué? ¿A la tuya sí? —preguntó Arachne.

—Ni idea. Se ha pasado quince minutos seguidos llorando. —Pup hizo una mueca—. No creo que la vida en el Distrito 7 la preparara ni para soportar un uñero, así que mucho menos para aguantar los Juegos.

—Será mejor que te abotones la chaqueta antes de entrar en clase —le recordó Lysistrata.

—Ah, claro —repuso Pup suspirando. Intentó abrocharse el botón de arriba, pero se le desprendió de la chaqueta—. Estúpido uniforme.

Cuando entraron en el laboratorio, Coriolanus se alegró de ver de nuevo a la doctora Gaul, aunque el placer le duró poco al ver al decano Highbottom detrás de la mesa del profesor, recogiendo los cuestionarios. Hizo caso omiso de Coriolanus, aunque tampoco fue especialmente simpático con los demás. Dejó que hablara la Vigilante Jefe.

La doctora Gaul se dedicó a aguijonear al conejo modificado hasta que la clase se hubo sentado y después los saludó con un:

—¡Deprisa, deprisa! ¿Cómo os ha ido? ¿Os recibieron como amigos u os miraron como a desconocidos? —Los estudiantes se miraron entre ellos, desconcertados, mientras ella cogía los cuestionarios—. Para los que no lo sepáis, soy la doctora Gaul, Vigilante Jefe de los Juegos, y seré la mentora de vuestras mentorías. Veamos qué material tengo para trabajar, ¿de acuerdo? —Hojeó los papeles, frunció el ceño, sacó uno y lo sostuvo en alto—. Esto es lo que os han pedido hacer. Gracias, Snow. Y bien, ¿qué os ha pasado a los demás?

Por dentro estaba encantado, pero mantuvo una expresión neutra. La reacción más sabia era apoyar a sus compañeros. Tras una larga pausa, habló.

—He tenido buena suerte con mi tributo. Es habladora. Pero la mayoría de los niños no quería comunicarse. Y ni siquiera mi chica le ve sentido a esforzarse en la entrevista.

Sejanus se volvió hacia Coriolanus.

—¿Por qué iban a hacerlo? ¿Qué ganan con ello? Hagan lo que hagan, los arrojarán a la arena y dejarán que se apañen solos.

Los demás murmuraron para darle la razón.

La doctora Gaul miró a Sejanus.

—Eres el chico de los sándwiches. ¿Por qué lo hiciste?

—Se estaban muriendo de hambre —respondió Sejanus, muy tenso, procurando no mirarla a los ojos—. Vamos a matarlos; ¿es necesario que los torturemos antes?

—Ya veo. Un simpatizante de los rebeldes.

—No me parecen muy rebeldes —insistió Sejanus sin apartar la vista de su cuaderno—. Algunos tenían dos años cuando terminó la guerra. Los mayores, ocho. Y ahora que ha terminado, solo son ciudadanos de Panem, ¿no? ¿Iguales que nosotros? ¿No es lo que dice el himno del Capitolio? «Tú nos das la luz, tú nos unes de nuevo». Es el gobierno de todos, ¿no?

—Esa es la idea general. Adelante —lo animó ella.

—Bueno, pues entonces debería protegernos a todos. ¡Es su principal cometido! Y no me parece que obligarlos a luchar a muerte sirva a ese objetivo.

—Evidentemente, no apruebas los Juegos del Hambre —dijo la doctora Gaul—. Debe de resultarte difícil, siendo mentor. E imagino que afectará a tu labor.

Sejanus guardó silencio un momento. Después se irguió en su asiento, como si se preparara antes de mirarla a los ojos y decir:

—Quizá deba sustituirme por alguien más digno del puesto.

La clase entera dejó escapar un grito ahogado, perfectamente audible.

—Ni hablar, joven —repuso la doctora Gaul entre risas—. La compasión es clave en los Juegos. Empatía, eso es lo que nos falta. ¿Verdad, Casca? —preguntó al decano, que se limitó a juguetear con un bolígrafo.

Sejanus, entristecido, no se lo discutió. A Coriolanus le dio la impresión de que había perdido aquella batalla, pero no creía que hubiera dado por perdida la guerra. Sejanus Plinth era más duro de lo que aparentaba. Echarle su mentoría a la cara a la doctora Gaul requería agallas.

No obstante, el intercambio parecía haberla revigorizado.

—¿No sería fantástico que todos los televidentes sintieran por los tributos la misma pasión que este joven? Ese debería ser nuestro objetivo.

—No —repuso el decano Highbottom.

—¡Sí! ¡Que se involucren de verdad! —prosiguió la doctora Gaul. Después se dio un golpe en la cabeza—. Se me ha ocurrido una idea maravillosa. Una forma de que la gente influya directamente en el resultado de los Juegos. ¿Y si la audiencia enviara comida a los tributos del estadio? Que los alimentara, como vuestro amigo hizo en el zoo. ¿Así se sentirían más involucrados?

—Yo, sí, ¡siempre que pudiera apostar por el tributo al que alimento! —intervino Festus, animado—. Precisamente, Coriolanus planteaba esta mañana la idea de apostar por los tributos.

—Claro que lo hizo —dijo la doctora sonriendo de oreja a oreja mientras miraba a Coriolanus—. De acuerdo, dadle entre todos unas cuantas vueltas al asunto. Redactad una propuesta sobre cómo podría funcionar, y mi equipo la estudiará.

—¿La estudiará? —preguntó Livia—. ¿Quiere decir que quizá pongan en práctica nuestras ideas?

—¿Por qué no? Si son buenas. —La doctora Gaul lanzó la pila de cuestionarios sobre la mesa—. Los cerebros jóvenes a veces compensan la falta de experiencia con su idealismo. Nada les parece imposible. El viejo Casca, aquí presente, inventó el concepto de los Juegos del Hambre cuando era alumno mío en la universidad y tenía pocos años más que vosotros ahora.

Todas las miradas convergieron en el decano Highbottom, que se dirigió a la doctora Gaul.

—No era más que una teoría.

—Igual que esto, a no ser que demuestre resultar de cierta utilidad —respondió la doctora—. Las quiero sobre mi mesa mañana por la mañana.

Coriolanus suspiró para sí. Otro proyecto en grupo. Otra oportunidad para desaprovechar sus ideas en nombre de la colaboración. Para que las desecharan por completo o, peor todavía, que las diluyeran hasta que perdieran su garra. La clase votó para formar un comité de tres miembros encargados de redactar las propuestas. Por supuesto, lo eligieron a él, y no pudo rechazar la oferta. La doctora Gaul, antes de irse a una reunión, pidió a la clase que debatiera la idea. Clemensia, Arachne y él debían reunirse aquella noche, pero, como todos querían visitar a sus tributos en el zoo, acordaron verse allí a las ocho en punto. Después irían a la biblioteca a escribir el trabajo.

La comida de mediodía había sido sustanciosa, por lo que no le pareció escasa la cena, consistente en la sopa de col del día anterior y un plato de alubias rojas. Al menos, no eran de las blancas. Y después de que Tigris echara lo que quedaba en un elegante cuenco de porcelana y las aderezara con unas cuantas hierbas frescas, no desmerecía como regalo para Lucy Gray. A la chica le importaba la presentación. En cuanto a las alubias, bueno, la pobre se moría de hambre.

De camino al zoológico se sentía pletórico. Aunque por la mañana no habían acudido demasiados visitantes, en aquel momento había tantos congregados que temía no encontrar un hueco cerca de la casa de los monos. Su recién estrenado estatus acudió en su ayuda: en cuanto la gente lo reconocía, se apartaba e incluso pedía a los demás que lo dejaran pasar. No era un ciudadano corriente, ¡era un mentor!

Se fue derecho a su rincón, donde se encontró a los mellizos, Pollo y Didi Ring, aposentados en su roca. La pareja abrazaba de todo corazón su condición: siempre lucía atuendos, moños y sonrisas idénticas. Se levantaron sin que Coriolanus se lo tuviera que pedir.

—Quédate con tu sitio, Coryo —le dijo Didi mientras levantaba a su hermano de la roca.

—Claro, nosotros ya hemos alimentado a nuestros tributos —añadió Pollo—. Oye, siento que te haya tocado el rollo de la propuesta.

—Sí, nosotros votamos por Pup, pero ¡nadie nos apoyó!

Se rieron y desaparecieron entre la multitud.

Lucy Gray se unió a él de inmediato. Aunque no cenó con ella, la chica devoró las alubias después de admirar la elegancia del plato.

—¿Os han entregado más comida? —le preguntó Coriolanus.

—Una señora me dio una corteza de queso rancio, y un par de críos se pelearon por el trozo de pan que nos tiró otro hombre. Veo a muchas personas con comida, pero creo que les da miedo acercarse, aunque ahora nos vigilen esos agentes de la paz. —Señaló el fondo de la jaula, donde hacía guardia un cuarteto de agentes—. Puede que se sientan más seguros al verte.

Coriolanus se fijó en un niño de unos diez años que merodeaba entre los presentes con una patata cocida en la mano. Le guiñó un ojo y lo saludó, a lo que el niño respondió mirando a su padre, que asintió para darle permiso. El pequeño se puso detrás de Coriolanus, guardando las distancias.

—¿Has traído esa patata para ella? —le preguntó el joven.

—Sí, la he guardado de la cena. Aunque tenía muchas ganas de comérmela, tenía más ganas todavía de alimentar a Lucy Gray.

—Adelante —lo animó Coriolanus—. No muerde. Eso sí, procura ser educado.

El niño dio un tímido paso hacia la joven.

—Hola, cielo, ¿cómo te llamas? —le preguntó Lucy Gray.

—Horace. Te he traído mi patata.

—Ay, eres un amor. ¿Me la como ahora o la guardo?

—Ahora —respondió el niño mientras se la entregaba con mucha cautela.

Lucy Gray aceptó la patata como si de un diamante se tratara.

—Vaya, creo que es la mejor patata que he visto en mi vida. —El niño se ruborizó de orgullo—. Vale, allá voy. —Le dio un bocado, cerró los ojos y pareció a punto de desmayarse de gusto—. Y también la más rica que he probado. Gracias, Horace.

Las cámaras los enfocaron mientras Lucy Gray recibía la zanahoria mustia que le daba una niña y el hueso de sopa hervido que le ofrecía la abuela de la pequeña. Alguien le dio un toquecito en el hombro a Coriolanus, y al volverse vio que Pluribus Bell estaba allí con una latita de leche.

—Por los viejos tiempos —le dijo, sonriente, mientras le hacía un par de agujeros en la tapa y se la pasaba a Lucy Gray—. Disfruté mucho con tu actuación en la cosecha. ¿Escribiste tú la canción?

Algunos de los tributos más complacientes (o, con toda probabilidad, los más hambrientos) empezaron a aproximarse a los barrotes. Se sentaban en el suelo, alargaban las manos, agachaban la cabeza y esperaban. De vez en cuando, alguien, normalmente un niño, corría hasta ellos, les dejaba algo en las manos y regresaba a toda prisa. Los tributos empezaron a competir por la atención del público, lo que atrajo a las cámaras hacia el centro de la jaula. Una ágil niñita del Distrito 9 dio una voltereta hacia atrás cuando recibió un panecillo. El chico del Distrito 7 se puso a hacer malabares con tres nueces. Los presentes recompensaban con comida y aplausos a los que actuaban.

Lucy Gray y Coriolanus permanecieron en sus asientos de pícnic y contemplaron el espectáculo.

—Ahora somos toda una *troupe* circense —comentó ella mientras arrancaba pellizcos de carne al hueso de sopa.

—Ninguno de ellos está a tu altura —dijo Coriolanus.

En vez de seguir evitándolos, los tributos empezaron a acercarse a los mentores si les ofrecían comida. Cuando llegó Sejanus con varias bolsas de huevos cocidos y cuñas de pan, todos los niños enjaulados corrieron a su lado, salvo Marcus, que procuró no prestarle atención.

Coriolanus los señaló con la cabeza.

—Tenías razón sobre Sejanus y Marcus: eran compañeros de clase en el Distrito 2.

—Bueno, es complicado. Al menos, nosotros no tenemos que enfrentarnos a eso.

—Sí, esto ya es suficientemente complicado. —Lo dijo de broma, pero fracasó en su intento. Porque sí que lo era, y la complicación aumentaba por minutos.

—Habría sido bonito conocernos en otras circunstancias —respondió ella con una sonrisa melancólica.

—¿Por ejemplo? —preguntó él.

Era una conversación peligrosa, pero no podía evitarlo.

—Bueno, por ejemplo, si me hubieras oído cantar en uno de mis espectáculos. Y después te hubieras acercado para charlar, y puede que para tomar algo y bailar.

Coriolanus se lo imaginaba, la veía cantando en un sitio como el club de Pluribus, a él fijándose en ella, y los dos conectando antes incluso de conocerse.

—Y habría vuelto a la noche siguiente.

—Como si tuviéramos todo el tiempo del mundo.

Su ensueño se interrumpió de golpe cuando oyeron un fuerte: «¡Yuju!».

Los tributos del Distrito 6 iniciaron un baile muy gracioso, y los mellizos Ring consiguieron que parte del público aplaudiera siguiendo el ritmo. Después, el ambiente se tornó casi festivo. La multitud se atrevió a acercarse más, y unas cuantas personas empezaron a hablar con los presos.

En general, Coriolanus lo vio como un avance positivo... No bastaba con Lucy Gray para justificar que las entrevistas se emitieran en una hora de máxima audiencia. Decidió permitir que los demás tributos disfrutaran de su momento de gloria y pedirle después a Lucy Gray que cantara a la hora del cierre. Mientras tanto, le contó a la chica el debate de los mentores y enfatizó lo que su popularidad podría significar en la arena del estadio, ahora que cabía la posibilidad de que la gente enviara regalos.

En secreto, volvía a estar preocupado por sus recursos. Necesitaba televidentes adinerados que pudieran permitirse comprarle cosas. Daría mala impresión que un tributo de los Snow no recibiera nada en la arena. Puede que debiera incluir en la propuesta la prohibición de enviar regalos a tu propio tributo. De lo contrario, ¿cómo iba a competir? Sin duda, no tenía nada que hacer contra

Sejanus. Allí mismo, junto a los barrotes, Arachne había preparado un pequeño pícnic para su tributo: una rebanada de pan fresco, un trozo de queso y ¿eran eso uvas? ¿Cómo se las podía permitir? Quizá la industria turística empezara a repuntar.

La vio cortar el queso con un cuchillo de puño de nácar. Su tributo, la parlanchina niña del Distrito 10, estaba acuclillada frente a ella, inclinada con ansia sobre los barrotes. Arachne preparó un grueso sándwich, aunque no se lo entregó enseguida. Parecía estar echándole un sermón a la pequeña; era todo un discurso. En cierto momento, la tributo metió la mano a través de los barrotes, y Arachne retiró el sándwich, lo que arrancó una carcajada a los presentes. La joven se volvió hacia ellos, sonriente, después hizo el gesto de negar con el dedo a su tributo, sostuvo en alto el sándwich otra vez y lo retiró de nuevo para regocijo de la multitud.

—Está jugando con fuego —comentó Lucy Gray.

Arachne saludó a la gente y le dio un bocado al sándwich.

Coriolanus vio que a la tributo se le ensombrecía el rostro y se le tensaban los músculos del cuello. Y vio algo más. Sus dedos se deslizaron por el barrote, salieron disparados y rodearon el mango del cuchillo. Coriolanus empezó a levantarse y abrió la boca para gritar una advertencia, pero ya era demasiado tarde.

Con un único movimiento, la tributo tiró de Arachne y le cortó el cuello.

7

Los miembros del público que se encontraban más cerca de la agresión prorrumpieron en alaridos. El rostro de Arachne palideció mientras la muchacha dejaba caer el sándwich y se llevaba las manos al cuello. Un surtidor de sangre brotó entre sus dedos cuando la tributo del Distrito 10 la soltó y le propinó un empujón. Arachne retrocedió de espaldas, giró sobre los talones y extendió una mano goteante, implorando auxilio a los espectadores. La gente, demasiado sorprendida o asustada, no reaccionó. Algunas personas se alejaron de ella mientras se desplomaba de rodillas y se desangraba.

El primer impulso de Coriolanus fue apartarse de ella como habían hecho los demás y agarrarse a los barrotes de la casa de los monos en busca de ayuda, pero Lucy Gray siseó:

—¡Ayúdala!

Recordó que las cámaras retransmitían en directo para toda la audiencia del Capitolio. Aunque ignoraba qué podría hacer él por Arachne, no quería que nadie lo viera atenazado por la aprensión y el pavor. Su miedo era algo que guardaba para él, no un espectáculo público.

Se obligó a poner en movimiento las piernas y fue el primero en llegar junto a Arachne, que se aferró a su camisa mientras la vida se le escapaba del cuerpo.

—¡Un médico! —exclamó mientras la tumbaba con delicadeza en el suelo—. ¿Hay algún médico aquí? ¡Por favor, que alguien la ayude! —Presionó con la palma de la mano la herida en un intento por contener la hemorragia, pero la retiró al oír el jadeo estrangulado que emitió la muchacha—. ¡Vamos! —les chilló a los presentes.

Dos agentes de la paz se abrían paso a empujones en su dirección, pero avanzaban muy despacio. Demasiado.

Coriolanus miró de reojo a tiempo de ver que la chica del Distrito 10 recogía el sándwich de queso y le daba un furioso bocado antes de que una lluvia de balas le atravesara el cuerpo, aplastándola contra los barrotes. Cayó deslizándose hasta formar un fardo desmadejado en el suelo, su sangre mezclada con la de Arachne. Unas migajas de pan a medio masticar se despegaron de sus labios para flotar en el charco escarlata.

La multitud retrocedió de repente, impulsada por los individuos aterrorizados que intentaban huir de la zona. La luz mortecina le confería a la escena una capa de desesperación añadida. Coriolanus vio que un niño pequeño había perdido el equilibrio y le pisoteaban la pierna, hasta que una mujer lo levantó en volandas del suelo. Otros no tuvieron tanta suerte.

Los labios de Arachne dibujaban palabras inarticuladas que él no supo descifrar. Cuando su respiración cesó de improviso, imaginó que no serviría de nada intentar reanimarla. Si insuflaba aire en su boca, ¿no se limitaría a escapar por la herida abierta del cuello? Festus había conseguido llegar a su lado; los dos amigos intercambiaron sendas miradas de impotencia.

Mientras se separaba de Arachne, Coriolanus se sobresaltó al ver la sustancia roja y reluciente que le cubría las manos. Se volvió y vio a Lucy Gray acurrucada contra los barrotes de la jaula, con el rostro oculto entre los volantes de la falda, estremeciéndose de la cabeza a los pies. También él temblaba. Siempre le ocurría lo mismo: la sangre derramada, el silbido de las balas y los gritos de la multitud lo transportaban a los momentos más angustiosos de su niñez. Botas rebeldes retumbando en las calles, la abuelatriz y él cercados por los disparos, moribundos retorciéndose a su alrededor..., su madre yaciendo en la cama empapada de rojo..., las estampidas durante los disturbios provocados por la escasez de alimentos, las caras aplastadas, los gemidos de dolor...

Se apresuró a enmascarar el terror que sentía apretando los puños a los costados, respirando profunda y acompasadamente. Lucy Gray empezó a vomitar y Coriolanus le volvió la espalda para evitar que también a él se le revolviera el estómago.

Por fin apareció el personal de primeros auxilios; colocaron a Arachne en una camilla. Se evaluó quiénes habían sufrido heridas por culpa de las balas perdidas y quiénes habían sido arrollados por los pies de la gente. Apareció una mujer en su campo visual para preguntarle si se encontraba bien, si esa sangre era suya. Cuando se hubo confirmado que no lo era, le dieron una toalla para que se limpiase y pasaron al siguiente.

Mientras se quitaba la sangre con la toalla divisó a Sejanus, arrodillado junto a la tributo abatida. Había metido la mano entre los barrotes y parecía espolvorear un puñado de algo de color blanco sobre su cuerpo mientras murmuraba unas palabras. A Coriolanus apenas le dio tiempo a verlo de refilón antes de que un agente de la paz se acercara a Sejanus y se lo llevase a rastras. Los soldados, que ya empezaban a invadir el recinto, desalojaron al resto de los visitantes y alinearon a los tributos contra el fondo de la reja, con las manos entrelazadas encima de la cabeza. Más tranquilo, Coriolanus intentó captar la atención de Lucy Gray, pero la muchacha tenía la mirada clavada en el suelo.

Un agente de la paz lo agarró por el hombro y le dio un empujón, respetuoso pero firme, en dirección a la salida. Se descubrió siguiendo los pasos de Festus por el camino principal. Se detuvieron junto a una fuente y dedicaron unos instantes a limpiarse la sangre.

Nadie sabía qué decir. Aunque no hubiera sentido ningún cariño especial por Arachne, esta siempre había estado presente en su vida. Habían jugado juntos cuando eran muy pequeños, los habían invitado a las mismas fiestas de cumpleaños, se habían hecho compañía en las colas de racionamiento, habían cursado las mismas asignaturas. La muchacha se había vestido de negro de la cabeza a los pies para asistir al entierro de la madre de Coriolanus, y este había sumado su voz a los vítores en la ceremonia de graduación de su hermano, hacía apenas un año. Como parte de la adinerada vieja guardia del Capitolio, consideraba a Arachne un miembro más de su familia. Y a uno no tenía por qué gustarle su familia. Los vínculos se daban por sentados.

—No he podido salvarla —dijo—. No he sido capaz de parar la hemorragia.

—No creo que nadie hubiera podido. Por lo menos tú lo intentaste. Eso es lo que cuenta —lo consoló Festus.

Clemensia los encontró, todavía temblando a causa de la conmoción, y salieron juntos del zoológico.

—Venid a mi casa —propuso Festus, pero cuando llegaron al piso se echó a llorar de improviso. Lo acompañaron hasta el ascensor y se despidieron de él.

Cuando Coriolanus y Clemensia llegaron a la casa de esta se acordaron de la tarea que les había encargado la doctora Gaul: la propuesta de enviar comida a los tributos en la arena y la opción de apostar por ellos.

—No esperará que lo hagamos ahora —dijo Clemensia—. Yo esta noche sería incapaz. No podría concentrarme en eso, sin... Ya sabes, sin Arachne.

Coriolanus se mostró de acuerdo, pero de camino a casa pensó en la doctora Gaul. Era la clase de persona de la que cabía esperar que los penalizase por saltarse una fecha de entrega, con independencia de las circunstancias. Debería escribir algo, aunque solo fuese por jugar sobre seguro.

Tras subir las doce plantas hasta su piso, encontró a la abuelatriz hecha una furia, despotricando contra los distritos y aireando su mejor vestido negro para el funeral de Arachne. Corrió a su encuentro en cuanto lo vio, y le tanteó el pecho y los brazos para cerciorarse de que estuviera ileso. Tigris lloraba.

—No me puedo creer que Arachne esté muerta. Pero si la vi esta misma tarde, en el mercado, comprando esas uvas.

Coriolanus las consoló e hizo cuanto pudo por tranquilizarlas y convencerlas de que él no corría ningún peligro.

—No se repetirá. Ha sido un accidente inesperado, pero puntual. Las medidas de seguridad van a reforzarse después de esto, seguro.

Cuando se hubieron calmado los ánimos, Coriolanus se dirigió a su dormitorio, se quitó el uniforme ensangrentado y fue al cuarto de baño. Bajo el agua de la ducha, casi ardiendo, eliminó de su cuerpo los restos de sangre de Arachne. Un sollozo doloroso amenazaba con estallarle en el pecho, pero remitió transcurridos unos instantes; no estaba seguro de si tenía que ver con la pena por la muerte de la muchacha o con la preocupación que le producían sus propias dificultades. Una mezcla de ambas, probablemente. Mientras se ponía el raído batín de seda que había pertenecido a su padre, decidió probar suerte con la propuesta. Tampoco es que se sintiera capaz de dormir, no con el borboteo de la garganta de Arachne resonando todavía en sus oídos. No había polvo con fragancia de rosas capaz de disimular algo así. Abstraerse en la tarea contribuiría a sosegarlo, y prefería trabajar en solitario, sin tener que esforzarse por rechazar diplomáticamente las ideas de sus compañeros de clase. Así, sin interferencias, trazó una propuesta sencilla pero sólida.

Tras reflexionar sobre el debate que había surgido en clase con la doctora Gaul y sobre la fascinación de los visitantes que se habían acercado hasta el zoo para alimentar a los tributos famélicos, se concentró en la comida. Por primera vez, los patrocinadores podrían comprar artículos (un trozo de pan o una cuña de queso) que un dron se encargaría de entregar al tributo seleccionado. Se nombraría un jurado para revisar la naturaleza y el valor de cada uno de los artículos. Los patrocinadores deberían ser ciudadanos acreditados del Capitolio sin relación directa con los Juegos. Esto excluía a los Vigilantes de los Juegos, los mentores, los agentes de la paz encargados de vigilar a los tributos y a cualquier familiar directo de los antedichos interesados. Por lo que a la idea de las apuestas respectaba, sugirió la creación de un segundo jurado cuyo cometido sería el de diseñar un sistema que permitiría a los ciudadanos del Capitolio apostar con carácter oficial por el vencedor, calcular las probabilidades y supervisar el pago a los ganadores. Los ingresos obtenidos por cualquiera de estos programas se destinarían a sufragar los costes de los Juegos, convirtiéndolos prácticamente en gratuitos para las arcas del gobierno de Panem.

Coriolanus trabajó sin descanso, hasta que salió el sol ese viernes por la mañana. Mientras los primeros rayos entraban por su ventana, se puso un uniforme limpio, se colocó la propuesta bajo el brazo y salió del piso procurando hacer el menor ruido posible.

La doctora Gaul era una persona polifacética con responsabilidades militares, académicas y de investigación, por lo que el muchacho tuvo que adivinar la posible ubicación de su despacho. Puesto que se trataba de algo relacionado con los Juegos del Hambre, encaminó sus pasos hacia la imponente estructura conocida como la Ciudadela, sede del Departamento de Guerra. Aunque los agentes de la paz de servicio no tenían la menor intención de permitirle acceder a la zona de máxima seguridad, le aseguraron que dejarían las páginas de su propuesta sobre la mesa de la doctora. Tendría que conformarse con eso.

Mientras regresaba al Corso, la pantalla que de madrugada tan solo había mostrado el sello de Panem cobró vida con los acontecimientos de la noche anterior. Emitieron una y otra vez el degollamiento de Arachne por parte de la tributo, el intento de Coriolanus por ayudarla y la ejecución de la asesina. El muchacho se sentía curiosamente distanciado de la acción, como si el breve episodio de angustia sufrido en la ducha hubiera agotado sus reservas emocionales. Puesto que su reacción inicial ante la muerte de Arachne había sido demasiado tibia, lo alivió ver que las cámaras únicamente habían grabado sus intentos por salvarla, los momentos en que parecía más valiente y responsable. Había que fijarse bien para darse cuenta de cómo temblaba.

Lo complació en particular entrever una imagen fugaz de Livia Cardew huyendo despavorida entre la multitud en cuanto empezaron a sonar los primeros disparos. Una vez, en clase de retórica, la muchacha había atribuido su incapacidad para descifrar el significado más profundo de un poema al hecho de que era demasiado egocéntrico. ¡Qué ironía, viniendo precisamente de Livia! Los actos eran más elocuentes que las palabras, en cualquier caso. Coriolanus al rescate; Livia a la salida más próxima.

Cuando llegó a casa, Tigris y la abuelatriz, que ya se habían repuesto en parte de la impresión por la muerte de Arachne, lo calificaron de héroe nacional; cumplido que él rechazó con un ademán, aunque para sus adentros lo saboreara. Debería estar agotado, pero una combinación de energía y nerviosismo le corría por las venas, y el anuncio de que la Academia no iba a suspender las clases le levantó el ánimo. Que a uno lo considerasen un héroe en su casa tenía demasiadas limitaciones; necesitaba un público más amplio.

Tras un desayuno consistente en patatas fritas y suero de leche frío, se dirigió a la Academia con la solemnidad que la ocasión requería. Puesto que su amistad con Arachne era de dominio público y la había demostrado intentando salvarla, daba la impresión de que lo hubieran designado doliente oficial. Recibió numerosas condolencias por los pasillos, así como elogios por sus actos. Alguien insinuó que la había querido como a una hermana, y aunque no fuese cierto ni por asomo, tampoco lo desmintió. No estaba bien faltarles al respeto a los muertos.

Como decano de la Academia, debería haber sido Highbottom quien presidiera la asamblea de toda la escuela, pero no hizo acto de presencia. Fue Satyria, en cambio, la que habló de Arachne en los términos más favorables: su audacia, su franqueza, su sentido del humor. Todas las características, pensó Coriolanus mientras se secaba los ojos, que resultaban tan irritantes en ella y que, al final, le habían costado la vida. La profesora Sickle cogió el micrófono para felicitarlo, y en menor medida, a Festus, por su reacción ante una camarada caída en combate. Hippocrata Lunt, la consejera de la escuela, invitó a pasarse por su despacho a todo el que estuviera sufriendo problemas relacionados con el duelo, sobre todo si experimentaban impulsos violentos hacia ellos mismos o hacia los demás. Satyria volvió a tomar la palabra para anunciar que el sepelio oficial de Arachne tendría lugar al día siguiente; el cuerpo estudiantil al completo asistiría para honrar su memoria. Se retransmitiría en directo para todo Panem, por lo que se les instaba a presentarse y comportarse como correspondía a la juventud del Capitolio. A continuación se les permitiría reunirse, recordar a su amiga y consolarse los unos a los otros por su pérdida. Las clases se reanudarían después del almuerzo.

Tras una gelatinosa tosta de ensalada de pescado, estaba previsto que los mentores se encontraran de nuevo con el profesor Demigloss, aunque a nadie le apetecía. Tampoco ayudó que lo primero que hiciera fuese repartir una ficha de mentor, actualizada con los nombres de los tributos, y dijera:

—Esto debería ayudaros a hacer un seguimiento de vuestra participación en los Juegos.

DÉCIMOS JUEGOS DEL HAMBRE

MENTORES ASIGNADOS

DISTRITO 1	
Chico (Facet)	Livia Cardew
Chica (Velvereen)	Palmyra Monty
DISTRITO 2	
Chico (Marcus)	Sejanus Plinth
Chica (Sabyn)	Florus Friend
DISTRITO 3	
Chico (Circ)	Io Jasper
Chica (Teslee)	Urban Canville
DISTRITO 4	
Chico (Mizzen)	Persephone Price
Chica (Coral)	Festus Creed
DISTRITO 5	
Chico (Hy)	Dennis Fling
Chica (Sol)	Iphigenia Moss
DISTRITO 6	
Chico (Otto)	Apollo Ring
Chica (Ginnee)	Diana Ring
DISTRITO 7	
Chico (Treech)	Vipsania Sickle
Chica (Lamina)	Pliny Harrington
DISTRITO 8	
Chico (Bobbin)	Juno Phipps
Chica (Wovey)	Hilarius Heavensbee
DISTRITO 9	
Chico (Panlo)	Gaius Breen
Chica (Sheaf)	Androcles Anderson
DISTRITO 10	
Chico (Tanner)	Domitia Whimsiwick
Chica (Brandy)	Arachne Crane

DISTRITO 11	
Chico (Reaper)	Clemensia Dovecote
Chica (Dill)	Felix Ravinstill
DISTRITO 12	
Chico (Jessup)	Lysistrata Vickers
Chica (Lucy Gray)	Coriolanus Snow

Coriolanus, junto con varias de las personas que lo rodeaban, tachó automáticamente el nombre de la chica del Distrito 10. Y después, ¿qué? Lo lógico sería tachar también el de Arachne, pero no era lo mismo. Sostuvo el bolígrafo en suspensión sobre su nombre y decidió dejarlo como estaba, de momento. Le parecía una crueldad eliminar su nombre de la lista así como así.

Llevaban aproximadamente diez minutos en clase cuando llegó una nota de secretaría en la que se les indicaba a Clemensia y a él que abandonaran el aula y se personasen de inmediato en la Ciudadela. Esa solo podía ser la respuesta a la propuesta de Coriolanus, que sintió una combinación de emoción y nerviosismo. ¿Le habría gustado a la doctora Gaul? ¿La rechazaría? ¿Qué significaba esa convocatoria?

Puesto que no se había tomado la molestia de contarle nada a Clemensia, la muchacha reaccionó con incredulidad.

—¡No me puedo creer que te dedicases a redactar una propuesta con el cadáver de Arachne todavía caliente! Yo me he pasado toda la noche llorando.

Sus ojos hinchados lo corroboraban.

—Bueno, yo tampoco podía dormir —protestó Coriolanus—. Después de sujetarla entre mis brazos mientras se moría. El trabajo evitó que me derrumbara.

—Lo sé, lo sé. Todos sobrellevamos el dolor de forma distinta. No pretendía que fuese una crítica. —Clemensia suspiró—. Bueno, ¿y qué es eso que supuestamente he escrito contigo?

Coriolanus se lo resumió en pocas palabras, pero ella aún parecía enojada.

—Lo siento, tenía pensado contártelo. Es algo muy básico, y hay puntos que ya hemos tratado en grupo. Mira, ya me han puesto una sanción esta semana. No puedo permitirme el lujo de que mis notas se resientan también.

—¿Has puesto mi nombre en el trabajo, por lo menos? No quiero dar la impresión de haber estado demasiado abrumada como para aportar algo.

—No he puesto el nombre de nadie. Se trata más bien de un proyecto conjunto. —Coriolanus levantó las manos para mostrar exasperación—. ¡La verdad, Clemmie, creía que te estaba haciendo un favor!

—Vale, vale —claudicó ella—. Te debo una, supongo. Aunque habría estado bien que me hubieses dejado leerlo primero. Al menos cúbreme si nos empieza a acribillar a preguntas.

—Sabes que lo haré. De todas formas, seguro que lo rechaza. Quiero decir, en mi opinión es bastante sólido, pero ella se rige por un código completamente distinto.

—Eso es cierto —convino Clemensia—. ¿Crees que se celebrarán siquiera los Juegos del Hambre?

Coriolanus no había pensado en eso.

—Pues no lo sé. Entre lo de Arachne y el funeral... Aunque se celebren, me imagino que querrán aplazarlos. De todas maneras, ya sé que a ti no te gustan.

—¿Y a ti sí? ¿A alguien le gustan realmente?

—A lo mejor mandan a los tributos a casa. —No era una idea carente de atractivo, si pensaba en Lucy Gray. Se preguntó cómo estarían afectándole las consecuencias del asesinato de Arachne. ¿Castigarían a todos los tributos? ¿Le permitirían verla?

—Sí, o los convierten en avox o algo parecido —murmuró Clemensia—. Es triste, pero no tanto como la arena. Quiero decir que yo preferiría vivir sin lengua a morir, ¿tú no?

—Sí, aunque no sé si mi tributo opina lo mismo. ¿Se puede cantar sin lengua?

—No lo sé. Hum, a lo mejor. —Habían llegado a las puertas de la Ciudadela—. Este sitio me daba miedo cuando era pequeña.

—A mí aún me lo da —replicó Coriolanus, lo que le arrancó una carcajada a ella.

Una vez en el puesto de los agentes de la paz, se sometieron a un escáner de retina y contrastaron los resultados con los archivos del Capitolio. Requisaron sus mochilas con libros y una mujer los escoltó por un pasillo largo y gris hasta un ascensor que bajó unas veinticinco plantas. Coriolanus, que no había estado nunca a tanta profundidad bajo tierra, se sorprendió al descubrir que le agradaba. Por mucho que le gustase el ático de los Snow, se había sentido muy vulnerable cuando empezaron a caer las bombas durante la guerra. Allí, sin embargo, era como si nada pudiese alcanzarlo.

Las puertas del ascensor se abrieron, y salieron a un gigantesco laboratorio abierto. Filas de mesas de investigación, máquinas misteriosas y vitrinas se extendían hasta donde alcanzaba la vista. Coriolanus se volvió hacia la vigilante, pero esta ya había cerrado las puertas y se marchó sin darles más instrucciones.

—¿Entramos? —le preguntó el muchacho a Clemensia.

Con cautela, se adentraron en el laboratorio.

—Tengo el horrible presentimiento de que voy a romper algo —susurró ella.

Recorrieron una pared de armarios de cristal de cuatro metros y medio de altura. Dentro, una colección de criaturas —algunas de ellas conocidas, otras modificadas hasta tal punto que costaba clasificarlas—, caminaban en círculos, jadeaban y saltaban de un lado a otro en un estado de aparente infelicidad. Colmillos exagerados, garras y aletas acariciaban el cristal a su paso.

Un joven con una bata de laboratorio los interceptó y los condujo a una sección de jaulas de reptiles. Allí encontraron a la doctora Gaul, examinando un inmenso terrario lleno de cientos de serpientes. Eran artificialmente brillantes, y sus pieles resplandecían en tonos neón: rosa, azul y amarillo. No más largas que una regla y no más gruesas que un lápiz, se contorsionaban formando una alfombra psicodélica que cubría el fondo de la jaula.

—Ah, ya habéis llegado. —La doctora Gaul sonrió—. Saludad a mis nuevos bebés.

—Hola —dijo Coriolanus, acercando la cara al cristal para observar la sinuosa maraña. Le recordaban a algo, aunque no lograba precisar a qué.

—¿Tienen algún sentido esos colores? —preguntó Clemensia.

—Todo tiene sentido o nada lo tiene, según el punto de vista de cada uno —respondió la doctora Gaul—. Lo que me lleva a vuestra propuesta. Me ha gustado. ¿Quién la ha escrito? ¿Solo vosotros dos? ¿O aportó algo vuestra provocativa amiga antes de que le rebanaran la garganta?

Clemensia apretó los labios, dolida, pero después Coriolanus vio que sus rasgos se endurecían. No iba a dejarse intimidar.

—La elaboró toda la clase, en grupo.

—Y Arachne pensaba ayudar a redactarla anoche, pero..., usted lo ha dicho —añadió Coriolanus.

—Sin embargo, vosotros dos seguisteis adelante, ¿verdad?

—Correcto —dijo Clemensia—. La pusimos por escrito en la biblioteca y yo la imprimí anoche en mi casa. Después se la di a Coriolanus para que pudiera entregarla esta mañana. Como nos habían encargado.

La doctora Gaul se dirigió a Coriolanus.

—¿Es eso cierto?

Coriolanus se sintió atrapado entre la espada y la pared.

—La entregué esta mañana, sí. Bueno, a los agentes de la paz de guardia. No me dejaron pasar —replicó para intentar reconducir la conversación. El rumbo de aquel interrogatorio resultaba sospechoso—. ¿Ha habido algún problema?

—Solo quería asegurarme de que los dos hubierais tocado estos papeles —lo tranquilizó la doctora Gaul.

—Puedo enseñarle las partes que discutimos en grupo y cómo se han desarrollado en la propuesta final —le ofreció él.

—Sí. Hagámoslo. ¿Habéis traído otra copia?

Clemensia miró a Coriolanus con expectación.

—Yo, no —contestó el muchacho. No le hacía gracia que Clemensia le hubiera pasado esa patata caliente, después de haber alegado sentirse demasiado conmocionada para arrimar el hombro. Sobre todo porque era una de sus rivales más temibles por las recompensas de la Academia—. ¿Y tú?

—Nos han quitado las mochilas. —Clemensia se volvió hacia la doctora Gaul—. ¿Podríamos usar la copia que le hemos dado?

—Podríamos, sí. Solo que mi asistente la ha usado para cubrir esta misma jaula mientras yo salía a almorzar —dijo la doctora, riéndose.

Coriolanus clavó la mirada en la masa de serpientes, que no paraban de retorcerse y sacar la lengua. En efecto, distinguió frases de su propuesta entre los anillos.

—¿Os importaría sacarla de ahí? —preguntó la doctora Gaul.

Parecía una prueba. Una de las extrañas pruebas de la doctora Gaul, pero una prueba al fin y al cabo. Y planeada de alguna manera, aunque Coriolanus no lograba imaginarse con qué objetivo. Miró de reojo a Clemensia e intentó recordar si le daban miedo las serpientes; ni siquiera sabía si se lo daban a él. En el laboratorio de la escuela no tenían serpientes.

Apretó los dientes mientras sonreía a la doctora Gaul.

—Por supuesto. ¿Solo hay que meter la mano por la trampilla del techo?

La doctora Gaul retiró toda la cubierta.

—Oh, no, así tendréis espacio de sobra. Snow, ¿por qué no empiezas tú?

Coriolanus introdujo el brazo despacio; notaba la calidez del aire climatizado.

—Eso es. Despacio. No las asustes —le fue instruyendo la doctora Gaul.

El muchacho deslizó los dedos bajo el borde de una de las hojas de su propuesta y la sacó despacio de debajo de las serpientes. Estas se agolparon formando un montón, pero no parecían molestas.

—Creo que ni siquiera me han detectado —le dijo a Clemensia, que había adquirido una tonalidad verdosa.

—Bueno, allá voy.

La muchacha metió la mano en el tanque.

—No ven muy bien —dijo la doctora Gaul—, y oyen menos todavía. Pero saben que estás ahí. Las serpientes pueden olerte con la lengua, y estos mutos de aquí tienen ese sentido más desarrollado que las normales.

Clemensia enganchó una página con la uña y empezó a levantarla. Las serpientes se agitaron.

—Si les resultas familiar, si asocian tu olor a algo agradable..., un tanque climatizado, por ejemplo..., no te harán ni caso. Un rastro nuevo, sin embargo, algo desconocido, representaría una amenaza —dijo la doctora Gaul—. Estarías a su merced, pequeña.

Coriolanus acababa de atar cabos cuando vio la expresión de alarma en el rostro de Clemensia. La muchacha quiso sacar la mano de golpe, pero una docena de serpientes neón se le adelantaron y hundieron los colmillos en su carne.

8

Clemensia profirió un grito escalofriante mientras sacudía la mano, desesperada, para quitarse las víboras de encima. Las diminutas perforaciones provocadas por sus colmillos supuraban los mismos colores neón de sus pieles. Entre sus dedos se escurría un pus teñido de rosa, azul y amarillo brillante.

Unos ayudantes de laboratorio con batas blancas se materializaron de inmediato a su lado. Dos de ellos inmovilizaron a Clemensia en el suelo mientras un tercero le inyectaba un líquido negro con una amenazadora aguja hipodérmica. Los labios de la muchacha se volvieron morados y, a continuación, exangües, antes de que perdiera el conocimiento. Los asistentes la tumbaron en una camilla y se la llevaron.

Coriolanus empezó a seguirlos, pero lo detuvo la voz de la doctora Gaul.

—Tú, no, Snow. Quédate.

—Pero si... Ella... —tartamudeó él—. ¿Se va a morir?

—Quién sabe —replicó la doctora Gaul, que había vuelto a meter una mano en el tanque y deslizaba los dedos nudosos sobre sus mascotas—. Es evidente que su olor no estaba en las hojas. Así que ¿has escrito la propuesta tú solo?

—Sí.

No tenía sentido mentir. Mentir probablemente acababa de costarle la vida a Clemensia. Era evidente que se enfrentaba a una lunática a la que debería tratar con sumo cuidado.

—Bien. Por fin, la verdad. No me gustan los embusteros. ¿Qué son las mentiras, sino intentos por ocultar algún tipo de debilidad? Como vuelva a ver esa faceta tuya, te apartaré del programa. Si el decano Highbottom te castiga por ello, no me interpondré en su camino. ¿Ha quedado claro?

Se envolvió una de las serpientes rosas alrededor de la muñeca, como un brazalete, y pareció quedarse admirándola.

—Muy claro.

—Tu propuesta es buena. Bien razonada y fácil de ejecutar. Voy a recomendarle a mi equipo que la revise e implemente una versión de la primera fase.

—De acuerdo —dijo Coriolanus, que no se atrevía a formular salvo la más insulsa de las observaciones, rodeado como estaba de criaturas mortíferas que obedecían la voluntad de la doctora.

La doctora Gaul se rio.

—Bah, vete a casa. O a ver a tu amiga, si todavía queda algo de ella. Es la hora de mi leche con galletas.

En su prisa por salir de allí, Coriolanus tropezó con un tanque lleno de lagartos, cuyos ocupantes se volvieron frenéticos. Se equivocó al doblar una esquina, después otra, y acabó en una macabra sección del laboratorio cuyas vitrinas contenían humanos con partes animales injertadas en el cuerpo. Diminutos volantes de plumas alrededor del cuello; garras, o incluso tentáculos, en vez de dedos; y algo (¿agallas, tal vez?) incrustado en el pecho. Su aspecto lo sobresaltó, y cuando algunos de ellos abrieron la boca para implorarle, comprendió que eran avox. Sus gritos reverberaban, y entrevió unas aves de pequeño tamaño posadas por encima de ellos. El término «charlajo» acudió a su memoria. Un somero capítulo en su clase sobre genética. El experimento fallido, el pájaro capaz de reproducir el habla humana, que había sido una herramienta de espionaje hasta que los rebeldes descubrieron sus habilidades y comenzaron a enviarlo de regreso portando información falsa. En aquel momento, las inservibles criaturas formaban una cámara de eco inundada con los lastimeros aullidos de los avox.

Transcurridos unos instantes, una mujer con bata de laboratorio y gigantescos bifocales de color rosa lo interceptó, lo regañó por molestar a las aves y le mostró el camino hasta el ascensor. Mientras esperaba, una cámara de seguridad lo observaba, parpadeante, y se esforzó compulsivamente por alisar la solitaria y arrugada página de la propuesta que había aplastado en la mano. Unos agentes de la paz lo recibieron arriba, le devolvieron tanto su mochila como la de Clemensia y lo escoltaron fuera de la Ciudadela.

Coriolanus consiguió recorrer toda la calle y doblar una esquina antes de que le fallaran las piernas y se cayese en la acera. El sol le lastimaba los ojos, y parecía incapaz de recuperar el aliento. Estaba agotado, tras no haber dormido la noche anterior, pero cargado de adrenalina. ¿Qué acababa de pasar? ¿Habría muerto Clemensia? Ni siquiera había terminado de asimilar el violento final de Arachne, y ahora esto. Era como los Juegos del Hambre. Solo que ellos no eran niños de los distritos. Se suponía que el Capitolio debía protegerlos. Pensó en Sejanus, diciéndole a la doctora Gaul que la misión del gobierno consistía en proteger a todo el mundo, incluso a la gente de los distritos, pero todavía no estaba seguro de cómo conciliar eso con el hecho de que hacía poco hubieran sido enemigos. En cualquier caso, el hijo de un Snow sin duda debería tener máxima prioridad. Podría haber muerto si Clemensia hubiese escrito la propuesta en vez de él. Enterró la cabeza en las manos, desconcertado, furioso y, sobre todo, asustado. Lo atemorizaba la doctora Gaul. Lo atemorizaba el Capitolio. Lo atemorizaba todo. Si las personas que en teoría iban a protegerte estaban dispuestas a jugar con tu vida tan a la ligera, entonces, ¿cómo sobrevivir? Confiando en ellas no, eso seguro. Y si no podías fiarte de ellas, ¿de quién? Podía suceder cualquier cosa.

Coriolanus se crispó al recordar los colmillos de serpiente clavándose en la carne. Pobre Clemmie, ¿estaría muerta realmente? Y de ese modo tan espantoso. Si lo estaba, ¿tenía él la culpa? ¿Por no haberla denunciado por mentirosa? La infracción se le antojaba minúscula, pero ¿le echaría la culpa la doctora Gaul por haberla encubierto? Si moría, se metería en un montón de problemas.

Supuso que, en caso de urgencia, lo habitual sería un traslado al cercano Hospital del Capitolio, por lo que empezó a correr en esa dirección. Una vez dentro del fresco vestíbulo, siguió los carteles hasta la sala de urgencias. Oyó los alaridos de Clemensia en cuanto la puerta automática se hubo deslizado para franquearle la entrada, igual que cuando la mordieron las serpientes. Por lo menos seguía con vida. Le balbuceó algo a la enfermera del mostrador, que acertó a entender lo suficiente para permitirle ocupar una silla en el preciso instante en que le sobrevenía un mareo. Debía de ofrecer un aspecto espantoso, puesto que la mujer le llevó dos paquetes de galletas nutricionales y un vaso de limonada con gas que Coriolanus intentó tomarse a sorbitos pero terminó apurando de un trago, deseando que se lo rellenara. El azúcar le hizo sentir un poco mejor, aunque no tanto como para probar las galletas saladas, que se guardó en el bolsillo. Para cuando el médico de guardia hubo salido de la parte trasera, el muchacho ya había vuelto a recuperar casi por completo el control de sí mismo. El doctor lo tranquilizó. No era la primera vez que trataban a una víctima de un accidente del laboratorio. Puesto que el antídoto se había administrado enseguida, no había ninguna razón para dudar de que Clemensia fuera a sobrevivir, aunque tal vez sufriese daños neurológicos. Permanecería ingresada hasta comprobar que se había estabilizado. Si volvía dentro de un par de días, quizá estuviera en condiciones de recibir visitas.

Coriolanus le dio las gracias al médico, le entregó la mochila de Clemensia y le dio la razón cuando le sugirió que lo mejor que podía hacer era irse a casa. Mientras desandaba el camino hasta la entrada, divisó a los padres de Clemensia corriendo en su dirección y logró ocultarse detrás de una puerta. Ignoraba qué les habrían contado a los Dovecote, pero no le apetecía hablar con ellos, y menos antes de elaborar una coartada.

La ausencia de una historia plausible, a ser posible que lo absolviera de toda responsabilidad por su estado, convertía volver a la escuela o incluso a casa en algo imposible.

Tigris no llegaría hasta la hora de cenar, como muy pronto, y la abuelatriz se sentiría horrorizada por la situación. Curiosamente, descubrió que la única persona con la que quería hablar era Lucy Gray, tan perspicaz como poco sospechosa de que fuese a repetir sus palabras.

Sus pies lo transportaron al zoológico antes de haber analizado los obstáculos que podrían estar esperándolo allí. Una pareja de agentes de la paz impresionantemente armados montaba guardia en la entrada principal, con varios más patrullando tras ellos. Al principio le indicaron por señas que se marchara; tenían órdenes de no permitir que ningún visitante entrara en las instalaciones. Sin embargo, Coriolanus sacó a relucir su condición de mentor, momento en el cual algunos de ellos lo reconocieron como el chico que había intentado salvar a Arachne. Su celebridad bastó para convencerlos de llamar solicitando que se hiciera una excepción. Uno de los soldados habló directamente con la doctora Gaul, y Coriolanus pudo oír su característica mezcla de carcajada y graznido atronando en el teléfono, pese a encontrarse a varios metros de distancia. Recibió permiso para entrar acompañado de un agente de la paz, aunque solo durante unos instantes.

El sendero que conducía a la casa de los monos todavía estaba sembrado de basura, recuerdo de la multitud que había salido huyendo en estampida de allí. Docenas de ratas correteaban de un lado a otro, royendo los restos, desde trozos de comida putrefacta hasta zapatos perdidos a causa del pánico. Aunque el sol brillaba en lo alto, varios mapaches exploraban los alrededores, afanando desperdicios con sus diestras manitas. Uno de ellos se dedicaba a mordisquear una rata muerta, y amenazaba a los demás para que no se acercaran.

—Este no es el zoo que yo recordaba —se lamentó el agente de la paz—. Aquí solo hay críos enjaulados y alimañas campando a sus anchas.

Repartidos a lo largo del camino, Coriolanus vio unos pequeños recipientes llenos de polvo blanco encajados bajo los peñascos o apoyados contra las paredes. Se acordaba del veneno empleado por el Capitolio durante el asedio; un tiempo durante el cual los alimentos escaseaban tanto como abundaban las ratas. Los seres humanos, sobre todo los muertos, se habían convertido en su dieta diaria. Durante la peor parte de aquella época, por supuesto, también las personas se habían comido entre ellas. Era absurdo sentirse superior a las ratas.

—¿Eso es pesticida? —le preguntó al soldado.

—Sí, un producto nuevo que están probando hoy. Pero las ratas son tan listas que ni se acercan a él. —Se encogió de hombros—. Es lo que nos han proporcionado para que nos apañemos.

Dentro de la jaula, los tributos, maniatados de nuevo, permanecían pegados a la pared del fondo u ocultos tras las formaciones rocosas, como si intentasen llamar la atención lo menos posible.

—Procura guardar las distancias —le advirtió el agente de la paz—. No es probable que tu chica represente ninguna amenaza, pero ¿quién sabe? Podría agredirte otro. Quédate atrás, donde no lleguen hasta ti.

Coriolanus asintió con la cabeza y se dirigió a la roca de costumbre, pero se quedó de pie detrás de ella. Aunque no se sintiese amenazado por los tributos (eran el menor de sus problemas), tampoco quería darle más excusas al decano Highbottom para que lo castigara.

No localizó a Lucy Gray a la primera. Después estableció contacto visual con Jessup, que estaba sentado con la espalda apoyada en la pared del fondo, presionando contra su cuello lo que parecía ser el pañuelo de Snow. Jessup le propinó una sacudida al bulto que tenía a su lado, y Lucy Gray se sentó de golpe, sobresaltada.

Dio la impresión de sentirse desorientada por unos instantes. Cuando vio a Coriolanus, se restregó los ojos somnolientos y se peinó con los dedos el cabello suelto hacia atrás. Perdió el equilibrio al incorporarse y se estiró para apoyarse en el brazo de Jessup. Todavía con paso inestable, empezó a cruzar la jaula en su dirección, arrastrando las cadenas con ella. ¿Se debería al calor? ¿Al trauma del asesinato? ¿Al hambre? Puesto que el Capitolio no estaba alimentando a los tributos, la muchacha no debía de haber vuelto a probar bocado desde la muerte de Arachne, cuando vomitó la preciada comida de la multitud, y probablemente el pudin de pan y la manzana del desayuno también. De modo que llevaba casi cinco días resistiendo con un sándwich de pastel de carne y una ciruela. Coriolanus tendría que ingeniárselas para proporcionarle algo de sustento, aunque fuese sopa de col.

Cuando Lucy Gray hubo cruzado el foso sin agua, el muchacho la frenó levantando una mano.

—Lo siento, no nos permiten estar más cerca.

Ella se detuvo a escasos metros de los barrotes.

—Me sorprende que te hayan dejado entrar siquiera.

Su garganta, su piel, su pelo..., todo parecía reseco por el abrasador sol de la tarde. Una fea magulladura en el brazo que no estaba allí la noche anterior. ¿Quién la habría golpeado? ¿Otro tributo o un guardia?

—No pretendía despertarte —se disculpó.

Lucy Gray se encogió de hombros.

—No te preocupes. Jessup y yo nos turnamos para dormir. A las ratas del Capitolio les gusta la gente.

—¿Las ratas están intentando comeros? —preguntó Coriolanus, repugnado por la idea.

—Bueno, algo mordió en el cuello a Jessup la primera noche que pasamos aquí. Estaba demasiado oscuro para ver qué era, pero dijo haber notado una cosa peluda. Y anoche, algo se me deslizó por la pierna. —Apuntó a un contenedor lleno de polvo blanco que había junto a los barrotes—. La porquería esa no sirve de nada.

A Coriolanus se le apareció la espantosa imagen de la chica sepultada bajo una manada de ratas. Aquello aniquiló los últimos restos de resistencia que le quedaban y lo engulló la desesperación. Por ella. Por él mismo. Por ambos.

—Oh, Lucy Gray, cuánto lo siento. Siento muchísimo todo esto.

—No es culpa tuya.

—Debes de odiarme. Deberías. Yo me odiaría.

—No te odio. Los Juegos del Hambre no son idea tuya.

—Pero participo en ellos. ¡Estoy contribuyendo a que se celebren! —Coriolanus agachó la cabeza, avergonzado—. Debería hacer como Sejanus e intentar abandonar.

—¡No! Por favor, no lo hagas. ¡No me dejes pasar por esto yo sola!

La muchacha dio un paso hacia él y estuvo a punto de desmayarse. Cerró las manos en torno a los barrotes y se dejó resbalar hasta el suelo.

Desoyendo la advertencia del guardia, Coriolanus saltó impulsivamente por encima de la roca y se acuclilló frente a ella.

—¿Estás bien?

La muchacha asintió al otro lado de la reja, aunque no daba la impresión de estar bien en absoluto. Coriolanus quería contarle lo del susto con las serpientes y el coqueteo con la muerte de Clemensia. Pensaba pedirle consejo, pero todo aquello palidecía en comparación con su situación. Se acordó de las galletas que le había dado la enfermera y rebuscó con torpeza los paquetes arrugados en su bolsillo.

—Te he traído esto. No son muy grandes, pero sí nutritivas.

Sonaba como un majadero. ¿Qué le importaba a ella el valor nutricional de esas galletas? Comprendió que se limitaba a repetir como un loro las palabras de sus maestros durante la guerra, cuando uno de los incentivos para ir a la escuela eran los comestibles gratuitos que les proporcionaba el gobierno. Aquellas galletas saladas, arenosas e insulsas, empujadas con agua, eran todo cuanto comían en todo el día algunos de los niños. Recordó sus manitas engarfiadas como garras sobre los envoltorios, así como los subsiguientes crujidos desesperados que emitían al masticar.

Lucy Gray abrió de inmediato uno de los envoltorios y se metió en la boca una de las dos galletas, mordiendo y tragando con dificultad aquel bocado reseco. Se llevó una mano al estómago, exhaló un suspiro y se comió la segunda, más despacio. El alimento parecía haber restaurado en parte su concentración, y cuando habló de nuevo, su voz sonó más calmada.

—Gracias —dijo—. Eso está mejor.

—Cómete el resto —la apremió Coriolanus, señalando el segundo paquete con un ademán.

Ella sacudió la cabeza.

—No. Las guardaré para Jessup. Ahora es mi aliado.

—¿Tu aliado?

Coriolanus estaba desconcertado. ¿Cómo se podía tener un aliado en los Juegos del Hambre?

—Ajá. Los tributos del Distrito 12 caerán en equipo —dijo Lucy Gray—. No es ninguna lumbrera, pero sí fuerte como un toro.

Dos galletas parecían un pequeño precio a pagar por la protección de Jessup.

—Te conseguiré más comida en cuanto pueda. Al público se le permitirá enviar comida al estadio. Ya es oficial.

—Eso estaría bien. Más comida estaría bien. —La muchacha inclinó la cabeza hacia delante y la apoyó en los barrotes—. En ese caso, como me sugeriste, tendría sentido cantar. Hacer que la gente quiera ayudarme.

—En la entrevista. Podrías volver a cantar esa canción sobre el valle.

—Tal vez. —Lucy Gray arrugó el entrecejo, pensativa—. ¿La retransmitirán para todo Panem o solo en el Capitolio?

—Para todo Panem, creo. Aunque no recibiréis nada de los distritos.

—Tampoco lo esperaba. No lo decía por eso. En cualquier caso, a lo mejor canto. Sonaría mejor si me acompañase una guitarra o algo parecido.

—Puedo buscarte una.

Como si los Snow tuvieran algún instrumento musical. Salvo por el himno diario de la abuelatriz y las ya casi olvidadas canciones de cuna de su madre, la música había brillado por su ausencia en su vida hasta que apareció Lucy Gray. Rara vez escuchaba la emisora del Capitolio, en la cual reproducían principalmente marchas marciales y temas propagandísticos. Todos le sonaban igual.

—¡Eh! —El agente de la paz le indicó que se alejara del sendero—. ¡Demasiado cerca! De todas formas, se ha acabado el tiempo.

Coriolanus se puso de pie.

—Será mejor que me marche si quiero que vuelvan a dejarme pasar.

—Claro. Lo entiendo. Y gracias. Por las galletas y por todo —dijo Lucy Gray, agarrándose a los barrotes para levantarse con dificultad.

El muchacho introdujo el brazo entre los barrotes para ayudarla.

—No es nada.

—Para ti, a lo mejor. Pero para mí significa muchísimo que venga alguien a verme, como si todavía importara.

—Importas —le aseguró Coriolanus.

—Bueno, todas las pruebas apuntan a lo contrario.

Lucy Gray hizo tintinear las cadenas y las tensó. A continuación, como si acabara de acordarse de algo, elevó la mirada hacia el cielo.

—A mí me importas —insistió él.

Quizá el Capitolio no la valorase, pero él sí. ¿Acaso no acababa de sincerarse con ella?

—¡Hora de irse, señor Snow! —lo llamó el agente de la paz.

—A mí me importas, Lucy Gray —repitió Coriolanus.

Aunque sus palabras atrajeron la mirada de la tributo de nuevo hacia él, aún parecía distante.

—Mira, chico, no me obligues a denunciarte —dijo el soldado.

—Tengo que irme.

Coriolanus empezó a alejarse.

—¡Oye! —exclamó ella con cierta urgencia. Su mentor se volvió—. Oye, quiero que sepas que en realidad no creo que estés aquí ni por las notas ni por la gloria. Eres una rara ave, Coriolanus.

—Lo mismo digo. —Sonrió él.

Lucy Gray agachó la cabeza en señal de aquiescencia y regresó junto a Jessup, con sus cadenas trazando una estela en la superficie cubierta de heno sucio y heces de rata. Cuando llegó junto a su compañero, se tumbó y se encogió hasta formar un ovillo, como si el breve encuentro la hubiera dejado agotada.

Tropezó en dos ocasiones mientras salía del zoológico, y reconoció que estaba demasiado cansado para encontrarle ninguna solución satisfactoria a ninguno de sus problemas. Ya era lo bastante tarde como para que su llegada a casa no despertara sospechas, por lo que se dirigió al piso. Tuvo la mala suerte de tropezarse con su compañera de clase Persephone Price, la hija del infame Nero Price, quien una vez había canibalizado a la doncella. Terminaron caminando juntos, dado que eran vecinos. A ella la habían nombrado mentora de Mizzen, un robusto chico de trece años del Distrito 4, por lo que había estado presente cuando los llamaron en clase a Clemensia y a él. Coriolanus temía que le preguntase por la propuesta, pero ella aún estaba demasiado conmocionada por la muerte de Arachne como para hablar de otra cosa. Por lo general evitaba por completo a Persephone, puesto que nunca podía evitar preguntarse si habría conocido los ingredientes del caldo que se servía en su casa durante la guerra. Durante algún tiempo se había sentido intimidado por la muchacha, pero ahora solo le inspiraba asco, sin importar cuántas veces se recordase que ella era inocente. Con sus hoyuelos y sus ojos entre verdes y castaños era más bonita que cualquier otra chica de su promoción, con la posible excepción de Clemensia..., en fin, de la versión pre-picadura-de-serpiente de Clemensia. Pero la idea de besarla lo repugnaba. Incluso ahora, mientras le daba un emotivo abrazo de despedida, solo podía pensar en aquella pierna amputada.

Coriolanus se arrastró hasta la planta de arriba; sus pensamientos eran más siniestros que nunca con el recuerdo de la desventurada doncella que se había desplomado a causa del hambre en la calle. ¿Hasta cuándo era razonable esperar que aguantase Lucy Gray? Se estaba consumiendo a marchas forzadas. Débil y distraída. Lastimada y rota. Pero, sobre todo, sucumbiendo lentamente a la inanición. Quizá mañana ni siquiera fuese capaz de sostenerse en pie. Si no encontraba la manera de alimentarla, perecería antes incluso de que comenzasen los Juegos del Hambre.

9

Cuando llegó al piso, la abuelatriz le echó un vistazo y le sugirió que se echase una siesta antes de cenar. Coriolanus se desplomó en la cama, demasiado nervioso como para volver a pegar ojo en su vida. Sin embargo, antes de darse cuenta, Tigris lo despertó sacudiéndole el hombro con delicadeza. De la bandeja apoyada en su mesita de noche emanaba el reconfortante aroma de una sopa de fideos. A veces, el carnicero le regalaba restos de pollo que ella cocía hasta transformarlos en un verdadero manjar.

—Coryo —dijo su prima—. Satyria ha llamado tres veces y ya no se me ocurren más excusas. Venga, cena un poco de sopa y llámala tú.

—¿Ha preguntado por Clemensia? ¿Se ha enterado ya todo el mundo? —farfulló él.

—¿Clemensia Dovecote? No. ¿Por qué? —quiso saber Tigris.

—Ha sido espantoso.

Coriolanus le contó la historia con todo lujo de truculentos detalles.

Mientras él hablaba, Tigris palideció.

—¿La doctora Gaul hizo que le picaran las serpientes? ¿Por una mentirijilla de nada?

—Así es. Y le traía sin cuidado que Clemmie sobreviviera o no. Me echó de allí para poder disfrutar en paz de su merienda.

—Es una sádica. O una demente integral —dijo Tigris—. ¿Deberías denunciarla?

—¿A quién? Es la Vigilante Jefe de los Juegos. Trabaja directamente con el presidente. Dirá que fue culpa nuestra, por engañarla.

Tigris reflexionó durante unos instantes.

—Vale. No la denuncies. Ni te enfrentes a ella. Evítala en la medida de lo posible.

—Como mentor, será complicado. No deja de presentarse por sorpresa en la Academia para jugar con su conejo muto y hacer todo tipo de preguntas disparatadas. Por lo que a mi premio respecta, una palabra suya podría inclinar la balanza hacia uno u otro lado. —Se frotó la cara con las manos—. Arachne está muerta, Clemensia tiene veneno en las venas, y Lucy Gray... En fin, esa es otra historia espantosa. Me extrañaría que consiguiese llegar con vida a los Juegos, aunque quizá sea mejor así.

Tigris le plantó una cuchara en la mano.

—Tómate la sopa. Hemos superado adversidades mucho peores. Los Snow siempre caen de pie.

—Los Snow siempre caen de pie —repitió él, aunque con tan poca convicción que tuvieron que reírse los dos.

Aquello le hizo sentir un poco más normal. Probó un par de cucharadas de sopa, por complacerla, se percató del hambre que tenía y se la acabó en un abrir y cerrar de ojos.

Estuvo a punto de confesarlo todo cuando Satyria volvió a llamar, pero resultó que solo quería pedirle que cantara el himno en el entierro de Arachne por la mañana.

—Tus heroicidades en el zoo, sumadas al hecho de que eres el único que se sabe toda la letra, te convierten en el principal candidato del profesorado.

—Será un honor, por supuesto.

—Bien. —Satyria sorbió algo, lo que provocó que el hielo tintineara en su vaso, y cogió aire—. ¿Cómo van las cosas con tu tributo?

Coriolanus titubeó. Quejarse podría parecer inmaduro, como si fuese incapaz de resolver sus propios problemas. Casi nunca le pedía ayuda a Satyria. Pero después pensó en Lucy Gray, encorvada por el peso de sus cadenas, y decidió arriesgarse.

—No muy bien. He visto a Lucy Gray hoy. Solo un momento. Está muy débil. El Capitolio no está alimentándola.

—¿Desde que salió del Distrito 12? ¿Cuánto hace de eso? ¿Cuatro días? —preguntó, sorprendida, Satyria.

—Cinco. Me parece que no va a llegar a los Juegos del Hambre. Como mentor, me voy a quedar sin tributo —se lamentó Coriolanus—. Y no seré el único.

—Bueno, eso no es justo. Es como pedirte que hagas un experimento con material defectuoso —replicó Satyria—. Y ahora los Juegos se retrasarán uno o dos días más, por lo menos. —Tras una pausa, añadió—: Déjame ver si puedo hacer algo.

Coriolanus colgó y se volvió hacia Tigris.

—Quieren que cante en el funeral. No ha dicho nada de Clemensia. Lo están manteniendo en secreto.

—Bueno, pues eso es lo que tienes que hacer tú también —dijo Tigris—. Quizá hagan como si no hubiera pasado nada.

—Es posible que ni siquiera se lo cuenten al decano Highbottom —musitó Coriolanus, algo más animado. Entonces se le ocurrió otra cosa—. ¡Tigris! Acabo de acordarme de que, en realidad, no sé cantar.

Y, de alguna manera, eso se convirtió en lo más gracioso que cualquiera de los dos hubiese oído en su vida.

Sin embargo, la abuelatriz no se lo tomó a risa, y a la mañana siguiente lo obligó a madrugar para asesorarlo. Al final de cada estrofa, lo aguijoneaba en las costillas con una regla y gritaba: «¡Respira!», hasta que el muchacho se sintió incapaz de hacerlo de otra manera. Por tercera vez esa semana, la abuelatriz sacrificó uno de sus tesoros por su futuro, prendiendo un pimpollo de rosa en la chaqueta de su uniforme, planchada con esmero, y diciendo:

—Eso es. Hace juego con tus ojos.

Elegante, con la barriga llena de gachas y el costillar salpicado de moratones para que se acordase de respirar, Coriolanus se dirigió a la Academia.

Pese a ser sábado, el cuerpo estudiantil al completo se presentó en el aula principal antes de reunirse en la escalinata de la Academia, pulcramente ordenados por orden alfabético según la clase que les correspondía. De resultas de la tarea que le habían encomendado, Coriolanus se encontró en primera fila con el profesorado y los invitados de honor, entre los que destacaba el presidente Ravinstill. Satyria hizo un rápido repaso al programa, pero lo único que se le grabó en la memoria fue que su interpretación del himno inauguraría las ceremonias. Aunque no le importaba hablar en público, nunca había cantado delante de tanta gente; ese tipo de ocasiones no abundaban en Panem. Era uno de los motivos por los que la actuación de Lucy Gray había suscitado tanto interés. Se tranquilizó recordándose que, aunque terminase aullando como un perro apaleado, no habría muchos ejemplos con los que compararlo.

Al otro lado de la avenida, los puestos temporales montados para el cortejo fúnebre no tardaron en llenarse de dolientes vestidos de negro, el único color con el que se podía contar que abundase en cualquier armario, habida cuenta de la gran cantidad de seres queridos que todos habían perdido durante la guerra. Buscó a los Crane, pero no consiguió divisarlos entre la multitud. La Academia y los edificios circundantes se habían adornado con crespones de luto y en todas las ventanas ondeaba la bandera del Capitolio. Se habían instalado varias cámaras para grabar la ocasión, y múltiples reporteros del canal de televisión del Capitolio retransmitían en directo sus comentarios. Coriolanus pensó que era un espectáculo exagerado para Arachne, injustificado tanto por su vida como por su muerte, la cual podría haberse evitado si la muchacha se hubiera abstenido de ser tan exhibicionista. Eran tantas las personas que habían perecido heroicamente en la guerra, y con tan poco reconocimiento, que le rechinaba. Se sintió aliviado por tener que cantar en vez de ensalzar sus virtudes, las cuales, si no le fallaba la memoria, se limitaban a ser tan vociferante como para que sus gritos resonaran por todo el auditorio sin necesidad de micrófono y a la capacidad de hacer equilibrios con una cuchara sobre la nariz. ¿Y el decano Highbottom lo había acusado a él de fanfarronear? Pese a todo, se recordó, Arachne era prácticamente de la familia.

El reloj de la Academia dio las nueve y la muchedumbre enmudeció. Sin hacerse de rogar, Coriolanus se levantó y se acercó al estrado. Satyria le había prometido acompañamiento, pero el silencio se prolongó durante tanto tiempo que el muchacho ya había tomado aire para comenzar a entonar el himno antes de que una versión enlatada empezase a sonar por el sistema de megafonía, lo que le proporcionó dieciséis compases de introducción.

Joya de Panem,
poderosa ciudad
resplandeciente desde el albor.

Su canto era más un discurso sostenido que un prodigio de melodía, pero la canción tampoco representaba ningún desafío especial. Las notas altas a las que la abuelatriz invariablemente nunca llegaba eran opcionales; casi todo el mundo usaba una octava más baja. Con el recuerdo de su regla aguijoneándolo, recitó toda la letra sin vacilación, sin desafinar o quedarse sin aliento ni una sola vez. Se sentó recompensado por un aplauso generalizado y el gesto de aprobación del presidente, que tomó la palabra a continuación.

—Hace dos días se vio truncada la joven e inestimable existencia de Arachne Crane, y por eso lloramos a otra víctima de la rebelión criminal que aún nos asedia —declamó el presidente—. Su final fue tan valeroso como si se hubiera producido en el campo de batalla; aún más profunda si cabe su pérdida, pues nos preciamos de vivir en tiempos de paz. La paz, sin embargo, nunca tendrá lugar mientras esta enfermedad continúe corroyendo todo lo que de noble y virtuoso hay en nuestro país. Hoy honramos su sacrificio con el recordatorio de que, si bien la maldad existe, no puede vencer. Volveremos a ser testigos de cómo nuestro gran Capitolio lleva la justicia a todos los rincones de Panem.

Los tambores entonaron un redoble lento y grave, y la multitud se volvió cuando el cortejo fúnebre dobló una esquina y empezó a desfilar por la avenida. Aunque no fuese tan amplia como el Corso, la calle de los Sabios alojaba sin dificultad a la guardia de honor que formaban los agentes de la paz, erguidos hombro con hombro en columnas de veinte por cuarenta, que caminaban con una uniformidad impecable al ritmo de la percusión.

Coriolanus se había preguntado si sería una estrategia acertada informar a los distritos de que una tributo había asesinado a una chica del Capitolio, pero ahora entendía el porqué. Por detrás de los agentes de la paz avanzaba una camioneta en cuyo remolque alargado se había acoplado una grúa. De su gancho, a gran altura, colgaba el cadáver acribillado de la muchacha del Distrito 10, Brandy. Encadenados a la caja de la camioneta, mugrientos y derrotados, se encontraban los veintitrés tributos restantes. La escasa longitud de sus ataduras les imposibilitaba ponerse de pie, por lo que todos estaban en cuclillas o sentados en la superficie metálica. Eso solo era una oportunidad más para recordarles a los distritos que eran inferiores y que su resistencia tendría repercusiones.

Vio a Lucy Gray esforzándose por conservar un ápice de dignidad, sentada con la espalda tan recta como se lo permitían las cadenas y con la mirada fija frente a ella, ignorando el cadáver que se balanceaba suavemente sobre su cabeza. Pero no serviría de nada. La suciedad, los grilletes, la exhibición pública; el efecto era demasiado poderoso como para mitigarlo. Coriolanus intentó imaginarse cómo se conduciría él en circunstancias similares, hasta que se dio cuenta de que sin duda eso era lo que estaba haciendo Sejanus y se obligó a no perder más el tiempo con ese tipo de divagaciones.

Seguía a los tributos otro batallón de agentes de la paz, pavimentando el camino para un cuarteto de caballos. Los animales, engalanados con guirnaldas, remolcaban una elaborada carreta que transportaba un féretro de color blanco puro cubierto de flores. Detrás del ataúd, los Crane viajaban en otro carro tirado por caballos. Por lo menos la familia de Arachne había tenido la decencia de adoptar una expresión incómoda. La procesión se detuvo cuando el féretro hizo lo propio delante del estrado.

La doctora Gaul, que hasta ese momento había permanecido sentada junto al presidente, se acercó al micrófono. A Coriolanus le parecía un error permitirle hablar en semejante ocasión, pero debía de haberse dejado en casa la actitud de señora loca junto con los brazaletes de serpiente rosa, porque habló con una elocuencia que aunaba sobriedad y agudeza.

—Arachne Crane, nosotros, tus conciudadanos de Panem, juramos que tu muerte no habrá sido en vano. Cuando atacan a uno de los nuestros, la respuesta es siempre el doble de contundente. Los Juegos del Hambre seguirán adelante con más ímpetu y entrega que nunca, mientras añadimos tu nombre a la larga lista de inocentes que han muerto defendiendo un país ecuánime y justo. Tus amigos, tu familia y tus compatriotas te saludan; los Décimos Juegos del Hambre estarán dedicados a tu memoria.

Así que ahora la bocazas de Arachne era el adalid de «un país ecuánime y justo —pensó Coriolanus—. Quizá en su lápida debería poner: "Víctima de sus propias bromas sin gracia"».

Una columna de agentes de la paz con fajines rojos empuñó las armas para disparar varias salvas sobre las cabezas del cortejo, que reanudó la marcha, recorrió unos cuantos bloques y se perdió de vista al doblar una esquina.

Mientras el gentío se dispersaba, varias personas interpretaron la expresión compungida de Coriolanus como pesar por el fallecimiento de Arachne, cuando, irónicamente, lo que sentía eran ganas de poder matarla de nuevo. Pensó que lo había sobrellevado bastante bien, pese a todo, hasta que se volvió y descubrió al decano Highbottom observándolo.

—Mis condolencias por la pérdida de tu amiga —lamentó el decano.

—Y por su alumna —respondió Coriolanus—. Es un día difícil para todos. Aunque la procesión ha sido conmovedora.

—¿Tú crees? A mí me ha parecido exagerada y de mal gusto. —Sorprendido, a Coriolanus se le escapó una risita antes de recuperar la compostura y esforzarse por fingir una consternación que distaba de sentir. El decano bajó la mirada al pimpollo de rosa azul que llevaba prendido en la chaqueta—. Es asombroso lo poco que cambian las cosas. Después de todas las muertes. Después de todas las apasionadas promesas por recordar el coste. Después de todo eso, no puedo distinguir el capullo de la flor. —Le dio un golpecito con el índice a la rosa, ajustó su ángulo y sonrió—. No llegues tarde a comer. Tengo entendido que hay tarta.

Lo único positivo de ese encuentro fue que resultó que realmente había tarta, de melocotón esta vez, en el bufé especial que habían preparado en el comedor de la escuela. A diferencia del día de la cosecha, Coriolanus se llenó el plato con pollo frito y cogió el trozo de tarta más grande que pudo encontrar. Untó generosamente de mantequilla sus galletas y rellenó hasta en tres ocasiones su vaso con ponche de uva, tanto que al final lo desbordó y ensució la servilleta de tela al intentar secarlo. Le daba igual lo que dijera la gente. El doliente principal necesitaba sustento. Sin embargo, mientras comía, reconoció sus excesos como una señal de que su habitual don para el autocontrol empezaba a desmoronarse. Lo atribuyó al decano Highbottom y su acoso continuo. ¿A qué venían hoy esos desvaríos? ¿Flores? ¿Capullos? Deberían encerrarlo en alguna parte o, mejor aún, deportarlo a cualquier puesto remoto para que dejase en paz a los habitantes decentes del Capitolio. Solo de pensar en él le entraban ganas de seguir atiborrándose de tarta.

Sejanus, sin embargo, se dedicaba a marear el pollo y las galletas sin decidirse a probar ni un bocado. Si a Coriolanus le había desagradado el cortejo fúnebre, para Sejanus debía de haber supuesto un tormento.

—Te denunciarán como tires toda esa comida —le recordó Coriolanus.

El muchacho no le caía especialmente bien, pero tampoco deseaba que lo castigaran.

—Ya —dijo Sejanus.

Aun así, parecía incapaz de ingerir nada más que un trago de ponche.

El banquete tocaba a su fin cuando Satyria reunió a los veintidós mentores en activo para informarles de que no solo iban a seguir adelante con los Juegos del Hambre, sino que deberían volverse aún más visibles. Con eso en mente, tendrían que escoltar a sus tributos en una visita guiada por el estadio esa misma tarde. Se retransmitiría en directo para todo el país, lo que consolidaría de alguna manera la iniciativa promulgada por la doctora Gaul durante el funeral. La Vigilante Jefe de los Juegos opinaba que separar a los jóvenes del Capitolio de los de los distritos sugeriría debilidad, como si les asustaran demasiado sus adversarios para atreverse a estar en presencia de ellos. Los tributos estarían esposados, aunque no cargarían con cadenas. Entre sus guardias se contarían los francotiradores de élite de los agentes de la paz, pero los mentores debían dejarse ver al lado de sus custodios.

Coriolanus percibió cierta resistencia entre sus compañeros de clase (varios de sus progenitores habían presentado quejas formales para protestar por la mediocre seguridad tras la muerte de Arachne), aunque nadie dijo nada porque ninguno quería quedar como un cobarde delante de los demás. A él todo aquel asunto se le antojaba tan peligroso como desaconsejable (¿qué evitaría que otros tributos se volvieran contra sus mentores?), pero jamás lo expresaría en voz alta. Una parte de él se preguntó si la doctora Gaul no estaría esperando un nuevo acto violento para poder castigar a otro tributo, quizá con vida esta vez, frente a las cámaras.

Esta nueva muestra de crueldad de la doctora Gaul hizo que le dieran ganas de amotinarse. Observó de reojo el plato de Sejanus.

—¿Has terminado?

—Hoy no puedo comer nada —dijo Sejanus—. No sé qué hacer con esto.

Su sección se había quedado desierta. Bajo la mesa, Coriolanus extendió la servilleta de tela sucia sobre su regazo. Se sintió todavía más transgresor al ver que estaba bordada con el sello del Capitolio.

—Ponlo aquí —dijo con una mirada furtiva.

Sejanus echó un vistazo a su alrededor y se apresuró a colocar el pollo y las galletas encima del trozo de tela. Coriolanus lo envolvió todo y guardó el hatillo en su mochila. No se les permitía sacar alimentos del comedor, y menos para dárselos a los tributos, pero ¿dónde si no obtendría algo antes de la visita guiada? Lucy Gray no podría hincarle el diente delante de las cámaras, pero su vestido contaba con grandes bolsillos. Le fastidiaba que la mitad del botín fuese a ir a parar a Jessup, aunque quizá esa inversión diera sus frutos cuando empezaran los Juegos.

—Gracias. Estás hecho todo un rebelde —bromeó Sejanus mientras llevaban sus bandejas a la cinta transportadora que las llevaría hasta la cocina.

—En efecto, un mal bicho —replicó Coriolanus.

Los mentores se apilaron en unos cuantos furgones de la Academia y partieron rumbo al Estadio del Capitolio, construido en la margen opuesta del río para evitar que la muchedumbre congestionara el centro de la ciudad. En su día, el enorme y moderno anfiteatro había sido escenario de numerosos acontecimientos militares, lúdicos y deportivos. Allí se celebraban las ejecuciones de enemigos de alto rango durante la guerra, por lo que se convirtió en objetivo de los bombardeos rebeldes. Si bien la estructura original permanecía aún en pie, inestable y vapuleada, ya solo se utilizaba para acoger los Juegos del Hambre. El exuberante campo de césped meticulosamente cortado había sucumbido a la falta de cuidados. Estaba sembrado de cráteres dejados por las bombas, sin más verdor que el de la maleza que reinaba ahora en la explanada de tierra. Los escombros fruto de las explosiones (fragmentos de piedra y metal) yacían esparcidos por todas partes, y el muro de cuatro metros y medio que rodeaba el campo estaba agrietado y desportillado por la metralla. Todos los años se encerraba allí a los tributos sin nada más que un arsenal de cuchillos, espadas, mazas y otros objetos por el estilo con los que garantizar el baño de sangre mientras los espectadores disfrutaban del espectáculo desde sus casas. Al final de los Juegos, quien hubiese logrado sobrevivir era enviado de regreso a su distrito, se retiraban los cadáveres, se recogían las armas y se cerraban las puertas hasta el año siguiente. Sin mantenimiento. Sin labores de limpieza. Quizá el viento y la lluvia borrasen las manchas de sangre, pero no las manos del Capitolio.

La profesora Sickle, su carabina en esa excursión, ordenó a los mentores que dejaran sus pertenencias en los furgones cuando llegaran. Coriolanus se embutió la servilleta llena de comida en uno de los bolsillos delanteros del pantalón y cubrió el bulto con el dobladillo de la chaqueta. Al salir del aire acondicionado al sol abrasador vio a los tributos en pie y esposados, formando una fila vigilada de cerca por agentes de la paz. A los mentores se les indicó que ocuparan sus puestos junto a sus respectivos tributos, alineados por orden numérico, por lo que él acabó cerca del final al lado de Lucy Gray. Por detrás de ellos estaban tan solo Jessup y su mentora, Lysistrata, cuyos cuarenta y cinco kilos apenas si bastaban para activar la báscula. Frente a él, el tributo de Clemensia, Reaper (el que había intentado estrangularlo en la camioneta), apuñalaba el suelo con los ojos cargados de rabia. Como el resultado dependiese de un duelo por parejas entre mentores y tributos, sería difícil que la suerte se pusiera de parte de Coriolanus.

Pese a su delicada apariencia, Lysistrata tenía aplomo de sobra. Hija de los médicos que trataban al presidente Ravinstill, la fortuna había querido convertirla en mentora y, por lo visto, se había esforzado por establecer algún tipo de vínculo con Jessup.

—Te he traído una pomada para el cuello —la oyó susurrar Coriolanus—. Pero debes guardarla donde nadie la encuentre. —Jessup gruñó a modo de asentimiento—. Te la esconderé en el bolsillo cuando no mire nadie.

Los agentes de la paz corrieron las pesadas barras que bloqueaban la entrada. Al abatirse las enormes puertas revelaron un vestíbulo inmenso, jalonado de cabinas tapiadas y carteles salpicados de heces de mosca en los que se anunciaban acontecimientos anteriores a la guerra. Sin romper la formación, los chicos siguieron a los soldados hasta el fondo de la estancia. Un banco de tornos de cuerpo entero, cada uno de ellos dotado de tres brazos metálicos curvos, los aguardaba cubierto por una gruesa capa de polvo. Se requería una ficha del Capitolio para accionarlos, la misma que se empleaba aún para cubrir el importe de los trolebuses.

«Esta entrada era para los pobres», pensó Coriolanus. O quizá no fuera para los pobres. Acudió a su mente la palabra «plebeyos». La familia Snow había accedido al estadio por otra entrada, delimitada por un cordón rojo. A su cabina no se llegaba metiendo una ficha de trolebús, de eso estaba seguro. Tenía techo, a diferencia de gran parte de la arena; una ventana de cristal plegable y aire acondicionado para sobrellevar incluso los días más calurosos. Se les asignaba un avox que les llevaba comida y bebida, así como juguetes para Tigris y él. Si Coriolanus se aburría, podía pegar una cabezada en los mullidos asientos acolchados.

Unos agentes de la paz apostados junto a dos de los tornos empezaron a introducir fichas en las ranuras para que cada pareja formada por un tributo con su mentor pudiera pasar simultáneamente. Al término de cada rotación, una voz risueña entonaba:

—¡Que disfrute del espectáculo!

—¿No pueden desactivar la barrera? —preguntó la profesora Sickle.

—Podríamos si tuviéramos la llave —dijo uno de los soldados—, pero nadie parece saber dónde está.

—¡Que disfrute del espectáculo! —le dijo el torno a Coriolanus mientras pasaba.

Empujó hacia atrás el brazo que quedaba a la altura de su cintura y comprobó que no había salida posible. Su mirada saltó a lo alto de los tornos, donde unos barrotes de hierro ocupaban el espacio hasta el portal arqueado. Dedujo que los usuarios de los asientos más económicos abandonarían el edificio por otros pasillos. Lo que debía de considerarse una ventaja por lo que a dispersar la multitud se refería no hizo nada por calmar los nervios de un mentor intranquilo embarcado en una excursión cuestionable.

Al otro lado de los tornos, un escuadrón de agentes de la paz desfiló por un pasadizo, sin más guía que el resplandor rojo de las luces de emergencia que había en el suelo. A ambos lados, unos arcos numerados de menor tamaño comunicaban con distintos niveles de asientos. La columna formada por tributos y mentores marchaba flanqueada por apretadas filas de agentes de la paz. Mientras se adentraban en la penumbra, Coriolanus siguió el ejemplo de Lysistrata y aprovechó la ocasión para poner la servilleta con comida en las manos esposadas de Lucy Gray. Desapareció de inmediato en uno de los bolsillos ocultos bajo los volantes. Bien. No se moriría de hambre si él podía evitarlo. La mano de la muchacha buscó la suya, entrelazó los dedos con él y le provocó un escalofrío de emoción que le recorrió todo el cuerpo con su proximidad, con aquel pequeño gesto de intimidad en la oscuridad. Le dio un último apretón y la soltó mientras salían a la luz del sol, que brillaba al final del pasadizo, donde semejante despliegue de afecto habría resultado inaceptable.

Había estado varias veces en el estadio cuando era pequeño; para ver el circo, sobre todo, pero también para vitorear en los desfiles militares bajo la supervisión de su padre. Los últimos nueve años había visto las retransmisiones televisadas de los Juegos, al menos en parte. Pero nada lo había preparado para la sensación que experimentó al cruzar la puerta principal, bajo el gigantesco marcador, y salir al campo. Algunos mentores y tributos contuvieron la respiración ante las colosales dimensiones del estadio y el grandor que desafiaba cualquier deterioro. Contemplar las interminables hileras de asientos lo empequeñecía hasta el punto de hacerle sentir insignificante. Una gota de agua en una inundación, un guijarro en una avalancha.

La aparición de las cámaras lo devolvió a la realidad, y corrigió su gesto para dar a entender que los Snow no se dejaban impresionar fácilmente. Lucy Gray, que parecía más alerta y se movía con más comodidad sin el peso de las cadenas, saludó con la mano a Lepidus Malmsey, pero este, como todos los reporteros, se mantuvo impertérrito y no le devolvió el gesto. La directiva había sido muy clara; esa jornada debía caracterizarse por la solemnidad y el castigo.

El uso de la expresión «visita guiada» por parte de Satyria le había sugerido a Coriolanus algún tipo de excursión para admirar las vistas, y si bien no se esperaba ningún viaje de placer, tampoco anticipaba el aura de palpable melancolía que envolvía el lugar. Los agentes de la paz que los flanqueaban se desplegaron mientras los chicos seguían obedientemente al escuadrón principal en su recorrido por el perímetro interior del óvalo, formando un desfile gris y sin vida. Coriolanus se acordó de los artistas de circo que trazaban esa misma ruta, montados a lomos de elefantes y caballos, vestidos con trajes coloridos y rebosantes de júbilo. A excepción de Sejanus, lo más probable era que todos sus compañeros de clase hubieran estado también entre el público. Irónicamente, Arachne había ocupado la cabina adyacente a la suya, vestida con un traje de lentejuelas y jaleando a pleno pulmón.

Coriolanus examinó la zona en busca de cualquier cosa que pudiera representar una ventaja para Lucy Gray. El alto muro que cercaba la arena, manteniendo a los espectadores por encima de la acción, parecía prometedor. La superficie dañada proporcionaba multitud de asideros, que a un escalador ágil le permitirían acceder a las gradas. También varias de las puertas, espaciadas de forma simétrica a lo largo de toda la pared, daban la impresión de estar debilitadas, pero al no estar seguro de lo que se ocultaba tras ellas, en los túneles, pensó que convendría abordarlas con precaución. Sería demasiado fácil quedarse atrapado. Los asientos representaban la apuesta más segura, si la muchacha lograba llegar hasta ellos. Tomó varios apuntes mentales para compartirlos con ella más tarde.

Cuando la columna empezó a estirarse, inició una conversación susurrada con Lucy Gray.

—Esta mañana ha sido espantoso. Verte de esa manera.

—Bueno, por lo menos antes nos dieron de comer.

—¿De verdad?

¿Habría dado sus frutos la conversación que había tenido con Satyria?

—Un par de niños se desmayaron cuando intentaron agruparnos anoche. Creo que han llegado a la conclusión de que, si quieren que lleguemos vivos al espectáculo, van a tener que empezar a alimentarnos. Pan y queso, principalmente. También nos han dado cena y desayuno. Pero no te preocupes, me queda hueco de sobra para lo que sea que llevo en el bolsillo. —Sonaba más como de costumbre—. ¿Eras tú el que estaba cantando hace un rato?

—Oh. Sí —reconoció Coriolanus—. Me lo pidieron porque nos tenían por grandes amigos a Arachne y a mí. Nada de eso. Y me da apuro que lo hayas oído.

—Me gusta tu voz. Mi padre habría dicho que transmite auténtica autoridad. Sin embargo, la canción no me ha entusiasmado —replicó Lucy Gray.

—Gracias. Significa mucho, viniendo de ti.

La muchacha le dio un golpecito con el codo.

—En tu lugar, yo no diría eso en voz alta. La mayoría de los que hay por aquí piensan que soy más rastrera que el vientre de una serpiente.

Coriolanus sonrió y sacudió la cabeza.

—¿Qué pasa?

—Nada, que utilizas unas expresiones muy graciosas. O coloridas, más que graciosas *per se*.

—Bueno, si te refieres a que no soy de las que meten «*per se*» en sus discursos —bromeó ella—, tienes razón.

—No, me gusta. En comparación, mi forma de hablar es muy estirada. ¿Qué me llamaste el otro día en el zoo? ¿Algo de un pastel?

—Ah, lo del pastelito de nata. ¿No lo decís por aquí? Bueno, pues es un cumplido. De donde vengo, los pasteles pueden llegar a ser la cosa más seca del mundo. Y la nata brilla tanto por su ausencia como los dientes de una gallina.

Coriolanus se rio brevemente, olvidando dónde se encontraban y el deprimente escenario. En ese instante tan solo existía la sonrisa de Lucy Gray, la cadencia musical de su voz, un coqueteo apenas insinuado.

Y entonces el mundo saltó por los aires.

10

Coriolanus sabía de bombas, y le aterraban. Mientras el impacto lo lanzaba por los aires hacia el interior del estadio, levantó los brazos para cubrirse la cabeza. Al dar contra el suelo, rodó automáticamente hasta quedar boca abajo, con la mejilla contra el polvo, y un brazo doblado para protegerse el ojo y la oreja que quedaban expuestos.

El primer estallido, que parecía proceder de la puerta principal, dio inicio a una reacción en cadena de explosiones por todo el estadio. Correr estaba descartado. Lo único que podía hacer era aferrarse al suelo, cruzar mentalmente los dedos para dejar de temblar e intentar reprimir el pánico. Había entrado en lo que Tigris y él habían apodado como «momento bomba», ese instante surrealista en que los segundos se alargan y contraen de un modo que parece desafiar a la ciencia.

Durante la guerra, el Capitolio había asignado a cada ciudadano un refugio cercano a su lugar de residencia. El magnífico edificio de los Snow contaba con un sótano tan resistente y espacioso que tenía cabida no solo para sus residentes, sino para media manzana. Por desgracia, el sistema de vigilancia del Capitolio dependía excesivamente de la electricidad. Como esta era escasa y la red se encendía y apagaba como una luciérnaga por culpa de la incursión de los rebeldes en el Distrito 5, las sirenas no eran de fiar, así que era habitual que los bombardeos los pillaran desprevenidos sin tiempo para refugiarse en el sótano. En esas ocasiones, Tigris, la abuelatriz (a no ser que estuviera cantando el himno) y él se escondían bajo la mesa del comedor —un mueble impresionante tallado a partir de un solo bloque de mármol—, que se encontraba en una habitación interior. A pesar de la ausencia de ventanas y de la roca sólida que tenían sobre sus cabezas, los músculos de Coriolanus se quedaban paralizados por el terror cuando oía el silbido de las bombas, y tardaba varias horas en volver a caminar con normalidad. Las calles tampoco eran seguras, ni la Academia. Las bombas podían caer en cualquier parte, aunque solía contar con un lugar mejor para protegerse. Allí, vulnerable al ataque, tirado en campo abierto, esperó a que pasara aquel interminable «momento bomba» mientras se preguntaba cuántos daños habrían sufrido sus órganos internos.

«No ha sido un aerodeslizador», pensó de repente. No había visto ninguno. ¿Significaba eso que alguien había colocado allí las bombas? Olía a humo, así que lo más probable era que algunas fueran incendiarias. Se apretó el pañuelo del día contra la boca y la nariz antes de escudriñar la niebla negra espesada por la tierra de la arena, y entonces vio a Lucy Gray hecha un ovillo, con la frente en el suelo y las puntas de los dedos metidas en las orejas. Era lo mejor que podía hacer con los grilletes puestos. La oyó toser.

—¡Tápate la cara! ¡Usa la servilleta! —le gritó.

Ella no lo miró, pero tuvo que oírlo porque rodó para ponerse de lado y se la sacó del bolsillo. Las galletas y el pollo cayeron al suelo cuando se llevó la tela a la cara. A Coriolanus se le pasó fugazmente por la cabeza que aquel contratiempo no sería bueno para la voz de Lucy Gray.

La tranquilidad lo llevó a pensar que el incidente había terminado, pero, justo cuando levantaba la cabeza, un último estallido retumbó en las gradas que tenía por encima y destruyó lo que antes fuera un puesto de aperitivos (algodón de azúcar rosa, manzanas cubiertas de caramelo...), y le llovieron escombros en llamas. Algo le golpeó con fuerza en la cabeza y una pesada viga le aterrizó en la espalda, en diagonal, inmovilizándolo en el suelo.

Atontado, Coriolanus estuvo a punto de perder el sentido durante un instante. Le picaban las fosas nasales por el olor acre a quemado, y se dio cuenta de que la viga estaba ardiendo. Intentó reunir fuerzas y salir de allí, pero el mundo empezó a darle vueltas y la tarta de melocotón se le revolvió en el estómago.

—¡Ayuda! —gritó. Otros gritos similares surgieron a su alrededor, aunque no veía a los heridos a través de la niebla—. ¡Ayuda!

El fuego le chamuscó el pelo, así que volvió a intentar con todas sus fuerzas salir de debajo de la viga, sin éxito. Un dolor insoportable empezó a recorrerle el cuello y el hombro, y entonces comprendió, horrorizado, que se iba a quemar vivo. Gritó una y otra vez, pero parecía estar solo en una burbuja de humo oscuro y escombros en llamas. Entonces distinguió una figura que se alzaba del infierno. Lucy Gray pronunció su nombre, después volvió la cabeza de golpe porque algo que él no alcanzaba a ver le llamó la atención. Sus pies se alejaron unos pasos y vacilaron, como si se debatiera entre dos opciones.

—¡Lucy Gray! —le suplicó con voz rota—. ¡Por favor!

La chica le echó un último vistazo a lo que fuera que la tentaba antes de correr a su lado. La viga que inmovilizaba a Coriolanus se movió para después volver a caer. Se levantó una segunda vez, dejando el espacio justo para que saliera a rastras. Lucy Gray lo ayudó a levantarse, se echó uno de sus brazos al hombro y juntos se alejaron cojeando de las llamas hasta caer exhaustos en el centro del estadio.

Al principio, el chico no pudo más que toser y sufrir arcadas, pero, poco a poco, fue consciente del dolor en la cabeza y de las quemaduras en el cuello, la espalda y los hombros. De algún modo, sus dedos se habían aferrado a la falda achicharrada de Lucy Gray como si de un salvavidas se tratase. Ella tenía las manos esposadas y quemadas cerca de las suyas.

El humo se posó lo suficiente como para que Coriolanus viera el patrón que habían seguido para poner las bombas por el estadio, a intervalos regulares, con la carga principal de explosivos en la entrada. Habían provocado tantos daños que vislumbró la calle del otro lado y dos figuras que huían. ¿Por eso había vacilado Lucy Gray antes de acudir en su ayuda? ¿Por la posibilidad de huir? Seguro que otros tributos habían aprovechado la oportunidad. Sí, ahora oía las sirenas, los gritos en la calle.

Los paramédicos se abrieron paso entre los escombros y corrieron a atender a los heridos.

—No pasa nada —le dijo Coriolanus a Lucy Gray—. Ya está aquí la ayuda.

Lo levantaron del suelo y lo tendieron en una camilla. Soltó los volantes de la chica, pensando que habría otra camilla para ella, pero, cuando se lo llevaban, vio a un agente de la paz que la obligaba a tumbarse boca abajo mientras le colocaba el cañón de un arma en el cuello y le chillaba todo tipo de insultos.

—¡Lucy Gray! —gritó Coriolanus.

Nadie le prestó atención.

Le costaba mantener la concentración por culpa del golpe en la cabeza, aunque fue consciente del viaje en ambulancia, de las puertas batientes que se abrían de camino a la misma sala de espera en la que se había bebido la limonada con gas un día antes y de que lo depositaban en una mesa bajo una luz brillante mientras un equipo de médicos intentaba evaluar los daños. Quería dormir, pero no dejaban de ponérsele delante de la cara para exigirle respuestas, y sus alientos a desayuno rancio le revolvieron de nuevo el estómago. Lo metían y lo sacaban de distintas máquinas, le pinchaban y, por fin y por suerte, dejaron que se durmiera. A lo largo de la noche se pasaron varias veces a despertarlo para mirarle los ojos con una luz. Si era capaz de responder unas cuantas preguntas básicas, lo dejaban volver a sus sueños.

Cuando por fin se despertó de verdad, el domingo, la luz que entraba por las ventanas le indicó que era por la tarde, y la abuelatriz y Tigris estaban inclinadas sobre él, mirándolo con preocupación. Sintió una cálida sensación de seguridad. «No estoy solo —pensó—. No estoy en el estadio. Estoy a salvo».

—Hola, Coryo —le dijo Tigris—. Somos nosotras.

—Hola —respondió, e intentó sonreír—. Te has perdido el momento bomba.

—Pues resulta que es peor estar fuera y saber que has tenido que pasarlo tú solo —repuso Tigris.

—No estaba solo —dijo Coriolanus. La morflina y el traumatismo le impedían recordar con claridad—. Lucy Gray estaba allí. Creo que ella me salvó la vida.

No lograba asimilar la idea, dulce, aunque también perturbadora.

—No me sorprende nada —repuso su prima, apretándole la mano—. Está claro que es una buena persona. Desde el principio intentó protegerte de los demás tributos.

La abuelatriz no estaba tan convencida. Después de que Coriolanus lograra recomponer el orden de los acontecimientos, la anciana llegó a la siguiente conclusión:

—Bueno, lo más probable es que pensara que los agentes de la paz la abatirían si escapaba, pero, de todos modos, es verdad que ha demostrado tener carácter. Puede que no sea de los distritos, como asegura.

Era un gran elogio o, al menos, lo más parecido a un elogio que se le podía sacar a la abuelatriz.

Mientras Tigris le informaba de los detalles que se había perdido, Coriolanus se dio cuenta de lo nervioso que habían puesto las bombas al Capitolio. Lo sucedido (al menos lo que Noticias del Capitolio afirmaba que había sucedido) asustaba a los ciudadanos tanto por sus consecuencias inmediatas como por las repercusiones futuras. No sabían quién había colocado las bombas; rebeldes, sí, pero ¿de dónde? Podían ser de cualquiera de los doce distritos o un puñado de chusma huida del Distrito 13, o incluso, el destino no lo quisiera, una célula durmiente del Capitolio. La cronología de los acontecimientos era desconcertante. Como el estadio estaba vacío, cerrado y olvidado entre unos Juegos y los siguientes, las bombas podían llevar allí seis días o seis meses. Las cámaras de seguridad cubrían las entradas a lo largo del óvalo, pero el exterior en ruinas permitía que pudiese escalarse. Ni siquiera sabían si las bombas se habían activado por control remoto o por un paso en falso. En cualquier caso, aquellas pérdidas tan inesperadas sacudieron el Capitolio. No les preocupaba demasiado que la metralla hubiese matado a los dos tributos del Distrito 6, sino que la misma explosión les hubiera arrebatado la vida a los mellizos Ring. Había tres mentores hospitalizados: Coriolanus, Androcles Anderson y Gaius Breen, que tenían asignados a los tributos del Distrito 9. Sus dos compañeros de clase estaban en estado crítico, Gaius había perdido ambas piernas, y casi todos los demás, ya fueran mentores, tributos o agentes de la paz, habían necesitado atención médica.

Coriolanus estaba apabullado. Pollo y Didi le caían muy bien, le gustaba ver lo mucho que se querían, lo alegres que eran. En algún lugar cercano luchaban por su vida Androcles, que aspiraba a ser reportero de Noticias del Capitolio, como su madre, y Gaius, un mocoso mimado del Capitolio con un interminable repertorio de chistes groseros.

—¿Y Lysistrata? ¿Está bien? —preguntó, recordando que la había tenido detrás en el estadio.

La abuelatriz parecía incómoda.

—Ah, sí. Está bien. Va por ahí diciendo que ese chico enorme y feo del Distrito 12 la protegió lanzándose sobre ella, pero ¿quién sabe? A la familia Vickers le encanta ser el centro de atención.

—Ah, ¿sí? —preguntó Coriolanus con escepticismo.

No recordaba ni una ocasión en que los Vickers hubieran buscado ser el centro de atención, salvo por una breve rueda de prensa anual en la que confirmaban la buena salud del presidente Ravinstill. Lysistrata era una persona reservada y eficiente que jamás se hacía notar. A Coriolanus le sentó mal la insinuación de que pudiera pertenecer a la misma categoría que Arachne.

—Solo le hizo un rápido comentario a un periodista justo después de las bombas. Creo que decía la verdad, abuelatriz —dijo Tigris—. Puede que en el Distrito 12 no sean tan malos como los pintas. Tanto Jessup como Lucy Gray han sido muy valientes.

—¿Habéis visto a Lucy Gray? En la televisión, me refiero. ¿Tiene buen aspecto? —preguntó Coriolanus.

—No lo sé, Coryo. No han emitido grabaciones del zoo, pero tampoco está en la lista de tributos muertos —respondió su prima.

—¿Hay más? ¿Aparte de los del Distrito 6? —preguntó él, que no quería sonar morboso, pero se trataba de la competencia de su protegida.

—Sí, murieron algunos más después de las bombas.

Las dos parejas del 1 y del 2 habían huido hacia el agujero abierto cerca de la entrada. Los del Distrito 1 habían muerto acribillados, la chica del Distrito 2 había llegado hasta el río y se había matado al saltar el muro, y Marcus había desaparecido por completo, lo que dejaba a un chico fuerte, desesperado y peligroso suelto por la ciudad. Una tapa de alcantarilla abierta indicaba que podría haberse metido en el Transportador, la red subterránea de vías y calzadas construida bajo el Capitolio, pero nadie estaba seguro.

—Supongo que ven el estadio como un símbolo —dijo la abuelatriz—, igual que durante la guerra. Lo peor es que tardaron casi veinte segundos en cortar la transmisión a los distritos, así que ahora lo estarán celebrando como los animales que son.

—Pero dicen que casi nadie lo ve en los distritos, abuelatriz —repuso Tigris—. No les gusta ver la cobertura de los Juegos del Hambre.

—No hacen falta muchos para correr la voz. Es la típica historia que prende deprisa.

Entonces entró el médico que había hablado con Coriolanus después del ataque de la serpiente y se presentó como el doctor Wane. Envió a Tigris y a la abuelatriz a casa, le realizó un breve examen al joven y le explicó la naturaleza del traumatismo (bastante leve) y el alcance de las quemaduras, que estaban respondiendo al tratamiento. Tardarían algún tiempo en curarse del todo, pero, si se portaba bien y seguía mejorando, le darían el alta en un par de días.

—¿Sabe cómo se encuentra mi tributo? Tenía las manos muy quemadas —le preguntó Coriolanus.

Cada vez que pensaba en ella sentía una punzada de preocupación que la morflina se encargaba de mitigar, como si la envolviera en algodones.

—No lo sé, pero tienen un veterinario estupendo. Seguro que estará en perfectas condiciones en cuanto se inicien los Juegos. De todos modos, no debes preocuparte por eso, joven. Tu principal objetivo es curarte, y para eso tienes que dormir un poco.

Coriolanus aceptó encantado. Se durmió de nuevo y no despertó del todo hasta la mañana del lunes. Con la cabeza dolorida y el cuerpo machacado, no tenía ninguna prisa por salir del hospital. El aire acondicionado le aliviaba el ardor de la piel, y disfrutaba de generosas raciones de comida blanda a intervalos regulares. Se puso al día de las noticias en el televisor de pantalla grande mientras bebía toda la limonada con gas que le permitía su cuerpo. Al día siguiente se celebraría un funeral doble por los mellizos Ring. Seguían a la caza y captura de Marcus. Tanto el Capitolio como los distritos habían intensificado la seguridad.

Tres mentores muertos, tres hospitalizados... Bueno, cuatro, contando a Clemensia. Seis tributos muertos, uno huido, varios heridos. Si la doctora Gaul quería un cambio de imagen para los Juegos del Hambre, lo había logrado.

Por la tarde, el desfile de visitas empezó con Festus, que llevaba el brazo en cabestrillo y unos cuantos puntos de sutura en el lugar en que el fragmento de metal le había rajado la mejilla. Le dijo que la Academia había cancelado las clases, pero que los estudiantes debían presentarse al día siguiente para el funeral de los Ring. Se le truncó la voz al mencionar a los mellizos, y Coriolanus se preguntó si su respuesta emocional sería mayor cuando le quitaran el gotero de morflina, que mitigaba tanto el dolor como la alegría. Satyria se pasó con unas galletas de panadería, le transmitió los buenos deseos del profesorado y le dijo que, aunque había sido un incidente desafortunado, mejoraría sus posibilidades de acceder al premio. Al cabo de un rato, Sejanus, que había resultado ileso, apareció con la mochila de Coriolanus y un montón de los deliciosos sándwiches de pastel de carne de su madre. Tenía poco que decir sobre el tema de su tributo a la fuga. Por último apareció Tigris, sin la abuelatriz, que se había quedado en casa pero le había enviado un uniforme limpio para cuando saliera. Si había cámaras, quería que tuviera el mejor aspecto posible. Compartieron los sándwiches y después Tigris le acarició el pelo hasta que se durmió, igual que cuando tenía sus frecuentes dolores de cabeza de niño.

Lo despertaron a las tantas de la madrugada, y Coriolanus pensó que se trataba de una enfermera que iba a comprobar sus signos vitales, así que se sobresaltó al ver el rostro desfigurado de Clemensia sobre el suyo. El veneno de la serpiente, o puede que el antídoto, le estaba dejando la cara pelada y el blanco de los ojos del color de la yema de huevo. Sin embargo, lo peor era el tic que le recorría el cuerpo y, además de provocarle muecas, la obligaba a sacar la lengua periódicamente y a apartar las manos cuando intentaba tocarlo.

—¡Chisss! No debería estar aquí —le advirtió al chico—. No les digas que he venido. Pero ¿qué dicen de mí? ¿Por qué no ha venido nadie a verme? ¿Saben mis padres lo que ha pasado? ¿Creen que estoy muerta?

Medio dormido por la hora y la medicación, Coriolanus no lograba entender lo que le estaba diciendo.

—¿Tus padres? Pero si han venido a visitarte. Los vi.

—No. ¡No me ha visitado nadie! —gritó ella—. Tengo que salir de aquí, Coryo. Tengo miedo de que me mate. No estoy a salvo. ¡No estamos a salvo!

—¿Qué? ¿Quién te va a matar? No te entiendo.

—¡La doctora Gaul, quién va a ser! —Le agarró el brazo, recordándole sus quemaduras—. ¡Tú lo sabes, estabas allí!

—Tienes que volver a tu habitación —le dijo Coriolanus mientras intentaba soltarse—. Estás enferma, Clemmie. Son las mordeduras de serpiente. Te provocan alucinaciones.

—¿Me he imaginado esto?

Se abrió la bata de hospital para enseñarle un trozo de piel que abarcaba desde el pecho hasta el hombro. Tenía escamas de color azul vivo, rosa y amarillo, con el mismo aspecto reptiliano de las serpientes del tanque. El chico ahogó un grito, y ella chilló:

—¡Y se está extendiendo! ¡Se está extendiendo!

Entraron dos miembros del personal del hospital, la cogieron en volandas y la sacaron de la habitación. Permaneció despierto el resto de la noche, pensando en las serpientes, en la piel de Clemensia y en las jaulas de cristal del laboratorio de la doctora Gaul, con las horribles modificaciones animales de los avox. ¿Era ese el destino de Clemensia? Si no, ¿por qué no la habían visto sus padres? ¿Por qué nadie, salvo él, parecía saber lo ocurrido? Si Clemensia moría, ¿desaparecería él también, el único testigo? ¿Habría puesto en peligro a Tigris al contarle la historia?

De repente, el agradable capullo del hospital se convirtió en una trampa insidiosa que se encogía hasta asfixiarlo. No ayudó que pasaran las horas y nadie se asomara para comprobar cómo estaba. Por fin, justo cuando amanecía, el doctor Wane apareció junto a su cama.

—He oído que Clemensia vino a visitarte anoche —comentó alegremente—. ¿Te asustó?

—Un poco —reconoció Coriolanus, como si no le diera importancia.

—No le pasará nada. El veneno provoca muchos efectos secundarios poco comunes cuando el cuerpo lo expulsa. Por eso no hemos permitido que sus padres la vieran. Les hemos dicho que está en cuarentena por una gripe muy contagiosa. Estará presentable dentro de un par de días. Puedes visitarla, si te apetece. A lo mejor la animas un poco.

—De acuerdo —respondió Coriolanus algo más tranquilo, aunque no podía obviar lo que había visto, tanto en el hospital como en el laboratorio.

Cuando le quitaron el gotero de morflina empezó a sentir con claridad lo que antes notaba vagamente. Sus sospechas echaban a perder todas las comodidades, desde el gran desayuno de tortitas con beicon hasta la cesta de fruta fresca y dulces de la Academia, pasando por las noticias de que volverían a reproducir su interpretación del himno durante el funeral de los Ring, como reconocimiento tanto de su calidad como del sacrificio realizado.

La cobertura previa al acontecimiento empezó a las siete, y a las nueve ya estaba todo el cuerpo estudiantil en las escaleras de la Academia. Una semana antes, Coriolanus temía haber constatado la insignificancia de su familia al recibir a la tributo del Distrito 12, y ahora lo recompensaban por su valor delante de todo el país. Esperaba que pusieran una grabación de su interpretación del himno, por eso se sorprendió al ver aparecer su imagen holográfica detrás del podio; aunque al principio estaba un poco borrosa, al final se estabilizó y se veía con claridad. La gente siempre decía que cada día se parecía más a su padre, que era bastante apuesto, y por primera vez estuvo de acuerdo. No eran solo los ojos, sino también la mandíbula, el pelo, el porte orgulloso. Y Lucy Gray estaba en lo cierto: su voz transmitía autoridad. En general, su actuación había sido bastante impresionante.

El Capitolio redobló los esfuerzos realizados para el funeral de Arachne, lo que a Coriolanus le pareció muy adecuado para los mellizos. Más discursos, más agentes de la paz, más banderolas. No le importaba que cantaran las alabanzas de los Ring, aunque fuera de un modo tan extravagante; le habría gustado que supieran que su holograma había dado inicio al funeral. El recuento de tributos muertos había aumentado, ya que los dos del Distrito 9 habían fallecido a consecuencia de las heridas. Al parecer, el veterinario había hecho todo lo posible, pero no habían aceptado sus reiteradas peticiones de ingresarlos en el hospital. Tras echar sus cuerpos marcados, junto con lo que quedaba de los tributos del Distrito 6, sobre los lomos de unos caballos, procedieron a pasearlos por la calle de los Sabios. Los cadáveres de los dos tributos del Distrito 1 y de la chica del Distrito 2, tal y como correspondía a su cobarde intento de fuga, iban arrastrados por el suelo, atados a los caballos. A estos últimos los seguían un par de las camionetas con barrotes en las que Coriolanus había llegado al zoo, una para los chicos y otra para las chicas. Intentó ver a Lucy Gray, pero no la localizaba, lo que lo preocupó aún más. ¿Estaría tirada en el suelo, vencida por las heridas y el hambre?

Cuando vio los ataúdes plateados idénticos de los mellizos, lo único en lo que podía pensar era en aquel juego estúpido que se habían inventado en el patio durante la guerra: «el teléfono de los Ring hace ring, ring». El resto de los niños perseguía a Didi y a Pollo, y después formaban un círculo a su alrededor mientras les chillaban «¡Ring, ring; ring, ring!». Siempre acababa con todos, los Ring incluidos, tirados unos encima de otros en el suelo, muertos de risa. Ay, volver a tener siete años y tirarse por los suelos con sus amigos mientras las nutritivas galletas saladas lo esperaban en su pupitre...

Después de comer, el doctor Wane le dijo que podía irse si prometía estar tranquilo y descansar en la cama; como las bondades del hospital ya no le parecían tantas, se puso su uniforme limpio de inmediato. Tigris lo recogió y lo acompañó a casa en el trolebús, aunque después tuvo que regresar al trabajo. La abuelatriz y él se pasaron la tarde sesteando y, cuando despertó, se encontró con un rico guiso enviado por la Ma de Sejanus.

Tigris insistió para que se acostase al caer el sol, pero Coriolanus no lograba dormir. Cada vez que cerraba los ojos veía las llamas a su alrededor, sentía el temblor de la tierra, olía el asfixiante humo negro. Lucy Gray siempre había estado presente, aunque en segundo plano, pero ahora no podía pensar en nadie más. ¿Cómo estaría? ¿Curándose y alimentada o sufriendo y muriendo de hambre en la horrenda casa de los monos? Mientras él estaba en el hospital, con el aire acondicionado y el gotero de morflina, ¿el veterinario le habría curado las manos? ¿Habría dañado el humo aquella voz tan asombrosa? Al ayudarlo, ¿habría perdido la oportunidad de ganar patrocinadores para la arena? Se avergonzaba un poco del miedo que había sentido bajo la viga, pero más todavía al recordar lo que ocurrió después. En la televisión del Capitolio, las grabaciones de lo sucedido en el ataque se veían mal por culpa del humo. Pero ¿existirían imágenes en las que se viera a Lucy Gray rescatándolo y, peor aún, a él aferrado a su falda de volantes mientras esperaban a que acudieran en su ayuda?

Rebuscó en el cajón de su mesita de noche hasta dar con la polvera de su madre. Al inhalar el aroma a rosas se tranquilizó un poco, pero estaba tan inquieto que tuvo que levantarse. Se pasó las horas siguientes paseándose por el piso, mirando el cielo nocturno, el Corso o las ventanas de los vecinos del otro lado de la calle. En cierto momento se encontró en la azotea, entre las rosas de la abuelatriz, y no recordaba haber subido las escaleras hasta allí. El fresco aire nocturno perfumado por las flores lo ayudó, aunque no tardó en provocarle tal ataque de escalofríos que empezó a dolerle todo otra vez.

Tigris se lo encontró sentado en la cocina unas cuantas horas antes del alba. La joven preparó té, y entre los dos se comieron el resto del guiso directamente de la olla. Las sabrosas capas de carne, patatas y queso lo consolaron, al igual que el amable recordatorio de Tigris: la situación de Lucy Gray no era culpa suya. Al fin y al cabo, ambos eran niños cuyas vidas dependían de poderes superiores a ellos.

Algo más relajado, consiguió dormir unas pocas horas antes de que lo despertara una llamada de Satyria, en la que lo animaba a acudir esa mañana a la Academia, si podía. Se había programado otra reunión entre mentores y tributos para trabajar las entrevistas, que ahora serían completamente voluntarias.

Más tarde, en la escuela, mientras se asomaba al palco del Salón Heavensbee, las sillas vacías lo pusieron nervioso. En su cabeza, sabía que habían muerto ocho tributos y que uno había desaparecido, pero no se imaginaba lo mucho que alteraría eso la distribución de las veinticuatro mesitas, convertida ahora en un lío desconcertante y desordenado. No había ningún tributo de los distritos 1, 2, 6 y 9, y solo uno del 10. La mayoría de los críos que quedaban estaban heridos y tenían mal aspecto. Cuando los mentores se unieron a sus tributos, las pérdidas resultaron todavía más patentes. Había seis mentores muertos u hospitalizados, y los que estaban emparejados con los huidos de los distritos 1 y 2 no tenían tributos en sus mesas y, por tanto, ninguna razón para asistir. Livia Cardew había protestado mucho por el giro de los acontecimientos y exigido que trajeran nuevos tributos de los distritos o, al menos, que le dieran a Reaper, el chico asignado a Clemensia, ya que todos pensaban que la chica estaba en el hospital con gripe. No se tuvieron en cuenta sus peticiones, y Reaper se sentó solo a su mesa con una venda manchada de sangre reseca alrededor de la cabeza.

Mientras Coriolanus se sentaba frente a ella, Lucy Gray ni siquiera intentó sonreír. Una tos le estremeció el pecho, y todavía se le veía el hollín del incendio pegado a la ropa. Por otro lado, el veterinario había superado las expectativas de Coriolanus, puesto que la piel de las manos de la chica se estaba curando muy bien.

—Hola —la saludó mientras le acercaba un sándwich de mantequilla de frutos secos y dos de las galletas de Satyria.

—Hola —respondió ella con voz ronca. Había abandonado todo intento de coqueteo o camaradería. Le dio unas palmaditas al sándwich, pero parecía demasiado cansada para comérselo—. Gracias.

—No, gracias a ti por salvarme la vida —respondió él como sin darle importancia, pero, al mirarla a los ojos, desapareció todo rastro de frivolidad.

—¿Eso es lo que le estás contando a la gente? ¿Que yo te salvé la vida?

Es lo que le había dicho a Tigris y a la abuelatriz, pero después, quizá sin saber bien qué hacer con la información, dejó que desapareciera de su mente como si fuera un sueño. En aquel momento, con los asientos vacíos de los caídos a su alrededor, el recuerdo del rescate en el estadio exigía su atención, y no podía ocultar su importancia. Si Lucy Gray no lo hubiera ayudado, estaría muerto, no había vuelta de hoja. Otro ataúd reluciente cubierto de flores. Otra silla vacía. Cuando habló de nuevo, las palabras le formaron un nudo en la garganta y tuvo que obligarlas a salir.

—Se lo he contado a mi familia. En serio. Gracias, Lucy Gray.

—Bueno, no tenía nada mejor que hacer —respondió ella mientras recorría con un índice tembloroso la flor glaseada de una de las galletas—. Qué bonitas.

Entonces llegó la confusión. Si ella le había salvado la vida, él le debía... ¿El qué? ¿Un sándwich y dos galletas? Así se lo pagaba. Por salvarle la vida. Una vida que, al parecer, no valía mucho. Lo cierto era que se lo debía todo a Lucy Gray. Sintió que se ruborizaba.

—Podrías haber huido. Y, de haberlo hecho, yo habría ardido antes de que fueran a buscarme.

—Huido, ¿eh? Me parecía mucho esfuerzo para acabar con un tiro en la espalda.

—Puedes bromear, pero eso no cambiará lo que hiciste por mí —repuso Coriolanus—. Espero poder recompensarte por eso de algún modo.

—Yo también lo espero.

En aquellas pocas palabras, Coriolanus percibió un cambio en su dinámica. Como su mentor, él había sido el generoso portador de regalos, que ella siempre recibía con gratitud. De repente, ella había vuelto las tornas al hacerle un regalo incomparable. A simple vista, todo seguía igual: chica encadenada, chico que ofrecía comida, y los agentes de la paz protegiendo ese *statu quo*. No obstante, en el fondo, nada volvería a ser igual entre ambos. Él siempre estaría en deuda con Lucy Gray. Ella tenía derecho a exigirle lo que quisiera.

—No sé cómo —le confesó.

Lucy Gray miró a su alrededor, examinando a sus competidores heridos. Después lo miró a los ojos y habló con impaciencia.

—Empieza por creerte que puedo ganar de verdad.

Segunda parte

EL PREMIO

11

Aunque las palabras de Lucy Gray le escocieron, tras pensárselo mejor tuvo que reconocer que se las merecía. Coriolanus nunca la había considerado una posible vencedora de los Juegos, ni había formado parte de su estrategia convertirla en una. Solo deseaba que su encanto y su atractivo se le pegaran y lo ayudaran a triunfar. Incluso la idea de animarla a cantar para conseguir patrocinadores no era más que un modo de prolongar la atención que conseguía gracias a ella. Unos minutos antes había pensado que sus manos curadas eran una buena noticia porque así podría usarlas para tocar la guitarra en la noche de la entrevista, no porque pudiera defenderse con ellas de un ataque en el estadio. El hecho de que la chica le importara, como había asegurado en el zoo, lo empeoraba todo. Debería haber intentado mantenerla con vida, ayudarla a alcanzar la victoria, sin importarle las probabilidades.

—Cuando dije que eras el pastelito de nata, lo decía en serio, Coriolanus. Eres el único que se molestó en aparecer. Tú y tu amigo Sejanus. Los dos nos tratasteis como a seres humanos. Pero la única forma de compensármelo de verdad es ayudarme a sobrevivir a esto.

—Estoy de acuerdo. —Se sintió un poco mejor al dar ese paso adelante—. A partir de ahora, estamos en esto para ganar.

—¿Lo sellamos con un apretón de manos? —preguntó ella, ofreciendo la suya.

—Te doy mi palabra —respondió el chico tras estrecharle la

mano con cuidado. El reto lo motivaba—. Primer paso: tengo que idear una estrategia.

—Tenemos que idear una estrategia —lo corrigió ella, aunque sonrió y le dio un bocado al sándwich.

—Idearemos una estrategia. —Hizo de nuevo las cuentas—. Solo te quedan catorce competidores, a no ser que encuentren a Marcus.

—Si me mantienes con vida unos cuantos días, puede que gane por defecto.

Coriolanus miró a su alrededor, a los niños rotos y enfermos cargados de cadenas, lo que lo animó hasta que tuvo que reconocer que el estado de Lucy Gray tampoco era mucho mejor. Aun así, con los distritos 1 y 2 fuera de juego, Jessup protegiéndola y el nuevo programa de patrocinadores, sus posibilidades eran mucho mejores que al llegar al Capitolio. Si lograba mantenerla alimentada, quizá pudiera huir y esconderse en algún punto del estadio mientras los demás luchaban y morían de hambre.

—Tengo que preguntarte una cosa —le dijo Coriolanus—. A la hora de la verdad, ¿matarías a alguien?

—Puede que en defensa propia —respondió ella tras meditarlo mientras masticaba.

—Son los Juegos del Hambre, todo es defensa propia. Aunque creo que lo mejor sería que huyeras de los demás tributos mientras yo te consigo comida a través de los patrocinadores. Y esperar a ver qué pasa.

—Sí, es la mejor estrategia para mí. Soportar cosas horribles es uno de mis talentos.

Se atragantó con un trocito de pan seco y empezó a toser. Coriolanus le pasó la botella de agua que llevaba en la mochila.

—Todavía piensan emitir las entrevistas, aunque la participación será voluntaria. ¿Quieres hacerlo?

—¿Estás de guasa? Tengo una canción perfecta para esta voz aguardentosa que se me ha quedado. ¿Me has encontrado una guitarra?

—No, pero lo haré hoy —le prometió él—. Seguro que encuentro a alguien que me la pueda prestar. Si te conseguimos patrocinadores, tendremos media partida ganada.

Ella empezó a hablar animadamente de lo que podría cantar. Sin embargo, como solo contaban con diez minutos, la breve reunión terminó cuando la profesora Sickle ordenó a los mentores que regresaran al laboratorio de biología avanzada.

Después de pasar por unas exhaustivas medidas de seguridad, los agentes de la paz los acompañaron, y el decano Highbottom fue marcando sus nombres a medida que se colocaban en sus sitios. Los mentores en buenas condiciones físicas de los tributos muertos o huidos, incluidos Livia y Sejanus, ya estaban sentados a las mesas del laboratorio, observando a la doctora Gaul, que se dedicaba a soltar zanahorias dentro de la jaula del conejo. A Coriolanus le entró un sudor frío nada más verla, tan cerca y tan loca.

—Deprisa, deprisa, ¿la zanahoria o el palo? Todos se mueren y tú estás...

Se volvió hacia ellos, expectante, y todos apartaron la mirada, salvo Sejanus, que respondió:

—Malo.

—Este es el compasivo —comentó la doctora Gaul entre risas—. ¿Dónde está tu tributo, chico? ¿Alguna pista?

Noticias del Capitolio seguía cubriendo la búsqueda de Marcus, aunque con menos interés. Según la versión oficial, estaba atrapado en un nivel remoto del Transportador y lo atraparían pronto. La ciudad se había relajado, y todos estaban de acuerdo en que moriría o lo capturarían de un momento a otro. En cualquier caso, parecía más dispuesto a escapar que a salir de la red subterránea para asesinar inocentes en el Capitolio.

—Puede que esté de camino a la libertad —respondió Sejanus con voz cansada—. Puede que lo hayan atrapado en secreto. Puede que esté herido y oculto. Puede que esté muerto. No tengo ni idea. ¿Y usted?

Coriolanus admiraba sus agallas. Evidentemente, Sejanus no sabía lo peligrosa que podía llegar a ser la doctora Gaul. Si no se andaba con cuidado, puede que acabara en una jaula, con alas de periquito y trompa de elefante.

—No, no responda —le espetó Sejanus—. O está muerto o lo estará en cuanto lo atrapen y lo arrastren encadenado por las calles.

—Estamos en nuestro derecho —contestó la doctora Gaul.

—¡No, no lo están! Me da igual lo que diga, no tienen derecho a matar de hambre a la gente ni a castigarla sin motivo. No tienen derecho a arrebatarle la vida y la libertad. Todos nacemos con esas cosas y nadie tiene derecho a robárnoslas. Ganar una guerra no les da ese derecho. Tener más armas no les da ese derecho. Ser del Capitolio no les da ese derecho. —Tras pronunciar esas palabras, Sejanus se levantó de un salto y se dirigió a la puerta. Intentó abrirla, pero el pomo no giraba. Tironeó de él y después se enfrentó a la doctora Gaul—. ¿Ahora nos encierran? Como si esta fuera nuestra propia jaula de monos.

—No te he dado permiso para salir —dijo la doctora—. Siéntate, chico.

—No. —Sejanus respondió en voz baja, pero consiguió que más de uno de sus compañeros diera un brinco en el asiento.

Tras una pausa, el decano Highbottom intervino.

—Está cerrada por fuera. Los agentes de la paz tienen órdenes de no molestarnos hasta que los avisemos. Siéntate, por favor.

—¿O prefieres que te acompañen a otro sitio? —preguntó la doctora Gaul—. Creo que las oficinas de tu padre están por aquí cerca.

Estaba claro que, pese a su insistencia en llamarlo chico, sabía perfectamente quién era Sejanus.

El joven ardía de rabia y humillación, y no estaba dispuesto a moverse, o no podía. Permaneció de pie, mirando a la doctora, hasta que la tensión se volvió insoportable.

—Hay un asiento vacío a mi lado —dijo Coriolanus. Las palabras le salieron sin querer.

La oferta distrajo a Sejanus, que se desinfló, respiró hondo, recorrió el pasillo y se sentó en el taburete. Se aferraba con una mano a la correa de su mochila, mientras la otra permanecía cerrada en un puño sobre la mesa.

Coriolanus deseó haberse callado. Se fijó en que el decano Highbottom lo miraba con incredulidad, así que procuró mantenerse ocupado abriendo el cuaderno y quitándole el tapón al bolígrafo.

—Tenéis las emociones a flor de piel —le dijo la doctora Gaul a la clase—. Lo entiendo. De verdad. Pero debéis aprender a controlarlas y contenerlas. Las guerras se ganan con la cabeza, no con el corazón.

—Creía que la guerra ya había terminado —dijo Livia con cara de enfado, aunque no del mismo modo que Sejanus.

Coriolanus supuso que estaría molesta por haber perdido a su fornido tributo.

—¿Eso creías? ¿Incluso después de tu experiencia en el estadio? —preguntó la doctora.

—Sí —intervino Lysistrata—. Y, si la guerra ha terminado, técnicamente también deberían haber terminado los asesinatos, ¿no?

—Empiezo a pensar que no acabarán nunca —reconoció Festus—. Los distritos nos odiarán siempre y nosotros siempre odiaremos a los distritos.

—Creo que has dado con un punto importante —dijo la doctora Gaul—. Vamos a pensar durante un momento que la guerra es una constante. Que el conflicto puede sufrir fluctuaciones, pero que nunca cesará del todo. Entonces, ¿cuál debería ser nuestro objetivo?

—¿Está diciendo que no se puede ganar? —preguntó Lysistrata.

—Digamos que no. ¿Cuál sería nuestra estrategia en ese caso?

Coriolanus apretó los labios para evitar soltar la respuesta. Era muy evidente. Demasiado. Pero sabía que Tigris estaba en lo cierto al pedirle que evitara a la doctora Gaul, aunque perdiera una oportunidad de recibir elogios. Mientras la clase meditaba la pregunta, la mujer daba vueltas por el pasillo hasta que se detuvo en su mesa.

—¿Snow? ¿Alguna idea sobre lo que deberíamos hacer con nuestra guerra interminable?

Se consoló pensando que la doctora era mayor y no viviría para siempre.

—¿Snow? —insistió ella. El chico se sintió como el conejo al que pinchaba con su barra metálica—. ¿Quieres aventurar una respuesta?

—La controlamos —dijo en voz baja—. Si es imposible acabar con la guerra, tenemos que controlarla de manera indefinida. Como hacemos ahora. Con los agentes de la paz ocupando los distritos, leyes estrictas y recordatorios de quién está al mando, como los Juegos del Hambre. En cualquier caso, siempre es preferible tener el control, ser el vencedor y no el vencido.

—Aunque, en nuestro caso concreto, sea mucho menos ético —masculló Sejanus.

—No es poco ético defendernos —replicó Livia—. ¿Y quién no prefiere ganar a perder?

—Creo que a mí no me apetece demasiado ninguna de las dos cosas —respondió Lysistrata.

—Pero eso no forma parte de las opciones —le recordó Coriolanus—, teniendo en cuenta la pregunta. No, si lo piensas bien.

—No, si lo piensas bien, ¿eh, Casca? —comentó la doctora Gaul mientras regresaba por el pasillo a su sitio—. Pensar bien las cosas puede salvar muchas vidas.

El decano Highbottom siguió haciendo garabatos en la lista. «Puede que use a Highbottom de conejo, como a mí», pensó Coriolanus, y se preguntó si estaría perdiendo el tiempo preocupándose por él.

—Pero no desesperéis —continuó la doctora Gaul, jovial—. Como casi todas las circunstancias de la vida, la guerra tiene sus ventajas y sus inconvenientes. Y esa será vuestra próxima tarea: escribidme un trabajo sobre lo bueno de la guerra. Todo lo que os gustaba de ella.

Muchos de sus compañeros alzaron la vista, sorprendidos, pero no Coriolanus. La mujer había dejado que unas serpientes mordieran a Clemensia, solo por divertirse. Estaba claro que disfrutaba viendo sufrir a los demás y que seguramente daba por sentado que a todos les pasaba lo mismo.

Lysistrata frunció el ceño.

—¿Lo que nos gustaba?

—Va a ser un trabajo rápido —comentó Festus.

—¿Tenemos que hacerlo en grupo? —preguntó Livia.

—No, es un proyecto individual. El problema con los trabajos en grupo es que, al final, una sola persona se encarga de todo —respondió la doctora, y le guiñó un ojo a Coriolanus; al chico se le puso el vello de punta—. Pero podéis preguntar a vuestras familias. Seguro que os sorprenden. Atreveos a ser sinceros. Traedme los trabajos a la reunión de mentores del domingo.

Dicho lo cual, se sacó unas cuantas zanahorias más del bolsillo, se volvió hacia el conejo y se olvidó de ellos.

Cuando les abrieron la puerta, Sejanus siguió a Coriolanus por el pasillo.

—Tienes que dejar de rescatarme.

—No puedo controlarlo. Es como un tic —respondió el chico mientras negaba con la cabeza.

—No sé qué haría si tú no estuvieras aquí —confesó Sejanus bajando la voz—. Esa mujer es malvada. Alguien debería detenerla.

Coriolanus intuía que sería fútil intentar destronar a la doctora Gaul, pero procuró parecer comprensivo.

—Al menos lo has intentado.

—Y fracasé. Ojalá mi familia pudiera volver a casa, al Distrito 2, donde deberíamos estar. Aunque allí tampoco nos quieran. El Capitolio me está matando.

—Corren malos tiempos, Sejanus. Con los Juegos y las bombas. Nadie está en su mejor momento. No hagas nada temerario, como huir.

Mientras le daba una palmada en la espalda a Sejanus, pensaba: «Porque puede que necesite un favor».

—Huir ¿adónde? ¿Cómo? ¿Con qué? Pero aprecio de corazón tu apoyo. Ojalá se me ocurriera algún modo de darte las gracias.

En realidad había algo que Coriolanus necesitaba.

—No tendrás una guitarra que puedas prestarme, ¿verdad?

Los Plinth no la tenían, así que dedicó el resto de la tarde del miércoles a cumplir la promesa que le había hecho a Lucy Gray. Preguntó por la escuela, pero lo mejor que encontró fue un «quizá» de Vipsania Sickle, mentora del chico del Distrito 7, Treech, el que había hecho malabares con las nueces en el zoo.

—Bueno, creo que teníamos una durante la guerra —le dijo a Coriolanus—. Deja que lo compruebe y te aviso. ¡Me encantaría volver a escuchar cantar a tu chica!

Él no sabía si creérselo o no; los Sickle no parecían una familia demasiado musical. Vipsania había heredado de su tía Agrippina el amor por la competición, de modo que no le habría extrañado nada que intentara fastidiarle la actuación de Lucy Gray. Sin embargo, le pagó con la misma moneda: le dijo que era su heroína y siguió buscando una guitarra.

Después de salir de la Academia con las manos vacías, se acordó de Pluribus Bell. Lo más probable era que todavía le quedaran algunos instrumentos de sus días del club.

En cuando se abrió la puerta del callejón trasero, Boa Bell se metió entre las piernas de Coriolanus ronroneando como un motor. A sus diecisiete años, la gata empezaba a estar vieja, y Coriolanus procuró ser cuidadoso al cogerla en brazos.

—Ah, siempre se alegra de ver a un viejo amigo —comentó Pluribus, y lo invitó a entrar.

La derrota de los distritos no había afectado demasiado al negocio de Pluribus, que todavía se ganaba la vida comerciando con productos en el mercado negro, aunque en los últimos tiempos tenían un toque más lujoso. Seguía costando encontrar licor del bueno, maquillaje y tabaco. El Distrito 1 había empezado a concentrarse, poco a poco, en suministrar placeres al Capitolio, pero no todo el mundo tenía acceso a ellos, y eran muy caros. Los Snow ya no eran clientes habituales, aunque Tigris lo visitaba de vez en cuando para venderle los cupones de raciones que les correspondían para comprar carne y café, que ellos normalmente no podían permitirse. A la gente no le importaba pagar por el privilegio de comprar una pierna de cordero extra.

Conocido por su discreción, Pluribus seguía siendo una de las pocas personas con la que Coriolanus no tenía que fingir ser rico. Conocía la situación de los Snow, pero jamás cotilleaba sobre el tema ni hacía que la familia se sintiera inferior.

Tras servirle a Coriolanus un vaso de té frío y llenarle una bandeja con pasteles, le ofreció una silla. Charlaron sobre las bombas y los malos recuerdos de la guerra que les traían, aunque no tardaron en centrarse en Lucy Gray, que había causado una impresión muy favorable en Pluribus.

—Si tuviera unas cuantas como ella, me plantearía volver a abrir el club —caviló Pluribus—. Seguiría vendiendo mis cositas, claro, pero podría montar espectáculos para los fines de semana. Lo cierto es que estamos todos tan ocupados matándonos entre nosotros que se nos ha olvidado divertirnos. Pero no a ella. No a tu chica.

Coriolanus le contó el plan para la entrevista y le preguntó si tenía una guitarra que pudiera prestarle.

—La cuidaremos bien, te lo prometo. Solo la sacaré de casa cuando ella vaya a tocarla, y volveré a guardarla a buen recaudo después de su actuación.

No necesitó más para convencer a Pluribus.

—La verdad es que lo empaqueté todo después de que las bombas me arrebataran a Cyrus. Una tontería, en realidad. Como si pudiera olvidar tan fácilmente al amor de mi vida.

Se puso de pie y apartó una caja de perfumes para dejar al descubierto una vieja puerta de armario. Dentro, colocada con mucho cariño en los estantes, había una amplia variedad de instrumentos musicales. Pluribus sacó una funda de cuero que, sorprendentemente, no tenía polvo encima, y la abrió. Coriolanus percibió un agradable aroma a abrillantador y madera vieja cuando se acercó a examinar el reluciente objeto dorado del interior. La caja tenía forma de mujer, y las seis cuerdas iban desde el largo cuello hasta las clavijas. La rasgueó un poco con un dedo. Aunque estaba muy desafinada, la exquisitez del sonido lo atravesó de lado a lado.

—Esta es demasiado buena —dijo Coriolanus, negando con la cabeza—. No quiero estropearla.

—Confío en ti. Y confío en tu chica. La verdad es que tengo ganas de ver lo que hace con ella. —Pluribus cerró la funda y se la ofreció—. Llévatela y dile que cruzo los dedos por ella. Es bueno saber que tienes un amigo entre el público.

El chico aceptó la guitarra, agradecido.

—Gracias, Pluribus. Espero que abras el club de nuevo. Me tendrás de cliente habitual.

—Como a tu padre —respondió el hombre entre risas—. Cuando tenía tu edad, se quedaba aquí hasta la hora de cierre todas las noches con ese granuja de Casca Highbottom.

No había ni una sola palabra de aquella frase que no le sonara absurda. Su severo padre, tan serio y estricto, ¿de juerga en un club? ¿Y nada más y nada menos que con el decano Highbottom? Nunca había oído mencionar sus nombres juntos, aunque eran más o menos de la misma edad.

—Estás de broma, ¿no?

—Oh, no. Eran un par de cuidado —dijo Pluribus, pero, antes de poder contarle más, lo interrumpió un cliente.

Coriolanus se llevó su recompensa a casa y la dejó sobre la cómoda. Tigris y la abuelatriz expresaron su admiración con exclamaciones varias, pero él estaba deseando ver la reacción de Lucy Gray. Aunque no sabía qué instrumento tendría en el Distrito 12, seguro que no se podía comparar con el de Pluribus.

Le dolía la cabeza lo suficiente como para irse a la cama al ponerse el sol. Sin embargo, estaba tan desconcertado con la relación entre su padre y «ese granuja de Casca Highbottom» que tardó un rato en dormirse. Si habían sido amigos, como insinuaba Pluribus, ya no quedaba nada de esa relación, lo que lo llevaba a pensar que, por muy íntimos que hubieran sido durante sus días de juerga, las cosas no habían acabado bien. Pretendía pedirle más detalles a Pluribus en cuanto le fuera posible.

No obstante, no se le presentó la oportunidad durante los días siguientes, que dedicó a preparar a Lucy Gray para la entrevista, programada para el domingo por la noche. Habían asignado un aula para trabajar a cada pareja de mentor y tributo. Dos agentes de la paz permanecían de guardia, pero a Lucy Gray la habían liberado tanto de las cadenas como de los grilletes. Tigris le había dado a Coriolanus uno de sus viejos vestidos y le había dicho que, si la tributo confiaba en ella, podía lavarle y plancharle los volantes arcoíris para la entrevista. La muchacha vaciló, pero cuando Coriolanus le entregó el otro regalo de Tigris, una pequeña pastilla de jabón con forma de flor y olor a lavanda, le pidió al chico que se diera la vuelta mientras se cambiaba.

El cariño con el que la chica trataba la guitarra, como si fuera un ser vivo, dejaba entrever un pasado tan diferente al suyo que le costaba imaginárselo. Se tomó su tiempo para afinar el instrumento y después cantó una canción tras otra, al parecer tan hambrienta de música como de la comida que Coriolanus le llevaba. La atiborró con todos los alimentos de los que podía prescindir, además de varias botellas de té endulzado con sirope de maíz para suavizarle la garganta. Sus cuerdas vocales habían mejorado mucho cuando llegó el gran día.

Los Juegos del Hambre: una noche de entrevistas se grababa delante de una audiencia en directo, desde el auditorio de la Academia, y se emitía por todo Panem. Presentado por el estrafalario presentador del tiempo de Capitolio TV, Lucretious «Loco» Flickerman, era un espectáculo que, a pesar de parecer de lo más inapropiado después de la matanza, se recibió con bastante alivio. Loco iba vestido con un traje de cuello alto azul decorado con pedrería, llevaba el pelo engominado y cubierto de polvos cobrizos, y estaba de muy buen humor. En el telón negro del escenario, recuperado de alguna producción teatral anterior a la guerra, se veía un cielo estrellado que centelleaba de verdad.

Después de que sonara una alegre interpretación del himno, Loco dio la bienvenida al público a unos Juegos del Hambre nuevos para una nueva década, una en que todos los ciudadanos del Capitolio podrían participar patrocinando a su tributo favorito. Durante el caos de los días anteriores, el equipo de la doctora Gaul solo había podido organizarse para poner media docena de alimentos básicos a disposición de los patrocinadores.

—Se estarán preguntando qué ganan con todo esto —canturreó Loco, que pasó a explicar las apuestas, un sistema bastante sencillo con opciones de ganador, colocado y tercer puesto, conocidas ya por los que apostaban a los ponis antes de la guerra.

Si alguien quería enviar una cantidad de dinero para alimentar a un tributo o apostar por uno, solo tenía que visitar la oficina de correos local, donde el personal estaría encantado de ayudar. A partir del día siguiente, las estafetas estarían abiertas de ocho de la mañana a ocho de la tarde, de modo que todos tuvieran tiempo de sobra para hacer sus apuestas antes de que empezaran los Juegos del Hambre el lunes. Después de explicar aquel nuevo giro de los Juegos, Loco no tenía más que leer las tarjetas con el material que daba paso a las entrevistas, pero consiguió colar unos cuantos trucos de magia entre medias, como servir vino de distintos colores de la misma botella para brindar por el Capitolio o sacarse una paloma viva de la manga acampanada de su chaqueta.

De las parejas de mentor-tributo que podían participar, solo estaban presentes la mitad. Coriolanus pidió ser el último porque sabía que nadie estaba a la altura de Lucy Gray y deseaba que cerrara el programa para que el efecto fuera completo. Los demás mentores ofrecieron información sobre sus tributos mientras intentaban añadir algún dato memorable y urgir al público a patrocinarlos. Para demostrar su fuerza, Lysistrata se sentó en su silla, muy modosita, mientras Jessup la levantaba por encima de su cabeza sin demasiado esfuerzo. El chico de Io Jasper, Circ, del Distrito 3, dijo que era capaz de prender fuego con sus gafas, y ella, con sus conocimientos científicos, sugirió varios ángulos y horas del día para facilitar la tarea. La altiva Juno Phipps reconoció que recibir al diminuto Bobbin había sido una decepción. ¿Acaso una Phipps, miembro de una de las familias fundadoras del Capitolio, no se merecía algo mejor que el Distrito 8? Sin embargo, él se la había ganado al explicarle cinco formas distintas de matar a alguien con una aguja de coser. Coral, del Distrito 4, tributo de Festus, defendió su habilidad con el tridente, un arma que solía encontrarse en la arena. Hizo una demostración con una vieja escoba, blandiéndola de un modo sinuoso que no dejaba lugar a dudas sobre su experiencia. La familiaridad con las vacas de la heredera de la industria láctea, Domitia Whimsiwick, resultó ser una ventaja. Dicharachera por naturaleza, consiguió que su musculoso tributo del Distrito 10, Tanner, se entusiasmara tanto hablando de las técnicas del matadero que Loco tuvo que cortarlos cuando se quedaron sin tiempo. Arachne se había equivocado sobre el atractivo de ese tema, porque Tanner fue el más aplaudido hasta el momento.

Coriolanus escuchaba con una oreja mientras se preparaba para salir al escenario con Lucy Gray. Felix Ravinstill, el sobrino nieto del presidente, intentaba impresionar con Dill, la chica del Distrito 11, pero Coriolanus no lograba averiguar cuál era su intención, puesto que la pobre estaba tan enferma que hasta sus toses eran apenas audibles.

Tigris había obrado uno de sus milagros con el vestido de Lucy Gray. La mugre y el hollín habían desaparecido, sustituidos por unas hileras limpias y almidonadas de volantes de colores. También había enviado un tarro de colorete que Fabricia había tirado porque solo quedaba una pizca de producto en el fondo. Bien lavada, con las mejillas y los labios sonrosados, y el pelo recogido sobre la cabeza, como durante la cosecha, Lucy Gray parecía, tal y como había dicho Pluribus, alguien que todavía sabía divertirse.

—Creo que tus posibilidades mejoran por momentos —dijo Coriolanus mientras le sujetaba un pimpollo rosa chillón en el pelo. Iba a juego con el que él llevaba en la solapa, por si alguien necesitaba recordar a quién pertenecía Lucy Gray.

—Bueno, ya sabes lo que dicen: el espectáculo no se acaba hasta que canta el sinsajo.

—¿El sinsajo? —preguntó él entre risas—. De verdad, ¿seguro que no te inventas estas cosas?

—Esta no. El sinsajo es un pájaro que existe de verdad —le aseguró ella.

—¿Y canta en tu espectáculo?

—No en el mío, cariño. En el tuyo. En el del Capitolio, en todo caso —respondió Lucy Gray—. Creo que ya nos toca.

Ella, con su vestido limpio, y él, con su uniforme planchado, arrancaron un espontáneo aplauso del público. No perdió el tiempo haciéndole demasiadas preguntas que a nadie le importaban, sino que se presentó, dio un paso atrás y la dejó sola bajo los focos.

—Buenas noches. Soy Lucy Gray Baird, de los Baird de la Bandada. Empecé a escribir esta canción cuando estaba en el Distrito 12, antes de saber cómo acabarla. Son mis palabras sobre una antigua melodía. En mi tierra lo llamamos balada. Eso quiere decir que es una canción que cuenta una historia, y supongo que esta es la mía. *La balada de Lucy Gray Baird.* Espero que les guste.

Coriolanus la había escuchado cantar decenas de canciones los días anteriores a la entrevista, con letras dedicadas a todo, desde la belleza de la primavera a la desgarradora desesperación de perder a su madre. Nanas y tonadas alegres, lamentos y cantinelas. Le había pedido a Coriolanus su opinión y había observado sus reacciones a cada una de ellas. El chico creía que se habían decidido por una encantadora canción sobre la maravilla de enamorarse, pero, tras unos cuantos compases de la balada, supo que no era ninguna de las que había ensayado con él. La cautivadora melodía establecía el tono, y sus palabras hicieron el resto al empezar a cantar con una voz ronca por el humo y la tristeza.

Cuando era niña me perdí en la oscuridad,
y de joven me perdí en tus brazos,
los dos nos perdimos por el camino,
tú viviendo de artimañas y yo, de mis encantos.

Bailaba para comer, regalando besos de miel.
Tú robabas y apostabas, y me parecía bien.
Cantábamos por el pan, nos bebíamos el dinero,
hasta que te fuiste con un «ya no te quiero».

Bueno, claro, nada valgo, pero tú tampoco.
Claro, nada valgo, esto es así.
Dices que no me quieres, y yo a ti tampoco,
pero deja que te recuerde quién soy para ti.

Porque soy la que te mira cuando saltas,
la que sabe de tu entereza.
Soy la que te oye entre las mantas,
y a la tumba me llevo esa certeza.

No tardaré en estar enterrada,
no tardarás en quedarte a solas.
¿A quién recurrirás mañana?
Porque al final, amor, se van todas.

Y yo soy la que te vio llorar,
la que conoce el alma que quieres salvar.
Lástima que perdieras mi apuesta en la cosecha.
¿Qué harás cuando me vayan a enterrar?

Cuando terminó de cantar, el auditorio guardó silencio. Después se oyeron algunos sorbidos de mocos, algunas toses y, por fin, la voz de Pluribus gritando «¡Bravo!» desde el fondo de la sala, seguida de un aplauso atronador.

Coriolanus sabía que Lucy Gray había llegado al corazón del público con aquel resumen oscuro, conmovedor y demasiado personal de su vida. Sabía que le lloverían los regalos en la arena. Que su éxito, incluso entonces, se reflejaría en él y lo ayudaría a triunfar. Los Snow siempre caen de pie, y todo eso. Sabía que debería estar encantado con aquel giro de los acontecimientos, que por dentro tendría que estar saltando de alegría mientras, por fuera, procuraba parecer modesto y satisfecho.

Sin embargo, lo que de verdad sentía eran celos.

12

«Y, por último, pero no por ello menos importante, la chica del Distrito 12... pertenece a Coriolanus Snow».

«El resultado habría sido muy diferente de no haberte tocado tu chica arcoíris».

«Lo cierto es que estamos todos tan ocupados matándonos entre nosotros que se nos ha olvidado divertirnos. Pero no a ella. No a tu chica».

Su chica. Suya. Allí, en el Capitolio, se daba por sentado que Lucy Gray le pertenecía, como si no hubiera tenido vida propia antes de que saliese su nombre en la cosecha. Incluso el santurrón de Sejanus la consideraba una moneda de cambio con la que poder comerciar. Si eso no la convertía en propiedad suya, entonces, ¿qué era? Con su canción, Lucy Gray había repudiado todo eso describiendo una vida que no tenía nada que ver con él, y sí en gran medida con otra persona. Alguien a quien se refería como «amor», por si fuera poco. Aunque Coriolanus no ocupase ningún lugar en su corazón (¡apenas conocía a esa chica!), tampoco le gustaba la idea de que sí lo ocupara otro. Por mucho que la canción hubiera sido un éxito rotundo, de alguna manera se sentía traicionado por ella. Incluso humillado.

Lucy Gray se incorporó, hizo una reverencia y le tendió la mano. Tras un instante de vacilación, se acercó con ella al frente del escenario mientras los aplausos arreciaban hasta transformarse en una ovación cerrada. Pluribus encabezó las peticiones a gritos de un bis, pero se les había agotado el tiempo, como les recordó Loco Flickerman, por lo que ensayaron una última reverencia y abandonaron el escenario cogidos de la mano.

Aunque ella hizo ademán de soltarse cuando llegaron a los laterales, Coriolanus afianzó su presa.

—Bueno, ya eres todo un éxito. Enhorabuena. ¿Tema nuevo?

—Llevaba un tiempo trabajando en él, pero no se me ocurrió la última estrofa hasta hace unas horas. ¿Por qué? ¿No te ha gustado?

—Me ha sorprendido. Tenías tantas otras canciones...

—Cierto. —Lucy Gray liberó la mano, deslizó los dedos por las cuerdas de la guitarra y tocó un último fragmento de melodía antes de guardar el instrumento en su funda, con delicadeza—. Así están las cosas, Coriolanus. Voy a luchar con todas mis fuerzas por ganar estos Juegos, pero ahí dentro tendré que enfrentarme a chicos como Reaper, Tanner y unos cuantos otros a los que matar no les resulta ajeno. No hay garantías de nada.

—¿Y la canción? —inquirió él.

—¿La canción? —repitió Lucy Gray, que se tomó unos instantes para meditar su respuesta—. Dejé algunos cabos sueltos en el Distrito 12. Con eso de que me eligieran como tributo... En fin, está la mala suerte y están los malos negocios. Eso fue un mal negocio. Y alguien que me debía mucho tuvo algo que ver con ello. La canción ha sido una especie de revancha. La mayoría de la gente no le dará más importancia, pero la Bandada captará el mensaje, alto y claro. Y ellos son lo único que me importa.

—¿Después de una sola escucha? —preguntó Coriolanus—. Ha sido todo muy rápido.

—Una escucha será todo cuanto necesite Maude Ivory, mi prima. A esa niña nunca se le olvida nada que tenga ritmo —dijo Lucy Gray—. Creo que me reclaman.

Los dos agentes de la paz que aparecieron a su lado se mostraban ahora más cordiales con ella, preguntándole si estaba lista para marcharse y esforzándose por disimular la sonrisa. Igual que los soldados del 12. Coriolanus no pudo evitar preguntarse cuál sería el límite de la amabilidad de Lucy Gray. La mirada de desaprobación que les lanzó surtió un efecto nulo sobre ellos, y los oyó felicitándola por su actuación mientras se la llevaban.

Se tragó su malhumor y aceptó los halagos que todo el mundo le dirigía. Le ayudaron a recordar que la verdadera estrella de la velada era él. Aunque Lucy Gray no lo tuviese muy claro, a los ojos del Capitolio le pertenecía. ¿Qué sentido tendría atribuirle crédito alguno a una tributo de los distritos? Consiguió creérselo hasta tropezarse con Pluribus, que exclamó:

—¡Qué talento, qué naturalidad! Como sobreviva, haré todo lo posible por colocarla de cabeza de cartel en mi club.

—Lo veo complicado —dijo Coriolanus—. ¿No la enviarían a casa?

—Tengo un par de favores pendientes que podría saldar. Oh, Coriolanus, ¿no te ha parecido estelar? Celebro que te tocara ella, muchacho. Los Snow se merecían que les sonriese un poco la suerte.

Viejo chiflado, con su ridícula peluca empolvada y su gato decrépito. ¿Qué sabría él? Coriolanus se disponía a ponerle los puntos sobre las íes cuando apareció Satyria para susurrarle al oído: «Creo que ya tienes esa recompensa en el bolsillo», después de lo cual el muchacho decidió dejarlo correr.

A continuación se le acercó Sejanus, que estrenaba traje nuevo, con una mujercilla apergaminada que lucía un caro vestido con estampado de flores colgada del brazo. Daba igual. Por mucho que un rábano se engalanara, seguiría pidiendo a gritos que lo trocearan. A Coriolanus no le cabía la menor duda de que aquella no era otra que Ma.

Cuando Sejanus los presentó, le tendió la mano y le dedicó una sonrisa radiante.

—Señora Plinth, qué honor. Por favor, discúlpeme por mi negligencia. Llevo días queriendo escribirle una nota, pero cada vez que me siento para hacerlo, me duele tanto la cabeza por culpa del traumatismo que me cuesta pensar con claridad. Gracias por el guiso, estaba delicioso.

Las facciones de la señora Plinth se arrugaron más todavía con la satisfacción que le produjeron esas palabras.

—Somos nosotros los que deberíamos darte las gracias, Coriolanus —dijo con una risita azorada—. Nos alegramos muchísimo de que Sejanus tenga un amigo como tú. Si alguna vez necesitas cualquier cosa, espero que sepas que puedes contar con nosotros.

—Bueno, lo mismo digo, señora. Me tienen a su servicio —replicó él, exagerando tanto que temió despertar sus sospechas.

Pero Ma no era así. Se le anegaron los ojos de lágrimas y emitió un ruidito estrangulado, como si la generosidad del muchacho la hubiese dejado sin habla. Rebuscó en su bolso, un armatoste sobrecogedor del tamaño de una maleta pequeña, sacó un pañuelo con el borde de encaje y empezó a sonarse la nariz. Por suerte, Tigris, que sí trataba a todo el mundo con la misma dulzura, llegó a los bastidores en su busca y lo relevó de su puesto en la conversación con los Plinth.

Finalmente, los ánimos terminaron calmándose y, mientras volvían a casa, los dos primos analizaron la velada, desde el comedido uso del colorete por parte de Lucy Gray al desafortunado corte del vestido de Ma.

—Aunque lo cierto es, Coryo, que no me imagino cómo podrían irte aún mejor las cosas —dijo Tigris.

—Estoy contento, sí. Creo que podríamos conseguirle bastantes apoyos. Tan solo espero que esa canción no haya echado para atrás a ningún posible patrocinador.

—Reconozco que a mí me ha conmovido. Y a mucha más gente, sospecho. ¿No te ha gustado?

—Por supuesto que me ha gustado, pero yo soy más abierto de miras que la mayoría —replicó Coriolanus—. Quiero decir, ¿qué habrá querido dar a entender que ocurrió?

—Creo que tuvo una mala experiencia. Estaba enamorada de alguien que le partió el corazón.

—Esa solo es la mitad de la historia —insistió el muchacho, porque no podía tolerar que ni siquiera Tigris pensase que sentía celos de algún donnadie de los distritos—. También está la parte que habla de «vivir de sus encantos».

—A ver, podría significar cualquier cosa. Al fin y al cabo, es artista.

Coriolanus sopesó las palabras de Tigris.

—Supongo que tienes razón.

—Me contaste que había perdido a sus padres. Seguro que lleva años apañándoselas por su cuenta. No creo que nadie que haya sobrevivido a la guerra y a los años posteriores pueda culparla por eso. —Su prima clavó la mirada en el suelo—. Todos hemos hecho cosas de las que no nos enorgullecemos.

—Tú, no.

—¿Que no? —replicó Tigris con una amargura impropia de ella—. Todos las hemos hecho. Quizá tú no te acuerdes porque eras demasiado pequeño. Quizá no te dieses cuenta de lo grave que era realmente la situación.

—¿Cómo puedes decir eso? Claro que me acuerdo.

—Pues sé más comprensivo, Coryo —le espetó Tigris—. Y procura no sentirte superior a quienes tuvieron que elegir entre la deshonra o la muerte.

La reprimenda de su prima lo dejó desconcertado, pero no tanto como su alusión a una conducta que se podría considerar deshonrosa. ¿Qué había hecho ella? Porque, fuera lo que fuese, lo había hecho para protegerlo. Pensó en la mañana de la cosecha, cuando se había preguntado ociosamente con qué podría negociar Tigris en el mercado negro, aunque en realidad nunca se lo había planteado en serio. ¿O sí? ¿Habría preferido sencillamente ignorar los sacrificios que estaba dispuesta a hacer por él? Su comentario era demasiado vago, y había tantas cosas que no estaban a la altura de los Snow que podría decir, como ella al hablar de la canción de Lucy Gray: «A ver, podría significar cualquier cosa». ¿Le apetecía entrar en detalles? No. La verdad era que no.

Mientras él abría la puerta con cristalera del edificio residencial, Tigris exclamó, incrédula:

—¡No puede ser! ¡Han arreglado el ascensor!

Coriolanus se lo tomó con escepticismo, puesto que aquel trasto llevaba sin funcionar desde el inicio de la guerra. Sin embargo, la puerta estaba abierta y las luces se reflejaban en las paredes con espejo del interior. Agradecido por la distracción, la invitó a pasar con una reverencia.

—Después de ti.

Tigris soltó una risita y entró en el ascensor como la dama de noble cuna que era.

—Cuánta amabilidad.

Coriolanus la siguió y, por un momento, los dos se quedaron mirando fijamente los botones que designaban cada planta.

—La última vez que recuerdo haber visto esto en marcha fue justo después del funeral de mi padre. Llegamos a casa, y desde entonces hemos tenido que subir a pie.

—La abuelatriz se va a poner loca de contenta —dijo Tigris—. Sus rodillas ya no pueden con las escaleras.

—Yo sí que estoy loco de contento. A lo mejor así conseguimos que salga del piso de vez en cuando. —Su prima le propinó un golpe en el hombro mientras se reía—. En serio. Sería agradable disponer del piso para nosotros solos durante cinco minutos. Saltarse el himno alguna mañana, quizá, o prescindir de la corbata para cenar. Por otra parte, corremos el riesgo de que empiece a hablar con la gente. «¡Cuando Coriolanus sea presidente, lloverá champán todos los martes!».

—Lo achacarán a su edad.

—Eso espero. ¿Quieres hacer los honores?

Tigris estiró el brazo y le propinó un largo apretón al botón del ático. Tras unos instantes de pausa, las puertas se cerraron deslizándose, sin apenas chirriar, y comenzaron a subir.

—Me sorprende que la junta de vecinos se haya animado a arreglarlo ahora. Seguro que no ha salido barato.

Coriolanus frunció el ceño.

—¿Crees que estarán remozando el edificio con la esperanza de vender algunas viviendas? Ahora que nos van a imponer nuevos impuestos, ya sabes.

La jovialidad se esfumó del semblante de Tigris.

—Es muy posible. Sé que los Dolittle estarían dispuestos a vender por el precio adecuado. Dicen que su piso es demasiado grande para ellos, aunque no es verdad.

—¿Será eso lo que digamos nosotros también? ¿Que nuestro hogar ancestral se nos ha quedado demasiado grande? —dijo Coriolanus mientras las puertas del ascensor se abrían para revelar la entrada del piso—. Vamos, todavía tengo deberes que hacer.

La abuelatriz se había quedado levantada esperándolo para cantar sus alabanzas e informarle de que habían estado repitiendo sin cesar los momentos más destacados de cada entrevista.

—Tiene encanto esa chica tuya, a su curiosa manera, aunque sea una vulgar golfilla. Será por la voz, supongo. No sé cómo, pero se le mete a una dentro.

Si Lucy Gray había logrado conquistar a la abuelatriz, Coriolanus pensó que al resto de la nación no tardaría en ocurrirle lo mismo. Y si a nadie más parecía importarle su cuestionable pasado, ¿por qué le tendría que importar a él?

Se llenó un vaso de suero de leche, se puso el batín de seda de su padre y se sentó dispuesto a escribir todo lo que le gustaba de la guerra. Empezó: «Dicen que la guerra es miseria, pero no carece de encantos». Le pareció una introducción ingeniosa, pero no conducía a ninguna parte, y media hora más tarde seguía sin haber avanzado nada. La tarea estaba abocada a ser breve, como Festus había augurado. No obstante, sabía que la doctora Gaul no iba a conformarse con eso, y una redacción tibia solo le reportaría una atención no deseada.

Cuando Tigris fue a darle las buenas noches, Coriolanus decidió abordar el tema con ella.

—¿No recuerdas absolutamente nada que nos gustara?

La muchacha se sentó al pie de la cama y reflexionó sobre la pregunta.

—Me gustaban algunos uniformes. No los que usan ahora. ¿Te acuerdas de las chaquetas rojas?, ¿las que tenían unos ribetes dorados?

—¿En los desfiles? —Coriolanus se animó al pensar en los desfiles con soldados y bandas de música que veía asomado a la ventana—. ¿Me gustaban los desfiles?

—Te encantaban. Te ponías tan nervioso que ni siquiera conseguíamos que te acabases el desayuno —dijo Tigris—. Siempre nos juntábamos todos cuando había desfile.

—Asientos en primera fila. —Coriolanus apuntó en una hoja las palabras «uniformes» y «desfiles», y después añadió «fuegos artificiales»—. Supongo que me gustaban todos los espectáculos cuando era pequeño.

—¿Te acuerdas del pavo? —preguntó de repente Tigris.

Corría el último año de la guerra, cuando el asedio había reducido al Capitolio al canibalismo y la desesperación. Incluso las alubias escaseaban, y hacía meses que por su mesa no pasaba nada que guardase el menor parecido con la carne. En un intento por levantar la moral de la población, el Capitolio había proclamado el 15 de diciembre Fiesta Nacional de los Héroes. Se preparó un programa especial de televisión para recordar a una docena aproximada de ciudadanos que habían perdido la vida en defensa del Capitolio, entre ellos su padre, el general Crassus Snow. La luz volvió a tiempo para la transmisión, aunque llevaba cortada (y con ella la calefacción) desde el día anterior. Se arracimaron en la gigantesca cama de la abuelatriz y fueron testigos del homenaje a sus héroes. El recuerdo que tenía Coriolanus de su padre era difuso, incluso entonces, y aunque conocía su rostro gracias a las fotografías, lo sorprendieron la voz grave y las implacables palabras de aquel hombre contra los distritos. Después de que hubiera sonado el himno, los sacaron de la cama unos golpes en la puerta principal, donde encontraron un trío de jóvenes soldados vestidos con uniformes de gala que habían ido hasta allí para entregarles una placa conmemorativa y una cesta que contenía un pavo congelado de nueve kilos, cortesía del Estado. En un aparente intento por emular la antigua prosperidad del Capitolio, la cesta contenía además un tarro polvoriento de gelatina de menta, una lata de salmón, tres bastones agrietados de caramelo de piña, una esponja de baño y una vela perfumada con fragancia de flores. Los soldados dejaron la cesta encima de una mesa en el recibidor, leyeron una declaración de agradecimiento y les dieron las buenas noches. Tigris rompió a llorar y la abuelatriz tuvo que sentarse, pero lo primero que hizo Coriolanus fue acercarse corriendo a la puerta para comprobar que estuviese bien cerrada y proteger así sus recién adquiridas riquezas.

Comieron rebanadas de pan tostado con salmón y decidieron que Tigris se quedaría en casa al día siguiente, en vez de ir a la escuela, para intentar averiguar cómo se cocinaba ese pájaro. Coriolanus utilizó el papel con membrete de los Snow para redactar una invitación a cenar que después le dio a Pluribus, que se presentó con posca y un bote abollado de albaricoques. Tigris se había superado a sí misma, con la ayuda de uno de los antiguos libros de recetas del cocinero, y se dieron un festín consistente en pavo glaseado con gelatina relleno de pan y col. Nunca nada, ni antes ni después, había vuelto a saberle tan rico.

—Sigue siendo uno de los mejores días de mi vida. —No estaba seguro de cómo formularlo, pero acabó añadiendo «respiro de las privaciones» a la lista—. Lo que hiciste con el pavo aquel fue excepcional. Qué mayor me parecías entonces, aunque en realidad solo fueses una niña pequeña.

Tigris sonrió.

—Y tú. Con tu huerta de la victoria en la azotea.

—¡Si te gustaba el perejil, yo era tu hombre! —Coriolanus se rio, pero lo cierto era que se sentía orgulloso de su perejil. Animaba la sopa, y a veces podía cambiarlo por otros artículos. «Inventiva», puso en la lista.

De modo que escribió la redacción, enumerando esas gratificaciones infantiles, pero al final no se sintió complacido. Rememoró el último par de semanas: las bombas en la arena, la pérdida de sus compañeros de clase, la fuga de Marcus y cómo con todo ello había revivido el terror que experimentó cuando el Capitolio estaba sitiado. Lo que importaba entonces, lo que todavía importaba, era vivir sin ese miedo. Así que añadió un párrafo para hablar del profundo alivio que le había producido ganar la guerra y la sombría satisfacción de ver de rodillas a los enemigos del Capitolio que con tanta crueldad le habían tratado, que tantos sacrificios le habían costado a su familia. Desarmados. Impotentes. Incapaces de seguir lastimándolo. Había disfrutado con la insólita sensación de seguridad que acompañó a su derrota. Una seguridad que solo podía ser fruto del poder. De la capacidad para controlar las cosas. Sí, eso era lo que más le había gustado.

A la mañana siguiente, mientras llegaban los mentores supervivientes para celebrar la asamblea de ese domingo, Coriolanus intentó imaginarse qué habría sido de ellos de no haber estallado la guerra. Todos eran apenas bebés cuando comenzó y tenían alrededor de ocho años cuando acabó. Aunque las penurias habían cesado, sus compañeros de clase y él aún estaban muy lejos del ambiente de opulencia en el que habían nacido, y la reconstrucción de su mundo había sido tan lenta como descorazonadora. Si pudiera eliminar los racionamientos y los bombardeos, el hambre y el miedo, y sustituirlos por el camino de rosas que se les había prometido en la cuna, ¿reconocería siquiera a sus amigos?

Le sobrevino una punzada de culpa cuando sus pensamientos recayeron en Clemensia. Aún no había ido a visitarla, entre su recuperación, los deberes y la preparación de Lucy Gray para los Juegos... Sin embargo, no se debía solo a una cuestión de falta de tiempo. No le apetecía en absoluto volver al hospital y comprobar el estado en el que se encontraba. ¿Y si la doctora hubiese mentido y las escamas estuvieran propagándose hasta cubrir todo su cuerpo? ¿Y si se hubiera transformado por completo en una serpiente? Ridículo, pero el laboratorio de la doctora Gaul era tan siniestro que su mente tendía a imaginarse los resultados más descabellados. Lo atormentaba una paranoia inquietante. ¿Y si los esbirros de la doctora Gaul tan solo estuvieran esperando a que él apareciese para encerrarlo también? No tenía sentido. Si hubieran querido secuestrarlo, su hospitalización habría sido el momento indicado. Concluyó que todo aquello era absurdo. Iría a verla en cuanto se le presentase la ocasión.

La doctora Gaul, evidentemente madrugadora, y el decano Highbottom, evidentemente todo lo contrario, repasaron las actuaciones de la noche anterior. Coriolanus y Lucy Gray habían arrasado, aunque también recibieron puntos los que habían conseguido al menos que sus tributos aparecieran sobre el escenario. En Capitolio TV, Loco Flickerman informaba desde la oficina central de correos sobre las últimas novedades en la escena de las apuestas; aunque los participantes situaban a Tanner y Jessup como favoritos, Lucy Gray había amasado tres veces más regalos que su competidor más cercano.

—Fijaos en toda esa gente —dijo la doctora Gaul—. Mandándole pan a una chiquilla escuchimizada con el corazón roto, aunque nadie crea que tiene la menor posibilidad de ganar. ¿Qué lección podemos extraer de esto?

—En las peleas de perros —respondió Festus—, hay espectadores que apuestan por chuchos que apenas se aguantan en pie. A la gente le gustan las causas perdidas.

—Lo que le gusta a la gente, más bien, son las buenas canciones de amor —intervino Persephone, mostrando sus hoyuelos.

—La gente es tonta —refunfuñó Livia—. No tiene ninguna oportunidad.

—Pero hay muchos románticos. —Pup le hizo ojitos y le lanzó una serie de besos húmedos chasqueando los labios.

—Sí, los conceptos románticos e idealistas poseen un gran atractivo. Lo que nos da pie a hablar de vuestros ensayos. —La doctora Gaul se sentó en un taburete de laboratorio—. A ver qué habéis hecho.

En vez de recoger las redacciones, la doctora Gaul les pidió que leyeran en voz alta algunos fragmentos. Los compañeros de clase de Coriolanus habían abordado varios puntos que a él ni siquiera se le habían pasado por la cabeza. Algunos ensalzaban la valentía de los soldados; la oportunidad de convertirse ellos mismos en héroes, tal vez, algún día. Otros mencionaban el vínculo que se establecía entre los soldados que luchaban juntos, o la nobleza de defender el Capitolio.

—Me hacía sentir como si todos formásemos parte de algo más grande —dijo Domitia. Asintió con gesto solemne y la coleta que llevaba en lo alto de la cabeza osciló como un péndulo—. Algo importante. Todos tuvimos que hacer sacrificios, pero fue para salvar a nuestro país.

Coriolanus se sentía desconectado de sus «conceptos románticos», puesto que la opinión que le merecía la guerra no era en absoluto romántica. La valentía era imprescindible en la batalla por culpa de los frecuentes planes fallidos que elaboraban otras personas. Ignoraba si estaría dispuesto a recibir un balazo para salvar a Festus, por ejemplo, y no tenía el menor interés en averiguarlo. En cuanto a la «nobleza» del Capitolio, ¿de verdad creían eso? Lo que él deseaba no guardaba ninguna relación con la nobleza y sí con ostentar el mando. Tampoco era que careciese de un firme código ético, todo lo contrario. Pero casi todo en la guerra, desde que se declaraba hasta las marchas para celebrar la victoria, le parecía un desperdicio de recursos. Se dedicó a vigilar el reloj de reojo mientras fingía estar absorto en la conversación, deseando que el tiempo volase para que a él no le pidieran leer nada. Ahora sus desfiles le parecían pueriles, irrefutable pero desapasionado el atractivo del poder en comparación con las disertaciones de sus compañeros. Y se arrepentía de haber escrito esa parte sobre el cultivo del perejil; se le antojaba superficial en exceso.

Lo mejor que pudo hacer, cuando le tocó el turno, fue leer la historia del pavo. Domitia murmuró que le parecía conmovedora, Livia puso los ojos en blanco y la doctora Gaul enarcó las cejas y le preguntó si tenía algo más que compartir con el resto de la clase. Coriolanus repuso que no.

—¿Plinth? —dijo la doctora Gaul.

Sejanus, que llevaba todo ese tiempo muy callado y sin participar, le dio la vuelta a la hoja que tenía delante.

—«Lo único que me gustaba de la guerra —empezó a leer— era el hecho de que aún vivía en casa». Si me preguntaran si poseía más virtudes aparte de esa, diría que representaba una oportunidad para corregir algunos errores.

—¿Y lo hizo? —preguntó la doctora Gaul.

—En absoluto —respondió Sejanus—. La situación en los distritos está peor que nunca.

Se elevaron objeciones al unísono por toda la clase.

—¡Hala!

—No habrá querido decir eso.

—¡Pues vuélvete al 2! ¿Quién iba a echarte de menos?

«Ahora sí que está tentando a la suerte», pensó Coriolanus. Aunque también él estaba enfadado. Hacían falta dos para ir a la guerra. Una guerra, por cierto, iniciada por los rebeldes. Una guerra que lo había dejado huérfano.

Sejanus, sin embargo, hizo oídos sordos a las protestas que alzaron sus compañeros y continuó dirigiéndose a la Vigilante Jefe de los Juegos.

—Si se me permite la pregunta, ¿qué le gustaba a usted de la guerra, doctora Gaul?

La mujer se quedó observándolo durante unos instantes interminables antes de contestar, con una sonrisa:

—Me gustó que sirviese para demostrar que yo tenía razón.

El decano Highbottom anunció que harían una pausa para almorzar antes de que nadie se atreviese a preguntar a qué se refería la doctora con eso, y todos salieron en fila, dejando sus redacciones encima de la mesa.

Disponían de media hora, pero a Coriolanus se le había olvidado llevar comida de casa y, como era domingo, allí no iban a proporcionarles ninguna. Dedicó ese rato a tumbarse en una zona en sombra de la escalinata, descansando la cabeza mientras Festus e Hilarius Heavensbee, mentor de la chica del Distrito 8, discutían sobre estrategias para las tributos. Recordaba vagamente haber visto a la tributo de Hilarius en la estación de ferrocarril, con un vestido a rayas y una bufanda roja, pero sobre todo porque estaba con Bobbin.

—El problema con las chicas es que, a diferencia de nosotros, no están acostumbradas a pelear —decía Hilarius.

Los Heavensbee eran megarricos, como lo habían sido los Snow antes de la guerra. Sin embargo, pese a todos sus privilegios, Hilarius daba la impresión de sentirse constantemente oprimido.

—Bueno, no sé —replicó Festus—. Creo que mi Coral podría hacer sudar a cualquiera.

—La mía es una canija. —Hilarius cogió un pellizco de sándwich de filete con sus uñas de manicura—. Wovey, se hace llamar. En fin, intenté preparar para la entrevista a la buena de Wovey, pero su personalidad es nula. No la ha respaldado nadie, así que no puedo alimentarla, aunque consiga evitar a los otros.

—Mientras se mantenga con vida, recibirá apoyo —dijo Festus.

—Pero ¿tú me estás escuchando? Que no sabe luchar, y no dispongo de dinero con el que trabajar porque a mi familia no se le permite apostar —se lamentó Hilarius—. Tan solo espero que quede entre los doce últimos para que yo pueda mirar a la cara a mis padres. Se avergüenzan de que un Heavensbee esté dando un espectáculo tan lamentable.

Después de comer, Satyria condujo a los mentores al plató de Noticias del Capitolio para que se familiarizaran con la maquinaria entre bastidores de los Juegos del Hambre. Los Vigilantes de los Juegos trabajaban desde un puñado de oficinas destartaladas, y si bien la sala de control que les habían asignado daba la impresión de cubrir sus necesidades, parecía demasiado pequeña para tratarse del acontecimiento del año. Coriolanus pensó que todo aquello era un poco decepcionante (se había imaginado algo más llamativo), pero los Vigilantes estaban emocionados con los nuevos elementos incorporados a la edición de ese año y parloteaban sin cesar sobre los comentarios de los mentores y la participación de los patrocinadores. La cabina era un hervidero de actividad mientras se comprobaban las cámaras accionadas por control remoto, antiguos elementos fijos de cuando el estadio aún servía de escenario para competiciones deportivas. Los drones, con capacidad para transportar los artículos de uno en uno, utilizaban un sistema de reconocimiento facial para localizar a sus objetivos.

Se había contratado para ejercer de presentador a Loco Flickerman, con el éxito de sus entrevistas todavía reciente, respaldado por un puñado de reporteros de Noticias del Capitolio. Coriolanus se emocionó al ver su nombre programado para las 8:15 de la mañana siguiente, hasta que Loco dijo:

—Queríamos asegurarnos de que empezaras lo antes posible. Antes de que tu chica estire la pata, ya sabes.

Se sintió como si alguien acabara de darle un puñetazo en el estómago. Livia era una resentida y la doctora Gaul estaba chiflada, por lo que había logrado convencerse a sí mismo para ignorar la certidumbre de ambas de que Lucy Gray no era rival para nadie. Pero, de alguna manera, las jocosas palabras de Loco Flickerman le afectaron como no lo habían conseguido las de ellas. Mientras regresaba al piso para prepararse para su última reunión con Lucy Gray, rumió la posibilidad de que al día siguiente, sobre esa hora, la muchacha estuviera muerta. Los celos de la noche anterior, provocados por el perdedor de su novio y el modo en que ella a veces le robaba el protagonismo, se evaporaron. Se sentía inexplicablemente ligado a esa muchacha que había aparecido en su vida tan de repente y con tanto estilo. Y no solo por los parabienes que Lucy Gray le había granjeado. Le gustaba de veras, mucho más que la mayoría de las chicas del Capitolio que conocía. Si sobreviviera (oh, dulce «si»), ¿cómo podrían evitar mantener una conexión de por vida? Sin embargo, pese a todas sus palabras de ánimo, sabía que la suerte no iba a estar de su parte, y una pesada melancolía se abatió sobre él.

Se tumbó en la cama al llegar a casa, temiendo el momento de la despedida. Ojalá pudiera regalarle a Lucy Gray algo bonito con lo que expresar realmente la gratitud que sentía por todo lo que ella le había proporcionado. Un renovado sentido de su propia valía. Una oportunidad de brillar. Una recompensa en el bolsillo. Y, por supuesto, su vida. Tendría que ser algo muy especial. Preciado. Algo suyo, no como las rosas, que en realidad eran de la abuelatriz. Algo sobre lo que ella pudiese cerrar los dedos, si las cosas salían mal en la arena, para recordarle que él estaba a su lado. Algo que le permitiera consolarse sabiendo que no iba a morir sola. Tenía un pañuelo de seda, teñido de un naranja exuberante, que probablemente podría ponerse en el pelo. Un broche dorado que le habían concedido por méritos académicos, grabado con su nombre. ¿Quizá un mechón de pelo atado con una cinta? ¿Qué sería más personal que eso?

De repente, experimentó una oleada de rabia. ¿Para qué serviría todo eso si no podía usarlo para defenderse? ¿Acaso quería engalanarla para que dejara un cadáver bonito? ¿Podría estrangular a alguien con el pañuelo o apuñalarlo con el broche? No habría escasez de armas en la arena, si era eso lo que le preocupaba.

Seguía esforzándose por encontrar el regalo adecuado cuando Tigris lo llamó a la mesa. Había comprado medio kilo de carne de ternera picada y frito cuatro hamburguesas. La de la joven era considerablemente más pequeña, a lo que él habría objetado de no saber que su prima siempre picoteaba de la carne sin cocinar mientras preparaba la comida. Era una delicia para Tigris, que habría devorado toda su porción cruda si la abuelatriz no se lo tuviera prohibido. Una de las hamburguesas estaba reservada para Lucy Gray, cubierta por varias capas de aliño y emparedada entre las dos mitades de un bollo de gran tamaño. Tigris también había preparado patatas fritas y ensalada de col con mayonesa, y Coriolanus seleccionó los dulces y las frutas más apetitosos de la cesta de regalo del hospital. Su prima extendió una servilleta de tela sobre el fondo de una pequeña caja de cartón decorada con aves de brillante plumaje y colocó encima el festín, coronando la tela blanca como la nieve con un último pimpollo de rosa de la abuelatriz. Coriolanus había elegido la flor de un sedoso tono melocotón teñido de carmesí, puesto que a la Bandada le encantaban los colores vivos y, en especial, a Lucy Gray.

—Dile que es mi favorita —le pidió Tigris.

—Dile —añadió la abuelatriz— que a todos nos da mucha lástima que vaya a morir.

Después de la suave brisa del atardecer, que conservaba la calidez del sol de la jornada, el frescor del Salón Heavensbee hizo que Coriolanus se acordara del mausoleo de la familia Snow, donde descansaban los restos de sus padres. Sin el bullicio de los estudiantes, sin sus pasos y sus fuertes suspiros se respiraba un ambiente espectral en aquella asamblea ya de por sí sombría. Nadie había encendido las luces, debían de considerar suficiente la claridad de los últimos rayos de sol que se filtraban por las ventanas, pero eso tan solo aumentaba el contraste con la luminosidad de sus anteriores reuniones. Mientras los mentores supervivientes convergían en el balcón y observaban a aquellos de sus compañeros que quedaban abajo, un manto de silencio cayó sobre ellos.

—El caso —le susurró Lysistrata a Coriolanus— es que me he encariñado de Jessup. —Guardó silencio un momento mientras desenvolvía una porción de pasta al horno con queso—. Me salvó la vida.

Coriolanus se preguntó qué habría visto Lysistrata, la que más cerca estaba de él en la arena, cuando estallaron las bombas. ¿Habría visto cómo lo salvaba Lucy Gray? ¿Qué pretendía insinuar con aquello?

Mientras se dirigían a las mesas asignadas, el muchacho se obligó a pensar de forma positiva. No serviría de nada pasar sus últimos diez minutos juntos lloriqueando cuando podían invertirlos en trazar una estrategia ganadora. Ayudó en parte que Lucy Gray tuviera mejor aspecto que en las otras ocasiones que se habían visto en el salón. Lavada y aseada, con el vestido limpio todavía a la luz crepuscular, cualquiera diría que se había arreglado para ir a una fiesta en vez de para participar en un baño de sangre. Se le iluminó la mirada al reparar en la caja.

Coriolanus se la ofreció con una sutil reverencia.

—Traigo regalos.

Lucy Gray cogió la rosa con delicadeza y aspiró su fragancia. Le arrancó un pétalo y lo deslizó entre sus labios.

—Sabe a buenas noches —dijo con una sonrisa apenada—. Qué caja tan bonita.

—Tigris la reservaba para una ocasión especial. Adelante, come si tienes hambre. Todavía está caliente.

—Creo que lo haré. Mi última cena de persona civilizada. —Sacó la servilleta y admiró lo que contenía la caja—. Hala, menuda pinta.

—Hay de sobra, para que puedas compartirlo con Jessup. Aunque me parece que Lysistrata le ha traído algo.

—Lo haría, pero ha dejado de comer. —Lucy Gray lanzó una mirada furtiva, cargada de preocupación, hacia Jessup—. Serán los nervios. Y, además, se está comportando de una forma extraña. Aunque, por otra parte, a todos se nos escapan un montón de disparates estos días.

—¿Por ejemplo? —quiso saber Coriolanus.

—Anoche, Reaper se disculpó personalmente con cada uno de nosotros por tener que matarnos —le explicó la muchacha—. Dice que nos lo compensará cuando gane. Piensa vengarse del Capitolio, aunque esa parte no está tan clara como la otra en la que morimos.

Coriolanus observó de soslayo a Reaper, quien no solo era fuerte, sino que al parecer tampoco se le daba nada mal la guerra psicológica.

—¿Cuál fue vuestra reacción?

—La mayoría se limitó a quedarse mirándolo. Jessup le escupió en un ojo. Yo le dije que esto no habría acabado hasta que cantara el sinsajo, pero eso solo consiguió desconcertarlo. Supongo que es su forma de sobrellevar todo esto. Estamos alterados. No es fácil... decirle adiós a tu vida.

Comenzó a temblarle el labio inferior, y dejó el sándwich a un lado sin haberlo probado siquiera.

Consciente del giro tan fatalista que estaba tomando la conversación, Coriolanus decidió darle otro rumbo.

—Por suerte, tú no tienes que hacerlo. Tienes el triple de regalos que los demás.

Las cejas de Lucy Gray se arquearon de golpe.

—¿El triple?

—El triple. Vas a ganar estos Juegos, Lucy Gray. He estado dándole vueltas. En cuanto suene el gong, corre. Corre todo lo deprisa que puedas. Súbete a las gradas y pon toda la distancia posible entre los otros y tú. Escóndete bien. Yo te conseguiré comida. Después te ocultas en otro sitio. Sigue moviéndote y mantente con vida hasta que los demás se hayan matado entre ellos o se hayan muerto de hambre. Puedes hacerlo.

—¿Seguro? Ya sé que fui yo la que te empujó a creer en mí, pero anoche me dio por pensar en cómo será estar en la arena. Atrapada. Con todas esas armas. Con Reaper persiguiéndome. Durante el día me resulta más sencillo abrigar esperanzas, pero cuando oscurece siento tanto miedo que...

De repente, sus mejillas se surcaron de lágrimas. Era la primera vez que no lograba contenerlas. En el escenario, después de que el alcalde la golpeara, o cuando Coriolanus le dio el pudin de pan, había estado a punto de derramarlas pero consiguió evitarlo. Ahora, como si se hubiera roto un dique, brotaban incontenibles.

Coriolanus notó como si algo se rompiera en su pecho al verla así, tan desvalida, y temió ponerse a llorar él también. Estiró los brazos en su dirección.

—Oh, Lucy Gray...

—No quiero morir —susurró la muchacha.

Los dedos de Coriolanus acariciaron las lágrimas que rodaban por sus mejillas.

—Por supuesto que no. Y yo no lo permitiré. —Ella seguía llorando—. ¡No lo permitiré, Lucy Gray!

—Deberías olvidarte de mí. Nunca te he traído más que problemas —continuó ella con la voz estrangulada—. Te he puesto en peligro, me he comido tu comida... Y sé que no te gustó mi balada. Mañana tendrás la suerte de librarte de mí.

—¡Mañana estaré desquiciado! Cuando te dije que me importabas, no me refería a ti como tributo. Me refería a ti como tú misma, Lucy Gray Baird, una persona. Mi amiga. Mi... —¿Cuál era el término correcto? ¿Amor? ¿Novia? Solo podía estar seguro del cariño que sentía por ella, y cabía perfectamente la posibilidad de que no fuese correspondido. Pero ¿qué tenía que perder confesando lo mucho que la quería?—. Me puse celoso con tu balada porque quería que pensaras en mí, no en alguien de tu pasado. Una estupidez, ya lo sé. Pero es que eres la chica más increíble que he conocido en mi vida. De verdad. Extraordinaria en todos los sentidos. Y yo... —Se le anegaron los ojos de lágrimas, pero parpadeó para contenerlas.

Debía ser fuerte por los dos—. No quiero perderte. Me niego a perderte. Por favor, no llores.

—Lo siento. Perdona. Ya paro. Es que... Me siento muy sola.

—No lo estás. —Coriolanus entrelazó los dedos con los de ella—. Ni lo estarás en la arena. Estaremos juntos. Estaré a tu lado en cada momento. No pienso perderte de vista. Vamos a ganar estos Juegos juntos, Lucy Gray. Te lo prometo.

La muchacha le apretó la mano.

—Cuando hablas así, suena incluso posible.

—Es más que posible —le aseguró Coriolanus—. Más que probable. Es inevitable, si te ciñes al plan.

—¿Es eso lo que crees de verdad? —dijo ella contemplando su rostro—. Porque si pudiera estar segura de que lo crees, haría todo lo posible por convencerme de ello.

El momento requería un gesto memorable. Por suerte, lo tenía preparado. Había estado meditándolo, sopesando los riesgos, pero no podía dejarla así, sin nada a lo que aferrarse. Era una cuestión de honor. Lucy Gray era su chica, le había salvado la vida, y él tenía la obligación de hacer todo lo posible por devolverle el favor.

—Escucha. ¿Me estás escuchando? —La muchacha aún lloraba, aunque sus sollozos se habían reducido a pequeños jadeos intermitentes—. Mi madre me dejó algo al morir. Es mi posesión más preciada. Quiero que lo lleves en la arena, como amuleto. Se trata de un préstamo, no te preocupes. Espero que me lo devuelvas. De lo contrario, jamás me separaría de ella.

Coriolanus hurgó en su bolsillo, sacó la mano y extendió los dedos. En su palma, reluciente bajo los últimos rayos de sol, reposaba la polvera de plata de su madre.

Lucy Gray se quedó boquiabierta al verla, y no era fácil impresionarla. Alargó la mano para acariciar la rosa exquisitamente grabada, la plata antigua, antes de retirarla con gesto apesadumbrado.

—Ay, no puedo aceptarla. Es demasiado bonita. Basta con que me la hayas ofrecido, Coriolanus.

—¿Estás segura? —preguntó él, tentándola.

Abrió la tapa con un movimiento fluido y levantó la polvera para que la muchacha pudiera verse reflejada en el espejo del interior.

Lucy Gray contuvo el aliento y se rio.

—Bueno, ahora mismo estás aprovechándote de mi punto débil. —Y era cierto. Siempre se mostraba muy cuidadosa con su apariencia. No porque fuese vanidosa, en realidad. Sencillamente le preocupaba su aspecto. La muchacha reparó en el hueco dejado por el maquillaje, presente hasta hacía tan solo una hora—. ¿Aquí no había polvos?

—Sí, pero... —respondió Coriolanus. Se calló. Si lo decía en alto, no habría vuelta atrás. Por otro lado, si no lo hacía, la podría perder para siempre. Su voz se redujo a un susurro—. He pensado que te gustaría usar los tuyos.

13

Lucy Gray lo entendió de inmediato. Sus ojos volaron hacia los agentes de la paz, ninguno de los cuales les prestaba atención, y después se inclinó para olisquear la polvera.

—Hum, todavía se nota el olor. Muy agradable.

—A rosas.

—A ti. Sería como tenerte a mi lado de verdad, ¿a que sí?

—Adelante, llévame contigo. Cógela.

—Vale —respondió Lucy Gray tras secarse las lágrimas con el dorso de la mano—. Pero es un préstamo. —Cogió la polvera, se la metió en el bolsillo y le dio una palmadita—. Me ayuda a aclararme las ideas. El concepto de ganar los Juegos es demasiado grande para concebirlo, pero si me digo: «Tengo que devolverle esto a Coriolanus»... Eso sí puedo asimilarlo.

Hablaron un poco más, sobre todo acerca de la distribución del estadio y de la ubicación de los mejores escondites, y él consiguió que la chica se comiera medio sándwich y un melocotón entero antes de que la profesora Sickle tocara el silbato. Coriolanus no estaba seguro de cómo había sucedido, pero debían de haberse levantado los dos y los dos debían de haberse movido hacia delante, porque, de repente, se la encontró entre sus brazos, agarrada a la pechera de su camisa mientras él la estrechaba con fuerza.

—Cuando esté en esa arena, no voy a pensar en nada que no seas tú —le susurró Lucy Gray.

—¿Ni siquiera en ese tío del Distrito 12? —le preguntó él medio en broma.

—No. Ese se aseguró de acabar con todo lo que sentía por él. En mi corazón ya solo queda sitio para un chico, y ese eres tú.

Entonces, lo besó. Y no fue un beso rápido, sino un beso de verdad, en los labios, que sabía ligeramente a melocotón y a maquillaje. Su boca, suave y cálida, sobre la de Coriolanus, le despertaba sensaciones por todo el cuerpo. En vez de apartarse, la apretó más contra su cuerpo, embriagado por el sabor y el tacto de Lucy Gray. ¡Así que esto era de lo que hablaba la gente! ¡Esto era lo que los volvía locos a todos! Cuando por fin se separaron, respiró hondo, como si acabara de salir a la superficie tras bajar a las profundidades. Las pestañas de Lucy Gray se abrieron con un aleteo, y la expresión de sus ojos era reflejo de la de él. Los dos se inclinaron a la vez para besarse de nuevo, pero los agentes de la paz la cogieron para llevársela.

Festus le dio un codazo cuando salían de la habitación.

—Menuda despedida.

—¿Qué quieres que te diga? —repuso Coriolanus, encogiéndose de hombros—. Soy irresistible.

—Supongo. Yo he intentado darle una palmadita en el hombro a Coral para darle ánimos, y casi me rompe la muñeca.

El beso lo había dejado mareado. Se había pasado de la raya, sin duda, pero no se arrepentía... Había sido maravilloso. Caminó a solas hasta su casa, saboreando aquella despedida agridulce, electrificado por su atrevimiento. Tal vez hubiera roto un par de reglas al darle la polvera e insinuarle que la llenara de veneno para ratas, ¿quién sabía? En realidad, no había ninguna norma escrita para los Juegos del Hambre. Vale, lo más probable era que las hubiese roto. Sin embargo, aunque así fuera, merecía la pena. Por ella. De todos modos, no pensaba contárselo a nadie, ni siquiera a Tigris.

No tenía por qué ser una ventaja decisiva. Para envenenar a otro tributo hacía falta astucia y suerte. Pero Lucy Gray era astuta, y no tenía menos suerte que los demás. Era necesario que ingiriesen el veneno, así que el trabajo de Coriolanus consistiría en conseguirle comida para usarla como cebo. Tener algo que hacer, aparte de observar, lo ayudaba a sentir que controlaba más la situación.

Cuando la abuelatriz se fue a dormir, le confió a Tigris lo sucedido.

—Creo que se ha enamorado de mí.

—Pues claro que sí. ¿Qué sientes tú por ella?

—No lo sé. Le di un beso de despedida.

—¿En la mejilla? —preguntó Tigris, arqueando las cejas.

—No, en los labios. —Pensó en cómo explicarlo, pero lo único que logró decir fue—: Es especial.

Eso era innegable a todos los niveles. Lo cierto era que no tenía mucha experiencia con las chicas, y mucho menos con el amor. La prioridad siempre había sido mantener en secreto la situación de los Snow, así que los primos rara vez salían del piso, ni siquiera cuando Tigris se enamoró perdidamente en su último año en la Academia. Como Tigris era reacia a invitar a su pareja a casa, esta había pensado que se trataba de una falta de compromiso, y eso había sido uno de los factores decisivos para la ruptura. Coriolanus entendió el incidente como una advertencia para no enredarse demasiado con nadie. Muchas de sus compañeras habían mostrado interés por él, pero había conseguido mantenerlas alejadas con suma habilidad. La excusa del ascensor averiado le había venido bien, al igual que las múltiples enfermedades ficticias de la abuelatriz, que exigían reposo absoluto. Algo había habido el curso anterior, en el callejón detrás de la estación de ferrocarril, pero, más que un romance, se trató de un desafío planteado por Festus. Entre la posca y la oscuridad, el recuerdo era borroso, en el mejor de los casos. Ni siquiera conocía el nombre de la muchacha, aunque con eso se había ganado la reputación de ligón.

Sin embargo, Lucy Gray era su tributo e iba camino de la arena. Y, aunque las circunstancias fueran distintas, no dejaría de ser una chica de los distritos o, al menos, de fuera del Capitolio. Una ciudadana de segunda. Humana pero salvaje. Lista, quizá, pero no evolucionada. Parte de una masa informe de criaturas desafortunadas y bárbaras que flotaban en la periferia de su consciencia. Sin duda, de haber una excepción a la regla, esa era Lucy Gray. Una persona que desafiaba cualquier definición simplista. ¿Cómo había dicho? Una *rara avis*, no, una rara ave, como él. ¿Por qué si no la presión de sus labios le había licuado las rodillas?

Aquella noche, Coriolanus se durmió mientras rememoraba el beso.

La mañana de los Juegos del Hambre amaneció radiante y despejada. Se preparó, se comió los huevos que le había preparado Tigris, y recorrió el largo y caluroso camino hasta Noticias del Capitolio. Rechazó el cargado maquillaje que Loco se había repartido por el rostro, aunque sí permitió que se lo cubrieran con una fina capa de polvos, ya que no quería sudar demasiado delante de las cámaras. Tranquilo e impasible: esas eran las cualidades que un Snow debía transmitir. Los polvos compactos desprendían un olor dulce, pero les faltaba la sofisticación de los de su madre, que seguían guardados en el cajón de los calcetines de su casa.

—Buenos días, Snow.

La voz de la doctora Gaul lo devolvió al presente de golpe. Estaba en el estudio de televisión, claro. ¿Dónde si no iba a estar el día de la inauguración de los Juegos?

No sabía por qué el decano Highbottom había considerado necesario hacer acto de presencia, pero sus ojos empañados estaban fijos en Coriolanus.

—Nos han contado que anoche tu tributo y tú montasteis una escena de despedida muy conmovedora.

Aj. ¿Era posible que existieran dos personas menos capaces de amar que aquellas dos? ¿Cómo se habían enterado del beso? La profesora Sickle no parecía una cotilla, así que ¿quién lo habría estado contando por ahí? Seguramente la mayoría de los mentores lo había visto...

Daba igual. No conseguirían provocarlo.

—Como ya comentó la doctora Gaul, las emociones están a flor de piel.

—Sí. Lástima que probablemente no llegue viva al final del día —dijo la doctora Gaul.

Cómo los odiaba. Se regodeaban. Lo atormentaban. Aun así, no podía más que encogerse de hombros y fingir indiferencia.

—Bueno, como dicen, el espectáculo no se acaba hasta que canta el sinsajo.

Se sintió satisfecho al ver sus caras de desconcierto. No tuvieron la oportunidad de preguntarle al respecto porque Remus Dolittle apareció para informarles de que el tributo del Distrito 5 había fallecido durante la noche por las complicaciones de su asma o algo parecido (en cualquier caso, el veterinario no había logrado salvarlo), así que tuvieron que salir para encargarse del asunto.

Por más que lo intentaba, Coriolanus no lograba recordar al chico, ni tampoco a cuál de sus compañeros le habían asignado de mentor. Para prepararse para el inicio de los Juegos, había actualizado la lista de mentores que le había entregado el profesor Demigloss. Por simplificar las cosas, decidió tachar los equipos por parejas, al margen de lo que les hubiera ocurrido. No pretendía ser despiadado, pero no encontraba otro modo de mantenerse al día. Sacó la lista de su mochila para anotar la última baja.

DÉCIMOS JUEGOS DEL HAMBRE

MENTORES ASIGNADOS

DISTRITO 1	
~~Chico (Facet)~~	~~Livia Cardew~~
~~Chica (Velvereen)~~	~~Palmyra Monty~~
DISTRITO 2	
~~Chico (Marcus)~~	~~Sejanus Plinth~~
~~Chica (Sabyn)~~	~~Florus Friend~~
DISTRITO 3	
Chico (Circ)	Io Jasper
Chica (Teslee)	Urban Canville
DISTRITO 4	
Chico (Mizzen)	Persephone Price
Chica (Coral)	Festus Creed
DISTRITO 5	
~~Chico (Hy)~~	~~Dennis Fling~~
Chica (Sol)	Iphigenia Moss
DISTRITO 6	
~~Chico (Otto)~~	~~Apollo Ring~~
~~Chica (Ginnee)~~	~~Diana Ring~~
DISTRITO 7	
Chico (Treech)	Vipsania Sickle
Chica (Lamina)	Pliny Harrington
DISTRITO 8	
Chico (Bobbin)	Juno Phipps
Chica (Wovey)	Hilarius Heavensbee
DISTRITO 9	
~~Chico (Panlo)~~	~~Gaius Breen~~
~~Chica (Sheaf)~~	~~Androcles Anderson~~

DISTRITO 10

Chico (Tanner) Domitia Whimsiwick

~~Chica (Brandy) Arachne Crane~~

DISTRITO 11

Chico (Reaper) Clemensia Dovecote

Chica (Dill) Felix Ravinstill

DISTRITO 12

Chico (Jessup) Lysistrata Vickers

Chica (Lucy Gray) Coriolanus Snow

El número de competidores de Lucy Gray había disminuido hasta reducirse a trece. Con la última muerte, había uno menos y, además, se trataba de un chico. Buenas noticias para ella.

Su lista de mentores empezaba a estar algo arrugada, así que la dobló con mucho cuidado en cuatro partes y decidió meterla en el bolsillo exterior de su mochila para acceder a ella con mayor facilidad. Cuando abrió el bolsillo, descubrió un pañuelo. Tras un instante de desconcierto, ya que siempre llevaba el suyo encima, recordó que se trataba del que le había devuelto Lucy Gray después de secarse los ojos el día que él le había llevado el pudin de pan. Sentaba bien tener algo tan personal, una especie de talismán; dejó la lista junto al trozo de tela.

Los únicos mentores invitados a aparecer en el programa previo al espectáculo eran los siete que habían participado en la noche de las entrevistas. Por defecto, se habían convertido en los representantes del Capitolio en los Juegos, aunque muchos de sus tributos parecían tener pocas posibilidades. En una esquina del estudio habían colocado unos cuantos sillones tapizados, una mesa de centro y una lámpara de cristal algo torcida. La mayoría de los mentores repitieron la historia de sus tributos y procuraron enfatizar lo mejor posible cualquier elemento peligroso.

Como Coriolanus había dedicado toda su entrevista a la canción de Lucy Gray, era el único con material original. Encantado de contar con algo nuevo, Loco Flickerman dejó que se pasara de su tiempo asignado. Después de contar los detalles básicos, Coriolanus aprovechó aquella oportunidad para hablar de la Bandada, insistir en que, en realidad, Lucy Gray no era de los distritos, no, qué va. La Bandada tenía una larga historia musical, pocos artistas había como ellos, y eran tan residentes de los distritos como la gente del Capitolio. De hecho, pensándolo bien, casi eran del Capitolio, y solo por una serie de infortunios habían aterrizado o, más bien, habían sido detenidos por error, en el Distrito 12. Para los espectadores era evidente que Lucy Gray parecía del Capitolio, ¿verdad? Y Loco tuvo que coincidir en que, efectivamente, la chica tenía algo especial.

Lysistrata lo miró con cara de fastidio cuando se sentó, y Coriolanus entendió el porqué cuando llegó la entrevista de su compañera y se percató de que intentaba establecer un vínculo entre Jessup y Lucy Gray, y que la gente los viera como pareja y se compadeciera de ellos. Aunque era cierto que Jessup era un minero del carbón del Distrito 12 de pies a cabeza, ¿acaso no habían demostrado los dos una afinidad natural desde el primer momento? ¿Y quién no se había fijado en lo unidos que estaban, algo tan poco habitual en los tributos procedentes del mismo distrito? De hecho, Lysistrata tenía la certeza de que estaban prendados el uno del otro. Con la fuerza de Jessup y la habilidad de Lucy Gray para enamorar al público, estaba convencida de que el Distrito 12 ganaría los Juegos del Hambre de ese año.

El motivo de la presencia del decano Highbottom quedó claro cuando ocupó el sitio que acababa de dejar Lysistrata junto a Loco. Consiguió analizar el programa de mentores y tributos como si no hubiera estado drogado todo el tiempo. En realidad, Coriolanus se quedó un tanto desconcertado con la lucidez de algunos de sus comentarios. Destacó que, al principio, los jóvenes del Capitolio habían mostrado ciertos prejuicios contra sus homólogos de los distritos, pero que, en las dos semanas transcurridas desde la cosecha, muchos habían llegado a apreciarlos y respetarlos.

—Como suele decirse, resulta esencial conocer al enemigo. Así que ¿qué mejor modo de conocerse que aunar fuerzas en los Juegos del Hambre? El Capitolio ganó la guerra tras una lucha larga y complicada, y hace poco volaron en pedazos nuestro estadio. Sería un error pensar que cualquiera de los dos bandos carece de inteligencia, fuerza o valor.

—Pero no estará usted comparando a nuestros niños con los suyos, ¿verdad? —preguntó Loco—. No hay más que echarles un vistazo para comprobar que los nuestros son de una raza superior.

—No hay más que echarles un vistazo para comprobar que los nuestros han tenido acceso a más comida, ropa más bonita y mejor higiene dental —repuso el decano—. Suponer otra cosa, pensar que contamos con una superioridad física, mental o, sobre todo, moral sería un error. Esa arrogancia es lo que estuvo a punto de costarnos la guerra.

—Fascinante —dijo Loco, a falta de una respuesta mejor—. Su punto de vista es realmente fascinante.

—Gracias, señor Flickerman. No sabe cuánto valoro su opinión —aseguró el decano, irónico.

Coriolanus creía que la burla era evidente, pero Loco se ruborizó.

—Es muy amable por su parte, señor Highbottom. Como todos sabemos, no soy más que un humilde hombre del tiempo.

—Y un mago en ciernes —le recordó el decano Highbottom.

—Bueno, ¡me declaro culpable! —coincidió Loco con una risita de satisfacción—. Espere, ¿qué es eso? —Metió la mano detrás de la oreja del decano y sacó un caramelito plano con relucientes franjas de colores—. Creo que esto es suyo —le dijo, e intentó entregárselo a Highbottom con una mano húmeda manchada de caramelo de colores.

Estaba claro que el decano no pensaba aceptarlo.

—Madre mía, ¿de dónde ha salido eso, Loco?

—Secretos del oficio —respondió el otro, esbozando una sonrisa cómplice.

En el exterior los esperaban unos coches para llevarlos de vuelta a la Academia, y Coriolanus se encontró sentado con Felix y el decano Highbottom. Los dos parecían pertenecer al mismo círculo social, así que se entretuvieron cotilleando sin prestar atención al chico, que aprovechó la ocasión para reflexionar sobre las palabras que el decano había dedicado a la gente de los distritos. Que eran básicamente sus iguales, aunque tuvieran menos recursos que en el Capitolio. Era una idea bastante radical para expresarla en la televisión. Estaba claro que la abuelatriz y muchos otros la rechazarían, y menoscababa el esfuerzo de Coriolanus por presentar a Lucy Gray como alguien ajeno a los distritos. Se preguntó si la habría descrito así solo por su estrategia en los Juegos o si en parte reflejaba el desconcierto que le producía lo que sentía por ella.

Cuando llegaron al salón y Felix se distrajo con un equipo de televisión, alguien le puso una mano en el hombro a Coriolanus.

—Ese amigo tuyo del Distrito 2, ¿sabes quién te digo? ¿El sensible? —le preguntó el decano Highbottom.

—Sejanus Plinth —respondió Coriolanus; aunque Sejanus en realidad no fuera su amigo, eso no era asunto del decano.

—Te aconsejo que le busques un asiento cerca de la puerta.

Highbottom se sacó una botella del bolsillo, se escondió detrás de una columna cercana y se administró unas gotas de morflina.

Antes de tener tiempo para meditar sobre sus palabras, Lysistrata apareció hecha una furia.

—En serio, Coriolanus, ¡podrías cooperar un poquito conmigo! ¡Jessup no deja de decir que Lucy Gray es su aliada!

—No tenía ni idea de que esa fuera tu estrategia. De verdad que no pretendía fastidiarte. Si nos dan otra oportunidad, usaré el enfoque del equipo —le prometió.

—A saber si se presentarán más oportunidades —resopló Lysistrata.

Satyria se abrió paso entre la multitud y no contribuyó a solucionar el problema cuando exclamó:

—Qué entrevista tan astuta, querido. ¡Hasta yo he estado a punto de creerme que tu chica nació en el Capitolio! Venga, vamos. ¡Tú también, Lysistrata! ¡Necesitáis las chapas y los brazalectores!

Los condujo por el salón, en el que, a diferencia de años anteriores, la emoción era palpable. La gente le gritaba «¡Buena suerte!» y lo felicitaba por la entrevista. Coriolanus disfrutaba de la atención, aunque también era un poco inquietante. En el pasado, aquellas ocasiones eran momentos reflexivos en los que los asistentes procuraban no mirarse a los ojos y hablar solo cuando era necesario. Sin embargo, en aquel momento, todos estaban entusiasmados, como si los esperase un entretenimiento maravilloso.

En una mesa, un Vigilante supervisaba la distribución de los suministros para los mentores. Aunque a todos les dieron una chapa amarillo chillón con la palabra MENTOR grabada en ella para colgársela al cuello, solo aquellos cuyos tributos seguían en los Juegos recibieron los brazalectores y se convirtieron al instante en los más envidiados de la sala. Durante la guerra y sus secuelas, gran parte de la tecnología personal había desaparecido, ya que las fábricas se concentraban en otras prioridades. Hasta los dispositivos más simples se habían convertido en un objeto de lujo. Los brazaletes se sujetaban a la muñeca y tenían una pantallita verde en la que el recuento de regalos de los patrocinadores parpadeaba en rojo. Los mentores solo tenían que bajar por la lista de alimentos, seleccionar uno del menú y hacer doble clic sobre él para que un Vigilante organizara su envío por dron. Algunos de los tributos no tenían ningún regalo preparado. A pesar de no haber aparecido en las entrevistas, Reaper había conseguido unos cuantos patrocinadores de su paso por el zoo, pero Clemensia no estaba por ninguna parte, y su brazalector permanecía en la mesa sin que nadie lo reclamara. Livia lo miraba de soslayo con avidez.

Coriolanus se llevó a Lysistrata aparte y le enseñó su pantalla.

—Mira, tengo una pequeña fortuna con la que trabajar. Si están juntos, enviaré comida para los dos.

—Gracias. Yo haré lo mismo. No tenía que haber saltado así, no es culpa tuya. Debería habértelo comentado antes. —Bajó la voz hasta susurrar—: Es que... anoche no pude dormir pensando en tener que estar aquí sentada, viéndolos. Sé que es para castigar a los distritos, pero ¿no los hemos castigado ya lo suficiente? ¿Cuánto tiempo tenemos que seguir alargando la guerra?

—Creo que la doctora Gaul cree que para siempre. Como nos dijo en clase.

—No es solo ella. Míralos a todos. —Alzó una mano para señalar el ambiente festivo que los rodeaba—. Es nauseabundo.

Coriolanus intentó calmarla.

—Mi prima me dijo que recordara que no es culpa nuestra. Que nosotros también somos niños.

—No sé por qué, pero eso no me ayuda. Que nos usen así... —dijo Lysistrata con tristeza—. Sobre todo cuando ya han muerto tres de los nuestros.

«¿Que nos usen?». Coriolanus consideraba desde el principio que ser mentor era un gran honor, una forma de servir al Capitolio y, quizá, obtener algo de gloria. No obstante, su compañera tenía razón: si la causa no era honorable, ¿cómo podía ser un honor participar en ella? Se sintió desconcertado, después manipulado y, por último, indefenso. Como si fuera más tributo que mentor.

—Dime que acabará pronto —le pidió Lysistrata.

—Acabará pronto —le aseguró él—. ¿Quieres que nos sentemos juntos? Podemos coordinar nuestros regalos.

—Por favor —respondió ella.

Esta vez estaba presente toda la escuela. Se dirigieron a la sección de veinticuatro asientos preparada para los mentores, que estaba en el mismo lugar que el día de la cosecha. Se exigía la asistencia de todos los alumnos en buenas condiciones físicas, tuvieran un tributo viable o no.

—Prefiero no sentarme delante —dijo Lysistrata—. No quiero tener la cámara pegada a la cara cuando lo maten.

Estaba en lo cierto, claro. La cámara apuntaría al mentor, y si Lucy Gray moría..., sobre todo si Lucy Gray moría, tenía asegurado un primer plano bien largo.

Coriolanus hizo caso de Lysistrata y se dirigió a la fila de atrás. Mientras se acomodaban, le llamó la atención la pantalla gigante en la que Loco Flickerman hacía de guía turístico por los distritos, dando información sobre sus industrias e intercalando detalles sobre su clima y algún que otro truco de magia. Los Juegos del Hambre eran la gran oportunidad para Loco, al que no le importaba animar su discurso sobre la energía del Distrito 5 con un artilugio que literalmente le ponía el pelo de punta.

—¡Es electrizante! —exclamó.

—Eres un idiota —masculló Lysistrata; entonces, algo le llamó la atención—. Tiene que haber sido una gripe horrorosa.

Coriolanus siguió su mirada hasta la mesa, donde Clemensia acababa de recoger su brazalector. Estaba buscando a alguien entre la gente... ¡Ah, lo buscaba a él! En cuanto sus ojos se encontraron, la chica se fue directa a la fila de atrás, y no parecía contenta. En realidad, estaba horrible. El color amarillo chillón de sus ojos se había desteñido hasta adquirir el tono pálido del polen, y una blusa blanca de cuello alto y manga larga ocultaba su zona escamosa, pero, incluso así, irradiaba enfermedad. Se tiraba de las pieles secas de la cara con aire distraído, y su lengua, aunque ya no le salía disparada de la boca cada dos por tres, estaba decidida a explorar el interior de su mejilla. Cuando llegó al asiento que estaba justo frente a Coriolanus, se detuvo y se dedicó a lanzar al aire aleatoriamente trocitos de piel mientras lo examinaba.

—Gracias por visitarme, Coryo —le dijo.

—Quería hacerlo, Clemmie, pero estaba bastante hecho polvo... —empezó a explicarle.

—Gracias por ponerte en contacto con mis padres —lo cortó ella—. Gracias por avisarlos de dónde estaba.

—Sabíamos dónde estabas Clem —intervino Lysistrata, sorprendida—. Nos explicaron que no podías recibir visitas porque eras contagiosa. Intenté llamarte una vez, pero me dijeron que estabas dormida.

Coriolanus aprovechó su historia.

—Yo también lo intenté, Clemmie. Varias veces. Siempre me ponían alguna excusa. En cuanto a tus padres, los médicos me prometieron que estaban de camino. —Nada de eso era cierto, pero ¿qué podía decir? Era evidente que el veneno la había desequilibrado. Si no, no habría sacado el incidente en un lugar tan público—. Si me equivoqué, te pido perdón. Como he dicho, yo también me he estado recuperando.

—¿En serio? En la entrevista parecías en plena forma. Y tu tributo también.

—Tranquila, Clem. No es culpa de Coryo que te pusieras enferma —dijo Festus, que llegó justo a tiempo de oír parte de la conversación.

—¡Cállate, Festus! No tienes ni idea de lo que hablas —le soltó Clemensia, y se fue, enfadada, a sentarse en primera fila.

Festus se sentó al lado de Lysistrata.

—¿Qué le pasa? Aparte de estar mudando de piel...

—¿Quién sabe? Estamos todos fatal —dijo Lysistrata.

—De todos modos, no es propio de ella. Me pregunto qué... —empezó a decir Festus.

—¡Sejanus! —lo llamó Coriolanus, aliviado por la interrupción—. ¡Aquí!

Tenía un asiento vacío al lado y necesitaba cambiar el tema de conversación.

—Gracias —dijo Sejanus antes de dejarse caer en el asiento del extremo de la fila. Tenía mal aspecto, estaba agotado, y la piel le brillaba como si tuviera fiebre.

Lysistrata cogió una de las manos de Coriolanus y se la apretó.

—Cuanto antes empiece, antes acabará.

—Hasta el año que viene —le recordó él, pero, aun así, le dio una palmadita de agradecimiento en la mano.

Apenas unos segundos después de que indicaran a los alumnos que ocuparan sus respectivos asientos, el sello del Capitolio ocupó las pantallas, y el himno los puso a todos en pie. La voz de Coriolanus sonaba por encima de la del resto de los mentores, que se limitaban a murmurar. En serio, llegados a ese punto, ¿no podían esforzarse un poco más?

Cuando regresó Loco Flickerman y extendió las manos en un gesto de bienvenida, el chico vio que todavía tenía en la palma las manchas de caramelo de su truco de magia.

—Damas y caballeros —dijo—, ¡que empiecen los Décimos Juegos del Hambre!

Una imagen del interior del estadio reemplazó a la de Loco. Los catorce tributos que quedaban en la lista estaban colocados en un amplio círculo, esperando a que sonara el gong. Nadie les prestaba atención ni a ellos, ni a los escombros de las bombas que salpicaban la arena, ni a las armas tiradas por el suelo polvoriento, ni a la bandera de Panem que colgaba de las gradas y añadía a la escena un toque decorativo sin precedentes.

Todos los ojos siguieron la cámara, cautivados, mientras esta hacía zoom sobre el par de postes de acero cercanos a la entrada principal del estadio. Medían seis metros de altura y estaban unidos por una viga transversal de longitud similar. En el centro de la estructura, Marcus colgaba de las muñecas esposadas, tan apaleado y ensangrentado que, en un principio, Coriolanus pensó que se trataba de su cadáver. Entonces, los labios hinchados de Marcus se movieron, enseñando sus dientes rotos, y dejaron poco lugar a dudas: seguía vivo.

14

Coriolanus era incapaz de apartar la vista, a pesar de tener el estómago revuelto. Ver a cualquier criatura (un perro, un mono o incluso una rata) expuesta de ese modo habría sido horrible, pero ¿a un chico? ¿A un chico cuyo único delito real había consistido en huir para salvar la vida? Si Marcus se hubiera dedicado a asesinar a diestro y siniestro por todo el Capitolio, la cosa habría cambiado. Sin embargo, no se había anunciado nada parecido después de su fuga. Coriolanus recordó los desfiles funerarios. El espectáculo más macabro se había reservado para los muertos: Brandy colgada de un gancho y los tributos que habían arrastrado por las calles. Los Juegos del Hambre en sí demostraban una genialidad retorcida al enfrentar a los niños de los distritos entre ellos, de modo que el Capitolio no se ensuciaba las manos con la violencia. La tortura de Marcus no tenía precedentes. Bajo el mando de la doctora Gaul, el Capitolio había alcanzado nuevas cotas de represalia.

La imagen acabó con el ambiente festivo del Salón Heavensbee. En el interior del estadio no había micrófonos, salvo por unos cuantos alrededor del muro ovalado, así que no había ninguno lo bastante cerca como para oír si Marcus intentaba hablar. Coriolanus estaba deseando que sonara el gong para que los tributos dieran inicio a la acción y la distracción, pero la estasis inicial se alargaba.

Notó que Sejanus se estremecía de rabia; cuando se disponía a ponerle una mano encima para tranquilizarlo, el chico se levantó de un salto y salió corriendo. La zona de los mentores tenía cinco sillas vacías delante reservadas para los compañeros que no estaban. Sejanus agarró la de la esquina y la lanzó hacia la pantalla, con lo que destrozó la imagen del rostro desfigurado de Marcus.

—¡Monstruos! —gritó—. ¡Sois todos unos monstruos!

Después regresó corriendo por el pasillo y salió por la entrada principal del salón. Nadie movió un músculo para detenerlo.

En aquel momento sonó el gong, y los tributos se desperdigaron. La mayoría huyó hacia las puertas que conducían a los túneles, muchos de los cuales habían volado en pedazos con las últimas bombas. Coriolanus vio que el vestido de colores de Lucy Gray se dirigía al otro extremo de la arena, y él se agarró al borde del asiento, intentando impulsarla con su fuerza de voluntad. «Corre —pensó—. ¡Corre! ¡Sal de ahí!». Algunos de los tributos más fuertes se apresuraron a coger las armas, pero, tras seleccionar algunas, Tanner, Coral y Jessup se dispersaron. Solo Reaper, armado con un tridente y un cuchillo de hoja larga, parecía dispuesto a pelear. No obstante, para cuando estuvo a la ofensiva, ya no quedaba nadie con quien hacerlo. Se volvió para observar las espaldas de sus oponentes, echó la cabeza atrás, frustrado, y se subió a una grada cercana para empezar la caza.

Los Vigilantes aprovecharon la oportunidad para volver con Loco.

—¿Quería hacer una apuesta pero no pudo pasarse por la oficina de correos? ¿Por fin ha decidido a qué tributo quiere apoyar? —Un número de teléfono apareció en el margen inferior—. ¡Ahora puede hacerlo por teléfono! No tiene más que llamar al número que aparece en pantalla, indicar su código de ciudadanía, el nombre del tributo y la cantidad de dólares que desea apostar o regalar, ¡y formará parte de la acción! O, si prefiere realizar la transacción en persona, la estafeta estará abierta todos los días de ocho de la mañana a ocho de la noche. Adelante, no se pierda este momento histórico. Es su oportunidad de apoyar al Capitolio y, además, puede beneficiarse de ello. ¡Participe en los Juegos del Hambre y conviértase en ganador! ¡Ahora, de vuelta a la arena!

En cuestión de minutos, la arena se había despejado de tributos y solo se veía a Reaper, que, después de merodear por las gradas durante un rato, también se perdió de vista. Marcus y su agonía se convirtieron de nuevo en el centro de los Juegos.

—¿No deberías ir a buscar a Sejanus? —le susurró Lysistrata al oído.

—Creo que preferirá estar a solas —respondió él.

Lo cual era probablemente cierto, aunque lo importante para Coriolanus era no perderse nada, no provocar a la doctora Gaul y que nadie lo relacionara en público con Sejanus. Empezaba a preocuparle que cada vez más gente pensase que eran grandes amigos, que él era el confidente de aquel impredecible chico de los distritos. Una cosa era regalar sándwiches, y otra muy distinta lanzar una silla. Seguro que habría repercusiones, y Coriolanus ya tenía problemas de sobra sin necesidad de añadir a la lista a Sejanus.

Transcurrieron treinta minutos eternos antes de que una distracción llamara la atención de la audiencia. Las bombas cerca de la entrada habían abierto la puerta principal, pero bajo el marcador se había erigido una barricada. Con sus múltiples capas de bloques de hormigón, tableros de madera y alambre de espino, era un engendro y un recordatorio del ataque rebelde; quizá por eso los Vigilantes no la habían mostrado mucho en pantalla. Sin embargo, como no sucedía nada más, transigieron y mostraron a los televidentes que una chica delgaducha y de largas extremidades salía de la fortificación.

—¡Es Lamina! —le dijo Pup a Livia, que estaba sentada a su lado, un par de filas por delante de Coriolanus.

Lo único que el chico recordaba de la tributo de Pup era que había sido incapaz de contener las lágrimas en la primera reunión entre mentores y tributos. Pup no la había preparado para la entrevista, con lo que había perdido la oportunidad de promocionarla. Ni siquiera recordaba su distrito… ¿El 5, quizá?

Una voz en off bastante desagradable le aclaró la duda.

—Ahora vemos a Lamina, de quince años, procedente del Distrito 7 —dijo Loco—. Su mentor es nuestro Pliny Harrington. El Distrito 7 disfruta del honor de proporcionar al Capitolio la madera que usamos para reparar nuestro querido estadio.

Lamina observó a Marcus y analizó su situación. La brisa estival alborotó el halo dorado de sus cabellos mientras la chica entornaba los ojos para protegerlos del sol. Llevaba un vestido que parecía hecho con un saco de harina, sujeto con un trozo de cuerda, y se le veían picaduras de insectos en los pies descalzos y en las piernas. Tenía los ojos hinchados y exhaustos, enrojecidos pero secos. De hecho, parecía curiosamente tranquila, dadas las circunstancias. Sin prisa, sin nervios, se acercó a las armas y se tomó su tiempo para elegir primero un cuchillo y después un hacha pequeña, y comprobó los filos con la punta del pulgar. Se metió el cuchillo en el cinturón y movió el hacha de un lado a otro, sopesándola. Después se dirigió a uno de los postes. Acarició el acero, que estaba oxidado y tenía salpicaduras de pintura de alguna obra anterior. Coriolanus creyó que pensaba intentar cortarlo con el hacha, ya que era del distrito maderero, pero la chica sujetó el hacha entre los dientes y empezó a trepar usando las rodillas y los encallecidos pies para agarrarse al metal. Parecía en su elemento, como una oruga subiendo por un tallo, aunque el chico, que había tenido que emplear unas cuantas horas de más para lograr trepar por la cuerda de la clase de gimnasia, sabía la fuerza que se requería.

Cuando llegó a lo alto del poste, Lamina se puso de pie y se metió el hacha en el cinturón. Aunque la viga transversal no medía más de quince centímetros de ancho, no le costó caminar por ella hasta quedar por encima de Marcus. A horcajadas sobre la viga, se aferró a ella con los tobillos y se inclinó sobre la cabeza machacada del tributo. Le dijo algo que los micrófonos no captaron, aunque él debió de oírlo, porque movió los labios para responder. Lamina enderezó la espalda y analizó la situación. Después volvió a agarrarse bien y descargó el hacha sobre la curva del cuello de Marcus. Una vez. Dos. A la tercera y con un chorro de sangre, consiguió matarlo. Tras sentarse de nuevo, se limpió las manos en la falda y miró a lo lejos.

—¡Esa es mi chica! —exclamó Pup.

De repente, apareció en pantalla: la cámara del Salón Heavensbee estaba emitiendo su reacción. Coriolanus se vio de lejos, un par de filas por detrás de Pup, y se sentó más erguido. Pup sonrió, lo que dejó al descubierto los trocitos de los huevos del desayuno que se le habían enganchado en los bráquets, y alzó un puño.

—¡La primera muerte del día! Esa es mi tributo, Lamina, del Distrito 7 —dijo a cámara, y levantó la muñeca—. Mi brazalector está a su disposición. ¡Nunca es demasiado tarde para apoyar al Capitolio y enviar un regalo!

El número de teléfono apareció de nuevo en pantalla, y Coriolanus oyó unos cuantos pitidos procedentes del brazalector de Pup, uno por cada regalo a Lamina de sus patrocinadores. Los Juegos del Hambre eran más fluidos, más activos de lo que él creía. «¡Despierta! —se dijo—. ¡No eres un espectador, sino un mentor!».

—¡Gracias! —exclamó Pup mientras saludaba a la cámara—. Bueno, creo que se merece una pequeña recompensa, ¿no creen?

Toqueteó su brazalector y miró a la pantalla, expectante, mientras la cámara regresaba a Lamina. La audiencia estaba pendiente, ya que era el primer intento de entregar un regalo a un tributo. Pasó un minuto; después, cinco. Coriolanus empezaba a preguntarse si a los Vigilantes les habría fallado la tecnología cuando un pequeño dron apareció sobre la arena junto a la entrada, cargado con un botellín de agua de medio litro, y se dirigió, tembloroso, a Lamina. Volaba en bucles, bajaba e incluso llegó a ir marcha atrás antes de estrellarse contra la viga a unos tres metros de la chica. Como un insecto que recibe un manotazo, cayó al suelo. La botella se rompió, y el agua empapó la tierra y desapareció.

Lamina contempló su regalo, inexpresiva, como si fuera lo que se esperaba, pero Pup soltó, enfadado:

—¡Un momento! No es justo. ¡Alguien ha pagado por eso!

Los presentes murmuraron, dándole la razón. No hubo una solución inmediata. No obstante, diez minutos después apareció una botella de repuesto, y esta vez Lamina consiguió quitársela al dron, que, como su predecesor, acabó mordiendo el polvo.

Lamina bebía un trago de agua de vez en cuando, pero, por lo demás, no hubo más movimiento que el de las moscas reunidas alrededor del cadáver de Marcus. De vez en cuando, Coriolanus oía un pitido procedente del brazalector de Pup, lo que significaba que Lamina, que parecía sentirse satisfecha quedándose encima de la viga, estaba recibiendo más regalos. En realidad, no era mala estrategia. Allí estaría más a salvo que en el suelo, sin duda. Tenía un plan. Podía matar. En menos de una hora, la chica se había redefinido como una aspirante a ganadora. Parecía mucho más dura que Lucy Gray, en cualquier caso. Dondequiera que esta estuviera.

Pasó el tiempo. A excepción de Reaper, que de vez en cuando aparecía merodeando por las gradas, ninguno de los tributos se presentó como cazador, ni siquiera los armados. De no ser por la forma en que habían expuesto a Marcus y la actuación de Lamina al matarlo, habría sido un inicio lentísimo. Lo más habitual era que el primer baño de sangre sucediera nada más empezar los Juegos, pero, con tantos tributos competitivos muertos, en la arena había más presas que cazadores.

El estadio se redujo a una ventanita en la esquina de la pantalla cuando apareció Loco para dar más información sobre los distritos y añadir un informe meteorológico de propina. Ser presentador a tiempo completo de los Juegos era territorio inexplorado, así que se esforzaba por crear ese papel. Cuando Tanner empezó a subir por las gradas y a recorrer el nivel superior, devolvió rápidamente la conexión, pero el tributo se limitó a sentarse un rato al sol antes de desaparecer en los pasadizos bajo las gradas.

Un movimiento de algún tipo hizo que los presentes en el Salón Heavensbee volvieran la vista atrás, y Coriolanus vio a Lepidus Malmsey subir por el pasillo con su equipo de televisión. Invitó a Pup a unirse a él, y emitieron su entrevista en directo. Pup, una fuente hasta ahora sin explotar, recitó de un tirón todos los detalles que se le ocurrieron sobre Lamina y después añadió algunos más que parecían inventados. Aun así, solo tardó unos minutos. Aquello estableció el patrón para el resto de la mañana: breves entrevistas informativas con los mentores seguidas de largos periodos de inactividad en la arena. Todo el mundo se alegró cuando llegó la pausa para comer.

—Me mentiste, esto no se acabará pronto —masculló Lysistrata mientras hacían cola para recibir los sándwiches de beicon apilados en una mesa del salón.

—Seguro que la cosa se anima. Tiene que hacerlo.

Pero, al parecer, no. Aquella tarde, tan larga y calurosa, solo sirvió para ver de pasada a unos cuantos tributos y a un cuarteto de pájaros carroñeros volando en círculos sobre Marcus. Lamina consiguió cortar sus sujeciones lo suficiente como para enviarlo al suelo. En agradecimiento a sus esfuerzos, Pup le envió una rebanada de pan, que ella dividió en trocitos, con los que hizo bolitas que se comió una a una. Después se tumbó boca abajo, sujetó su cuerpo larguirucho a la viga rodeándola con su cinturón y se quedó dormida.

Noticias del Capitolio encontró un momento de alivio, aunque breve, al enseñar la plaza frente al estadio, donde habían montado puestos de comida para vender bebidas y dulces a los ciudadanos que se habían acercado a ver los Juegos en las dos grandes pantallas que flanqueaban la entrada. Como no sucedía gran cosa en la arena, casi toda la atención se centraba en un par de perros que sus dueños habían disfrazado de Jessup y de Lucy Gray. Coriolanus tenía sentimientos encontrados al respecto (la verdad es que no le gustaba ver al pobre caniche con sus volantes arcoíris), hasta que un par de pitidos sonaron en su brazalector y decidió que no había publicidad mala. Pero los perros se acabaron cansando y se los llevaron a casa, y seguía sin suceder nada.

Eran casi las cinco cuando Loco presentó a la doctora Gaul. El esfuerzo de mantenerse en pantalla tanto tiempo empezaba a pasarle factura al presentador.

—¿Alguna novedad, Vigilante Jefe de los Juegos? —preguntó, y lanzó las manos al aire con gesto de perplejidad.

La doctora Gaul hizo como si no existiera y habló directamente para la cámara.

—Quizá a algunos de ustedes les extrañe el arranque tan lento de los Juegos, pero permítanme recordarles que este carrusel de emociones tan solo acaba de comenzar. Más de un tercio de los tributos ni siquiera llegaron a la arena, y los que sí, en su mayoría, no eran precisamente los más aventajados. Por lo que a bajas respecta, estamos igualados con la edición anterior.

—Sí, eso es cierto —dijo Loco—. Aunque creo hablar en nombre de mucha gente si pregunto: ¿dónde se han metido este año los tributos? Por lo general, son fáciles de encontrar.

—No sé si han olvidado que recientemente hemos sufrido un ataque con bombas —replicó la doctora Gaul—. En ediciones previas, las zonas abiertas a los tributos se restringían principalmente a la arena y las gradas, pero el ataque de la semana pasada ha abierto un gran número de grietas y cráteres, lo que ha facilitado el acceso al laberinto de túneles que discurren por el interior de los muros del estadio. Esta es la novedad de estos Juegos: primero hay que encontrar a cada tributo, para después sacarlo de su madriguera.

—Oh. —Loco parecía decepcionado—. Entonces, ¿es posible que no volvamos a ver a algunos de esos tributos?

—No se preocupe. Cuando el hambre apriete, comenzarán a asomar la cabeza —dijo la doctora Gaul—. Ese es otro factor a tener en cuenta. Mientras el público siga enviando alimentos, los Juegos podrían prolongarse indefinidamente.

—¿Indefinidamente? —repitió Loco.

—¡Espero que se sepa más trucos de magia! —La doctora profirió una carcajada estridente—. ¿Sabe? Tengo un conejo muto al que me encantaría ver salir de su chistera. Es medio pitbull.

Loco palideció mientras intentaba reaccionar con una sonrisa.

—No, gracias. Tengo mis propias mascotas, doctora Gaul.

—Casi me compadezco de él —le susurró Coriolanus a Lysistrata.

—Yo no —dijo ella—. Son tal para cual.

El decano Highbottom dejó que los estudiantes se fueran a las cinco en punto, pero los catorce mentores con tributos se quedaron, en gran medida porque sus brazalectores solo funcionaban gracias a los transmisores instalados en la Academia y en la sede de Noticias del Capitolio.

En torno a las siete les sirvieron una opípara cena a las «estrellas», lo que hizo que Coriolanus se sintiese importante y el centro de atención. Las chuletas de cerdo con patatas superaban sin duda lo que tenían en casa, razón de más para esperar que Lucy Gray se mantuviera con vida. Mientras rebañaba la salsa del plato, se preguntó si ella tendría hambre. Aprovechando el momento del postre —pasteles de arándano y nata—, se llevó a Lysistrata a un lado para discutir la situación. Sus respectivos tributos deberían disponer de un bonito alijo de comida procedente del encuentro de despedida, sobre todo si Jessup había perdido el apetito, pero ¿qué pasaba con el agua? ¿Habría alguna fuente en la arena? Y, si se animaban a hacerlo, ¿cómo pensaban enviarles víveres sin desvelar su escondrijo? La doctora Gaul probablemente tenía razón al asegurar que los tributos asomarían la cabeza cuando necesitasen algo. Hasta entonces, decidieron que la mejor estrategia sería no llamar la atención.

Estaban terminándose el postre cuando un brote de actividad en la arena devolvió a todos los mentores a sus asientos. El chico del Distrito 3 de Io Jasper, Circ, acababa de arrastrarse fuera de la barricada que se había formado junto a la entrada. Miró a su alrededor antes de indicarle a alguien por señas que se acercara. Una niña menuda y desastrada, con el pelo oscuro encrespado, se dirigió corriendo hacia él. Lamina, que dormitaba aún encaramada a su viga, abrió un ojo para determinar el nivel de amenaza que representaban.

—No te preocupes, mi dulce Lamina —murmuró Pup a la pantalla—. Esos dos no podrían trepar ni por una escalera.

Lamina debió de opinar lo mismo, puesto que se limitó a adoptar una postura más cómoda.

Loco Flickerman se materializó en la esquina de la pantalla, con una servilleta remetida en el cuello y una mancha de arándano en la barbilla, para recordarles a los espectadores que esos jóvenes eran los tributos del Distrito 3, el distrito tecnológico. Circ era el chico que había afirmado ser capaz de usar sus gafas para prender fuego a las cosas.

—Y ella se llama... —Loco desvió la mirada hacia el margen de la pantalla para consultar la ficha que debían de estar enseñándole—. ¡Teslee! ¡Teslee, del Distrito 3! Cuyo mentor no es otro que... —Miró fuera del encuadre de nuevo, pero esta vez parecía perdido—. No es otro que...

—Venga ya, esfuérzate un poco —refunfuñó desde la primera fila Urban Canville. Sus padres, como los de Io, eran científicos de algún tipo. ¿Tal vez físicos? Urban tenía tan mal genio que a nadie le importaba meterse con él por las notas tan perfectas que sacaba en los exámenes de cálculo. Coriolanus pensó que no podía culpar a Loco por no haber memorizado su nombre después de haberlo dejado plantado el día de las entrevistas. Teslee, por su parte, era pequeña pero no daba la impresión de ser presa fácil.

—¡No es otro que Turban Canville! —exclamó por fin Loco.

—¡Urban, no Turban! De verdad, ¿no podrían haber contratado a un profesional?

—Lamentablemente, no vimos ni a Turban ni a Teslee durante las entrevistas —continuó Loco.

—¡Porque se negaba a dirigirme la palabra! —le espetó Urban a la pantalla.

—Inexplicablemente inmune a sus encantos —dijo Festus, provocando que toda la fila de atrás se riera.

—Voy a mandarle algo a Circ ahora mismo. Quién sabe cuándo volveré a verlo —anunció Io mientras toqueteaba su brazalector.

Coriolanus vio que Urban se apresuraba a imitarla.

Circ y Teslee sortearon ágilmente el cadáver de Marcus y se agacharon para examinar los drones estropeados. Sus manos volaban con delicadeza sobre el equipo, evaluando los daños y tanteando compartimentos que habrían podido pasar inadvertidos a simple vista. Circ extrajo un objeto rectangular que Coriolanus tomó por una batería y levantó el pulgar para Teslee. La niña, mientras tanto, había terminado de ensamblar un puñado de cables y las luces de su dron parpadearon. Intercambiaron una sonrisa.

—¡Vaya, vaya! —exclamó Loco—. ¡Esto se pone interesante!

—Sería todavía más interesante si tuvieran los mandos —refunfuñó Urban, aunque parecía menos enfadado que antes.

La pareja aún examinaba los drones cuando llegaron volando otros dos para soltar pan y agua en sus inmediaciones. Mientras recogían los regalos, apareció una figura al fondo de la arena. Se consultaron, cogieron un dron cada uno y regresaron corriendo a la barricada. La figura resultó ser Reaper, que se metió en uno de los túneles para reaparecer acto seguido con algo en los brazos. Cuando las cámaras hicieron zoom sobre ellos, Coriolanus vio que se trataba de Dill, la cual parecía haber encogido y adoptado una posición fetal. Tenía la mirada perdida en el sol del atardecer que jaspeaba su piel cenicienta. Sufrió un ataque de tos, y en la comisura de sus labios se materializó un hilillo de saliva sanguinolenta.

—Me sorprende que haya aguantado el día entero —comentó Felix para nadie en particular.

Reaper rodeó los escombros de las explosiones hasta llegar a un espacio soleado y depositó a Dill sobre una plancha de madera chamuscada. La muchacha tiritaba a pesar del calor. Reaper apuntó al sol con el dedo y dijo algo, pero ella no reaccionó.

—¿Ese no es el que había prometido matarlos a todos? —preguntó Pup.

—A mí no me parece tan duro —se burló Urban.

—Es su compañera de distrito —dijo Lysistrata—. Y ya casi está muerta. Tuberculosis, probablemente.

Sus palabras acallaron todos los comentarios, puesto que una agresiva cepa de esa enfermedad circulaba todavía por el Capitolio, donde se consideraba un mal crónico, en el mejor de los casos, y por supuesto sin cura. En los distritos representaba una sentencia de muerte segura.

Reaper deambuló de un lado para otro durante unos instantes, inquieto, ya fuera porque ardía en deseos de reanudar la cacería o porque lo atormentaba el sufrimiento de Dill. Le dio una palmadita de despedida a la niña y se dirigió a la barricada.

—¿No deberías mandarle algo? —le preguntó Domitia a Clemensia.

—¿Por qué? No la ha matado. Se ha limitado a llevarla en brazos. No voy a recompensarlo por eso —repuso Clemensia.

Coriolanus decidió que había tomado la decisión acertada al procurar esquivarla. Clemensia no era la misma de antes. Quizá el veneno de serpiente le hubiera afectado el cerebro.

—Bueno, creo que debería usar lo poco que tengo. Suyo es —dijo Felix mientras introducía un comando en su brazalector.

Dos botellas de agua llegaron volando en un dron. Dill parecía no haber reparado en ellas. Transcurridos unos minutos, el chico que Coriolanus recordaba haber visto haciendo malabares salió corriendo de uno de los túneles, se agachó para recoger el agua y se perdió de vista por una grieta de gran tamaño de la pared. La voz de Loco, superpuesta a las imágenes, les recordó a los espectadores que el muchacho se llamaba Treech, del Distrito 7, cuya mentora era Vipsania Sickle.

—Vaya, eso ha sido cruel —observó Felix—. No le costaba nada ofrecerle un último trago.

—Me gusta su forma de pensar —dijo Vipsania—. Dispongo de pocos recursos y eso me ahorra dinero.

El sol se hundía sobre el horizonte, y las aves carroñeras sobrevolaban la arena en lánguidos círculos. El cuerpo de Dill se convulsionó con un violento ataque de tos y un chorro de sangre le empapó el vestido mugriento. Coriolanus reaccionó con aprensión. La sangre que brotaba de la boca de la pequeña lo horrorizaba y asqueaba a partes iguales.

Loco Flickerman apareció en pantalla para anunciar que Dill, la tributo del Distrito 11, había fallecido por causas naturales. Eso, lamentablemente, significaba que Felix Ravinstill ya no se iba a prodigar mucho más.

—Lepidus, ¿podríamos tener unas últimas palabras con él desde el Salón Heavensbee?

Lepidus sacó a Felix y le preguntó cómo se sentía por tener que abandonar los Juegos.

—En fin, no es ninguna sorpresa, la verdad. La cría esa ya estaba en las últimas cuando llegó aquí.

—Creo que dice mucho a tu favor que lograras ayudarla a participar en la entrevista —se solidarizó Lepidus con él—. Muchos mentores ni siquiera fueron capaces de eso.

Coriolanus se preguntó si los halagos de Lepidus no obedecerían al hecho de que Felix fuese el sobrino nieto del presidente, pero no iba a guardarle rencor por eso. Sentaba el precedente de un grado de éxito que él ya había superado, por lo que, incluso si Lucy Gray no sobrevivía a esa noche, seguiría destacando sobre los demás. Aunque tenía que sobrevivir a esa noche, y a la siguiente, y a la siguiente, hasta que ganara. Había prometido ayudarla, pero de momento no había hecho absolutamente nada aparte de promocionarla entre el público.

De nuevo en el estudio, Loco le dedicó unos cuantos elogios más a Felix y cortó la conexión.

—Se cierne la noche sobre la arena, y la mayoría de nuestros tributos ya se han ido a dormir, como deberían hacer ustedes también. Aquí permaneceremos atentos a todo lo que suceda, pero en realidad no esperamos que haya mucha acción antes de que amanezca. Dulces sueños.

Los Vigilantes de los Juegos dieron paso a un plano general de la arena, donde la silueta de Lamina en su viga fue prácticamente lo único que pudo distinguir Coriolanus. Al anochecer, la luna era la única fuente de iluminación del estadio, lo que repercutía en la nitidez de las retransmisiones. El decano Highbottom les dio permiso para marcharse a sus casas, aunque sugirió que, en el futuro, sería buena idea llevar un cepillo de dientes y ropa para cambiarse. Todos le dieron la mano a Felix y lo felicitaron por el trabajo bien hecho; con sinceridad, la mayoría, puesto que esa jornada había reforzado de forma insospechada los lazos que los unían como mentores. Eran miembros de un club exclusivo que, aunque terminaría reduciéndose a uno solo, los definiría a todos ellos para siempre.

Coriolanus echó cuentas mientras volvía caminando a casa. Dos tributos más habían muerto, pero hacía tiempo que había dejado de considerar un rival a Marcus. En cualquier caso, ya solo quedaban trece; Lucy Gray únicamente necesitaba sobrevivir a los otros doce. Y, como habían demostrado Dill y el pequeño asmático del Distrito 5, todo podía reducirse en gran parte a resistir más que el resto. Rememoró el día anterior: las lágrimas que él le había secado, la promesa de mantenerla con vida que le había hecho, el beso que le había dado. ¿Estaría pensando en él en esos momentos? ¿Lo estaría echando de menos tanto como él a ella? Esperaba que hiciera su aparición al día siguiente para poder enviarle agua y comida. Recordarle al público que existía. Por la tarde solo había recibido unos cuantos regalos, y eso debido tal vez a su alianza con Jessup. El personaje interpretado por Lucy Gray, el alegre pájaro cantor, perdía fuerza con cada nuevo y sombrío giro de los acontecimientos que se producía en los Juegos del Hambre. Nadie más que él estaba al corriente de la existencia de ese veneno para ratas, lo que no contribuía a potenciar el estatus de la muchacha.

Acalorado y cansado después de una jornada estresante, nada le apetecía más que ducharse y hundirse en la cama, pero en cuanto entró en el apartamento percibió la fragancia del té de jazmín reservado para las visitas. ¿Quién se habría presentado allí a esas horas?

Y el día de la inauguración, nada menos. Era demasiado tarde para las amistades de la abuelatriz, demasiado tarde para los vecinos, que, de todas formas, no eran precisamente sociables. Aquello le dio mala espina.

Los Snow rara vez usaban el televisor de la sala de estar, aunque tenían uno, por supuesto. Su pantalla mostraba la arena en penumbra, tal y como él la había visto por última vez en el Salón Heavensbee. Encontró a la abuelatriz, que se había echado decorosamente una bata por encima del camisón, sentada muy rígida al filo de una silla con el respaldo recto, junto a la mesita para el té, mientras Tigris le servía una humeante taza de líquido claro a su invitada.

Pues allí estaba la señora Plinth, más arrugada que nunca, con el pelo alborotado y el vestido torcido, llorando con la cara oculta tras un pañuelo.

—Sois tan amables... —Hipó—. Siento mucho haberme presentado de esta manera.

—Cualquier amigo de Coriolanus es amigo nuestro —le aseguró la abuelatriz—. ¿Plinch, habías dicho?

A Coriolanus le constaba que sabía perfectamente quién era Ma, pero verse obligada a hacer de anfitriona para nadie, y mucho menos para una Plinth, a esas horas tan intempestivas iba en contra de sus principios.

—Plinth —la corrigió la mujer—. Plinth.

—¿No te acuerdas, abuelatriz? Nos mandó aquel guiso tan rico cuando se lastimó Coriolanus —le recordó Tigris.

—Lo siento. Es demasiado tarde —dijo la señora Plinth.

—No se disculpe usted, por favor. Ha hecho lo que debía —la consoló Tigris, dándole una palmadita en el hombro. Adoptó un gesto de alivio al reparar en la presencia de Coriolanus—. ¡Ah, ya ha llegado mi primo! A lo mejor él sabe algo.

—Señora Plinth, qué placer tan inesperado. ¿Va todo bien?

—preguntó el muchacho, como si aquello no oliera a la legua a malas noticias.

—Ay, Coriolanus. No. En absoluto. Sejanus no ha vuelto a casa. Sabemos que salió de la Academia esta mañana, pero no lo he visto desde entonces. Estoy muy preocupada —dijo—. ¿Dónde se habrá metido? Sé que el estado de Marcus le había afectado. ¿Tú sabes algo? ¿Alguna pista sobre su paradero? ¿Estaba alterado cuando se marchó?

Coriolanus se recordó que los únicos testigos del estallido de Sejanus, el lanzamiento de la silla y los insultos proferidos a gritos eran los presentes en el Salón Heavensbee.

—Estaba alterado, señora, pero no sé si eso es motivo para preocuparse. Seguramente necesitaba tranquilizarse un poco, nada más. Estará dando un largo paseo o algo parecido. Yo habría hecho lo mismo.

—Pero es que es tan tarde... No es propio de él desaparecer sin dejar ni rastro —se lamentó la mujer—, no sin avisar a su Ma.

—¿Se le ocurre a usted algún sitio al que pudiera haber ido? —preguntó Tigris—. ¿Alguien con quien quisiera hablar?

La señora Plinth negó con la cabeza.

—No. No. Tu primo es su único amigo.

«Qué triste no tener amigos», pensó Coriolanus. Pero se limitó a decir:

—¿Sabe? Si hubiera querido compañía, habría acudido a mí antes que a nadie. Es comprensible que necesite pasar un tiempo a solas para..., para digerir todo esto. Seguro que se encuentra bien. De lo contrario, ya se habría enterado.

—¿Les ha preguntado a los agentes de la paz? —quiso saber Tigris.

La señora Plinth asintió.

—Ni rastro de él.

—¿Lo ve? —dijo Coriolanus—. No se ha metido en problemas. Quizá ya esté en casa.

—Debería ir a comprobarlo —sugirió la abuelatriz sin ningún disimulo.

—O podría llamar por teléfono —añadió rápidamente Tigris, lanzándole una mirada a su abuela.

Pero la señora Plinth ya se había tranquilizado lo suficiente como para captar la indirecta.

—No. Tu abuela tiene razón. Debería estar en casa. Y también debería dejaros dormir.

—Coriolanus la acompañará —dijo con firmeza Tigris.

Puesto que no le dejaba elección, el muchacho asintió con la cabeza.

—Por supuesto.

—He dejado el coche a la vuelta de la esquina. —La señora Plinth se levantó y se atusó el pelo—. Gracias. Habéis sido muy amables. Os lo agradezco.

Recogió su voluminoso bolso y se volvió, dispuesta a marcharse, cuando las imágenes de la pantalla captaron su atención. Se quedó petrificada.

Coriolanus siguió la dirección de su mirada y vio la sombra de una silueta que salía de la barricada y se dirigía a donde se hallaba Lamina. La figura era alta y masculina, y llevaba algo en las manos. «Reaper o Tanner», pensó. El chico se detuvo al llegar junto al cadáver de Marcus y levantó la cabeza para observar a la tributo dormida. «Supongo que alguien se ha animado a actuar contra ella, por fin». Sabía que debería prestar atención, como mentor que era, pero antes quería librarse de la señora Plinth.

—¿La acompaño hasta el coche? —preguntó—. Apuesto a que encontrará a Sejanus en la cama.

—No, Coriolanus —dijo la señora Plinth con un hilo de voz—. No. —Inclinó la cabeza en dirección a la pantalla—. Mi niño está ahí.

15

En cuanto lo dijo, Coriolanus supo que Ma estaba en lo cierto. Puede que solo una madre fuera capaz de identificar a su hijo en aquella penumbra, pero, tras su indicación, él reconoció a Sejanus. Había algo en su postura, ligeramente encorvada, y en la línea de la frente. La camisa blanca del uniforme de la Academia emitía un tenue brillo en la oscuridad, y casi distinguía la chapa amarilla de los mentores colgada del pecho. No tenía ni idea de cómo Sejanus había logrado entrar en la arena. Un chico del Capitolio, un mentor, ni más ni menos, quizá no hubiera llamado demasiado la atención en la entrada, donde se podían comprar buñuelos y limonada rosa, lo que le habría permitido unirse a la multitud que veía los Juegos en la pantalla. ¿Se había limitado a mezclarse con la gente? ¿O habría usado su limitada fama para no despertar sospechas? «¡Mi tributo está muerto, así que he decidido divertirme!». ¿Habría posado para fotos? ¿Habría charlado con los agentes de la paz, esperando a que se despistaran para colarse de algún modo? ¿Quién iba a pensar que pretendía entrar en el estadio? ¿Y por qué demonios lo había hecho?

En pantalla, un Sejanus envuelto en sombras se agachó, dejó un paquete en el suelo y empujó a Marcus hasta tenerlo boca arriba. Hizo lo que pudo por enderezarle las piernas y doblarle los brazos sobre el pecho, pero las extremidades estaban rígidas y se resistían. Coriolanus no vio bien lo que sucedía a continuación, algo que guardaba relación con el paquete, pero entonces Sejanus se levantó y sostuvo una mano por encima del cadáver.

«Es lo que hizo en el zoo», pensó. Recordaba que, después de la muerte de Arachne, lo había visto espolvorear algo sobre el cuerpo de la tributo muerta.

—¿Es ese su hijo? ¿Qué hace? —le preguntó la abuelatriz, horrorizada.

—Está dejando migas de pan sobre el cadáver —respondió Ma—. Para que Marcus tenga comida durante su viaje.

—¿Su viaje adónde? —preguntó la anciana—. ¡Si está muerto!

—De vuelta al lugar del que vino —respondió Ma—. Es lo que hacemos en casa. Cuando alguien muere.

Coriolanus sintió vergüenza ajena, no pudo evitarlo. ¿Qué más prueba del atraso de los distritos que aquella? Gente primitiva con costumbres primitivas. ¿Cuánto pan habrían gastado en esa tontería? «¡Oh, no, se ha muerto de hambre! ¡Que alguien traiga el pan!». Tenía la desagradable sensación de que su supuesta amistad con él acabaría por traerle problemas. Como si alguien le hubiera leído la mente, sonó el teléfono.

—¿Es que toda la ciudad está despierta? —preguntó la abuelatriz.

—Disculpad. —Coriolanus fue hasta el teléfono del vestíbulo—. ¿Diga? —preguntó al auricular, esperando que se hubieran equivocado de número.

—Snow, soy la doctora Gaul. —A Coriolanus se le congeló la sangre en las venas—. ¿Estás cerca de una pantalla?

—La verdad es que acabo de llegar a casa —respondió para ganar tiempo—. Ah, sí, ahí está. Mi familia lo está viendo.

—¿Qué pasa con tu amigo?

Coriolanus le dio la espalda a la otra habitación y bajó la voz.

—En realidad no es... eso.

—Tonterías. Sois uña y carne —repuso la doctora—. «¡Ayúdame a repartir mis sándwiches, Coriolanus!». «¡Hay un asiento vacío a mi lado, Sejanus!». Cuando le pregunté a Casca por los compañeros que estaban más unidos a él, solo se le ocurrió tu nombre.

Era evidente que habían interpretado mal sus actos de cortesía con Sejanus. Eran conocidos, poco más.

—Doctora Gaul, si me permite explicárselo...

—No tengo tiempo para explicaciones. Ahora mismo, el mocoso de los Plinth está suelto por la arena entre una manada de lobos. Si lo ven, lo matarán en el acto. —Se volvió para hablar con otra persona—: No, no cortes la emisión de golpe, eso no haría más que llamar la atención. Oscurece la imagen todo lo que puedas. Que parezca natural. Un fundido en negro lento, como si una nube hubiese tapado la luna. —Siguió hablando con Coriolanus sin hacer apenas pausa—: Eres un chico listo. ¿Qué mensaje enviará esto a la audiencia? El daño será considerable. Debemos remediar la situación de inmediato.

—Podría enviar a los agentes de la paz.

—¿Y que salga corriendo como un conejo asustado? —resopló ella—. Imagínatelo por un momento: los agentes de la paz intentando cazarlo a oscuras. No, tendremos que conseguir que salga de la manera más discreta posible, y para eso necesitamos personas que le importen. No soporta a su padre, no tiene hermanos ni tampoco otros amigos. Eso nos deja contigo y con su madre. Estamos intentando localizarla en estos momentos.

—Está aquí mismo —reconoció Coriolanus mientras se le caía el alma a los pies. Eso ponía fin a su defensa de ser «solo conocidos».

—Bueno, pues dos pájaros de un tiro. Os quiero a los dos aquí, en la arena, dentro de veinte minutos. Como tardes más, seré yo la que te sancione, y no Highbottom, y puedes olvidarte de la oportunidad de ganar tu premio.

Dicho lo cual, colgó.

En su televisor, Coriolanus veía que la imagen se oscurecía. Apenas distinguía ya la silueta de Sejanus.

—Señora Plinth, era la Vigilante Jefe de los Juegos. Le gustaría que se reuniera con ella en el estadio para recoger a Sejanus, y yo tengo que acompañarla.

No podía desvelar nada más sin provocarle un ataque cardiaco a la abuelatriz.

—¿Se ha metido en un lío? —preguntó ella con los ojos muy abiertos—. ¿Con el Capitolio?

A Coriolanus le resultaba extraño que, dada la situación, la mujer estuviera más preocupada por el Capitolio que por un estadio lleno de tributos armados, aunque quizá tuviera un buen motivo, después de lo sucedido con Marcus.

—No, tranquila. Les preocupa su bienestar. No creo que tardemos mucho, pero no me esperéis levantadas —les dijo a Tigris y a la abuelatriz.

Llevó a la señora Plinth hasta la puerta lo más deprisa que pudo, casi cargando con ella, bajaron en el ascensor y recorrieron el vestíbulo del edificio. El coche de la mujer apareció sin emitir ruido alguno, y el chófer, seguramente un avox, asintió cuando le pidió que los llevara al estadio.

—Tenemos bastante prisa —añadió Coriolanus, y el vehículo aceleró de inmediato, deslizándose por las calles vacías.

Si era posible cubrir aquella distancia en veinte minutos, lo harían.

La señora Plinth se aferraba a su bolso mientras contemplaba la ciudad desierta por la ventanilla.

—La primera vez que vi el Capitolio era de noche, como ahora.

—Ah, ¿sí? —contestó Coriolanus, solo por mostrarse cortés.

En serio, ¿a quién le importaba aquello? Su futuro entero corría peligro por culpa de su díscolo hijo, y cabía cuestionar la educación que había recibido un chico que pensaba que colarse en la arena resolvería algo.

—Sejanus estaba sentado ahí mismo, donde estás tú, diciéndome: «No pasa nada, Ma. Todo irá bien». Intentando tranquilizarme. Cuando ambos sabíamos que era un desastre. Pero fue muy valiente. Muy bueno. Solo pensaba en su Ma.

—Mmmm, debió de ser un cambio enorme.

¿Qué pasaba con los Plinth, que siempre conseguían convertir la ventaja en tragedia? No había más que echarle un vistazo por encima al interior de aquel coche, al cuero repujado, los asientos tapizados, el bar con sus botellas de cristal de líquidos de colores, para saber que se encontraban entre los más afortunados de Panem.

—La familia y los amigos nos dieron la espalda —siguió diciendo la señora Plinth—. Aquí no hicimos amigos nuevos. Strabo, su padre, todavía piensa que hicimos lo correcto. Que en el 2 no había futuro. Era su forma de protegernos. Su forma de alejar a Sejanus de los Juegos.

—Lo que resulta irónico, dadas las circunstancias —comentó Coriolanus para intentar cambiar de tema—. No sé qué tendrá en mente la doctora Gaul, aunque me imagino que quiere que la ayude a sacarlo de ahí.

—No sé si podré, con lo enfadado que está. Puedo intentarlo, pero solo lo conseguiré si piensa que es lo correcto.

«Lo correcto», pensó Coriolanus, y se dio cuenta de que eso era lo que había definido siempre las acciones de Sejanus: su empeño por hacer lo correcto. Por esa insistencia lo evitaban los demás, como cuando desafió a la doctora Gaul mientras el resto de la clase se limitaba a intentar salir adelante. Sinceramente, era insufrible con tanta superioridad moral. No obstante, quizá pudieran aprovecharse de eso para manipularlo.

Cuando el coche se acercó a la entrada del estadio, Coriolanus vio que se habían esforzado por ocultar la crisis. Solo quedaba una docena de agentes de la paz y un puñado de Vigilantes. Al salir, se percató de que la temperatura había bajado muy deprisa desde su paseo a casa.

En la parte de atrás de una furgoneta, un monitor de Noticias del Capitolio mostraba una pantalla dividida con la imagen real de la arena al lado de la versión oscurecida que se le transmitía al público. La doctora Gaul, el decano Highbottom y unos cuantos agentes estaban reunidos a su alrededor. Cuando Coriolanus se acercó con la señora Plinth, distinguió a Sejanus arrodillado al lado del cadáver de Marcus, inmóvil como una estatua.

—Al menos eres puntual —comentó la doctora—. La señora Plinth, imagino.

—Sí, sí —respondió ella con voz temblorosa—. Siento que Sejanus esté causando molestias. Es un buen chico, de verdad. El problema es que se toma las cosas muy en serio.

—Nadie podría acusarlo de indiferencia —coincidió la doctora Gaul antes de volverse hacia Coriolanus—. ¿Alguna idea de cómo rescatar a tu amigo, Snow?

—Parece que está ahí arrodillado, sin más —dijo el decano—. Es posible que sufra una especie de conmoción.

—Está tranquilo. Quizá puedan enviar a los agentes de la paz sin sobresaltarlo, ¿no? —sugirió el chico.

—Demasiado arriesgado —repuso la doctora.

—¿Y si dejamos que su madre hable por unos altavoces o por un megáfono? —prosiguió Coriolanus—. Si pueden oscurecer la imagen, seguro que también pueden manipular el audio.

—En la retransmisión, sí, pero en la arena estaríamos avisando a todos los tributos de que hay un chico desarmado del Capitolio entre ellos —dijo el decano Highbottom.

Coriolanus empezó a tener un mal presentimiento.

—¿Qué proponen? —preguntó.

—Creemos que alguien a quien conozca tiene que entrar con la mayor discreción posible y convencerlo para que salga —respondió la doctora Gaul—. Es decir, tú.

—¡Oh, no! —exclamó la señora Plinth con un aplomo sorprendente—. No puede ser Coriolanus. Lo que nos faltaba ahora era poner a otro niño en peligro. Lo haré yo.

El joven agradeció la oferta, aunque sabía que tenía pocas posibilidades de prosperar. Con sus ojos rojos e hinchados, y sus inestables tacones altos, no inspiraba mucha confianza como agente encubierta.

—Lo que necesitamos es a alguien que pueda salir corriendo en caso necesario. Snow es el más adecuado para esta misión. —La doctora Gaul señaló a unos agentes de la paz, que se dispusieron a ponerle a Coriolanus un chaleco blindado para entrar en la arena—. Este chaleco debería proteger tus órganos vitales. Aquí tienes espray de pimienta y un flash para cegar temporalmente a tus enemigos, si es que te ganas alguno.

Coriolanus miró la botellita de espray y el flash.

—¿Y una pistola? ¿O, al menos, un cuchillo?

—Como no has recibido entrenamiento, esto parece lo más seguro. Recuerda que no estás ahí para causar bajas, sino para sacar a tu amigo lo más rápida y silenciosamente posible —le indicó la doctora Gaul.

Otro alumno, o incluso el Coriolanus de un par de semanas antes, habría protestado por la situación; habría insistido en que llamaran a un padre o tutor; habría suplicado. Sin embargo, después del ataque de las serpientes a Clemensia, de las consecuencias de las bombas y de la tortura a Marcus, sabía que no tendría sentido. Si la doctora decidía que tenía que entrar en el estadio, allí que iría; daba igual que su recompensa estuviera o no en juego. Era como los sujetos de sus otros experimentos; para ella, estudiantes y tributos tenían el mismo valor que los avox de las jaulas. No se les permitía objetar.

—No puede hacerlo, no es más que un niño. Deje que llame a mi marido —suplicó la señora Plinth.

—No le pasará nada —dijo el decano Highbottom, esbozando una sonrisita dirigida a Coriolanus—. Un Snow no muere fácilmente.

¿Había sido todo idea del decano? ¿Lo vería como un atajo en su plan para destruir el futuro de Coriolanus? En cualquier caso, parecía inmune a los ruegos de Ma.

Con agentes a ambos lados (¿para su seguridad o para evitar que huyera?), caminó hasta la arena. No recordaba cómo lo habían sacado tras las bombas (¿por otra salida?), pero vio los destrozos provocados en la entrada principal. Una de las dos grandes puertas había volado por los aires y dejado un enorme agujero con un marco de metales retorcidos. Aparte del guardia, poco se había hecho para asegurar la zona, salvo colocar unas cuantas filas de barreras de hormigón que llegaban hasta la cintura. Sejanus no habría necesitado más que una buena distracción para pasar por allí, y el bullicio festivo había estado presente casi todo el día. Si a los agentes de la paz les preocupaba la actividad rebelde, su objetivo era localizar a cualquiera que amenazara a la multitud. Aun así, la seguridad parecía demasiado laxa. ¿Qué pasaba si los tributos intentaban huir de nuevo?

Coriolanus y su escolta avanzaron en zigzag a través de las barreras hasta llegar al vestíbulo, que había recibido multitud de impactos. Las pocas bombillas eléctricas intactas que rodeaban los puestos de comida y de venta de entradas iluminaban una capa de polvo de yeso que cubría fragmentos del techo y del suelo, los pilares derribados y las vigas caídas. Para llegar a los tornos había que esquivar los escombros, y de nuevo supo cómo podría haber entrado Sejanus sin que lo detectaran; solo hacía falta un poco de paciencia y algo de suerte. Los tornos del extremo de la derecha habían recibido varios impactos, así que solo quedaban fragmentos de metal fundido retorcido y un acceso abierto. Allí habían levantado los agentes la primera fortificación: unos barrotes temporales rodeados de alambre de espino y protegidos por media docena de guardias armados. Los tornos intactos aún representaban un bloqueo efectivo, ya que no permitían que se pudiera entrar de nuevo.

—Entonces, ¿tenía una ficha? —preguntó Coriolanus.

—Tenía una ficha —confirmó el viejo agente de la paz que parecía estar al mando—. Nos sorprendió con la guardia baja. En realidad, no esperábamos que alguien entrara en la arena durante los Juegos, solo que intentara salir. —Se sacó una ficha del bolsillo—. Esta es para usted.

—¿Cómo pensaba salir? —preguntó Coriolanus mientras le daba vueltas al disco entre los dedos, sin avanzar hacia los tornos.

—Creo que no pensaba hacerlo.

—¿Y cómo voy a salir yo?

El plan parecía arriesgado, por decirlo suavemente.

—Por ahí —respondió el agente, señalando los barrotes—. Podemos retirar el alambre de espino, inclinar las barras hacia delante y dejar una abertura lo bastante amplia para que pueda arrastrarse por debajo.

—¿Pueden hacerlo deprisa? —preguntó vacilante.

—Lo tenemos en cámara. Empezaremos a mover los barrotes en cuanto veamos que lo trae de vuelta —le aseguró el agente de la paz.

—¿Y si no logro convencerlo de que salga?

—No nos han dado instrucciones al respecto —respondió el agente, que se encogió de hombros—. Supongo que debe quedarse hasta que cumpla con su cometido.

Un sudor frío bañó el cuerpo de Coriolanus al asimilar aquellas palabras. No le permitirían regresar sin Sejanus. Miró a través del torno al final del pasillo, donde habían levantado una barricada bajo el marcador. La misma por la que había visto corretear a Lamina, a Circ y a Teslee al inicio de los Juegos.

—¿Y eso?

—Bueno, es más bien decorativa. Oculta el vestíbulo y la calle, y así no salen en cámara —le explicó el agente de la paz—. Pero no le costará nada atravesarla.

«Ni a ninguno de los tributos», pensó Coriolanus. Pasó el pulgar por la lisa superficie de la ficha.

—Lo cubriremos hasta la barricada —añadió el agente.

—Entonces, matarán a cualquier tributo que intente atacarme, ¿no? —preguntó Coriolanus para dejarlo claro.

—Lo asustaremos. No se preocupe, le cubriremos las espaldas.

—Excelente —respondió Coriolanus sin demasiada convicción.

Se preparó mentalmente, metió la ficha en la ranura y empujó los brazos metálicos.

—¡Que disfrute del espectáculo! —le recordó el torno.

Sonó diez veces más fuerte en el silencio de la noche. Uno de los agentes de la paz se rio entre dientes.

Coriolanus se dirigió a la pared de la derecha y caminó en línea recta lo más deprisa que pudo, procurando no hacer ruido. Las luces rojas de emergencia, que constituían su única iluminación, inundaban el pasillo de un resplandor suave y sanguinolento. Apretó con fuerza los labios para controlar la respiración por la nariz. Derecha, izquierda, derecha, izquierda. Nada, nadie se movía. Tal vez, como había comentado Loco, los tributos se habían ido a dormir.

Se detuvo un momento en la barricada. Como le había explicado el agente de la paz, era de pega: unas endebles capas de alambre de espino montadas sobre marcos, estructuras desvencijadas de madera y bloques de hormigón dispuestos para ocultar el exterior, no para mantener encerrados a los tributos. Lo más probable era que no hubieran tenido tiempo de levantar una de verdad, o puede que les pareciera innecesario con los barrotes y los agentes detrás. El caso es que solo tenía que esquivar los distintos obstáculos de aquel telón de fondo para llegar al borde de la arena. Vaciló detrás del último trecho de alambre de espino y examinó la escena.

La luna estaba alta y, gracias a aquella luz pálida y plateada, veía la silueta de Sejanus de espaldas a él, todavía arrodillado junto al cadáver de Marcus. Lamina no se había movido. Por lo demás, la zona más próxima parecía vacía. Pero ¿lo estaría de verdad? Los escombros de las bombas ofrecían escondites de sobra. Los demás tributos podían estar ocultos a pocos metros, y él ni se enteraría. Con el frío nocturno, la camisa empapada de sudor se le pegaba a la piel, y lamentó no llevar puesta la chaqueta. Pensó en el vestido sin mangas de Lucy Gray. ¿Estaría acurrucada con Jessup para calentarse? La imagen no le sentó nada bien, así que la apartó de su mente. No podía pararse a pensar en ella, debía concentrarse en el peligro inmediato y en Sejanus, y en cómo lograr llevarlo hasta el otro lado de aquel torno.

Coriolanus respiró hondo y salió a la arena. Avanzó por el suelo de tierra intentando imitar a los gatos monteses que había visto de niño en el circo. Intrépido, fuerte y sigiloso. Sabía que no debía asustar a Sejanus, pero necesitaba acercarse lo suficiente para hablar con él.

Cuando se encontraba a unos tres metros del chico, se detuvo y habló en voz baja.

—¿Sejanus? Soy yo.

Sejanus se tensó y después empezaron a temblarle los hombros. Al principio, Coriolanus creyó que sollozaba, pero era justo lo contrario.

—No puedes dejar de rescatarme, ¿eh?

Coriolanus se unió a su risa entre dientes.

—Cierto —respondió.

—¿Te han enviado para sacarme de aquí? Qué locura. —Sejanus dejó de reírse y se levantó—. ¿Alguna vez has visto un cadáver de verdad?

—Muchos. Durante la guerra.

Lo tomó como una invitación a acercarse, y eso hizo. Ya era suyo. Podía agarrarlo por un brazo, pero ¿de qué le iba a servir? Era poco probable que fuera capaz de sacarlo a rastras del estadio. Se metió las manos en los bolsillos.

—Yo, no tantos. No tan de cerca. Supongo que en los funerales. Y la otra noche, en el zoo, aunque esas chicas no llevaban tanto tiempo muertas, así que no estaban rígidas —dijo Sejanus—. No sé si preferiría que me incineraran o que me enterraran. Aunque tampoco importa.

—Bueno, no tienes que decidirlo ahora.

Los ojos de Coriolanus recorrieron el campo. ¿Era una persona lo que entreveía en las sombras, detrás del muro medio derruido?

—Tampoco dependerá de mí. No sé por qué los tributos están tardando tanto en encontrarme. Debo de llevar aquí un buen rato. —Miró por primera vez a Coriolanus y arrugó la frente, preocupado—. Deberías irte.

—Me gustaría —respondió él con cautela—. De verdad que sí. Pero es que tu Ma te espera en la entrada. Está muerta de preocupación. Le prometí que te llevaría con ella.

El rostro de Sejanus adoptó una expresión de inmensa tristeza.

—Pobre Ma. Pobre viejecita mía. Nunca quiso venir aquí, ¿lo sabías? No quería ni el dinero ni la mudanza ni las ropas caras ni el chófer. Solo quería quedarse en el 2. Pero mi padre... Seguro que no ha venido, ¿verdad? No, mantendrá las distancias hasta que se solucione. Y, después, ¡a comprar de nuevo!

—¿Comprar el qué?

La brisa alborotó el pelo de Coriolanus y le arrancó ecos huecos al estadio. Aquello duraba demasiado, y Sejanus ni siquiera se esforzaba por hablar en voz baja.

—¡Comprarlo todo! Compró nuestro viaje hasta el Capitolio, compró mi plaza en la escuela, compró mi mentoría, y se vuelve loco porque no puede comprarme a mí. Te comprará a ti, si se lo permites. O, al menos, intentará compensarte que intentaras ayudarme.

«Pues que me compre», se dijo Coriolanus, pensando en la matrícula del curso siguiente, pero se limitó a contestar:

—Eres mi amigo. No necesita pagarme para que te ayude.

—Eres la única razón por la que he durado tanto, Coriolanus —le aseguró Sejanus después de ponerle una mano en el hombro—. Tengo que dejar de meterte en líos.

—No me daba cuenta de lo difícil que es esto para ti. Debería haber accedido a intercambiarnos los tributos cuando me lo pediste.

—Ya no importa. En realidad, ya no importa nada —respondió Sejanus con un suspiro.

—Claro que importa —insistió Coriolanus. Los tributos se acercaban, lo percibía. Intuía el acecho de una manada—. Ven conmigo.

—No. ¿Para qué? Ya solo me queda morir.

—¿Y eso es todo? ¿Esa es tu única opción?

—Es el único modo de hacer un alegato. Que el mundo me vea morir a modo de protesta —concluyó Sejanus—. Aunque no sea del todo del Capitolio, tampoco soy de los distritos. Como Lucy Gray, pero sin su talento.

—¿De verdad crees que lo emitirán? Lo que harán será sacar tu cadáver con mucho sigilo y decir que te mató la gripe. —Coriolanus se detuvo y se preguntó si habría contado demasiado, si había apuntado con demasiada claridad al destino de Clemensia. Pero ni la doctora Gaul ni el decano Highbottom podían oírlo—. Ahora mismo, la pantalla está prácticamente fundida en negro.

—¿No lo enseñarán? —preguntó Sejanus, con su rostro nublado.

—Ni en un millón de años. Habrás muerto para nada y habrás perdido la oportunidad de mejorar las cosas.

Una tos. Amortiguada y leve, pero una tos al fin y al cabo. Procedía de las gradas de su derecha. No se lo había imaginado.

—¿Qué oportunidad?

—Tienes dinero. Puede que ahora no, pero un día serás dueño de una fortuna. El dinero se usa para muchas cosas. Mira cómo ha cambiado tu mundo. Tú también podrías cambiar las cosas. Para bien. Si no lo haces, puede que sufra mucha más gente.

Coriolanus agarró el espray de pimienta con la mano derecha; después pasó al flash. ¿Cuál le sería de más ayuda si lo atacaban?

—¿Qué te hace pensar que podría hacer eso? —le preguntó Sejanus.

—Eres el único que tuvo las agallas suficientes para enfrentarse a la doctora Gaul —respondió Coriolanus.

Odiaba reconocerlo, pero era cierto: de toda la clase, solo él la había desafiado.

—Gracias. —El chico sonaba cansado pero un poco más cuerdo—. Gracias por decirlo.

Coriolanus apoyó la mano libre en el brazo de Sejanus, como si pretendiera consolarlo, cuando en realidad se preparaba para agarrarlo por la camisa si decidía huir.

—Nos están rodeando. Yo me largo. Ven conmigo. —Notaba que empezaba a ceder—. Por favor. ¿Qué quieres hacer? ¿Luchar contra los tributos o luchar por ellos? No le des a la doctora Gaul la satisfacción de vencerte. No te rindas.

Sejanus observó a Marcus un buen rato mientras sopesaba sus opciones.

—Tienes razón —reconoció al fin—. Si creo en lo que digo, mi responsabilidad es acabar con ella. Acabar de algún modo con esta atrocidad. —Levantó la cabeza, como si de repente fuera consciente de su situación. Miró hacia las gradas, donde Coriolanus había oído la tos—. Pero no abandonaré a Marcus.

—Yo lo cogeré por los pies —dijo Coriolanus tras tomar una decisión rápida.

Las piernas estaban rígidas y pesadas, y apestaban a sangre y a suciedad, pero se metió las rodillas bajo los brazos lo mejor que pudo y levantó la mitad inferior de Marcus. Sejanus le rodeó el pecho con los brazos, y juntos empezaron a moverse, medio arrastrando, medio tirando del cadáver camino de la barricada. Diez metros, cinco metros, ya no quedaba mucho. En cuanto la traspasaran, los agentes de la paz les ofrecerían su ayuda.

Tropezó con una piedra, cayó, y se clavó algo puntiagudo y afilado en la rodilla, pero se levantó como un resorte, alzando con él el cadáver de Marcus. Ya casi estaban. Casi...

Oyó pasos detrás de él. Veloces y ligeros. Procedían de la barricada, donde el tributo se había mantenido a la espera. Coriolanus soltó a Marcus en un acto reflejo y se volvió justo a tiempo de ver a Bobbin bajar el cuchillo.

16

La hoja rebotó en el chaleco blindado y le hizo un corte en el brazo izquierdo. Coriolanus le lanzó un puñetazo a Bobbin mientras saltaba hacia atrás, pero solo golpeó el aire. Aterrizó encima de un montón de cascotes, tablas viejas y escayola al tiempo que tanteaba en busca de algo con lo que defenderse. Bobbin se abalanzó de nuevo sobre él, buscando su cara con el cuchillo. Los dedos de Coriolanus se cerraron en torno a una alfarjía, la levantó y la estrelló con fuerza contra la sien de su agresor, postrándolo de rodillas. Se incorporó de inmediato y, blandiendo el trozo de madera como si fuese una porra, arremetió una y otra vez sin saber siquiera si daba en el blanco.

—¡Tenemos que irnos! —gritó Sejanus.

Coriolanus oyó voces y a alguien bajando por las gradas. Aturdido, dio un paso en dirección al cadáver de Marcus, pero Sejanus lo apartó de un tirón.

—¡No! ¡Déjalo! ¡Date prisa!

Sin necesidad de que lo persuadieran, Coriolanus echó a correr hacia la barricada. Notaba un alfilerazo de dolor que lo recorría desde el codo hasta el hombro, pero no le prestó atención y movió los brazos tan deprisa como pudo, tal y como les había enseñado la profesora Sickle. Se le enganchó la camisa en el alambre de espino cuando llegó a la barricada y, al volverse para soltarla, los vio. Los dos tributos del Distrito 4, Coral y Mizzen, y Tanner (el chico del matadero) corrían directamente hacia él, armados hasta los dientes. Mizzen impulsó el brazo hacia atrás para arrojarle un tridente. La tela de la manga de Coriolanus se desgarró por completo al tirar para zafarse de las cuchillas del alambre y alejarse de un salto de la línea de fuego con Sejanus pisándole los talones.

Tan solo unos pocos rayos mortecinos de luz de luna traspasaban las capas de la barricada, y Coriolanus acabó por estrellarse contra el amasijo de madera y rejas como un ave enjaulada, alertando sin duda de su presencia a todos los tributos que hasta ese momento la hubieran pasado por alto. Se dio de bruces con un bloque de hormigón, y Sejanus lo embistió por la espalda, de modo que su frente y la implacable superficie colisionaron por segunda vez. Cuando empujó con los brazos para apartarse, fue como si la contusión no le hubiera abandonado. Le palpitaba la cabeza, y una nube de confusión se cernió sobre él.

Los tributos prorrumpieron en gritos de júbilo, aporreando la barricada con sus armas mientras seguían la pista de los mentores por el laberinto. ¿Qué dirección tomar? Le daba la impresión de estar rodeados. Sejanus lo agarró del brazo y tiró de él mientras se tambaleaba tras sus pasos a ciegas, magullado y aterrorizado. ¿Acaso sería ese el final? ¿Moriría así? La furia que le producía lo injusto de todo aquello, la burla que hacía de su existencia, le insufló una oleada de energía renovada; adelantó a Sejanus como una exhalación y se encontró avanzando a gatas, envuelto en un tenue halo de luz roja. ¡El pasadizo! Frente a él se distinguían los tornos, donde los agentes de la paz se habían agrupado junto a los barrotes provisionales. Apretó el paso para ponerse a salvo.

Aunque el pasadizo no era muy largo, se le antojó interminable. Sus piernas subían y bajaban como si estuviese sumergido en pegamento hasta la cintura, y un enjambre de motitas negras le enturbiaba la vista. Sejanus corría a su lado, pero oía a los tributos ganar terreno. Algo rígido y pesado (¿un ladrillo?) le hizo un rasguño en el cuello. Otro objeto le traspasó el chaleco y se le quedó clavado, oscilando tras él hasta desprenderse con un tañido metálico. ¿Dónde estaba el fuego de cobertura? ¿Los disparos disuasorios de los agentes de la paz? No estaban haciendo nada por ellos, absolutamente nada, y los barrotes aún estaban alineados con el suelo. Le habría gustado gritar que matasen a los tributos, que los aniquilasen allí mismo, pero le faltaba el aliento.

Alguien cuyos pasos resonaban con más fuerza que los demás redujo a unos pocos metros la distancia que los separaba, pero, al recordar de nuevo las enseñanzas de la profesora Sickle, Coriolanus no se atrevió a perder ni un segundo en mirar atrás para ver de quién se trataba. Frente a él, los agentes de la paz lograron por fin abatir la reja hacia dentro, abriendo un hueco de unos treinta centímetros a la altura del suelo. Coriolanus se tiró de cabeza y se dejó varias capas de la piel de la barbilla en el suelo rugoso mientras introducía bajo los barrotes nada más que las manos, a las cuales los agentes de la paz se aferraron de inmediato para tirar con todas sus fuerzas. Sin tiempo para ladear la cabeza, el resto de su cara se raspó contra la superficie mugrienta hasta que lograron ponerlo a salvo.

Los guardias lo soltaron enseguida para sacar a Sejanus, que profirió un grito agudo cuando el cuchillo de Tanner le desgarró la cara posterior de la pantorrilla antes de que se pudiera deslizar fuera de su alcance. La reja volvió a cerrarse con estruendo y los cerrojos se encargaron de bloquear la unidad, pero eso no amilanó a los tributos. Tanner, Mizzen y Coral aguijonearon con sus armas entre los barrotes buscando a Coriolanus y a Sejanus, mientras les escupían invectivas cargadas de odio y los agentes de la paz golpeaban los tornos con sus porras. No se disparó ni una sola bala. Ni un solo chorro de espray de pimienta. Coriolanus comprendió que debían de tener órdenes de no tocar a los tributos.

—¡Gracias por guardarnos las espaldas! —exclamó con rabia mientras los soldados le ayudaban a incorporarse.

—Cumplimos órdenes, nada más. No nos culpes a nosotros si Gaul piensa que eres prescindible, muchacho —dijo el veterano agente de la paz que había prometido cubrir su retirada.

Alguien intentó sostenerlo, pero lo apartó de un empujón.

—¡Puedo andar solo! ¡Puedo andar, pero no gracias a vosotros!

Dicho lo cual se desplomó de costado y a punto estuvo de golpear el suelo antes de que volvieran a sujetarlo y recorriesen el vestíbulo cargando con él. Coriolanus farfulló una larga sarta de obscenidades que no surtieron el menor efecto en los guardias, quienes lo arrastraron como si se tratara de un peso muerto hasta soltarlo sin miramientos frente al estadio. Transcurridos unos instantes, depositaron a Sejanus junto a él. Los dos se quedaron jadeando sobre las losas que adornaban el suelo frente a la fachada del estadio.

—Lo siento, Coryo —dijo Sejanus—. Lo siento muchísimo.

Coryo era un diminutivo para los buenos amigos. Para la familia. Para la gente a la que Coriolanus quería. ¿Y este era el momento elegido por Sejanus para utilizarlo? Si le hubieran quedado fuerzas, se habría estirado hacia él para estrangularlo.

Nadie les prestaba la menor atención. Ma había desaparecido. La doctora Gaul y el decano Highbottom discutían sobre los niveles del audio mientras revisaban las grabaciones en la furgoneta. Los agentes de la paz aguardaban instrucciones en corrillos dispersos. Transcurrieron cinco minutos antes de que llegase una ambulancia y se abrieran las puertas de atrás. Introdujeron a los dos chicos sin que las autoridades les echaran más que un somero vistazo.

La enfermera le entregó una compresa a Coriolanus para que la sujetara contra el brazo mientras ella se encargaba del problema más acuciante que representaba la pantorrilla de Sejanus, de la que manaba una gran cantidad de sangre. A Coriolanus le asustaba regresar al hospital porque el doctor Wane no le inspiraba la menor confianza, pero al mirar por la ventanilla vio que habían llegado a la Ciudadela, lo que hizo que se redoblaran sus temores. Tras colocarlos en sendas camillas, los trasladaron sin perder tiempo al laboratorio en el que había sido agredida Clemensia, y Coriolanus se preguntó qué modificaciones le habrían reservado.

Los accidentes debían de ser algo frecuente en ese laboratorio, puesto que una pequeña clínica aguardaba su llegada. Carecía de la sofisticación que había requerido la reanimación de Clemensia, pero parecía adecuada para remendar a los chicos. Una cortina blanca separaba sus respectivas camas de hospital, aunque Coriolanus podía oír a Sejanus contestar a las preguntas de los médicos con monosílabos. Él mismo añadió poco más mientras le suturaban el brazo y le curaban la cara rasguñada. Aunque le dolía la cabeza, no se atrevió a hablarles de la reaparición de su traumatismo por temor a que lo ingresaran por tiempo indefinido en el hospital. Lo único que quería era alejarse de aquellas personas. Pese a sus protestas, le pusieron una vía en el brazo para rehidratarlo e inyectarle un combinado de medicamentos; se quedó tumbado muy rígido, obligándose a no intentar escapar. Aunque había hecho lo que la doctora Gaul le había pedido, aunque lo había logrado, se sentía más vulnerable que nunca. Y allí estaba, herido y atrapado, oculto a los ojos del mundo en la guarida de aquella mujer.

El dolor del brazo se mitigó, pero no se sentía arropado por el manto aterciopelado de la morflina. Debían de haberle administrado algún fármaco alternativo, porque lo que experimentaba era una agudeza mental aumentada. Lo percibía todo: desde el tejido de la sábana hasta la tensión del apósito sobre su piel irritada, pasando por el amargor que le había dejado en la lengua el agua de la taza metálica. Unos agentes de la paz llegaron para llevarse a Sejanus, todavía renqueante, con ellos. En las entrañas del laboratorio, unos chillidos anunciaron la hora de la comida para alguna criatura, y hasta él llegó un tenue olor a pescado. Después de eso, una calma relativa se asentó en las instalaciones. Contempló la posibilidad de marcharse a hurtadillas, pero en el fondo sabía que debía esperar. Esperar a oír los suaves pasos de unas zapatillas que, inevitablemente, terminaron por acercarse a su cama.

Cuando la doctora Gaul apartó la cortina, en la penumbra del laboratorio Coriolanus tuvo la extraña impresión de que la mujer estaba al borde de un precipicio; de que, si le diera aunque solo fuese un ligerísimo empujón, trastabillaría de espaldas y caería en un inmenso abismo del que ya no saldría jamás. «Ojalá —pensó—. Ojalá». Lo que hizo, en vez de eso, fue avanzar y apoyarle dos dedos en la muñeca para tomarle el pulso. El muchacho dio un respingo al sentir el contacto de aquellos dedos tan finos y helados.

—Empecé dedicándome a la medicina, ¿sabes? A la obstetricia, para ser exactos.

«Qué horror —pensó Coriolanus—. Que tuvieras que ser tú la primera persona del mundo que viese un bebé al abrir los ojos».

—La verdad, no era lo mío —continuó la doctora Gaul—. Los padres siempre esperan que los tranquilices, aunque a veces sea imposible. Que les digas lo que les depara el futuro a sus hijos. ¿Cómo iba a saber yo lo que les esperaba? Como tú, esta noche. ¿Quién iba a imaginarse que el niño bonito de Crassus Snow acabaría luchando por su vida en la arena del Capitolio? Él no, eso seguro.

Coriolanus no supo qué responder. Apenas se acordaba de su padre, como para intentar imaginarse lo que el hombre habría pensado.

—¿Cómo ha sido? —preguntó la doctora Gaul—. En la arena.

—Aterrador —dijo Coriolanus, lacónico.

—Está diseñada para eso. —La mujer le apuntó a los ojos con una luz para comprobar el estado de sus pupilas—. ¿Y los tributos?

El resplandor provocó que le doliera otra vez la cabeza.

—¿Qué pasa con ellos?

La doctora Gaul pasó a examinar los puntos de sutura.

—¿Qué te han parecido, ahora que no van cargados de cadenas? Ahora que han intentado matarte. Porque tu muerte no les habría supuesto ningún beneficio. Tú no eres su competidor.

Eso era cierto. Habían estado lo suficientemente cerca de él como para reconocerlo. Sin embargo, se habían dedicado a perseguirlos a él y a Sejanus (a Sejanus, que los había tratado tan bien, que les había dado de comer, que los había defendido, ¡que incluso se había apiadado de sus difuntos!) cuando podrían haber aprovechado la ocasión para matarse entre ellos.

—Me parece que había subestimado hasta qué punto nos odian —dijo Coriolanus.

—Y cuando te diste cuenta, ¿cuál fue tu reacción?

El muchacho pensó en Bobbin, en la fuga, en la sed de sangre que se había apoderado de los tributos incluso después de que él se hubiera puesto a salvo tras los barrotes.

—Deseé verlos muertos. A todos ellos.

La doctora Gaul asintió con la cabeza.

—Bueno, misión cumplida con ese pequeño del Distrito 8. Lo hiciste papilla. Habrá que urdir una historia para que ese payaso de Flickerman se la cuente a todo el mundo por la mañana. Pese a todo, qué oportunidad tan extraordinaria para ti. Transformadora.

—¿Usted cree?

Coriolanus recordó el enfermizo golpeteo de la madera contra el cuerpo de Bobbin. Así que había... ¿Qué? ¿Asesinado a ese chico? No, eso no. Era un caso clarísimo de defensa propia. Pero, entonces, ¿qué? Lo había matado, sobre eso no cabía ninguna duda. Nada podría borrar ese hecho. Jamás recuperaría esa inocencia. Se había cobrado la vida de otra persona.

—¿No lo ha sido? Más de lo que me esperaba. Necesitaba que sacaras a Sejanus de la arena, por supuesto, pero también quería que experimentaras eso.

—¿Aunque me costase la vida?

—Sin la amenaza de la muerte, la lección no habría sido la misma —dijo la doctora Gaul—. ¿Lo que has visto en la arena? Así es la humanidad, descarnada. Los tributos, tú mismo... Así de fácil desaparece la civilización. Tus exquisitos modales, tu educación, la historia de tu familia, todo aquello de lo que te enorgulleces arrebatado en un abrir y cerrar de ojos para desvelar lo que eres en realidad. Un chico armado con una porra que golpea a otro hasta matarlo. Así es la humanidad en su estado natural.

La idea, expuesta de esa manera, le parecía perturbadora, pero intentó reírse para disimularlo.

—¿Realmente somos tan malos?

—Yo diría que sí, desde luego. Aunque todo es cuestión de opiniones. —La doctora Gaul sacó un rollo de gasa del bolsillo de su bata de laboratorio—. ¿Tú qué crees?

—Creo que no habría tenido que apalear a nadie hasta matarlo si usted no me hubiera encerrado en la arena.

—Puedes echarles la culpa a las circunstancias, al entorno, pero las decisiones que tomaste las tomaste tú solo, sin ayuda de nadie. Ya sé que es mucho para asimilarlo todo de golpe. Sin embargo, es fundamental que hagas un esfuerzo por responder a esta pregunta: ¿quiénes somos los seres humanos? Porque quienes somos determina la clase de gobierno que necesitamos. Más adelante espero que puedas reflexionar y ser sincero contigo mismo sobre lo que has aprendido esta noche. —La doctora comenzó a vendarle la herida—. Unos cuantos puntos en el brazo son el precio más bajo que uno podría soñar con pagar a cambio de semejante lección.

Sus palabras producían náuseas a Coriolanus, aunque más lo

enfurecía que lo hubiese obligado a acabar con una vida para poder darle aquella «lección». Algo tan significativo debería haber sido decisión suya, no de ella. Exclusivamente suya.

—Entonces, si yo soy una bestia salvaje, ¿quién es usted? ¡La maestra que envió a su alumno a matar a palos a otro muchacho!

—Ah, sí. Ese es el papel que me ha tocado. —La doctora terminó de sujetar el vendaje—. ¿Sabes? El decano Highbottom y yo nos hemos leído tu ensayo de cabo a rabo. Lo que te gustaba de la guerra. Un montón de relleno. Paja, la verdad. Hasta esas líneas del final. La parte sobre el control. En la siguiente redacción, quiero que lo desarrolles. El valor del control. Lo que sucede sin él. Tómate tu tiempo. Aunque contribuiría en gran medida a reforzar tus opciones al premio.

Coriolanus ya sabía lo que ocurría cuando no se tenía el control. Lo había visto recientemente. En el zoológico, cuando murió Arachne; en la arena, cuando detonaron las bombas, y de nuevo, esa misma noche.

—Lo que sucede es el caos. ¿Qué más se puede añadir?

—Oh, muchas cosas, intuyo. Empieza por ahí. Por el caos. Sin control, sin leyes, sin gobierno en absoluto. Como estar en la arena. ¿Adónde vamos a partir de ahí? ¿Qué clase de acuerdo es necesario si queremos vivir en paz? ¿Qué clase de compromiso social se requiere para la supervivencia? —La doctora Gaul le retiró la vía del brazo—. Tendrás que volver dentro de un par de días para que les echemos un vistazo a esos puntos. Hasta entonces, te aconsejo que no hables con nadie de lo que ha pasado esta noche. Lo mejor será que te vayas a casa y procures dormir unas horas. Sorprendentemente, tu tributo todavía te necesita.

Una vez a solas, Coriolanus se puso la camisa acuchillada, rasgada y manchada de sangre, la abotonó y vagó por los pasillos hasta encontrar el ascensor que daba al nivel de la calle. Los guardias lo dejaron salir con un ademán, sin mostrar el menor interés. Puesto que los trolebuses dejaban de circular a medianoche y el reloj del Capitolio marcaba las dos, puso rumbo a casa con sus zapatos cubiertos de mugre.

El lujoso coche de los Plinth se situó a su lado y la ventanilla bajó para revelar al avox, que se apeó y le abrió la puerta trasera. Coriolanus supuso que, después de llevarse a Sejanus, Ma lo había mandado a por él. Puesto que no había ningún Plinth a la vista, montó en el vehículo. Un último viaje, y después no quería volver a saber nada de esa familia. Cuando el chófer hubo aparcado frente a su edificio, le tendió una bolsa de papel de generoso tamaño. Antes de que Coriolanus pudiera rechazarla, el coche se alejó.

Ya en el piso, se asomó y vio a Tigris esperando junto a la mesa de té, envuelta en un raído abrigo de piel que había pertenecido a su madre. Era su manto de seguridad, igual que la polvera de maquillaje con aroma a rosas había sido el suyo antes de reconvertirla en un arma. Descolgó del perchero una de sus chaquetas de uniforme y se la echó por encima de la camisa destrozada antes de entrar para hablar con ella.

—¿Tan mal están las cosas para que tengas que recurrir al abrigo? —dijo, intentando restarles importancia a los espantosos acontecimientos de la noche.

Tigris clavó los dedos en la piel de la prenda.

—Tú dirás.

—Pienso hacerlo. Hasta el último detalle. Pero por la mañana, ¿de acuerdo?

—De acuerdo. —Al darle un abrazo de buenas noches, su prima notó el abultado vendaje que tenía en el brazo. Antes de que Coriolanus pudiera impedírselo, le quitó la chaqueta y vio la sangre. Se mordió el labio—. Ay, Coryo. Te han obligado a entrar en la arena, ¿verdad?

El muchacho la estrechó contra él.

—No ha sido para tanto, en serio. Estoy aquí. Y también logré sacar a Sejanus.

—¿Que no ha sido para tanto? Me horroriza imaginarte allí dentro. ¡Imaginarme a nadie allí dentro! —exclamó Tigris—. Pobre Lucy Gray.

Lucy Gray. Ahora que él mismo había pisado la arena, las circunstancias de la muchacha le parecían aún más terribles que antes. Le partía el corazón imaginársela acurrucada entre los escombros, envuelta por la fría oscuridad del estadio, demasiado petrificada para cerrar los ojos. Por primera vez se alegró de haber matado a Bobbin. Por lo menos, la había salvado de ese animal.

—Todo va a salir bien, Tigris. Pero tienes que dejarme descansar un rato. Y tú también deberías dormir.

Aunque su prima asintió con la cabeza, Coriolanus sabía que tendría suerte si conseguía pegar ojo durante una o dos horas. Le entregó la bolsa.

—Cortesía de Ma Plinth. El desayuno, a juzgar por cómo huele. ¿Nos vemos entonces?

Sin molestarse en pasar antes por la bañera, se sumió en un sueño comatoso del que no tardó en sacarlo el sonido de la abuelatriz cantando el himno. De todos modos, ya era hora de levantarse. Dolorido de la cabeza a los pies, llegó a la ducha trastabillando, se quitó la gasa del brazo y dejó que el agua caliente le escaldara la piel escoriada. Tenía un bote de pomada, recuerdo de su paso por el hospital, y pese a no estar seguro de su eficacia, se aplicó una pequeña dosis para calmar la irritación que sentía en la barbilla y la cara. Se le engancharon los puntos del brazo en la camisa limpia, pero no sangró. Se dejaría la chaqueta puesta ese día, por si acaso. Tras meter un cepillo de dientes y un uniforme de repuesto en la cartera para los libros, se echó un largo vistazo en el espejo y suspiró. «Un accidente de bici —pensó—. Esa será mi versión de la historia. Como si no hiciera años que no tengo una bicicleta en condiciones». En fin, al menos eso le proporcionaría una explicación para su lamentable aspecto.

Una vez presentable, lo primero que hizo fue encender el televisor para asegurarse de que no le hubiera pasado nada malo a Lucy Gray. Sin embargo, la cámara no se había movido del sitio, y la única tributo visible a la luz de la mañana era Lamina, aún encaramada a su viga. Procuró no cruzarse con la abuelatriz camino de la cocina, donde Tigris calentaba el té de jazmín sobrante de la noche anterior.

—Llego tarde —dijo—. Será mejor que me marche ya.

—Llévate esto para desayunar. —Su prima le puso un paquete en las manos y un par de fichas en el bolsillo—. Y coge el trolebús hoy.

Siguió su consejo, a fin de ahorrar energías, y aprovechó el trayecto para comerse los dos rollos de tortilla y salchichas obsequio de los Plinth. Las dotes culinarias de Ma serían lo único que iba a echar de menos cuando dejase de hablar con aquella familia.

El conjunto del alumnado había recibido instrucciones de personarse a las ocho menos cuarto, por lo que los más madrugadores eran los mentores en activo y el puñado de avox encargados de adecentar el salón. Coriolanus no pudo por menos de lanzarle una mirada cargada de culpa a Juno Phipps, que debatía sobre posibles estrategias con Domitia cuando podría haberse quedado en la cama. No le caía demasiado bien (siempre le restregaba por los morros la excelencia de su linaje, como si el de Coriolanus no fuese igual de válido), pero la noche anterior tampoco había sido amable con ella. Se preguntó cómo iban a anunciar la muerte de Bobbin y cómo se sentiría cuando lo hicieran. Aparte de mareado.

Lo único que se sirvió en el Salón Heavensbee fue té, lo que suscitó las protestas de Festus.

—Ya que teníamos que venir tan temprano, lo mínimo que podrían haber hecho es darnos de desayunar. ¿Y a ti qué te ha pasado en la cara?

—Un accidente de bici —respondió Coriolanus, lo bastante alto para que todos lo oyeran.

Le lanzó a Festus la bolsa que contenía el último rollo, alegrándose de disponer de algo sustancioso que compartir, para variar. Había perdido la cuenta de toda la comida que les debía a los Creed.

—Gracias. Qué buena pinta —dijo Festus y le hincó el diente de inmediato.

Lysistrata le recomendó una pomada para evitar que se le infectasen las heridas, y todos se apresuraron a sentarse mientras llegaba el resto de sus compañeros.

Aunque el sol ya había salido hacía horas, en la pantalla no se habían producido grandes cambios aparte de la desaparición del cadáver de Marcus.

—Me imagino que lo habrán retirado —dijo Pup.

Sin embargo, Coriolanus sospechaba que aún debía de estar junto a la barricada, donde Sejanus y él lo habían abandonado la noche anterior, fuera del encuadre.

Cuando dieron las ocho, todos se levantaron para recitar el himno, que sus compañeros de clase por fin daban la impresión de haberse aprendido, y a continuación apareció Loco Flickerman, el cual les dio la bienvenida a la segunda jornada de los Juegos del Hambre.

—Mientras dormíais, ha sucedido algo muy importante. Echemos un vistazo, ¿os parece?

Las imágenes dieron paso a un plano general de la arena antes de que la cámara hiciese zoom mientras rodeaba la barricada. Tal y como sospechaba Coriolanus, el cadáver de Marcus yacía donde Sejanus y él lo habían dejado. A escasa distancia, la vapuleada figura de Bobbin se veía arrumbada contra un bloque de hormigón. Ofrecía un aspecto peor, mucho peor, de lo que Coriolanus se había imaginado. Las extremidades ensangrentadas, el ojo mutilado, sus facciones hinchadas hasta volverlo irreconocible. ¿Realmente le había hecho él eso a otro chico? Y tan pequeño, además; muerto, Bobbin parecía más diminuto que nunca. Sí que lo había hecho, atrapado en una siniestra red de terror. Se le perló la frente de sudor y sintió deseos de escapar del salón, del edificio, de los mismos Juegos. Pero eso, por supuesto, no era una opción. ¿Quién se creía que era? ¿Sejanus?

Tras recrearse con los cadáveres, el programa recuperó la conexión con Loco, que se preguntaba quién habría sido el autor de los hechos. Su expresión cambió de repente.

—¡Lo único que sabemos es que tenemos algo que celebrar! —Una lluvia de confeti cayó del techo, y Loco tocó con fuerza una trompetilla de plástico—. ¡Porque acabamos de cruzar el ecuador! ¡Eso es, han caído doce tributos y otros doce quedan en pie! —Una ristra de pañuelos de vivos colores salió disparada de su manga. La ondeó sobre su cabeza sin dejar de bailar y vitorear—. ¡Yujuuuu!

Cuando se hubo tranquilizado, Loco adoptó una expresión compungida.

—Aunque eso también significa que debemos decirle adiós a la señorita Juno Phipps. ¿Lepidus?

Este ya se había apostado al final del pasillo de la desprevenida Juno, a la que no le quedó más remedio que reunirse con él y gestionar su desilusión delante de la cámara. De haber recibido algún tipo de aviso, Coriolanus supuso que habría reaccionado con más dignidad; así las cosas, sin embargo, la imagen que ofrecía era de suspicacia y resentimiento, poniendo en tela de juicio los recientes acontecimientos mientras sostenía en alto una carpeta de cuero grabada con el escudo familiar de los Phipps.

—Aquí hay gato encerrado —refunfuñó al dirigirse a Lepidus—. Quiero decir, ¿qué pinta Bobbin junto al cuerpo de Marcus? ¿Quién lo ha movido? ¿Y cómo se las ha apañado para terminar muerto? No se me ocurre ninguna explicación convincente. ¡Presiento que alguien está jugando sucio!

El reportero se mostró genuinamente desconcertado.

—¿Qué se podría considerar juego sucio, exactamente? En la arena, quiero decir.

—Bueno, exactamente no sabría decirte —replicó Juno, cada vez más sulfurada—. Pero a mí, por ejemplo, me gustaría ver la repetición de los hechos de anoche.

«Buena suerte con eso, Juno», pensó Coriolanus. Después comprendió que era posible. La doctora Gaul y el decano Highbottom habían visto ambas versiones: la grabación real y la que habían oscurecido para camuflar su misión, en la parte trasera de la furgoneta. Incluso en la sin editar costaría distinguirlo, pero, a pesar de todo, no le gustaba la idea de que en alguna parte existiera una grabación, por borrosa que estuviese, en la que él mataba a Bobbin. Si alguna vez saliera a la luz..., en fin, ignoraba lo que podría pasar. Pero lo ponía nervioso.

Lepidus no se entretuvo con Juno, una mala perdedora que carecía del tacto de Felix para encajar la derrota, y la muchacha fue enviada a su asiento con una palmadita de consolación en la espalda.

Rutilante aún debido al confeti, Loco, como si el malestar de la mentora lo trajese sin cuidado, se inclinó hacia la cámara conteniendo la emoción a duras penas.

—Y, ahora, ¿qué se imaginan que va a pasar? Tenemos una sorpresa extragrande para ustedes... ¡Sobre todo para los doce mentores que quedan!

Coriolanus solo tuvo un momento para intercambiar miradas

de desconcierto con sus compañeros antes de que Loco cruzara saltando el plató para revelar a Sejanus sentado junto a su padre, Strabo Plinth, cuya adusta expresión parecía cincelada en el mismo granito de su distrito natal. El presentador se instaló en su silla y le dio una palmada en la pierna al muchacho.

—Sejanus, lamento que ayer no nos diera tiempo a dejarte hablar sobre el fallecimiento de tu tributo, Marcus.

Sejanus se limitó a mirar de hito en hito a Loco, desconcertado. El presentador hizo como si acabara de fijarse por primera vez en las abrasiones que lucía en el rostro.

—¿Qué tenemos aquí? Se diría que tú también has llegado a las manos con alguien.

—Me caí de la bici —replicó con voz ronca Sejanus, y Coriolanus hizo una mueca.

Dos accidentes de bicicleta en el mismo intervalo de doce horas era demasiada coincidencia.

—Auch. ¡Bueno, me parece que tienes grandes noticias que compartir con nosotros! —exclamó Loco, a la par que le animaba a hablar mientras asentía con la cabeza.

Sejanus bajó la mirada durante unos instantes; aunque ni el padre ni el hijo mediaron palabra, dio la impresión de que allí tenía lugar algún tipo de duelo entre ellos.

—Sí —contestó Sejanus por fin—. A nosotros, la familia Plinth, nos gustaría anunciar que vamos a concederle el premio de una matrícula completa para la universidad al mentor cuyo tributo gane los Juegos del Hambre.

Pup soltó un grito de júbilo mientras los demás mentores sonreían, entusiasmados. A Coriolanus le constaba que la mayoría de ellos no necesitaba el dinero tanto como él, pero sería un bonito regalo para cualquiera.

—¡Sensacional! —exclamó Loco—. Qué emoción deben de experimentar ahora mismo los doce mentores restantes. ¿Ha sido idea suya, Strabo? ¿La creación de este, llamémoslo así, Premio Plinth?

—De mi hijo, en realidad —replicó Strabo, que curvó las comisuras de los labios en lo que Coriolanus supuso que debía de ser el intento de esbozar una sonrisa.

—Vaya, qué gesto tan generoso y apropiado, especialmente después de la derrota de Sejanus. Puede que no hayan ganado los Juegos, pero sin duda se llevan el trofeo a la deportividad. ¡Creo que hablo en nombre de todo el Capitolio si les digo muchísimas gracias! —Loco se quedó observando a la pareja, exultante, pero al ver que nadie tenía la intención de añadir nada más, hizo un gesto grandilocuente con el brazo—. ¡Bueno, pues muy bien, retomamos la conexión con la arena!

A Coriolanus le daba vueltas la cabeza después de aquel inesperado giro de los acontecimientos. Sejanus tenía razón al sospechar que su padre se apresuraría a sepultar la escandalosa conducta de su hijo bajo un montón de dinero. Aunque, por otra parte, era comprensible que quisiera minimizar los daños todo lo posible. No había oído muchas reacciones de los presentes en el Salón Heavensbee después del espectáculo con la silla que había dado el muchacho, pero se imaginaba que ya habría varias historias circulando por ahí. En realidad, un premio para el mentor que se alzase con la victoria le parecía un precio insignificante a pagar. ¿Qué estaría dispuesto a ofrecer Plinth a cambio de que la incursión de Sejanus en la arena no saliese a la luz? ¿Planearía comprar el silencio de Coriolanus?

«Eso ahora no importa, da igual», se dijo. La verdadera noticia estaba en la posibilidad de ganar el Premio Plinth. Era independiente de la Academia, por lo que el decano Highbottom no tendría nada que decir al respecto. Ni siquiera la doctora Gaul. ¡Una matrícula completa que lo liberaría de sus zarpas y eliminaría la espantosa incertidumbre que le provocaba el futuro! El riesgo de estos Juegos, ya de por sí alto, se elevaba así hasta la estratosfera. «Concéntrate —se dijo mientras procuraba acompasar la respiración—. Concéntrate en ayudar a Lucy Gray».

Sin embargo, ¿qué podía hacer mientras ella no diese la cara? Conforme transcurría la mañana, algunos de los tributos comenzaron a hacer eso mismo. Coral y Mizzen deambularon juntos un rato, recogiendo la comida y el agua de sus mentores, Festus y Persephone. Estos llevaban tiempo haciéndose compañía, esforzándose por trazar una estrategia conjunta para sus tributos, y Coriolanus presentía que Festus estaba colado por ella. ¿Debería contarle a su mejor amigo que la chica que le gustaba era una caníbal? Nunca había un manual de instrucciones para casos así cuando uno lo necesitaba.

Tras la pausa para almorzar, volvieron al estrado para encontrarse con que las sillas de los mentores se habían reducido a doce, lo que dejaba las plazas justas para aquellos cuyos tributos estaban aún en los Juegos.

—Orden de los Vigilantes —informó Satyria a la docena final—. Para que a los espectadores les resulte más fácil seguir la pista de los contendientes. Continuaremos eliminando asientos a medida que mueran vuestros tributos.

—Como el juego de las sillas musicales —dijo Domitia, complacida.

—Pero con cadáveres —matizó Lysistrata.

La decisión de desterrar del estrado a los perdedores empeoró más aún el enfado de Livia, si tal cosa era posible, y Coriolanus se alegró al ver que la relegaban a la sección reservada para la audiencia de a pie, donde no tendría que seguir padeciendo el resentimiento que destilaban sus comentarios. Por otra parte, eso le dificultaba distanciarse de Clemensia, que parecía empeñada en dedicar cada segundo que tenía libre a fulminarlo con la mirada. Se sentó en la última fila, flanqueado por Festus y Lysistrata, e intentó abstraerse volcando toda su atención en los Juegos.

Empezó a vencerlo el cansancio conforme transcurría la tarde, hasta el punto de que Lysistrata tuvo que darle un codazo en dos ocasiones para que no se durmiera. Quizá fuese una suerte que la jornada no exigiera mucho de él, dado que la noche había estado a punto de costarle la vida. Se avistaron pocos tributos, y Lucy Gray permaneció completamente escondida.

Varias horas después, los Juegos del Hambre por fin comenzaron a ofrecer la clase de acción que esperaba la gente. La tributo del Distrito 5, una mocosa raquítica que para Coriolanus solo era una más del desaliñado montón, se encaramó a las gradas del extremo más alejado de la arena. Incapaz de recordar su nombre, Loco únicamente acertó a relacionarla con su no menos memorable mentora, Iphigenia Moss, cuyo padre dirigía el Departamento de Agricultura y, por consiguiente, el reparto de alimentos a lo largo y ancho de Panem. Sin embargo, en contra de lo que cabría esperar, Iphigenia siempre parecía encontrarse al borde de la inanición, a menudo les daba su comida a sus compañeros de clase e incluso había llegado a perder el conocimiento en alguna ocasión. Clemensia le había contado a Coriolanus que esa era su manera de vengarse de su padre, aunque rehusó entrar en detalles.

Fiel a su costumbre, Iphigenia empezó a descargar hasta la última migaja que tenía sobre su tributo, pero mientras los drones cruzaban la arena, Mizzen, Coral y Tanner, que parecían haber formado una especie de manada tras la aventura de la noche anterior, surgieron de los túneles como por arte de magia e iniciaron la cacería. Tras una breve persecución por las gradas, el trío rodeó a la pequeña y Coral la mató clavándole un tridente en el cuello.

—Bueno, fin del trayecto —dijo Loco, que aún no había conseguido dar con el nombre de la tributo—. ¿Qué nos puede contar su mentora, Lepidus?

Iphigenia ya se había acercado al entrevistador.

—Se llamaba Sol, o quizá Sal. Tenía un acento muy raro. No hay mucho más que añadir.

Lepidus parecía estar de acuerdo con ella.

—¡Enhorabuena por llevarla hasta la segunda mitad, Albina!

—Iphigenia —lo corrigió la muchacha, hablando por encima del hombro, mientras se alejaba del estrado.

—¡Exacto! —dijo Lepidus—. ¡Y esto significa que ya solo quedan once tributos!

«Diez entre el premio y yo», pensó Coriolanus mientras veía a un avox llevarse el asiento de Iphigenia. Ojalá pudiera llevarle a Lucy Gray agua y comida. ¿Qué ocurriría si le enviase algo sin estar seguro de su paradero? En la pantalla, la manada recogió los víveres de Sol, o de Sal, y volvió a refugiarse en los túneles, seguramente con la intención de reponer fuerzas antes de que se hiciese de noche. ¿Debería arriesgarse ahora?

Lo debatió en susurros con Lysistrata, la cual opinaba que podría merecer la pena si enviaban juntos sus drones.

—No nos conviene que se queden demasiado débiles o se deshidraten. Sospecho que Jessup lleva dos días sin probar bocado. Deberíamos esperar a ver si intentan ponerse en contacto con nosotros. Démosles hasta el descanso para cenar.

Pero Lucy Gray hizo acto de presencia justo cuando los alumnos recibían permiso para marcharse a casa. Salió disparada de un túnel, corriendo a toda velocidad, con el pelo escapándose de las trenzas y ondeando libre a su espalda.

—¿Dónde está Jessup? —murmuró Lysistrata, que había fruncido el ceño—. ¿Por qué no van juntos?

Antes de que Coriolanus pudiese aventurar una hipótesis, Jessup emergió tambaleándose del mismo túnel del que había salido huyendo Lucy Gray. Al principio, Coriolanus pensó que lo habían herido, posiblemente mientras defendía a su aliada. Pero, entonces, ¿por qué corría ella? ¿Los perseguirían otros tributos? Cuando la cámara hizo zoom sobre Jessup, los espectadores pudieron comprobar que estaba enfermo, no herido. Con movimientos agarrotados y febriles, manoteó el aire como si quisiera protegerse del sol, se agachó y volvió a incorporarse casi de inmediato cuando la cámara logró sacarle un primer plano.

Coriolanus se preguntó si Lucy Gray habría encontrado la manera de envenenarlo, aunque eso no tenía sentido. Jessup era un protector demasiado valioso, sobre todo con la jauría que se había formado la noche anterior suelta por los alrededores. ¿Qué lo aquejaba, entonces?

Podría estar indispuesto por muchos motivos, cualquier enfermedad habría sido susceptible de resultar sospechosa, de no haber sido por la espuma delatora que borboteaba en sus labios.

17

—Tiene la rabia —susurró Lysistrata.

La rabia se había vuelto a propagar por el Capitolio durante la guerra. Como se necesitaban médicos sobre el terreno y los bombardeos ponían en peligro tanto las instalaciones como las cadenas de suministro, la asistencia sanitaria era escasa para los humanos, de ahí el caso de la madre de Coriolanus, e inexistente para las mimadas mascotas del Capitolio. Vacunar al gato no entraba dentro de la lista de prioridades cuando ni siquiera lograbas reunir suficiente dinero para comprar pan. Seguía sin estar demasiado claro cómo había empezado (puede que con un coyote de las montañas infectado o con un encuentro nocturno con un murciélago), pero fueron los perros los que la propagaron. La mayoría se moría de hambre, ya que los pobres animales también eran víctimas abandonadas de la guerra. Se contagió de perro a perro y después pasó a la gente. La virulenta cepa se desarrolló a una velocidad inaudita y mató a una docena de ciudadanos antes de que el programa de vacunación la controlara.

Coriolanus recordaba los carteles que alertaban a la gente de las señales de advertencia tanto en animales como en personas, lo que añadía otra posible amenaza a su mundo. Recordó a Jessup con el pañuelo apretado contra el cuello.

—¿El mordisco de la rata?

—De una rata no —respondió Lysistrata, con la conmoción y la tristeza reflejadas en el rostro—. Las ratas casi nunca contagian la rabia. Es probable que fuera uno de esos mapaches sarnosos.

—Lucy Gray me dijo que Jessup mencionó algo peludo, así que supuse... —Dejó la frase en el aire. Daba igual lo que hubiera mordido al chico; era una sentencia de muerte, lo miraras por donde lo miraras. Debía de haberse infectado unas dos semanas antes—. Ha sido rápido, ¿no?

—Mucho. Porque le mordieron en el cuello. Cuanto antes llega al cerebro, antes mueres —le explicó Lysistrata—. Y, por supuesto, está medio muerto de hambre y débil.

Si ella lo decía, probablemente fuera cierto. Se imaginaba a la familia Vickers charlando sobre temas por el estilo durante la cena, a su tranquila y fría manera.

—Pobre Jessup —añadió la chica—. Hasta su muerte va a ser horrible.

El público se puso muy nervioso al reconocer los síntomas de Jessup, lo que generó una oleada de comentarios preñados de miedo y asco.

—¡La rabia! ¿Cómo se ha contagiado?

—Seguro que la trae de los distritos.

—Genial, ¡habrá infectado a media ciudad!

Todos los estudiantes tomaron asiento de nuevo para no perderse nada, mientras volvían a su memoria los recuerdos infantiles de la enfermedad.

Coriolanus guardó silencio en solidaridad con Lysistrata, aunque su preocupación creció al ver que Jessup avanzaba dando tumbos por la arena hacia Lucy Gray. Era imposible saber lo que tenía en mente. En circunstancias normales, estaba seguro de que la habría protegido; pero, si la chica tenía que huir para salvar la vida, era evidente que Jessup había perdido la cabeza.

Las cámaras siguieron a Lucy Gray, que cruzó corriendo la arena y trepó por el muro destrozado que daba a las gradas sobre las que se encontraba la cabina de prensa principal. La cabina estaba ubicada en medio del estadio, ocupaba varias filas y, por algún motivo desconocido, había sobrevivido a las bombas. Se detuvo un momento, jadeando, para analizar la persecución errática de Jessup y después corrió hacia los escombros de un puesto de comida cercano. Todavía quedaba en pie la estructura, aunque el centro había volado en pedazos y el tejado había terminado a diez metros de distancia. La zona, salpicada de ladrillos y tablas, era como una pista de obstáculos por la que la chica avanzó hasta llegar a la cima de los escombros.

Los Vigilantes aprovecharon que estaba quieta para enfocarla en un primer plano. Coriolanus echó un vistazo a sus labios cortados y consultó su brazalector. Al parecer, no había tenido acceso al agua desde que la dejaran en la arena, y ya había pasado un día y medio. Introdujo la orden para enviarle una botella. La rapidez de la entrega mejoraba con cada solicitud. Aunque tuviera que seguir corriendo, podrían hacerle llegar el agua si permanecía a cielo abierto. Si lograba escapar de Jessup, Coriolanus la abastecería de comida y bebida, tanto para su uso personal como para utilizarla con el veneno para ratas. Sin embargo, en aquel momento eso parecía un plan a largo plazo.

Jessup había cruzado la arena y parecía desconcertado por el rechazo de Lucy Gray. Empezó a trepar detrás de ella por las gradas, pero le costaba mantener el equilibrio. Al entrar en el campo de escombros, su coordinación empeoró aún más, y en dos ocasiones cayó y se hizo sendos tajos en la rodilla y la sien. Después de la segunda herida, de la que brotó bastante sangre, se sentó, un tanto aturdido, y alargó una mano hacia ella. Movió la boca y la espuma le cayó por la barbilla.

Lucy Gray permaneció inmóvil y observó a Jessup con pesar. Formaban un extraño retablo: chico rabioso, chica atrapada, edificio bombardeado. Representaba una historia que solo podía acabar en drama. Los trágicos amantes que se enfrentan a su destino. Una historia de venganza que se vuelve contra sí misma. Una saga bélica que no hacía prisioneros.

«Muérete, por favor», pensó Coriolanus. ¿Qué es lo que por fin te mataba cuando tenías la rabia? ¿No podías respirar o se te paraba el corazón? Fuera lo que fuese, cuanto antes le pasara a Jessup, mejor para todos los involucrados.

Un dron cargado con una botella de agua llegó volando al estadio, y Lucy Gray alzó el rostro para seguir con la mirada su tambaleante recorrido. Se humedeció los labios, expectante. Sin embargo, al pasar sobre la cabeza de Jessup, el chico captó algo y sintió un escalofrío. Golpeó el dron con una tabla, y el aparato se estrelló contra las gradas. El agua que se derramó de la botella rota le provocó un estado de agitación aún mayor. Retrocedió, tropezó con los asientos y se fue directo a por Lucy Gray. Ella, a su vez, prosiguió su ascenso por las gradas.

Coriolanus sintió pánico. Aunque la estrategia de poner los escombros entre Jessup y ella tenía su mérito, corría el peligro de quedarse aislada de la arena. El virus había limitado los movimientos de Jessup, pero también le había aportado una velocidad demencial a su vigoroso cuerpo, y nada lograba distraerlo de Lucy Gray. «Salvo ese episodio con el agua», pensó. El agua. Una palabra surgió en su cerebro, procedente de los carteles con los que habían empapelado el Capitolio durante una época: «hidrofobia». Miedo al agua. La incapacidad de tragar hacía que las víctimas de la rabia se volvieran locas al verla.

Empezó a toquetear el brazalector para pedir más botellas de agua. Quizá si caían las suficientes, Jessup huiría, asustado. Estaba dispuesto a agotar sus reservas en caso necesario.

Lysistrata puso una mano sobre la suya y lo detuvo.

—No, déjame a mí. Al fin y al cabo, es mi tributo.

Empezó a pedir una botella tras otra, a enviar el agua para empujar a Jessup más allá del límite. Aunque el rostro de Lysistrata no expresaba ninguna emoción, una lágrima solitaria le resbaló por la mejilla y le besó la comisura de los labios antes de que se la secara.

—Lyssie... —No la llamaba así desde que eran muy pequeños—. No tienes por qué hacerlo.

—Si Jessup no puede ganar, quiero que lo haga Lucy Gray. Es lo que él habría querido. Y no ganará si él la mata. Cosa que podría suceder de todos modos.

En pantalla, Coriolanus vio que, efectivamente, Lucy Gray estaba metida en un lío. A su izquierda se encontraba el alto muro trasero del estadio; a su derecha, el grueso cristal de la cabina de prensa. La chica intentó librarse de Jessup varias veces, pero su compañero de distrito siempre corregía su posición para interceptarla. Cuando estuvo a unos seis metros de ella, Lucy Gray empezó a hablarle y a gesticular con la mano para calmarlo. Eso lo detuvo un momento, pero después volvió a perseguirla.

Al otro lado del estadio, la primera botella de agua de Lysistrata, o quizá la sustituta de la que se había roto, se dirigía hacia los tributos. El rumbo de esta máquina era más firme y preciso, igual que el de la pequeña flota de drones que la seguían. En cuanto Lucy Gray vio los drones, dejó de huir. Coriolanus vio que se daba unas palmadas en los volantes de la falda, sobre el bolsillo en el que guardaba la polvera de plata, y él lo tomó como una señal de que había entendido el significado del agua. Señaló los drones y empezó a gritar, con lo que consiguió que Jessup girara la cabeza.

El chico se quedó paralizado, con los ojos desorbitados por el miedo. Cuando los drones se le acercaron, intentó derribarlos a manotazos, sin éxito. Al lanzarle las botellas de agua, Jessup perdió el control. Ni usando explosivos habrían logrado una reacción tan fuerte, y el impacto de las botellas contra los asientos lo enloqueció por completo. El contenido de una le salpicó la mano, y él retrocedió como si fuera ácido. Llegó al pasillo y bajó corriendo hasta la arena, pero otra docena de drones llegaron para bombardearlo. Como tenían instrucciones de entregar las botellas directamente al tributo, no había forma de escapar. Mientras bajaba a toda velocidad hacia los asientos de primera fila, el pie se le enganchó en uno, tropezó y salió volando por encima del muro para caer en el campo.

El ruido de huesos rotos que acompañó su caída sorprendió al público, ya que Jessup aterrizó en una de las pocas zonas del estadio con buen audio. Se quedó tumbado boca arriba, inmóvil salvo por la respiración, que le agitaba el pecho. El resto de las botellas le llovieron encima, y él enseñó los dientes y contempló sin parpadear el reluciente sol que se reflejaba en el agua.

Lucy Gray bajó corriendo por los escalones y se asomó a la barandilla.

—¡Jessup!

Él se limitó a volver la vista hacia ella.

Coriolanus apenas oyó a Lysistrata susurrar:

—Por favor, no dejes que muera solo.

Tras sopesar el peligro, Lucy Gray se tomó un instante para examinar la arena vacía antes de bajar por el muro destrozado para llegar a su lado. Coriolanus reprimió un gruñido (quería que la chica saliera de allí de inmediato) porque no podía permitírselo con Lysistrata al lado.

—No lo hará —le aseguró a su compañera, pensando en el momento en que Lucy Gray le había quitado de encima la viga ardiendo—. No es su estilo.

—Me queda algo de dinero —respondió ella mientras se secaba los ojos—. Enviaré comida.

Jessup siguió a Lucy Gray con la mirada; la chica bajó de un salto el último metro que la separaba del campo, pero él parecía incapaz de moverse. ¿La caída lo había dejado paralizado? Se acercó a él con cautela y se arrodillo justo fuera del alcance de sus largos brazos. Intentando sonreír, le dijo:

—Ya te puedes dormir, ¿me oyes, Jessup? Venga, te toca, yo me quedo montando guardia. —El muchacho tuvo que captar algo, puede que su voz o la repetición de las palabras que le había dicho a lo largo de las últimas dos semanas. Su rostro perdió rigidez y se le movieron los párpados—. Eso es. Déjate llevar. ¿Cómo vas a soñar si no te duermes? —Lucy Gray se acercó y le puso una mano en la cabeza—. No pasa nada. Yo vigilaré. Estoy aquí. Me voy a quedar aquí mismo.

Jessup la miró fijamente mientras la vida abandonaba poco a poco su cuerpo, hasta que su pecho dejó de moverse.

Lucy Gray se atusó los rizos y se puso en cuclillas. Respiró hondo, y Coriolanus percibió su agotamiento. La chica sacudió la cabeza, como si pretendiera despertarse, agarró la botella de agua más cercana, le quitó el tapón y se la bebió de un par de tragos. Después, una segunda y una tercera, antes de secarse los labios con el dorso de la mano. Se levantó y examinó a Jessup; a continuación, abrió otra botella y la usó para limpiarle la espuma y la saliva de la cara. Se sacó del bolsillo la servilleta de lino blanco con la que Coriolanus había cubierto el fondo de la caja del pícnic que le había llevado la última noche. Finalmente, se inclinó sobre él, usó el borde de la tela para cerrarle con cuidado los ojos, sacudió la servilleta y le tapó el rostro con ella para que no lo vieran los espectadores.

Los paquetes de comida de Lysistrata que caían a su alrededor sacaron a Lucy Gray de su ensimismamiento, y se puso a recoger a toda velocidad los trozos de queso y las rebanadas de pan, que se metió en los bolsillos. También recogió las botellas de agua con la falda, pero se detuvo de golpe cuando Reaper apareció al otro lado de la arena. Lucy Gray no perdió el tiempo: corrió con su botín al túnel más cercano. Reaper la dejó marchar, pero se acercó a coger las últimas botellas de agua a la luz del crepúsculo; también tomó nota del cadáver de Jessup, aunque no lo tocó.

Coriolanus pensó que la cosa pintaba bien para más adelante. Si los tributos adoptaban la costumbre de robar los regalos de los muertos, su plan de envenenarlos funcionaría a la perfección. Sin embargo, no tuvo mucho tiempo para pensar en ello porque Lepidus reclamaba a Lysistrata.

—¡Vaya! —exclamó el reportero—. ¡Menuda sorpresa! ¿Sabías lo de la rabia?

—Claro que no. De haberlo sabido, habría avisado a las autoridades para que analizaran los mapaches del zoo.

—¿Qué? ¿Quieres decir que no la trajo de los distritos?

—No —respondió Lysistrata con firmeza—, le mordieron aquí, en el Capitolio.

—¿En el zoo? —preguntó Lepidus con cara de preocupación—. Muchos de nosotros hemos pasado por allí. De hecho, un mapache se paseó por mi equipo, ¿sabes?, arañándolo todo con esas manitas tan raras que tienen y...

—Así no se contagia la rabia —lo cortó ella.

—Es que tocó todas mis cosas —insistió Lepidus, imitando con las manos el movimiento de las patas del animal.

—¿Tiene alguna pregunta sobre Jessup?

—¿Jessup? No, a él no llegué a acercarme. Ah, vale, quieres decir... ¿Tienes algo que decir?

—Lo tengo. —La chica respiró hondo—. Lo que me gustaría que los televidentes supieran sobre Jessup es que era una buena persona. Me protegió con su cuerpo cuando estallaron las bombas en el estadio. Ni siquiera fue un acto consciente, lo hizo por reflejo. Era así por naturaleza: un protector. Creo que no tenía ninguna oportunidad en los Juegos porque habría preferido morir protegiendo a Lucy Gray.

—Ah, como si fuera un perro o algo parecido —repuso Lepidus—. Uno muy bueno.

—No, no como un perro. Como un ser humano.

Lepidus la miró para intentar descifrar si se trataba de una broma.

—Ya. Loco, ¿algún comentario desde el cuartel general?

La cámara sorprendió a Loco mordisqueando un padrastro tozudo.

—¿Eh? ¿Qué? ¡Hola! Por aquí no hay mucho que ver. Vamos a echar otro vistazo a la arena, ¿qué os parece?

Una vez que se apartaron las cámaras, Lysistrata empezó a recoger sus pertenencias.

—No te vayas todavía. Quédate a cenar con nosotros —le pidió Coriolanus.

—No, quiero irme a casa. Pero gracias por acompañarme, Coryo. Eres un buen aliado.

—Tú sí que lo eres —respondió él mientras la abrazaba—. Sé que no ha sido fácil.

—Bueno, al menos ya estoy fuera —dijo ella tras un suspiro.

Los demás mentores la rodearon para decirle que había hecho un buen trabajo antes de que se marchara del salón sin esperar a que lo hiciera el resto del alumnado. Los demás no tardaron en seguirla y, en cuestión de minutos, allí solo quedaron los diez mentores con tributos en la arena. Se miraban con otros ojos después de saber que el Premio Plinth estaba en juego: ya no se conformarían con tener un vencedor de los Juegos, sino que cada uno de ellos aspiraba a serlo en persona.

Los Vigilantes tuvieron que pensar lo mismo, puesto que Loco volvió a escena para hacer un repaso de los tributos que quedaban y sus mentores. Con la pantalla dividida en dos, mostraron las fotos de las parejas, acompañadas de la voz en off del presentador. Algunos de los mentores gruñeron al darse cuenta de que habían descargado sus fotos de los carnés de estudiante, que no eran nada favorecedoras, pero para Coriolanus fue un alivio que no enseñaran su rostro tal y como estaba de verdad, con las costras de las heridas. Como los tributos no tenían fotos oficiales, aparecían en imágenes aleatorias tomadas después de la cosecha.

La lista iba en orden cronológico por distrito, empezando por las parejas del 3: Urban y Teslee, e Io y Circ.

—Nuestros tributos del distrito tecnológico nos tienen a todos desconcertados: ¿qué han hecho con esos drones? —preguntó Loco. Festus y Coral aparecieron a continuación, seguidos de Persephone y Mizzen—. ¡Los tributos del Distrito 4 vuelan alto a medida que nos acercamos a los diez últimos! —Pup gritó de alegría cuando salió su foto al lado de la de Lamina sobre su viga, hasta que la imagen cambió a Treech haciendo malabares en el zoo y a Vipsania—. ¡A los favoritos del público, Lamina y Pliny Harrington, se les unen el chico del Distrito 7, Treech, y su mentora, Vipsania Sickle! Así pues, los distritos 3, 4 y 7 mantienen sus equipos intactos. Ahora, los tributos que han perdido a su compañero de distrito. —Una fotografía borrosa de Wovey en cuclillas dentro de la jaula del zoo al lado de un Hilarius cubierto de acné—. ¡Wovey, del 8, con Hilarius Heavensbee de guía! —Como habían usado una imagen de su entrevista, Tanner tenía mejor aspecto al colocarlo al lado de Domitia—. ¡El chico del 10 está deseando poner a prueba sus técnicas del matadero! —Después apareció Reaper, bien firme en la arena, junto con una Clemensia de aspecto impecable—. ¡Aquí hay un tributo que quizá merezca la pena tener en cuenta! ¡Reaper, del 11! —Por fin, Coriolanus vio su foto (ni estupenda ni mala) al lado de una fotografía deslumbrante de Lucy Gray cantando en la entrevista—. ¡Y el premio a los más populares es para Coriolanus Snow y Lucy Gray, del 12!

¿Los más populares? Coriolanus supuso que era halagador, aunque no intimidaba demasiado. Bueno, daba igual. Gracias a la popularidad, Lucy Gray había conseguido un montón de dinero. Estaba viva, hidratada, alimentada y bien abastecida. Con suerte, sería capaz de resguardarse mientras los demás caían. Perder la protección de Jessup era un duro golpe, pero le resultaría más sencillo esconderse sin su compañía. Coriolanus le había prometido que nunca estaría sola en la arena, que él la acompañaría en todo momento. ¿Estaría aferrada a la polvera en aquel mismo instante? ¿Pensaría en él como él pensaba en ella?

Actualizó su lista de mentores, aunque no le produjo ningún placer tachar a Jessup y a Lysistrata.

DÉCIMOS JUEGOS DEL HAMBRE

MENTORES ASIGNADOS

DISTRITO 1

~~Chico (Facet) Livia Cardew~~

~~Chica (Velvereen) Palmyra Monty~~

DISTRITO 2

~~Chico (Marcus) Sejanus Plinth~~

~~Chica (Sabyn) Florus Friend~~

DISTRITO 3

Chico (Circ) Io Jasper

Chica (Teslee) Urban Canville

DISTRITO 4

Chico (Mizzen) Persephone Price

Chica (Coral) Festus Creed

DISTRITO 5

~~Chico (Hy) Dennis Fling~~

~~Chica (Sol) Iphigenia Moss~~

DISTRITO 6

~~Chico (Otto) — Apollo Ring~~

~~Chica (Ginnee) — Diana Ring~~

DISTRITO 7

Chico (Treech) — Vipsania Sickle

Chica (Lamina) — Pliny Harrington

DISTRITO 8

~~Chico (Bobbin) — Juno Phipps~~

Chica (Wovey) — Hilarius Heavensbee

DISTRITO 9

~~Chico (Panlo) — Gaius Breen~~

~~Chica (Sheaf) — Androcles Anderson~~

DISTRITO 10

Chico (Tanner) — Domitia Whimsiwick

~~Chica (Brandy) — Arachne Crane~~

DISTRITO 11

Chico (Reaper) — Clemensia Dovecote

~~Chica (Dill) — Felix Ravinstill~~

DISTRITO 12

~~Chico (Jessup) — Lysistrata Vickers~~

Chica (Lucy Gray) — Coriolanus Snow

La competencia se había reducido de manera considerable, pero varios de los tributos supervivientes serían duros de pelar. Reaper, Tanner, los dos del Distrito 4... ¿Y quién sabía lo que estaría tramando aquella parejita empollona del Distrito 3?

Cuando los diez mentores se reunieron para comer un delicioso estofado de cordero con ciruelas pasas, Coriolanus echó de menos a Lysistrata. Era su única aliada de verdad, igual que Jessup lo había sido de Lucy Gray.

Después de la cena, se sentó entre Festus e Hilarius, e hizo lo posible por no dormirse. Sobre las nueve, dado que no había sucedido nada importante desde la muerte de Jessup, los enviaron a casa con órdenes de volver a primera hora de la mañana siguiente. El camino a casa no resultaba una perspectiva agradable, pero entonces recordó con alegría la segunda ficha de Tigris y se montó en el trolebús, que lo dejó a una manzana de su piso.

La abuelatriz se había acostado, pero Tigris estaba en el dormitorio de su primo, esperándolo, otra vez envuelta en el abrigo de pieles de su madre. El chico se dejó caer en el diván, a sus pies, sabiendo que le debía una explicación de lo sucedido en la arena. La fatiga no era lo único que lo hacía vacilar.

—Sé que quieres que te cuente lo de anoche, pero me da miedo. Me da miedo meterte en líos por saberlo.

—No pasa nada, Coryo. Tu camisa ya me lo ha contado casi todo. —Recogió del suelo la camisa que había llevado puesta en la arena—. La ropa me habla, ¿sabes? —La alisó sobre el regazo y empezó a reconstruir los horrores de la noche de su primo, empezando por la raja manchada de sangre en la manga—. Esto. Justo aquí fue donde te cortó el cuchillo. —Recorrió con los dedos los destrozos de la tela—. Todos estos desgarros, y por el modo en que está pegada la tierra, me dicen que te arrastraste por el suelo (o puede que incluso te arrastraran), lo que encaja con el arañazo que tienes en la barbilla y la sangre del cuello. —Tigris tocó el cuello de la camisa y siguió adelante—. Por la forma en que está rota esta otra manga, diría que te la enganchaste en alambre de espino. Probablemente en la barricada. Pero la sangre de aquí, la que salpica el puño..., creo que no es tuya. Creo que tuviste que hacer algo horrible allí dentro.

Coriolanus contempló la sangre y volvió a sentir el impacto de la viga sobre la cabeza de Bobbin.

—Tigris...

—Y no dejo de preguntarme cómo hemos llegado a esto —lo interrumpió ella, restregándose la sien—. Que mi primo pequeño, el que no sería capaz de hacerle daño a una mosca, haya tenido que luchar por su vida en la arena.

No había conversación en el mundo que le apeteciera menos que aquella en esos momentos.

—No lo sé. No tuve elección.

—Ya lo sé. Por supuesto que lo sé. —Tigris lo rodeó con los brazos—. Pero odio lo que te están haciendo.

—Estoy bien. No durará mucho más. Y, aunque no gane, tengo asegurada alguna clase de recompensa. De verdad, creo que todo va a cambiar a mejor.

—Claro. Sí. Seguro que sí. Los Snow siempre caen de pie —coincidió ella, aunque su cara decía lo contrario.

—¿Qué te pasa? —le preguntó Coriolanus. Ella negó con la cabeza—. Venga, ¿qué es?

—No te lo iba a contar hasta después de los Juegos del Hambre... —dijo, y guardó silencio.

—Pero ahora tienes que hacerlo. O me imaginaré algo mucho peor. Dímelo, por favor.

—Ya se nos ocurrirá algo —contestó ella mientras se levantaba.

—Tigris —repuso él mientras tiraba de su brazo para sentarla de nuevo—. ¿Qué?

A regañadientes, su prima metió la mano en el bolsillo del abrigo, sacó una carta con el sello del Capitolio y se la dio.

—Hoy ha llegado el recibo de los impuestos.

No tenía que añadir nada más porque la expresión de su rostro lo decía todo. Sin dinero para los impuestos ni modo de pedir prestado, los Snow estaban a punto de perder su hogar.

18

Coriolanus se había negado a aceptar la cuestión de los impuestos, pero, de repente, la realidad del desplazamiento de su familia le pasó por encima como si lo hubiera atropellado un camión. ¿Cómo se iba a despedir del único hogar que había conocido? ¿De su madre?, ¿de su infancia?, ¿de los dulces recuerdos de su vida anterior a la guerra? Aquellas cuatro paredes no solo habían mantenido a su familia a salvo del mundo, sino que también habían protegido la leyenda de la riqueza de los Snow. Perdería su residencia, su historia y su identidad de un solo golpe.

Tenían seis semanas para conseguir el dinero. Para reunir como fuera el equivalente al sueldo anual de Tigris. Los primos intentaron calcular lo que todavía les quedaba para vender, pero ni siquiera desprendiéndose del último trocito de mueble y todos y cada uno de sus objetos queridos les llegaría para cubrir más de unos meses, con suerte. Y los recibos seguirían llegando cada mes, como un reloj. Iban a necesitar lo que ganaran de vender sus pertenencias, por poco que fuera, para pagar un alquiler. Había que evitar a toda costa que los desahuciaran por impago de impuestos; el escarnio público sería demasiado grande, demasiado prolongado. Así que debían mudarse.

—¿Qué vamos a hacer? —preguntó Coriolanus.

—Nada hasta que acaben los Juegos del Hambre. Tienes que concentrarte en ellos para poder conseguir ese Premio Plinth o cualquier otro. Yo me ocuparé de esto —respondió Tigris con decisión.

Después le preparó una taza de leche caliente endulzada con sirope de maíz y le acarició la dolorida cabeza hasta que se quedó dormido. Tuvo sueños violentos, inquietantes, en los que revivía lo sucedido en el estadio, y al despertarse se encontró con lo de siempre.

> Joya de Panem,
> poderosa ciudad
> resplandeciente desde el albor.

¿Seguiría cantando la abuelatriz cuando estuvieran en su vivienda alquilada dentro de un par de meses? ¿O se sentiría demasiado humillada para alzar la voz de nuevo? A pesar de lo mucho que se había burlado de su ritual matutino, la idea lo entristecía.

Mientras se vestía, notó que se le tensaban los puntos del brazo y recordó que tenía que pasarse por la Ciudadela para que se los mirasen. Unas costras rojo oscuro le afeaban la cara arañada, pero ya no estaba tan hinchada como antes. Se maquilló un poco con los polvos de su madre y, aunque no cubrían mucho las costras, el olor lo tranquilizó.

Su desesperada situación económica lo llevó a aceptar sin poner ninguna pega las fichas que le ofreció Tigris. ¿Por qué molestarse en ahorrar centavos cuando los dólares habían volado hacía tiempo? En el trolebús, se tragó las galletas saladas con mantequilla de frutos secos e intentó no compararlas con los rollos de tortilla de Ma Plinth. Se le pasó por la cabeza que, dado el rescate de Sejanus, quizá los Plinth estuvieran dispuestos a hacerle un préstamo, o incluso a pagar por su silencio, pero la abuelatriz jamás lo permitiría, y la idea de un Snow humillándose ante un Plinth era impensable. No obstante, el Premio Plinth era viable, y Tigris estaba en lo cierto: los próximos días determinarían su futuro.

En la Academia, diez mentores bebían té y se preparaban para las cámaras. Cada día que pasaba aumentaba el escrutinio. Los Vigilantes habían enviado a una persona para maquillarlos, y la profesional consiguió disimular las costras de Coriolanus y, de paso, darle forma a sus cejas. Nadie parecía de humor para hablar directamente sobre los Juegos, salvo Hilarius Heavensbee, que no era capaz de hablar de otra cosa.

—Para mí es distinto —dijo Hilarius—. Comprobé la lista anoche. Todos los tributos que quedan han recibido comida o, al menos, agua desde que están en el estadio. Salvo Wovey, que no aparece. ¿Dónde se ha metido? ¿Cómo voy a saber que no está muerta en el suelo de uno de esos túneles? ¡Puede que ya esté muerta, y yo estoy aquí haciendo el imbécil, jugando con mi brazalector!

Coriolanus quería decirle que cerrara la boca porque los demás tenían problemas reales, pero se limitó a sentarse en un asiento del final, cerca de Festus, que estaba absorto en su conversación con Persephone.

Loco Flickerman empezó recordando qué tributos quedaban e invitó a Lepidus a recabar los comentarios de los mentores. Primero se dirigieron a Coriolanus para preguntarle por sus impresiones sobre el susto de Jessup. Él procuró alabar la magistral labor de Lysistrata en la gestión de la crisis de la rabia y le dio las gracias por su generosidad en los últimos minutos de vida de Jessup. Después se volvió hacia la zona en la que se sentaban los mentores de los tributos caídos, le pidió que se levantara e invitó al público a dedicarle un aplauso. Los asistentes no solo aplaudieron, sino que al menos la mitad se levantó; mientras, Lysistrata parecía avergonzada, pero a Coriolanus le dio la impresión de que lo disfrutaba. A continuación añadió que esperaba poder darle las gracias como era debido cumpliendo su predicción de que vencería uno de los tributos del Distrito 12, es decir, Lucy Gray. Sin duda, los espectadores veían lo astuta que era. Y no debían olvidar que había permanecido junto a Jessup hasta su triste final. Como ya había comentado antes, era el comportamiento que se esperaba de una chica del Capitolio, pero ¿de una de los distritos? No estaba de más meditar sobre el tema, teniendo en cuenta lo mucho que se premiaba el carácter en un vencedor de los Juegos del Hambre y lo mucho que Lucy Gray representaba los valores del Capitolio. Debía de haberle tocado la fibra sensible al público, porque su brazalector dejó escapar de inmediato unos doce pitidos. Sostuvo en alto el brazalete para que lo captara la cámara y dio las gracias a los generosos patrocinadores.

Como si no soportara ver tanta atención concentrada en Coriolanus, Pup se inclinó hacia delante y anunció en voz alta:

—¡Será mejor que le pida el desayuno a Lamina!

Acto seguido, encargó un aluvión de comida y bebida. Nadie más podía competir con él, ya que era la única tributo a la vista en la arena; una demostración más de lo insufrible que podía llegar a ser Pup. A Coriolanus le alegró comprobar que el brazalector de su rival no pitaba.

Como sabía que no volverían a llamarlo hasta que entrevistaran a los demás, Coriolanus procuró poner cara de interés, aunque apenas escuchaba lo que decían. No dejaba de darle vueltas a la idea de pedirle dinero a Strabo Plinth; no chantajearlo, por supuesto, sino darle la oportunidad de ofrecerle un regalo económico a modo de agradecimiento. ¿Y si se pasaba por la casa de los Plinth para ver cómo se encontraba Sejanus? El corte de la pierna parecía grave. Sí, ¿y si se dejaba caer por allí, a ver qué sucedía?

Loco interrumpió el discurso de Io sobre lo que Circ podría hacer con el dron («Bueno, si los diodos emisores de luz no están rotos, quizá sea capaz de montar una especie de linterna, lo que le ofrecería una gran ventaja por la noche») para dirigir la atención de la audiencia hacia Reaper, que acababa de salir de la barricada.

Lamina, que había estado recogiendo agua, pan y queso de media docena de drones, ordenaba con mucho primor sus provisiones en la viga. Apenas prestó atención a la llegada de Reaper, aunque él iba directo hacia ella, muy decidido. Apuntó con el dedo al sol y, después, a la cara de la chica. Por primera vez, Coriolanus se fijó en el precio que los largos días a la intemperie se estaban cobrando en la piel de Lamina. Tenía unas quemaduras considerables y se le estaba pelando la nariz. Al examinarla más de cerca, se veía que también tenía rojos los pies descalzos. Reaper señaló la comida. Lamina se restregó el pie y pareció sopesar la oferta. Siguieron hablando un momento y después ambos asintieron. Reaper corrió por la arena y trepó por el mástil hasta la bandera de Panem. Sacó su largo cuchillo y atravesó la gruesa tela con él.

En el salón se oyeron gritos de protesta. Aquella falta de respeto por la santidad de la bandera nacional los conmocionaba. Cuando el chico empezó a cortar la bandera para quedarse con un trozo del tamaño de una manta pequeña, la inquietud aumentó. Evidentemente, un acto así no podía quedar sin castigo. Seguro que habría represalias. Sin embargo, dado que los Juegos del Hambre eran el castigo definitivo, nadie sabía qué forma adoptarían.

Lepidus se apresuró a acercarse a Clemensia para preguntarle qué le parecía el comportamiento de su tributo.

—Bueno, es una estupidez, ¿no? Ahora nadie querrá patrocinarlo.

—Aunque tampoco es que importe mucho, porque nunca le envías comida —comentó Pup.

—Se la enviaré cuando haga algo para merecérsela —respondió Clemensia—. De todos modos, creo que ya lo has hecho tú por mí.

—Ah, ¿sí? —preguntó Pup, con el ceño fruncido.

Clemensia señaló la pantalla con la cabeza: Reaper corría de vuelta a la viga. Lamina y él negociaron durante un momento y después, a la de tres, Reaper le lanzó el trozo de bandera enrollado mientras Lamina dejaba caer un trozo de pan. La bandera no llegó lo bastante alto para poder cogerla, así que siguieron negociando. Cuando Reaper por fin consiguió lanzarla bien, tras varios intentos, ella se lo recompensó con un trozo de queso.

No era una alianza oficial, pero el intercambio pareció unirlos un poco. Mientras la chica sacudía la bandera y se la echaba sobre la cabeza, él se sentó con la espalda apoyada en uno de los postes y se comió el pan con queso. No volvieron a hablarse, aunque disfrutaron de una relativa calma, y cuando la manada apareció por el otro extremo de la arena, Lamina lo avisó. Reaper asintió con la cabeza para darle las gracias antes de retirarse detrás de la barricada.

Coral, Mizzen y Tanner se sentaron en las gradas e hicieron gestos de comer. Festus, Persephone y Domitia accedieron a su petición, y los tres tributos compartieron el pan, el queso y las manzanas que les soltaron los drones.

De vuelta en el estudio, Loco había llevado a su mascota, el loro Jubilee, al plató, y se pasó varios minutos intentando convencerlo para que le dijera «¡Hola, guapo!» al decano Highbottom. El pájaro, una criatura deprimida en plena batalla contra la sarna, permanecía encaramado a la muñeca de Loco sin decir palabra mientras el decano esperaba con los dedos entrelazados sobre el regazo.

—¡Venga, dilo! ¡Vamos! ¡«Hola, guapo»! ¡«Hola, guapo»!

—Creo que no quiere, Loco —intervino al fin el decano—. Puede que no le parezca guapo.

—¿Qué? ¡Ja! Nooo. Es que es tímido con los desconocidos. —Alargó el brazo sobre el que se posaba el pájaro—. ¿Le gustaría cogerlo?

—No —respondió Highbottom, echándose hacia atrás.

Loco colocó de nuevo a Jubilee contra su pecho y le acarició las plumas con la punta de un dedo.

—Bueno, decano Highbottom, ¿qué le parece todo esto?

—¿Todo el qué?

—Todo este lío. Todo lo que está sucediendo en los Juegos del Hambre. —Loco agitó la mano en el aire—. ¡Todo!

—Bueno, me he fijado en la nueva interactividad de los Juegos.

—Interactividad. Siga.

—Desde el principio. Incluso antes, en realidad. Cuando estallaron las bombas en la arena no solo acabaron con algunos participantes, sino que cambiaron el paisaje.

—Cambiaron el paisaje —repitió Loco.

—Sí. Ahora tenemos la barricada. La viga. El acceso a los túneles. Es una arena completamente nueva, y por eso los tributos se comportan de un modo completamente distinto.

—¡Y tenemos drones! —dijo Loco.

—Exacto. Ahora los espectadores son una parte activa de los Juegos. —El decano inclinó la cabeza hacia Loco—. Y ya sabe lo que significa eso.

—¿El qué?

—Significa que todos estamos juntos en la arena, Loco —respondió el decano hablando muy despacio, como si se dirigiera a un niño pequeño.

—Vaya —respondió el presentador, con el ceño fruncido—. No acabo de entenderlo.

—Piénselo bien —le dijo Highbottom mientras se daba unos toquecitos en la sien con el índice.

—Hola, guapo —graznó Jubilee con desgana.

—¡Ah, por fin! ¿No se lo había dicho? —se jactó Loco.

—Lo hizo, sí —reconoció el decano—. Y no por ello ha sido menos inesperado.

No pasó mucho más antes de la hora de comer. Loco informó del parte meteorológico distrito a distrito, con el incentivo de la presencia de Jubilee, aunque el pájaro se negó a volver a hablar, así que el presentador decidió hacerlo por él en un tono de voz agudo.

—¿Qué tiempo hace en el Distrito 12, Jubilee? «Pues *luci* el sol, Loco». ¿*Luci*? Querrás decir que luce. «No, ¡que *Lucy Gray*!».

Coriolanus levantó el pulgar cuando la cámara lo enfocó para ver cómo reaccionaba. No terminaba de creerse en lo que se había convertido su vida.

La comida fue decepcionante, ya que el menú consistía en sándwiches de mantequilla de frutos secos, justo lo que había tomado en el desayuno. Se lo comió porque se comía cualquier cosa que fuera gratis y porque era importante conservar las fuerzas. Un murmullo recorrió la sala, lo que significaba que algo estaba sucediendo en la arena, así que corrió de vuelta a su asiento. ¿Habría aparecido de nuevo Lucy Gray?

No lo había hecho, pero la pereza matutina de la manada se había transformado en decisión. Los tres cruzaron la arena hasta encontrarse justo debajo de la viga de Lamina. Al principio, la chica no les prestó atención, pero se espabiló cuando Tanner golpeó uno de los postes con la hoja de una espada. Lamina se sentó y los examinó, y tuvo que notar un cambio en el ambiente, porque sacó el hacha y el cuchillo, y empezó a limpiarlos en la bandera.

Tras una breve reunión en la que los tributos del Distrito 4 entregaron sus tridentes a Tanner, la manada se dividió. Coral se dirigió a uno de los postes metálicos en los que se apoyaba la viga, y Mizzen, al otro. Tanner se quedó justo debajo de Lamina, sosteniendo los dos tridentes. Con los cuchillos en los dientes, Coral y Mizzen se miraron, asintieron con la cabeza y empezaron a trepar por sus respectivos postes.

Festus se agitó en su asiento.

—Allá vamos.

—No lo conseguirán —repuso Pup, inquieto.

—Los han entrenado para trabajar en barcos. Lo de trepar por cuerdas forma parte de su trabajo —comentó Persephone.

—Por el aparejo —la corrigió Festus.

—Sí, lo sé. Al fin y al cabo, mi padre es comandante —dijo Pup—. Trepar por cuerdas es distinto. Los postes se parecen más a árboles.

No obstante, como Pup había estado poniendo de los nervios a todo el mundo, incluso los mentores sin tributo en juego deseaban intervenir.

—¿Qué me dices de los mástiles? —preguntó Vipsania.

—¿Y de las astas de las banderas? —apuntó Urban.

—No lo conseguirán —insistió Pup.

Aunque la pareja del Distrito 4 carecía del estilo depurado de Lamina, el caso es que estaban consiguiéndolo, subiendo poco a poco, cada vez más alto. Tanner les daba indicaciones, le decía a Coral que parara un momento cuando Mizzen se quedaba atrás.

—Mirad, están sincronizándose para llegar juntos arriba —dijo Io—. La van a obligar a decidir con quién luchar, y entonces el otro llegará por detrás a la viga.

—Pues entonces matará a uno y bajará por ahí —repuso Pup.

—Donde la esperará Tanner —le recordó Coriolanus.

—¡Que ya lo sé! ¿Qué esperas que haga? ¡Si tuvieran la rabia, les enviaría agua!

—Ni siquiera se te habría pasado por la cabeza —dijo Festus.

—Claro que sí —le soltó Pup—. ¡Cierra la boca! ¡Callaos todos!

Guardaron silencio, más que nada porque Coral y Mizzen ya estaban cerca de la cima. Lamina giraba la cabeza a un lado y al otro, intentando decidir a quién enfrentarse. Finalmente, se fue a por Coral.

—¡No, la chica, no; el chico! —exclamó Pup al mismo tiempo que se levantaba de un salto—. Ahora tendrá que luchar contra el chico sobre la viga.

—Yo habría hecho lo mismo. No me gustaría enfrentarme a esa chica ahí arriba —dijo Domitia, y unos cuantos mentores coincidieron con ella.

—¿No? —Pup se lo replanteó—. Puede que tengas razón.

Lamina llegó al extremo de la viga y descargó el hacha sobre Coral sin pensárselo dos veces; no llegó a acertarle en la cabeza, pero sí le cortó un buen mechón de pelo. Coral bajó más o menos un metro, pero Lamina atacó unas cuantas veces más, como si quisiera dejar clara su postura. Como cabía esperar, eso le dio tiempo a Mizzen para llegar a la viga, aunque, cuando Tanner le lanzó el tridente, se quedó corto por un trecho y cayó al suelo. Lamina descargó otro hachazo al aire y después se fue rápidamente a por Mizzen. El chico no podía competir con su equilibrio sobre la viga, así que solo consiguió dar unos cuantos pasos vacilantes antes de tenerla encima. Tanner lo hizo mejor a la segunda, pero el tridente rebotó en la parte inferior de la viga y aterrizó de nuevo en la tierra. Como estaba ocupado agachándose para intentar atraparlo, Mizzen se enderezó justo cuando Lamina llegaba junto a él y le propinaba un golpe en la rodilla con la parte plana del hacha. La fuerza del impacto los desequilibró a los dos. Sin embargo, mientras ella se recuperaba sentada a horcajadas en la viga, Mizzen cayó, perdió el cuchillo y se agarró a la viga con un brazo en el último momento.

Hasta el sistema de sonido de la arena fue capaz de captar el grito de guerra que profirió Coral al llegar arriba. Tanner corrió hasta su extremo y consiguió lanzarle el tridente para que lo cogiera. La facilidad con la que Coral atrapó el arma en el aire arrancó gritos de admiración al público del Capitolio. Lamina le echó un vistazo a Mizzen, pero, como veía que estaba indefenso y no suponía una amenaza inmediata, se volvió hacia Coral y se preparó para su ataque. A pesar de que Lamina tenía mejor equilibrio, el alcance del arma de Coral era mayor. Después de conseguir interceptar los primeros golpes con su hacha, Coral giró el tridente con efecto para distraer a su contrincante y se lo clavó en el vientre. La chica tiró del arma, dio un paso atrás y sacó el cuchillo para defenderse, pero ya no era necesario. Lamina cayó de la viga y murió al dar contra el suelo.

—¡No! —gritó Pup; la palabra rebotó por el Salón Heavensbee.

Se quedó inmóvil durante un buen rato, después recogió su silla y abandonó la zona de los mentores sin prestar atención al micrófono que le acercaba Lepidus. Dejó caer la silla al lado de Livia y salió de allí. A Coriolanus le dio la impresión de que se esforzaba por no llorar.

Coral se acercó a Mizzen y se quedó de pie sobre él durante un desconcertante momento en el que Coriolanus se preguntó si estaría pensando en darle una patada en el brazo para enviarlo detrás de Lamina. Sin embargo, al final se sentó en la viga, se agarró a ella con las piernas y lo ayudó a subir. El hacha había dejado tocada la rodilla del chico, aunque costaba saber hasta qué punto. Bajó por el poste medio deslizándose, seguido de cerca por Coral, que recogió del suelo el tridente sin usar que había abandonado Tanner. Mizzen se apoyó en el poste para examinarse la rodilla.

Tras una especie de baile sobre el cadáver de Lamina, Tanner fue hacia ellos. Mizzen sonrió y alzó las manos para chocarlas con él y celebrar la victoria. Tanner apenas había entrado en contacto con Mizzen cuando Coral le clavó el segundo tridente en la espalda. El chico cayó sobre Mizzen, que, con la espalda apoyada en el poste, lo apartó de un empujón. Tanner se giró en redondo para intentar quitarse el tridente a manotazos, pero tenía las púas bien clavadas. Cayó de rodillas con cara de estar más dolido que sorprendido, y se dio de bruces contra la arena. Mizzen lo remató cortándole el cuello con un cuchillo. Después retrocedió y se sentó con la espalda apoyada en el poste mientras Coral arrancaba un trozo de tela de la bandera de Lamina para vendarle la rodilla.

En el plató, el rostro de Loco expresaba una cómica sorpresa.

—¿Han visto ustedes lo mismo que yo?

Domitia había recogido sus cosas en silencio, con los labios apretados por la decepción. Sin embargo, cuando Lepidus le acercó el micrófono, habló con voz fría y tranquila.

—No me lo esperaba. Pensaba que Tanner ganaría. Y creo que lo habría hecho si sus aliados no lo hubieran traicionado. Supongo que esa es la moraleja: no confíes en nadie.

—Ni dentro ni fuera del estadio —replicó Lepidus, que asintió con aire sabio.

—En ninguna parte —coincidió Domitia—. Tanner era un buenazo, ¿sabe? Y el Distrito 4 se ha aprovechado de eso. —Miró con tristeza a Festus y a Persephone, como si quisiera dar a entender que aquello los hacía quedar mal, y Lepidus chascó la lengua para darle la razón—. Es una de las muchas cosas que he aprendido como mentora de los Juegos del Hambre. Siempre llevaré en el corazón esta experiencia, y les deseo mucha suerte a los mentores que quedan.

—Bien dicho, Domitia. Creo que has demostrado a tus compañeros cómo se comporta una buena perdedora —dijo Lepidus—. ¿Loco?

Cuando devolvieron la conexión al presentador, Loco intentaba convencer a Jubilee para que se bajara de la lámpara de cristal mientras le ofrecía una galleta.

—¿Qué? ¿No ibas a hablar con el otro? ¿Cómo se llama? ¿El hijo del comandante?

—Ha preferido no hacer ninguna declaración.

—Bueno, pues ¡volvamos al espectáculo! —exclamó Loco.

Sin embargo, el espectáculo había terminado por el momento. Coral le vendó la rodilla a Mizzen y arrancó los tridentes de los cadáveres de sus víctimas para llevárselos. La pareja, con un Mizzen renqueante, cruzó a toda prisa la arena hacia su túnel predilecto.

Satyria se acercó para pedirles a los mentores que cambiaran la disposición de los asientos y los colocaran en dos ordenadas filas de cuatro. Io, Urban, Clemensia y Vipsania delante. Coriolanus, Festus, Persephone e Hilarius detrás. Continuaba el juego de las sillas musicales.

Puede que lo indigno de su papel como títere de Loco fuese ya demasiado para Jubilee, porque el pájaro se negó a bajar de la lámpara. El presentador echó mano de sus corresponsales en el Salón Heavensbee y en el exterior del estadio, donde la multitud se había dividido por zonas para animar a los distintos tributos. El equipo de Lucy Gray estaba bien representado por jóvenes y mayores, hombres y mujeres, e incluso algunos avox, aunque estos últimos no contaban, puesto que sus dueños los habían llevado consigo para portar pancartas.

A Coriolanus le habría gustado que Lucy Gray pudiera ver cuánta gente la quería. Que supiera cómo la defendía él. Se mostraba más activo, llamaba a Lepidus en los momentos de calma para poner a su tributo por las nubes. Como resultado, los regalos de sus patrocinadores alcanzaron un nuevo récord, y él estaba convencido de que podría alimentarla durante una semana entera. En realidad, no le quedaba más que sentarse a observar y esperar.

Treech salió lo justo para llevarse el hacha de Lamina y recibir comida de Vipsania. Teslee recogió otro dron caído y la comida que le envió Urban. Poco más sucedió hasta entrada la tarde, cuando Reaper salió de la barricada restregándose el sueño de los ojos. Parecía incapaz de comprender la escena que tenía delante, los cadáveres apuñalados de Tanner y, sobre todo, el de Lamina. Después de caminar a su alrededor durante un rato, levantó a Lamina, la llevó hasta donde yacían Bobbin y Marcus, y tumbó a los tres en fila. Se pasó otro rato dando vueltas alrededor de la viga antes de arrastrar a Tanner y colocarlo junto a Lamina. A lo largo de la hora siguiente, recogió primero a Dill y después a Sol, y los añadió a su morgue improvisada.

Jessup fue el único que se quedó fuera. Lo más probable era que Reaper temiera contagiarse de la rabia. Después de alinear con sumo cuidado a los otros, espantó las moscas que se habían reunido sobre ellos. Y, tras detenerse un momento, pensativo, regresó y cortó otro pedazo de tela de la bandera, que usó para cubrir los cadáveres, lo que arrancó de nuevo protestas indignadas en el salón. Reaper cogió lo que quedaba de la bandera de Lamina y se lo ató sobre los hombros, como una capa. Eso pareció inspirarlo y empezó a girar despacio sobre sí mismo, volviendo la vista atrás para verla flotar tras él. Después corrió con los brazos extendidos mientras la bandera ondeaba bajo los rayos del sol. Agotado por las actividades del día, terminó por subir a las gradas para sentarse a esperar.

—¡Venga ya, Clemmie, dale de comer! —exclamó Festus.

—No te metas donde no te llaman —respondió Clemensia.

—No tienes corazón —repuso Festus.

—Soy una buena gestora. Estos Juegos podrían alargarse mucho. —Después esbozó una sonrisa muy desagradable y miró a Coriolanus—. Y tampoco es que lo haya abandonado.

A Coriolanus se le pasó por la cabeza invitarla a ir con él a la Ciudadela para su revisión. No le vendría mal la compañía, y así ella podría hacer una visita a sus serpientes.

A las cinco en punto despidieron al alumnado, y los ocho mentores restantes se reunieron para comer estofado de ternera y tarta. No echaba de menos a Domitia, y mucho menos a Pup, pero sí que le sirvieran de pantalla para protegerlo de Clemensia, Vipsania y Urban. Incluso Hilarius, con sus historias de lo horrible que era ser un Heavensbee, se había convertido en una tortura. Cuando Satyria les dio permiso para salir, alrededor de las ocho, se fue derecho a la puerta, con la esperanza de que no fuera demasiado tarde para que le echaran un vistazo a su brazo.

Los guardias de la Ciudadela lo reconocieron y, después de registrar su mochila, le permitieron llevarla consigo y bajar sin escolta al laboratorio. Dio un par de vueltas antes de encontrar el consultorio y después tuvo que esperar media hora a que apareciera un médico. La doctora comprobó sus órganos vitales, examinó los puntos de sutura, que estaban cumpliendo con su cometido, y le pidió que esperara unos días.

En el laboratorio se respiraba un ambiente extraño. Prisas, voces, órdenes impacientes. Coriolanus procuró prestar atención, pero no discernía el motivo de la actividad. Sí que escuchó las palabras «arena» y «Juegos» más de una vez, y se preguntó por la relación. Cuando por fin apareció la doctora Gaul, se limitó a examinar por encima los puntos de sutura.

—Tendrás que esperar unos cuantos días más —confirmó—. Dime, Snow, ¿conocías a Gaius Breen?

—¿Que si lo conocía? —preguntó Coriolanus, que se percató de inmediato del uso del verbo en pasado—. Sí. Bueno, somos compañeros de clase. Sé que perdió las piernas en el estadio. ¿Está...?

—Muerto. Complicaciones como consecuencia de sus heridas.

—Oh, no. —Coriolanus no era capaz de procesarlo. Gaius, ¿muerto? ¿Gaius Breen? Recordaba un chiste que le había contado Gaius unos días antes, sobre cuántos rebeldes hacían falta para atarse un zapato—. Ni siquiera fui a visitarlo al hospital. ¿Cuándo es el funeral?

—Todavía no se ha decidido. No se lo cuentes a nadie hasta que hagamos el anuncio oficial —le advirtió la doctora—. Solo te lo digo para que al menos uno de vosotros tenga algo inteligente que decirle a Lepidus al respecto. Confío en que se te ocurra algo.

—Sí, claro. Sería muy raro anunciarlo durante los Juegos. Como si fuera una victoria de los rebeldes.

—Exacto. Pero no te preocupes, que traerá consecuencias. De hecho, fue tu chica la que me dio la idea. Si gana ella, deberíamos comparar notas. Y no se me olvida que me debes una redacción.

Se marchó y cerró la cortina al salir.

Ya libre para marcharse, Coriolanus se abotonó la camisa y recogió su mochila. ¿Sobre qué se suponía que debía escribir? ¿Sobre el caos? ¿Sobre control? ¿Sobre compromisos? Estaba bastante seguro de que empezaba por ce. Cuando iba camino del ascensor, se encontró con un par de auxiliares de laboratorio que iban delante de él, intentando maniobrar con un carrito para meterlo en la cabina. Dentro del carro se hallaba el tanque de las serpientes que habían atacado a Clemensia.

—¿Dijo que lleváramos la nevera? —preguntó uno de ellos.

—No, que yo recuerde —respondió el otro—. Creía que ya las habían alimentado. Será mejor que lo comprobemos. Como nos equivoquemos, se pondrá hecha una furia. —Se fijó en Coriolanus—. Perdona, tenemos que retroceder.

—No hay problema —dijo él, y se apartó para que pudieran sacar el tanque del ascensor. Las puertas se cerraron, y lo oyó zumbar al bajar de planta.

—Ay, lo siento, subirá dentro de un minuto —se disculpó el segundo ayudante.

—No hay problema —repitió Coriolanus, pero empezaba a sospechar que sí había un problema muy gordo. Recordó la actividad del laboratorio, la mención de los Juegos y que la doctora Gaul había prometido consecuencias—. ¿Adónde lleváis las serpientes? —preguntó con toda la inocencia del mundo.

—A otro laboratorio —respondió un auxiliar, aunque los dos intercambiaron una mirada—. Vamos, hacen falta dos para llevar la nevera.

La pareja retrocedió hacia el laboratorio y dejó a Coriolanus solo con el tanque. «De hecho, fue tu chica la que me dio la idea». Su chica. Lucy Gray. Que había inaugurado sus Juegos del Hambre metiéndole una serpiente en la ropa a la hija del alcalde. «Si gana ella, deberíamos comparar notas». ¿Notas de qué? ¿Sobre usar las serpientes como arma? Contempló los sinuosos reptiles y se los imaginó sueltos por la arena. ¿Qué harían? ¿Esconderse? ¿Cazar? ¿Atacar? Aun habiendo estudiado el comportamiento de las serpientes, que no era el caso, dudaba que aquellas siguieran las normas habituales, ya que su diseño genético era cosa de la doctora Gaul.

Con el corazón en un puño, Coriolanus recordó a Lucy Gray en su último encuentro, agarrada a su mano mientras él le prometía que iban a ganar. Sin embargo, no tendría forma de protegerla de las criaturas del tanque, igual que no podía protegerla de los tridentes y las espadas. Al menos, era más sencillo esconderse de las armas. No estaba seguro, pero imaginaba que las serpientes se irían derechas hacia los túneles. La oscuridad no entorpecería su sentido del olfato. No reconocerían el aroma de Lucy Gray, como no habían reconocido el de Clemensia. Lucy Gray gritaría y caería al suelo, sus labios se amoratarían y palidecerían, y un pus rosa, azul y amarillo le empaparía el vestido de volantes... ¡Eso era! Eso era lo que le habían recordado las serpientes cuando las vio por primera vez: iban a juego con su vestido. Como si siempre hubieran sido su destino...

Sin saber bien cómo, Coriolanus se encontró con el pañuelo en la mano, hecho una bola, como uno de los accesorios de los trucos de magia de Loco. Se acercó al tanque de las serpientes, de espaldas a la cámara de seguridad, y apoyó las manos en la tapa, como si estuviera fascinado por los reptiles. Desde aquel lugar estratégico vio el pañuelo caer por la trampilla y desaparecer bajo un arcoíris de reptiles.

19

¿Qué había hecho? ¿Qué demonios había hecho? El corazón le martilleaba desbocado en el pecho mientras corría a ciegas primero por una calle, después por otra, intentando desesperadamente orientarse. Aunque le costaba pensar con claridad, lo corroía el espantoso presentimiento de que había cruzado una línea que ya no iba a poder descruzar.

La avenida daba la impresión de estar llena de ojos. Había pocos peatones y conductores, pero incluso la atención de esa minoría se le antojaba abrumadora. Coriolanus se metió en un parque y se refugió entre las sombras, en un banco rodeado de arbustos. Se obligó a acompasar la respiración, aspirando y expulsando el aire mientras contaba despacio hasta cuatro y la sangre dejó de atronarle en los oídos. Después intentó analizar la situación de forma racional.

Vale, había soltado en el tanque de las serpientes el pañuelo impregnado con el olor de Lucy Gray, que hasta esos momentos llevaba guardado en el bolsillo exterior de su mochila. Lo había hecho para que no la mordieran, como ocurrió con Clemensia. Para que no la mataran. Porque la quería. ¿Porque la quería? ¿O porque quería que ganase los Juegos del Hambre y le garantizase el Premio Plinth? En tal caso, había hecho trampas para ganar, no había vuelta de hoja.

«Espera un momento. Tú no sabías si esas serpientes irían a parar a la arena», pensó. De hecho, los auxiliares le habían dicho que no.

No existía ningún precedente de nada por el estilo. Quizá hubiera sido un arrebato, una enajenación transitoria. Además, aunque las serpientes acabasen en la arena, cabía la posibilidad de que Lucy Gray jamás tropezara con ellas. El sitio era enorme, y dudaba que las serpientes se dedicasen a ir por ahí atacando a la gente a diestro y siniestro. Había que pisarlas sin querer para que se defendieran, así o algo por el estilo. Y si la muchacha se cruzaba con una serpiente y esta no la mordía, ¿quién podría relacionar ese hecho con él? Hacían falta unos conocimientos y un acceso a medidas de alta seguridad que nadie se imaginaría que él poseía. Más un pañuelo con el olor de Lucy Gray. ¿Y por qué iba a tener él algo así? Estaba a salvo. Todo iba a salir bien.

Excepto por esa línea. Tanto si alguien lograba sumar dos y dos como si no, él era consciente de que la había cruzado. Le constaba, de hecho, que llevaba bastante tiempo haciendo equilibrios sobre ella. Como cuando se llevó la comida de Sejanus de la Academia para dársela a Lucy Gray. Había sido una pequeña infracción, motivada por su deseo de mantenerla con vida y su enfado por la negligencia de los Vigilantes de los Juegos. En esa ocasión podría haber alegado como excusa un mínimo de decencia humana. Pero no había sido un incidente aislado. Ahora lo veía todo con claridad, el resbaladizo tobogán por el que llevaba semanas deslizándose, empezando por las sobras de Sejanus y terminando con él en ese banco, aterido en la oscuridad de un parque desierto. ¿Qué lo esperaba al final de esa pendiente si no lograba frenar su caída? ¿De qué más sería capaz? Bueno, pues ahí estaba. Hasta ahí había llegado. Si no tenía honor, no tenía nada. Se acabaron los engaños. Se acabaron las estratagemas. Se acabaron las justificaciones. A partir de ese momento se regiría por un código de estricta sinceridad, y si terminaba mendigando en las calles, al menos sería un pordiosero decente.

Sus pies lo habían llevado lejos de casa, pero se dio cuenta de que el piso de los Plinth quedaba a escasos minutos de distancia. ¿Por qué no se dejaba caer por allí?

Una avox con uniforme de doncella le abrió la puerta y, por señas, se ofreció a guardarle la mochila. Coriolanus dijo que no hacía falta y le preguntó si Sejanus estaba ocupado. La criada lo condujo a una sala de estar y le indicó que tomara asiento. Mientras esperaba, el muchacho admiró el mobiliario con ojo experto. Maderas nobles, alfombras tupidas, tapices con bordados, un busto de bronce. Aunque el exterior de la residencia no fuese espectacular, no habían reparado en gastos con el interior. Lo único que necesitaban los Plinth para consolidar su estatus social era una dirección en el Corso.

La señora Plinth irrumpió hecha un torbellino de disculpas y harina. Sejanus, al parecer, se había acostado temprano, y a ella la había pillado en la cocina. ¿No le apetecía pasar a la planta de abajo un momento y tomar una taza de té? O debería tal vez servirlo allí, como habían hecho los Snow. No, no, le aseguró Coriolanus, en la cocina le parecía bien. Como si alguien atendiera a sus huéspedes en la cocina, a menos que se tratara de un Plinth. En cualquier caso, no había ido para juzgar a nadie. Estaba allí para que le dieran las gracias, y si había repostería de por medio, mejor que mejor.

—¿Quieres un trozo de tarta? La tengo de moras. Y de melocotón, si estás dispuesto a esperar un momento. —La mujer inclinó la cabeza en dirección a un par de tartas recién hechas que había en la encimera, listas para hornear—. ¿Pasteles, tal vez? Los he hecho de crema esta tarde. Son los que más les gustan a los avox, porque, ya sabes, son fáciles de tragar. ¿Café, té o leche?

El nerviosismo pronunció aún más las arrugas que separaban las cejas de Ma, como si nada de lo que tenía para ofrecerle pudiera ser suficiente.

Aunque ya había cenado, lo ocurrido en la Ciudadela y el paseo lo habían dejado sin reservas.

—Oh, leche, por favor. Y la tarta de moras suena de maravilla. Sus postres no tienen rival.

Ma le llenó un vaso de gran tamaño hasta el borde. Partió un cuarto entero de la tarta y lo puso en un plato.

—¿Te gusta el helado? —preguntó, antes de servirle varias bolas de vainilla. Acercó una silla a la mesa de madera, sorprendentemente sencilla. Sobre ella, en la pared, colgaba un paisaje montañoso bordado sobre el que podía leerse una sola palabra: CASA—. Eso me lo regaló mi hermana. Es la única con la que todavía mantengo el contacto. O ella lo mantiene conmigo, más bien. Desentona con el resto de la casa, pero este es mi rinconcito. Por favor, siéntate. Come.

Su rinconcito comprendía la mesa, tres sillas distintas, el cuadro bordado y una balda en la que se acumulaban los cachivaches. Un juego de salero y pimentero con forma de gallo, un huevo de mármol, una muñeca de trapo con la ropa llena de remiendos... La suma total de sus pertenencias, sospechó Coriolanus, recuerdo de su antiguo hogar. Un altar en honor del Distrito 2. Era patético el modo en que se aferraba a aquella primitiva región escarpada. Pobre refugiada en tierra extraña, sin posibilidad de amoldarse, que se pasaba los días preparándoles pastelitos a unos avox incapaces de saborearlos mientras suspiraba por el pasado. Probó su trozo mientras la mujer metía los pasteles en el horno. Un placentero cosquilleo recorrió sus papilas gustativas.

—¿Cómo está? —preguntó la señora Plinth, nerviosa.

—Buenísimo. Como todo lo que usted prepara.

No exageraba. Por lamentable que le pareciese como persona, en la cocina Ma era una artista.

La mujer se permitió esbozar una sonrisa y se sentó con él a la mesa.

—Bueno, si alguna vez quieres repetir, nuestra puerta siempre está abierta. Ni siquiera sé cómo empezar a darte las gracias, Coriolanus, por todo lo que has hecho por nosotros. Sejanus es mi vida. Siento que no puedas verlo ahora. Se ha tomado un sedante muy fuerte. Sin él no consigue dormir. Tan enfadado siempre, tan perdido... En fin, no hace falta que te diga lo desdichado que se siente.

—El Capitolio no encaja con él.

—Con ningún Plinth, la verdad. Strabo dice que, aunque ahora sea difícil para nosotros, la situación mejorará para Sejanus y sus hijos, aunque yo no estoy tan segura. —Ma le lanzó una mirada de reojo a su balda—. La familia y los amigos, Coriolanus, esa es la auténtica vida de uno, y nosotros dejamos la nuestra en el 2. Aunque eso tú ya lo sabes. Me doy cuenta. Me alegra que tengas a tu abuela y a ese encanto de prima.

Coriolanus se sorprendió a sí mismo intentando levantarle el ánimo, asegurándole que las cosas mejorarían cuando Sejanus se graduase de la Academia. En la universidad había más diversidad, gente de todas las partes del Capitolio; seguro que allí hacía nuevos amigos.

La señora Plinth asintió, aunque no parecía muy convencida. La doncella avox le llamó la atención y se comunicó con ella en una especie de lengua de signos.

—De acuerdo, subirá en cuanto se haya terminado la tarta —dijo la señora Plinth—. A mi marido le gustaría verte, si a ti no te importa. Creo que quiere darte las gracias.

Cuando Coriolanus se hubo tragado el último bocado de tarta, le dio las buenas noches a Ma y siguió a la criada por las escaleras hasta la planta principal. Las tupidas alfombras amortiguaban sus pasos, por lo que llegaron a la puerta abierta de la biblioteca sin previo aviso y pudo observar a Strabo Plinth con la guardia baja. El hombre se encontraba junto a una elegante chimenea de piedra, con su alta figura acodada en la repisa y la mirada fija en el hueco donde danzarían las llamas en otra estación. Ahora la chimenea se veía fría y vacía, y Coriolanus no pudo por menos de preguntarse qué estaría contemplando allí para que le produjera esa expresión de honda melancolía que se reflejaba en sus facciones. Una mano aferraba la solapa de terciopelo de su cara chaqueta de esmoquin, la cual daba la impresión de estar mal cortada, como el vestido de diseño de la señora Plinth o el traje de Sejanus. El atuendo de los Plinth siempre sugería que se esforzaban demasiado por pertenecer al Capitolio. La incuestionable calidad de las telas desentonaba con su aire de hombre de los distritos en vez de disimularlo, del mismo modo que la abuelatriz seguiría gritando «Corso» a los cuatro vientos aunque solo tuviera un saco de harina con el que cubrirse.

El señor Plinth cruzó la mirada con él, y Coriolanus experimentó una sensación que recordaba de los encuentros con su padre, una mezcla de nerviosismo e incomodidad, como si, en ese momento, lo hubieran pillado haciendo alguna tontería. Sin embargo, ese hombre era un Plinth, no un Snow.

Coriolanus esbozó su sonrisa más cordial.

—Buenas tardes, señor Plinth. Espero no molestarlo.

—En absoluto. Pasa. Siéntate. —El señor Plinth indicó con un gesto los sillones de cuero que rodeaban la chimenea en vez de los que había frente a su imponente escritorio de roble. Esto iba a ser personal, por tanto, nada de negocios—. ¿Has comido? Por supuesto, no podrías haber salido de la cocina antes de que mi mujer te rellenara como un pavo. ¿Algo de beber? ¿Whiskey, tal vez?

Ningún adulto le había ofrecido nunca nada más fuerte que la posca, la cual ya se le subía enseguida a la cabeza. Era un riesgo que en esta situación no se atrevía a correr.

—No me cabría —dijo entre risas mientras se daba unas palmaditas en la barriga. Eligió uno de los sillones—. Pero sírvase usted, por favor.

—Oh, yo no bebo. —El señor Plinth se replegó en el sillón de enfrente y observó a Coriolanus con detenimiento—. Te pareces a tu padre.

—Me lo dicen mucho —replicó Coriolanus—. ¿Se conocían?

—Nuestros negocios se solapaban a veces. —Los largos dedos del señor Plinth tamborilearon sobre el brazo de su sillón—. El parecido es asombroso, sí. Aunque, en realidad, no podrías ser más distinto.

«Claro —pensó Coriolanus—. Yo soy pobre y no tengo poder». Aunque quizá esa diferencia jugara a su favor esta noche. A su padre, que aborrecía los distritos, le habría repugnado ver a Strabo Plinth aceptado en el Capitolio y convertido en un titán de la industria armamentística. No había dado la vida en la guerra para eso.

—Si no fueses distinto, jamás habrías entrado en la arena tras mi hijo —continuó el señor Plinth—. Me resulta imposible imaginarme a Crassus Snow arriesgando la vida por mí. No dejo de preguntarme por qué lo has hecho.

«Tampoco tenía elección, la verdad», pensó Coriolanus.

—Es mi amigo —dijo en voz alta.

—Da igual cuántas veces lo oiga, me sigue costando creerlo. Sin embargo, Sejanus se fijó en ti desde el principio. Quizá sea porque te pareces más a tu madre, ¿no crees? Siempre se portó bien conmigo cuando venía aquí por trabajo, antes de la guerra. A pesar de mis orígenes. Una dama de la cabeza a los pies. No la olvidaré nunca. —Miró con intensidad al muchacho—. ¿Eres como tu madre?

La conversación no estaba discurriendo por los cauces que Coriolanus había previsto. ¿Dónde estaba la promesa de una gratificación económica? No podría dejarse convencer para aceptarla si antes no se la ofrecían.

—Quiero pensar que sí, en algunos aspectos.

—¿En cuáles? —preguntó el señor Plinth.

Aquel interrogatorio estaba empezando a darle mala espina. ¿En qué aspectos se parecía, siquiera de lejos, a la tierna y cariñosa mujer que todas las noches lo había arrullado con sus canciones hasta que se quedaba dormido?

—Bueno, compartíamos nuestra afición por la música.

¿Era eso cierto? A su madre le gustaba la música, y a él... no le disgustaba, pensó.

—La música, ¿eh? —murmuró el señor Plinth, como si Coriolanus hubiera dicho algo tan frívolo como «nubes de algodón».

—Y me parece que los dos creíamos que la buena suerte era... algo que había ganarse... un día tras otro. En vez de darla por sentado —añadió.

No tenía ni idea de lo que quería decir con eso, pero dio la impresión de haber hecho mella en el señor Plinth.

—Estaría de acuerdo con eso —dijo el hombre tras unos instantes de reflexión.

—Ah, me alegro. Bueno, sí, pues..., Sejanus —le recordó Coriolanus.

El cansancio pareció apoderarse del semblante del señor Plinth.

—Sejanus. Gracias por salvarle la vida, por cierto.

—No hay de qué. Lo dicho, es mi amigo.

Había llegado el momento. La oferta de dinero, la negativa, la persuasión, la aceptación.

—Bueno. En fin, supongo que deberías volver a casa. Tu tributo todavía sigue en los Juegos, ¿verdad?

Desconcertado, Coriolanus se levantó de la silla.

—Oh. Sí. Tiene razón. Solo quería ver cómo estaba Sejanus. ¿Se reincorporará pronto a clase?

—Quién sabe. En cualquier caso, gracias por venir.

—Faltaría más. Dígale que lo echamos de menos. Buenas noches.

—Buenas noches.

El señor Plinth se despidió de él con un cabeceo. Nada de dinero. Ni siquiera un apretón de manos.

Coriolanus salió de allí tan perplejo como decepcionado. La bolsa llena de comida y el trayecto hasta casa con chófer no estaban mal como premio de consolación, pero, en el fondo, su visita había sido una pérdida de tiempo. Sobre todo porque los deberes de la doctora Gaul todavía estaban esperándolo. Esa redacción que supuestamente «contribuiría en gran medida a reforzar sus opciones al premio». ¿Por qué siempre se lo tenían que poner todo tan difícil?

Coriolanus le contó a Tigris que había ido a ver a Sejanus y, en lugar de pedirle más explicaciones que justificaran por qué había llegado tan tarde, su prima le preparó una taza del té de jazmín especial. Una indulgencia, como dilapidar las fichas, pero ¿qué más daba ya? Se sentó, dispuesto a ponerse manos a la obra, y apuntó en una hoja las tres palabras que empezaban por ce: caos, control... ¿Cuál era la tercera? Ah, sí. Compromiso. ¿Qué sucedería si nadie controlase a la humanidad? Ese era el tema que debía abordar. Él había dicho que se desataría el caos, y la doctora Gaul le había pedido que empezara por ahí.

Caos. Desorden y confusión extremos. «Como estar en la arena», en palabras de la doctora Gaul. Lo que ella había calificado de «oportunidad extraordinaria». «Transformadora». Coriolanus pensó en lo que había sentido cuando estaba en la arena, donde no había ni normas ni leyes, donde los actos de uno no tenían consecuencias. La aguja de su brújula moral había oscilado alocadamente, sin rumbo. Impulsado por el terror que le producía ser una presa en potencia, qué poco había tardado en convertirse en el depredador, sin el menor reparo en golpear a Bobbin hasta matarlo. Se había «transformado», sin duda, aunque no en algo de lo que se enorgulleciera. Y, al ser un Snow, poseía un mayor dominio de sí mismo que la mayoría. Intentó imaginarse qué ocurriría si el mundo entero se rigiera por esa misma ausencia de reglas. Sin consecuencias. La gente cogería lo que quisiera, cuando quisiera, y mataría para conseguirlo si era preciso. El instinto de supervivencia sería el motor de todas las cosas. Durante la guerra, había días en los que el miedo les impedía salir del piso. Días en los que la falta de ley había convertido al mismísimo Capitolio en una arena.

Sí, la falta de ley, ese era el quid de la cuestión. La gente necesitaba leyes consensuadas por las que regirse. ¿Se habría referido a eso la doctora Gaul cuando hablaba de un «compromiso social»? El compromiso de no robar, de no abusar, de no matar... Tenía que tratarse de eso. Y la ley debía acatarse, para lo que se necesitaba un control. Sin control que impusiera el compromiso, reinaría el caos. El poder que poseyera ese control tendría que ser superior al del pueblo; de lo contrario, solo encontraría oposición. Y la única entidad con medios para conseguirlo era el Capitolio.

Llegar a esa conclusión le llevó aproximadamente hasta las dos de la madrugada, y apenas si había logrado llenar una página. La doctora Gaul esperaría algo más, pero a esas horas de la noche se le había agotado la inspiración. Se metió en la cama, donde soñó que las serpientes arcoíris perseguían a Lucy Gray. Se despertó, sobresaltado, con la letra del himno resonando en los oídos. «Debes mantener la calma —se dijo—. Los Juegos no pueden durar mucho más».

Las delicias del desayuno, cortesía de la señora Plinth, le ayudaron a empezar con energías renovadas la cuarta jornada de los Juegos del Hambre. Aprovechó el viaje en trolebús para atiborrarse con un trozo de tarta de moras, un rollo de salchicha y un pastelito de queso. Entre los Juegos y los Plinth, empezaba a apretarle la cintura del pantalón. Se prometió hacer un esfuerzo y volver andando a casa más tarde.

Unas cintas de terciopelo acordonaban la sección del estrado reservada para los ocho mentores restantes, y del respaldo de cada una de las sillas colgaba un cartel con el nombre de su ocupante. Asientos asignados... Eso era nuevo, probablemente en un intento por mitigar en parte la tensión que había surgido en los últimos días. Coriolanus seguía en la fila de atrás, entre Urban e Io. Al pobre Festus lo habían emparedado entre Vipsania y Clemensia.

Loco dio la bienvenida a la audiencia con el sufrido Jubilee, confinado a una jaula más propia de un conejo que de un ave de su tamaño. Todo estaba en calma en la arena; los tributos debían de estar recuperando el sueño atrasado. La única novedad la representaba el hecho de que alguien, seguramente Reaper, había arrastrado el cadáver de Jessup hasta la hilera de muertos, cerca de la barricada.

Nervioso, Coriolanus esperaba que se anunciase el fallecimiento de Gaius Breen, pero nadie hizo la menor mención al respecto. Los Vigilantes de los Juegos salieron a hablar con los espectadores reunidos frente al estadio, lo que contribuyó a que aumentara el gentío. Los distintos clubs de fans lucían ahora camisetas personalizadas con los rostros de sus mentores y tributos favoritos, y Coriolanus se sintió halagado y cohibido a un tiempo al ver su propia imagen devolviéndole la mirada desde la pantalla gigante.

La primera tributo no hizo su aparición hasta media mañana, y la multitud tardó unos instantes en reconocerla.

—¡Es Wovey! —exclamó Hilarius, aliviado—. ¡Está viva!

Coriolanus recordaba haber pensado que la chiquilla era muy flaca, pero ahora parecía un esqueleto; sus brazos y piernas eran frágiles ramitas y tenía las mejillas hundidas. Se quedó agazapada en la boca de uno de los túneles, con su mugriento vestido de rayas, los párpados entornados para protegerse del sol y aferrada a una botella de agua vacía.

—¡Aguanta, Wovey! ¡La comida ya está en camino! —exclamó Hilarius mientras aporreaba los botones del brazalector.

La niña no debía de contar con muchos patrocinadores, pero siempre había alguien dispuesto a apostar por una causa perdida.

Lepidus se situó junto a él, e Hilarius se dedicó a enumerar las virtudes de Wovey. Calificó su escasa presencia de talento para el sigilo, asegurando que desde el principio habían trazado la estrategia de ocultarse y evitar el terreno.

—¡Y mírala! ¡Entre los ocho finalistas! —dijo Hilarius, cada vez más animado, mientras media docena de drones surcaban la arena en dirección a su tributo—. ¡Ahí están sus víveres! ¡Solo tiene que aprovisionarse y volver a esconderse!

Los paquetes comenzaron a caer sobre Wovey, que levantó las manos en su dirección, aturdida. Tanteó el suelo, localizó una botella de agua y desenroscó el tapón con dificultad. Bebió varios tragos, con avidez, apoyó la espalda en la pared y soltó un eructo. Un fino reguero plateado se deslizó por la comisura de sus labios, y la pequeña se quedó inmóvil.

La audiencia continuó observándola durante unos instantes, sin comprender qué ocurría.

—Está muerta —anunció Urban.

—¡No! No está muerta. ¡Solo está descansando! —lo corrigió Hilarius.

Sin embargo, cuanto más tiempo pasaba Wovey mirando sin parpadear al sol cegador, más costaba creerlo. Coriolanus examinó aquel hilillo de baba (ni demasiado transparente ni ensangrentado, aunque de una tonalidad un tanto sospechosa) y se preguntó si por fin Lucy Gray habría conseguido sacarle partido al veneno para ratas. Habría sido fácil envenenar el último trago de agua de una botella y dejarla abandonada en cualquier túnel. Wovey, desesperada, no se lo habría pensado dos veces antes de acabársela. Pero nadie más, ni siquiera Hilarius, daba la impresión de notar nada raro.

—No sé —le dijo Lepidus a Hilarius—. Me parece que tu amigo tiene razón.

Transcurrieron diez largos minutos sin que Wovey diera señales de vida antes de que Hilarius se rindiese a la evidencia y se levantara de la silla. Lepidus volvió a cubrirlo de halagos, e Hilarius, aunque decepcionado, reconoció que las cosas podrían haber salido peor.

—Ha logrado resistir mucho tiempo, a pesar de su estado. Ojalá hubiera salido antes, así habría podido alimentarla, pero creo que puedo irme con la cabeza bien alta. ¡Octavos de final no es moco de pavo!

Coriolanus repasó mentalmente su lista. Los dos tributos del Distrito 3, los dos del 4, Treech y Reaper. Eso era lo único que se interponía entre Lucy Gray y la victoria. Seis tributos y una generosa dosis de buena suerte.

El fallecimiento de Wovey pasó inadvertido durante un buen rato en la arena. Ya era casi la hora de comer cuando Reaper salió de la barricada, todavía con su bandera a modo de capa. Se aproximó a Wovey con cautela, pero si la mocosa no había representado ninguna amenaza en vida, muerta aún mucho menos. Reaper se acuclilló junto a ella, cogió una manzana y frunció el ceño mientras estudiaba de cerca el cadáver.

«Lo sabe —pensó Coriolanus—. O por lo menos sospecha que no ha muerto de causas naturales».

Reaper soltó la manzana, cogió a Wovey en brazos y se dirigió al rincón de los tributos sin vida, abandonando el agua y la comida en el suelo.

—¿Lo veis? —dijo Clemensia sin dirigirse a nadie en particular—. ¿Veis lo que tengo que soportar? A mi tributo le falta un tornillo.

—Supongo que tienes razón —replicó Festus—. Perdona por lo de antes.

Y eso fue todo. La muerte de Wovey no despertó sospechas fuera del estadio, y dentro el único que había sentido algún recelo fue Reaper. Lucy Gray no era de las que dejaban nada al azar. Quizá

riolanus se alegró de que sus seguidores demostrasen tener un poco más de clase.

A última hora de la tarde, cuando Loco reanudó la cobertura de los Juegos, la doctora Gaul estaba sentada frente a él con la jaula de Jubilee en el regazo. El ave se mecía adelante y atrás como un niño pequeño en busca de consuelo. Loco miró a su mascota con preocupación, como si tal vez anticipara su posible desaparición en los laboratorios.

—Hoy nos acompaña una invitada muy especial: la doctora Gaul, Vigilante Jefe de los Juegos, con la que Jubilee parece hacer buenas migas. Tengo entendido que nos trae usted una triste noticia, doctora Gaul.

La doctora Gaul dejó la jaula de Jubilee encima de la mesa.

—Así es. Debido a las heridas sufridas durante la detonación en la arena de las bombas rebeldes, otro estudiante de nuestra Academia, Gaius Breen, ha fallecido.

Los compañeros de clase de Coriolanus prorrumpieron en gritos de indignación mientras él se esforzaba por conservar la calma. Podrían llamarlo de un momento a otro para exponer su reacción a la muerte de Gaius, pero no radicaba ahí su ansiedad. El panegírico de Gaius sería pan comido; no tenía un solo enemigo en el mundo.

—Creo que hablo en nombre de todos al decir que la familia tiene nuestro más sentido pésame —dijo Loco.

Las facciones de la doctora Gaul se endurecieron.

—En efecto. Pero los hechos son más elocuentes que las palabras, y nuestros adversarios rebeldes dan la impresión de ser un poco duros de oído. En respuesta, hemos planeado algo especial para sus niños en la arena.

—¿Activamos la conexión? —preguntó Loco.

En el centro de la arena, Teslee y Circ se acuclillaban sobre una pila de escombros y hurgaban en busca de quién sabía qué. No parecía preocuparles la presencia de Reaper, sentado en lo alto de las gradas, con la espalda apoyada en la pared del estadio, envuelto en su capa. De repente, Treech salió corriendo de uno de los túneles y se abalanzó sobre los tributos del Distrito 3, que huyeron en dirección a la barricada.

Entre los miembros del público se propagó un murmullo de confusión. ¿Qué sería ese «algo especial» que les había prometido la doctora Gaul? La respuesta llegó en forma de un dron de gran tamaño que sobrevoló la arena, transportando el tanque de las serpientes arcoíris.

Coriolanus ya casi se había convencido de que el ataque de las serpientes era fruto de una imaginación desbocada, pero la aparición del tanque puso fin a esa idea. Su cerebro había ensamblado las piezas del rompecabezas en el orden exacto. Lo que ignoraba era cómo reaccionarían las serpientes al ser liberadas, pero él había estado en el laboratorio. La doctora Gaul no criaba perritos falderos; diseñaba armas.

El inusitado cargamento captó la atención de Treech. Quizá pensara que se le había asignado un regalo especial, porque se detuvo cuando el dron llegó al centro de la arena. Teslee y Circ se detuvieron también, e incluso Reaper se incorporó para observar la entrega. El dron soltó el tanque descubierto a unos diez metros del suelo. En vez de romperse, rebotó con el impacto. A continuación, tras abrirse como los pétalos de una flor, sus paredes cayeron al suelo.

Las serpientes salieron disparadas en todas las direcciones, formando un estallido acrisolado en el polvo.

En la primera fila, Clemensia se puso en pie de un salto y profirió un alarido escalofriante, lo que provocó que Festus estuviera a punto de caerse de la silla. Su reacción parecía desmesurada en esos primeros compases, cuando la mayoría de la gente aún intentaba comprender qué era lo que mostraba la pantalla. Temiéndose que

Clemensia pudiera desembuchar toda la historia, presa del pánico, Coriolanus se apresuró a levantarse y rodearla con los brazos por la espalda, sin saber muy bien si pretendía consolarla o inmovilizarla. Clemensia se quedó rígida, pero callada.

—No están aquí. Están en la arena —le dijo el muchacho al oído—. Estás a salvo.

Sin embargo, continuó sujetándola mientras los acontecimientos se precipitaban.

Quizá por pertenecer a un distrito maderero, Treech estaba familiarizado con las serpientes. En cuanto surgieron del tanque, el tributo giró sobre los talones y corrió tan deprisa como le fue posible en dirección a las gradas. Sorteó los cascotes brincando como una cabra y prosiguió la marcha mientras saltaba por encima de los asientos a medida que ascendía.

Los instantes de confusión iniciales que habían experimentado Teslee y Circ les salieron muy caros. Teslee llegó hasta uno de los mástiles y consiguió trepar unos cuantos metros, pero Circ tropezó con una vieja lanza oxidada y las serpientes le dieron alcance. Una docena de pares de colmillos le perforaron el cuerpo antes de que, aparentemente satisfechas, las serpientes reanudaran la marcha. Franjas de rosa, amarillo y azul comenzaron a vetear el cuerpo del muchacho mientras sus heridas bombeaban un pus brillante. Más pequeño que Clemensia, con el doble de veneno en su sistema, Circ se esforzó por respirar durante aproximadamente diez segundos antes de morir.

Teslee se quedó mirando su cuerpo inerte, sollozante y aterrorizada, aferrada al mástil. A sus pies se acumulaban las serpientes, con la cabeza erguida y danzando alrededor de la base.

La voz superpuesta de Loco atronó mientras se desarrollaba la escena.

—¿Qué ocurre?

—Esas serpientes son mutos desarrollados en los laboratorios del Capitolio —informó la doctora Gaul a los espectadores—. Crías, nada más, pero una vez adultas serán más veloces que cualquier persona, y no les costará nada subir a ese poste. Están diseñadas para cazar seres humanos y reproducirse rápidamente, a fin de reemplazar sin dificultad cualquier posible baja que sufran.

En esos momentos, Treech se había encaramado a la estrecha repisa que había encima del marcador, mientras que Reaper se había refugiado sobre el tejado de la cabina para la prensa. Las pocas serpientes que habían conseguido superar los escombros se arracimaban ahora a sus pies, en las gradas.

Los micrófonos capturaron el sonido amortiguado de los gritos de una chica.

«Tienen a Lucy Gray —pensó Coriolanus, desesperado—. El pañuelo no ha funcionado».

Sin embargo, en ese momento, Mizzen salió como una exhalación del túnel más próximo a la barricada, con una vociferante Coral pisándole los talones. Una serpiente solitaria colgaba del brazo de la muchacha. Se la quitó tirando de ella, pero varias docenas empezaron a perseguirla y a morderle las piernas en cuanto su congénere hubo tocado el suelo. Mizzen se desentendió del tridente y, de un gran salto, llegó al mástil que se erguía delante de Teslee. A pesar de la rodilla lastimada, redujo a la mitad su marca anterior en el ascenso a lo alto. Una vez arriba pudo ser testigo de los agónicos, aunque afortunadamente breves, instantes finales de Coral.

Con los objetivos del suelo eliminados, la mayoría de las serpientes se reagruparon debajo de Teslee. La muchacha comenzó a perder asidero y gritó, pidiéndole ayuda a Mizzen, pero este se limitó a sacudir la cabeza, con más confusión que crueldad.

Los miembros del público empezaron a cuchichear entre ellos, aunque Coriolanus ignoraba por qué. Cuando los murmullos del salón se aquietaron, percibió lo que los oídos más agudos ya habían captado. En alguna parte, muy tenuemente, alguien cantaba en la arena.

Su chica.

Lucy Gray salió de su túnel moviéndose a cámara lenta... y caminando de espaldas. Levantaba cada pie con sumo cuidado antes de pisar a su espalda, mientras se mecía con delicadeza al compás de su música.

La, la, la, la,
la, la, la, la, la, la,
la, la, la, la, la, la...

Esa era toda la extensión de su letra, por el momento, a pesar de lo cual resultaba cautivadora. Siguiéndola, como hipnotizadas por la melodía, surgieron media docena de serpientes.

Coriolanus soltó a Clemensia, que ya se había tranquilizado, y le dio un suave empujoncito en dirección a Festus. Se acercó a la pantalla, conteniendo el aliento mientras Lucy Gray retrocedía hasta describir una curva hacia el lugar donde había yacido el cadáver de Jessup. Su voz ganó en volumen mientras, intencionadamente o no, se aproximaba al micrófono. Tal vez para una última canción, un último espectáculo.

No obstante, ninguna de las serpientes parecía querer atacarla. De hecho, era como si acudiesen de todos los rincones de la arena para escucharla. El amasijo al pie del mástil de Teslee se redujo, unas cuantas se dejaron caer de las gradas, y docenas más salieron reptando de los túneles para sumarse a una migración generalizada que tenía a Lucy Gray por destino. La rodearon, procedentes de todo el estadio, impidiéndole que siguiera retrocediendo. Los sinuosos cuerpos brillantes ondulaban sobre los pies descalzos de la tributo, enroscándosele en los tobillos cuando se sentó, muy despacio, en un gran trozo de mármol.

Usó la punta de los dedos para extender los volantes sobre el suelo cubierto de polvo, a modo de invitación. Las serpientes confluyeron a su alrededor hasta que la tela descolorida se desvaneció para transformarse en una radiante falda de reptiles entretejidos.

20

Coriolanus apretó los puños, sin saber bien qué pretendían las víboras. Las serpientes del tanque, tras haber sido expuestas a su olor en la propuesta, no le habían hecho ni caso. ¿Sería por tratarse de un entorno distinto? Tras expulsarlas del calor de su cómodo hogar para liberarlas violentamente en la arena, enorme y sin protección, ¿la buscaban porque el suyo era el único rastro que les resultaba familiar? ¿Iban hacia ella para refugiarse en la seguridad de su falda?

Lucy Gray no sabía nada de aquello porque aquel día, en el zoo, cuando Coriolanus intentó contarle lo de Clemensia y las serpientes, las circunstancias de la chica eran mucho peores que las suyas, así que había decidido callarse. Aunque se lo hubiera contado, era necesaria una fe ciega en sus habilidades para imaginar que había encontrado el modo de influir en las serpientes de los Juegos. ¿Qué creía Lucy Gray que las mantenía controladas? ¿Acaso cantaba a las serpientes del Distrito 12? «Esa serpiente en particular y yo éramos buenas amigas», le había dicho a la niña del zoo. Puede que hubiera trabado amistad con varias serpientes de su distrito. Puede que pensara que, si dejaba de cantar, intentarían matarla. Puede que aquel fuera su canto del cisne. No querría irse sin un broche de oro. Querría morir con las botas puestas, bajo el foco más brillante que encontrara.

Cuando Lucy Gray cantó la letra de su canción, su voz era dulce pero fuerte y clara.

Vas camino del cielo,
directo al dulce más allá,
y yo ya tengo un pie en la puerta,
pero antes de poder volar,
tengo cabos sueltos que atar,
justo aquí,
en el viejo más acá.

«Una vieja canción», pensó Coriolanus. Que hablaba del más allá, lo que le recordó a Sejanus y sus migas de pan, pero también estaba la curiosa estrofa sobre el más acá. Eso debía de referirse al presente. Aquí. Ahora. Mientras seguía con vida.

Me uniré a ti
cuando termine mi canción,
cuando despida a la banda,
cuando me quede sin cartas,
cuando pague mis deudas,
sin saldar ya más cuentas,
cuando de nada me arrepienta,
justo aquí,
en el viejo más acá,
cuando nada
quede ya más.

Los Vigilantes pasaron a una vista panorámica, y Coriolanus tuvo que contenerse para no protestar a gritos hasta que entendió el porqué: todas las serpientes de la arena parecían haber sucumbido a su canto de sirena y se dirigían hacia ella. Incluso las que estaban en el nido bajo Teslee, que era presa fácil, habían abandonado su objetivo para ir a por Lucy Gray. Todavía temblando por el trauma, Teslee se deslizó hasta el suelo y cojeó en dirección a la alambrada de una parte de la barricada. Después trepó hasta alcanzar una altura segura mientras la canción continuaba.

Te alcanzaré
cuando apure mi copa,
cuando mis amigos me echen,
cuando mi mecha se agote,
cuando mis miedos derrote,
justo aquí,
en el viejo más acá,
cuando nada
quede ya más.

La cámara volvió a ofrecer un primer plano de Lucy Gray. A Coriolanus le dio la sensación de que solía actuar para un público bien cargado de licor. En los días anteriores a la entrevista había escuchado de sus labios más de una tonada que evocaba a grupos de borrachos agitando tazas de hojalata llenas de ginebra en un bar de mala muerte. En cualquier caso, el licor no parecía esencial, puesto que, cuando echó un momento la vista atrás, vio que muchos de los presentes en el Salón Heavensbee habían empezado a balancearse al ritmo de la canción. La voz de Lucy Gray subió de volumen y recorrió el estadio...

Daré la noticia
cuando mis suelas desgaste,
cuando mi cuerpo se apague,
cuando mi barco amarre,
cuando pueda desquitarme,
y mi cuerpo descanse,
justo aquí,
en el viejo más acá,
cuando nada
quede ya más.

... y alcanzó un crescendo al llegar al final.

Cuando sea pura como el mar,
cuando haya aprendido a amar,
justo aquí,
en el viejo más acá,
cuando nada
quede ya más.

La última nota flotó en el aire mientras el público, al unísono, contenía el aliento. Las serpientes esperaron a que se hiciera el silencio y después (¿o era cosa de su imaginación?) empezaron a moverse. Lucy Gray respondió con un quedo tarareo, como si intentara calmar a un bebé inquieto. Los espectadores se relajaron a la vez que las serpientes.

Loco parecía tan hipnotizado como los reptiles cuando las cámaras volvieron con él, con los ojos algo vidriosos y la boca ligeramente abierta. Se recuperó al verse en la pantalla y dirigió de nuevo su atención a la doctora Gaul, que permanecía impávida.

—Bueno, ¡un aplauso para la Vigilante Jefe!

El Salón Heavensbee se puso en pie para dedicarle una ovación cerrada, pero Coriolanus no lograba quitarle los ojos de encima a Gaul. ¿Qué estaría pasando detrás de aquel rostro inescrutable? ¿Achacaría el comportamiento de las serpientes al canto de Lucy Gray o sospechaba juego sucio? Aunque supiera lo del pañuelo, quizá se lo perdonara porque el resultado había sido espectacular.

La doctora se permitió un breve gesto de cabeza para agradecer los aplausos.

—Muy amables, pero hoy la atención no debería recaer sobre mí, sino sobre Gaius Breen. Puede que sus compañeros quieran compartir algunos recuerdos con nosotros.

Lepidus entró en acción en el Salón Heavensbee y recogió las historias de los compañeros de Gaius. Era una suerte que la doctora Gaul hubiera avisado a Lepidus porque, aunque todos tenían una historia divertida que contar, solo Coriolanus consiguió vincular aquella pérdida heroica, las serpientes y las consecuencias de las que habían sido testigos.

—No podíamos permitir que la muerte de un joven tan destacado del Capitolio quedara sin castigo. Cuando nos golpean, nuestra respuesta es el doble de contundente, como ya mencionó anteriormente la doctora Gaul.

Lepidus intentó desviar la conversación hacia la extraordinaria actuación de Lucy Gray con las serpientes, pero Coriolanus se limitó a comentar:

—Es una joven excepcional, pero la doctora Gaul está en lo cierto: ahora toca pensar en Gaius. Dejemos a Lucy Gray para mañana.

Tras media hora entera dedicada al difunto, Lepidus se despidió de Festus y de Io, ya que Coral y Circ habían sucumbido al veneno. Coriolanus le dio un abrazo de oso a Festus y se sorprendió al emocionarse mientras su leal amigo abandonaba el estrado. También sentía la pérdida de Io, ya que la chica era más fría que combativa, cosa que no podía decir de los que quedaban. Salvo, quizá, Persephone, con la que decidió pasar la hora de la cena. Prefería los caníbales a los despiadados.

El alumnado se fue a casa y dejó al puñado de mentores activos con sus filetes. Coriolanus examinó a sus competidores. Tendría que haberse alegrado de estar entre los cinco finalistas, pero, si uno de los otros ganaba, el decano Highbottom podría darle un premio que no sirviera para cubrir la matrícula de la universidad, quizá poniendo la sanción como excusa. Lo único que lo protegería de verdad sería el Premio Plinth.

Se concentró de nuevo en la pantalla, donde Lucy Gray seguía tarareando a sus mascotas, Teslee no había vuelto a salir de la barricada, y Mizzen, Treech y Reaper permanecían en lo alto de las gradas. Aparecieron unas nubes que presagiaban tormenta y enmarcaban una puesta de sol deslumbrante. El mal tiempo aceleró el anochecer, y él todavía no había terminado su pudin cuando Lucy Gray se perdió de vista y el ruido sordo de un trueno sacudió el estadio. Esperaba que los relámpagos les proporcionaran algo de iluminación, pero la manta de lluvia consiguió que la noche se volviera insondable.

Coriolanus decidió dormir en el Salón Heavensbee, como también hicieron los otros cuatro mentores. A nadie, salvo a Vipsania, se le había ocurrido llevar camas, así que el resto se acomodó en los sillones acolchados con los pies en alto y las mochilas a modo de improvisadas almohadas. Mientras la lluvia nocturna refrescaba el salón, Coriolanus dormitaba en el asiento, con un ojo abierto por si sucedía algo en pantalla. La tormenta lo oscurecía todo, y al final se durmió. Cerca ya del alba, se despertó con sobresalto y miró a su alrededor. Vipsania, Urban y Persephone estaban profundamente dormidos. A unos cuantos metros de él, los ojos de Clemensia, grandes y oscuros, brillaban en la penumbra.

No quería ser su enemigo. Si la fortaleza de los Snow estaba a punto de desmoronarse, iba a necesitar apoyos. Antes del incidente, contaba a Clemensia entre sus mejores amigos, y la chica siempre se había llevado bien con Tigris, además. No obstante, ¿cómo hacer las paces?

Clemensia tenía una mano metida en el interior de su camisa y se toqueteaba la clavícula que le había enseñado en el hospital. La que estaba cubierta de escamas.

—¿Se te han quitado ya? —le susurró Coriolanus.

—Están desapareciendo —respondió ella, tensa—. Por fin. Me dijeron que podría alargarse un año entero.

—¿Te duele? —Era la primera vez que se le había ocurrido esa posibilidad.

—No. Pero me tiran de la piel. —Se restregó las escamas—. No sé bien cómo explicarlo.

Animado por la confidencia, Coriolanus se lanzó.

—Lo siento, Clemmie. De verdad. Todo lo que ha pasado.

—No sabías lo que planeaba la doctora Gaul.

—No, es verdad, pero después, en el hospital, debería haberme quedado contigo. Debería haber echado abajo las puertas para asegurarme de que estabas bien.

—¡Sí! —exclamó ella con energía, aunque pareció ceder un poco—. Pero sé que a ti también te hirieron. En la arena.

—Bah, sin excusas. —Alzó las manos—. ¡Soy un inútil, y los dos lo sabemos!

—Bastante inútil —respondió ella, esbozando la sombra de una sonrisa—. Supongo que debería darte las gracias por evitar que hoy me comportara como una completa idiota.

—¿Eso he hecho? —Entornó los ojos, como si intentara recordarlo—. Solo me acuerdo de abrazarme a ti. No es que me estuviera escondiendo detrás, por supuesto. Pero, sin duda, era un abrazo.

Clemensia se rio un poco, aunque enseguida se puso seria.

—No debería haberte culpado tanto. Lo siento. Estaba aterrada.

—Y con motivo. Ojalá no hubieras tenido que ver lo que ha pasado hoy.

—Puede que haya sido catártico. La verdad es que me siento mejor —confesó la chica—. ¿Soy una persona horrible?

—No. Eres una valiente.

Y así, vacilantes, recuperaron su amistad. Dejaron que los demás durmieran mientras ellos compartían el último pastelito de queso del alijo de Coriolanus y charlaban, e incluso daban vueltas a la posibilidad de intentar establecer una alianza entre Lucy Gray y

Reaper en la arena. Como no parecía estar en sus manos, lo dejaron estar. Si se emparejaban o no, eso era cosa de los dos tributos.

—Al menos volvemos a ser aliados —dijo Coriolanus.

—Bueno, digamos que no somos enemigos —repuso ella.

Pero cuando fueron a lavarse la cara antes de aparecer en cámara, ella le prestó jabón para que no tuviera que usar la abrasiva pringue líquida del baño, y gracias a aquel gesto tan pequeño e íntimo Coriolanus supo que estaba perdonado.

Aunque no les sirvieron el desayuno, Festus llegó temprano para repartir sándwiches de huevo y manzanas, en un gesto de camaradería. Persephone le sonrió de oreja a oreja por encima de su taza de té. Ahora que Clemensia estaba más animada, Coriolanus no se sentía tan amenazado por el grupo de mentores. Todos querían ganar, pero eso dependía, sobre todo, de sus tributos. Evaluó a los competidores de Lucy Gray: Teslee, pequeña e inteligente; Mizzen, mortífero pero herido; Treech, atlético pero una incógnita; Reaper, demasiado raro para expresarlo con palabras.

Las últimas nubes se alejaron con el alba. Había serpientes muertas por toda la arena, tanto por encima de los escombros como flotando en los charcos. Puede que ahogadas o incapaces de sobrevivir a la noche, fría y húmeda. Algunas criaturas modificadas genéticamente no conseguían sobrevivir fuera del laboratorio. Lucy Gray y Teslee no estaban a la vista, pero los tres chicos, con la ropa empapada, no se habían atrevido a bajar de las alturas. Mizzen estaba dormido, atado a su viga. Mientras los demás alumnos entraban en el Salón Heavensbee, Vipsania y Clemensia, que parecía casi normal, enviaron comida a sus tributos.

Cuando llegaron los drones, Treech comió con ansia, pero Reaper apartó de nuevo la comida y bajó para beber agua de un charco. Sin prestar atención ni a Treech ni a Mizzen, que por fin se había despertado, fue a recoger a Coral y a Circ para añadirlos a su fila. Los otros chicos lo observaban con cautela, aunque ninguno interactuó con él, temerosos de su conducta excéntrica o de la posibilidad de que quedaran serpientes vivas. Probablemente esperaban que otra persona acabara con él. El caso es que nadie interrumpió su trabajo, y él regresó a la cabina de prensa cuando terminó de ordenar la morgue. Treech estaba sentado en el borde del marcador, con los pies colgando, mientras que Mizzen hacía gestos para indicar que quería comer. Persephone respondió de inmediato, enviándole un gran desayuno.

Al cabo de un minuto, apareció Teslee. Concentrada, tiraba de un dron que, aunque similar al original, mostraba algunas modificaciones. Se colocó justo debajo de Mizzen.

—¿Cree que eso va a volar? —preguntó Vipsania con recelo—. Y, si lo hace, ¿cómo va a controlarlo?

Urban, que había estado observando la pantalla un rato con el ceño fruncido, de repente se echó adelante en su asiento.

—No tiene que hacerlo. No le hace falta si... Pero ¿cómo ha...?

Dejó la frase en el aire, intentando resolver algo.

Teslee activó un interruptor, levantó los brazos y lanzó el dron al aire. El aparato ascendió y dejó ver el cable que la chica tenía enrollado en la muñeca y que llegaba hasta la base del dron. Con aquel anclaje, el dron empezó a volar en un círculo a medio camino entre ella y Mizzen. El chico bajó la vista, perplejo, pero se distrajo con la llegada del primer dron de Persephone, que le soltó un trozo de pan y se volvió para regresar por donde había venido. Entonces, cuando se encontraba a pocos metros, cambió de dirección y regresó hacia él. Mizzen se echó hacia atrás, sorprendido. Le dio un manotazo, por acto reflejo, pero el aparato lo sobrevoló y abrió las pinzas para soltar un regalo inexistente, antes de volver a acercársele de nuevo.

—¿Qué le pasa a ese dron? —preguntó Persephone.

Nadie lo sabía, pero, en aquel momento, un segundo dron llegó con agua, y un tercero, con queso. Los dos depositaron sus paquetes, pero se quedaron por allí, intentando repetir la entrega. Aunque estaban sincronizados para soltar su carga sin obstaculizarse el paso, empezaron a chocarse entre ellos y, a veces, contra Mizzen. La cola de uno le dio en el ojo, y él gritó e intentó golpearlo.

—¿Puedo ponerme en contacto con los Vigilantes de los Juegos? ¡Que he enviado tres más! —exclamó Persephone.

—Ellos no pueden hacer nada —respondió Urban, que estaba divirtiéndose—. Ha encontrado una forma de hackearlos. Ha bloqueado el sistema de navegación, así que la cara de Mizzen es su único destino.

Efectivamente, al llegar los otros tres drones, de uno en uno, también empezaron a fallar de forma similar. Mizzen era su único objetivo, y lo que en un principio parecía gracioso, resultó ser letal. Se puso de pie para intentar huir de la viga, pero lo rodearon como un enjambre de abejas sobre un tarro de miel. Como había dejado el tridente en el suelo, sacó el cuchillo e intentó luchar contra ellos, aunque lo único que consiguió fue desviarlos momentáneamente. No estaban programados para entrar en contacto con él. Sin embargo, al rebotar unos en otros y en la hoja del cuchillo, acabaron por estrellarse contra él hasta parecer que atacaban. Mizzen empezó a dirigirse a tientas al poste (el mismo en el que había abandonado a Teslee a su destino), pero su rodilla no respondía. Frenético, atacó a ciegas a los drones mientras apoyaba el peso en la pierna herida, que tembló y cedió. Perdió el equilibrio y se desplomó desde las alturas; se partió el cuello al llegar abajo.

—¡Oh! —exclamó Persephone al verlo estrellarse—. ¡Lo ha matado!

—Es más lista de lo que parece —comentó Vipsania, que había fruncido el ceño.

Teslee esbozó una sonrisa de satisfacción; recogió su dron, lo apagó y le dio un amoroso abrazo.

—No hay que juzgar un libro por la solapa —repuso Urban, riéndose mientras enviaba regalos a través de su brazalector—. Sobre todo si el libro me pertenece a mí.

Su alegría duró poco. Mientras mostraban el incidente de los drones, los Vigilantes no les habían enseñado la escena completa en la que Treech bajaba del marcador y cruzaba las gradas hasta llegar a la arena. Como salido de la nada, entró en cámara de un salto, con el hacha levantada, y la descargó sobre Teslee. La chica apenas había dado un paso cuando el filo le acertó en el cráneo, se lo abrió y la mató al instante. Treech se apoyó las manos en las rodillas, resoplando por el esfuerzo, y se sentó en el suelo, a su lado, para contemplar la sangre que empapaba la arena. Los drones llegaron con una lluvia de comida para ella, y eso lo volvió a poner en movimiento. Recogió una docena de paquetes y se retiró detrás de la barricada.

Urban disimuló su momento de desconcierto poniendo cara de asco y se levantó para marcharse. Sin embargo, no logró escapar del omnipresente micrófono de Lepidus, y casi se le escapa un gruñido al responder:

—Se acabó para mí. Ha sido la monda, ¿verdad?

Después se largó, dejando que Persephone se lamentara y agradeciera la oportunidad de ser mentora.

—¡Has quedado entre los cinco finalistas! —le dijo Lepidus, sonriente—. Eso no te lo puede quitar nadie.

—No —respondió ella poco convencida—. Es de esas cosas que no se olvidan nunca.

Coriolanus miró a Clemensia y a Vipsania.

—Solo quedamos nosotros, supongo.

Los tres colocaron sus asientos en fila, con Coriolanus en el centro, mientras los demás quitaban los asientos de los derrotados.

Lucy Gray. Treech. Reaper. Los tres últimos. La última chica. ¿El último día? Puede que también.

Loco hizo su entrada con un sombrero en el que había pinchado cinco bengalas.

—¡Hola, Panem! ¡Había encargado este sombrero para los cinco últimos, pero parece que han salido todos echando chispas! —Sacó dos de las bengalas y las lanzó hacia atrás, a ciegas—. ¿Qué me dicen de los tres últimos?

Una de las bengalas se apagó en el suelo, pero la segunda prendió una cortina, que enseguida empezó a echar humo; el presentador dejó escapar un chillido agudo y empezó a darle pisotones frenéticos. Un miembro del equipo corrió al plató con un extintor para evitar que el estudio acabara en llamas, lo que le permitió a Loco recuperar la compostura. Mientras se apagaban las tres bengalas restantes, el número para patrocinadores y jugadores apareció en la parte inferior de la pantalla.

—¡Yuju! ¡Ahora mismo las apuestas están que arden! ¡No se pierdan la diversión!

El brazalector de Coriolanus empezó a pitar con ganas, aunque también los de Vipsania y Clemensia.

—De poco me va a servir ya —le murmuró Clemensia a Coriolanus—. Como no confía en mí, ni siquiera toca lo que le envío.

Lucy Gray debía de tener hambre, pero Coriolanus supuso que estaría descansando en los túneles. Quería enviarle comida y agua, tanto para su sustento como para distribuir el veneno. Tenía que hacer algo para poner la suerte de su parte, dado que los dos contrincantes que le quedaban eran mucho más fuertes que ella. Por el momento, no se le ocurrió más que convencer al público. Cuando Lepidus se le acercó para que realizara los comentarios prometidos sobre la actuación de Lucy Gray, procuró darle todo el bombo posible. No sabía qué haría falta para demostrarles a sus conciudadanos que la chica no era de los distritos, si no lo había logrado hasta el momento.

—Temo que haya sido una injusticia enorme no ya que Lucy Gray estuviera en la cosecha, sino que estuviera en el Distrito 12, para empezar. Los espectadores deberán juzgarlo por sí mismos. Si están de acuerdo conmigo o si sospechan que tengo razón, ya saben qué hacer.

Aunque la nueva avalancha de donativos que le llegaron a través del brazalector resultaba reconfortante, no sabía de qué le iban a servir. Lo más probable era que hubiera comida de sobra para varias semanas con lo que ya tenía.

No obstante, el único tributo que se movía por la arena era Reaper, que había bajado de la cabina de prensa y, de camino, había cortado otro trozo grande de bandera. Demacrado, con paso inestable, añadió a Teslee y a Mizzen a su colección, usando la tela nueva para cubrirlos. Regresó con mucho esfuerzo a la última fila del estadio, donde dormitó a la luz del sol, meciéndose un poco adelante y atrás, con la capa extendida para secarla. Coriolanus se preguntó si no tardaría en morir de causas naturales. Si es que morirse de hambre era una causa natural. No estaba del todo seguro. ¿Era natural si el hambre se había usado como arma?

Fue un gran alivio cuando Lucy Gray apareció justo antes del mediodía, a la sombra de un túnel. Examinó la arena y, tras considerar que era segura, salió al sol. El lodo del dobladillo de la falda de volantes había empezado a secarse, pero el vestido mojado todavía se le pegaba al cuerpo. Mientras Coriolanus pedía que le enviaran un banquete, Lucy Gray se acercó al charco de Reaper y se arrodilló. Recogió el agua, calmó la sed y se lavó la cara. Después de peinarse la melena con los dedos, se la recogió en un nudo suelto y terminó justo cuando una docena de drones llegaban al estadio.

Sin prestarles atención, se sacó una botella del bolsillo y metió el cuello en el charco para llenarla con un par de centímetros de agua. Después de agitarla un poco, volvió a verter el agua en el charco, y estaba a punto de llenar de nuevo la botella cuando se fijó en los drones. La comida y el agua empezaron a caer a su alrededor, así que tiró la botella vieja a un lado y se guardó sus regalos en la falda.

Lucy Gray se dirigía al túnel más cercano cuando miró a Reaper, que estaba en las gradas. Cambió de rumbo, corrió hacia la morgue del chico y levantó la tela de la bandera. Movió los labios mientras contaba a los caídos.

—Intenta averiguar quién queda en los Juegos —dijo Coriolanus al micrófono que Lepidus le había puesto en la cara.

—Quizá habría que ponerlo en el marcador —bromeó Lepidus.

—Seguro que a los tributos les resultaría útil —repuso Coriolanus—. En serio, es una buena idea.

De repente, Lucy Gray levantó la cabeza de golpe, y las provisiones que llevaba en la falda cayeron al suelo cuando se volvió para salir corriendo. Había oído algo que no estaba al alcance de los espectadores. Treech salió de detrás de la barricada, hacha en mano, y la agarró por la muñeca al pasar junto a la viga. Lucy Gray se volvió, cayó de rodillas y forcejeó mientras el chico levantaba el arma.

—¡No! —gritó Coriolanus, que se puso en pie y empujó a Lepidus a un lado—. ¡Lucy Gray!

Entonces, dos cosas sucedieron a la vez. Mientras el hacha caía, la chica se lanzó a los brazos de Treech y se agarró a él, con lo que evitó el impacto del arma. Quedaron envueltos en aquel extraño abrazo un buen rato, hasta que Treech, horrorizado, abrió mucho los ojos. Empujó a Lucy Gray, soltó el arma y se arrancó algo de la nuca. Su mano salió disparada, con los dedos alrededor de una serpiente rosa chillón. Después se hincó de rodillas y la aplastó contra el suelo una y otra vez, hasta que cayó fulminado, todavía con el cuerpo sin vida de la serpiente en el puño.

Con la respiración agitada, Lucy Gray se volvió para buscar con la mirada a Reaper, pero el chico seguía meciéndose, sentado en las gradas. Momentáneamente a salvo, se llevó una mano al corazón y saludó a la audiencia.

Mientras el público del salón aplaudía, Coriolanus dejó escapar el aliento de golpe y se volvió para recibir el aplauso, porque lo había conseguido. Ella lo había conseguido. Con los bolsillos llenos de veneno, era una de los dos últimos. Debía de haberse guardado la serpiente rosa en el bolsillo, igual que había hecho con la verde en la cosecha. ¿Había más? ¿O había matado Treech a la última? Era imposible saberlo. Pero la mera posibilidad de otra arma reptiliana hacía que Lucy Gray pareciera mortífera.

Lepidus acompañó a Vipsania (que dio las gracias a los Vigilantes, aunque con los dientes apretados) a la salida, y Coriolanus se dejó caer en el asiento y observó a su tributo reclamar el banquete que le había enviado. Se inclinó hacia Clemensia y susurró:

—Me alegro de que seamos nosotros.

Ella respondió con una sonrisa cómplice.

Lucy Gray alisó los envoltorios y dispuso toda su comida con elegancia, y Coriolanus recordó su pícnic en el zoo. ¿Estaba representando esa escena para él? Se le encogió el corazón al revivir el beso. ¿Habría más en su futuro? Durante un minuto soñó despierto que Lucy Gray ganaba, salía del estadio y vivía con él en el ático de los Snow, que de algún modo habían logrado salvar de los impuestos. Él asistiría a la universidad con su Premio Plinth, mientras que ella se convertía en la estrella del reabierto club de Pluribus, porque el Capitolio permitiría que no se marchara y, bueno, no había pulido todos los detalles, pero el caso era que conseguía quedársela. Y quería quedársela. Tenerla a salvo y a mano. Admirada y admirándolo. Dedicada a él. Y completa e inequívocamente de Coriolanus. Si lo que había dicho Lucy Gray antes de besarlo («En mi corazón ya solo queda sitio para un chico, y ese eres tú») era cierto, ¿no querría ella lo mismo?

«¡Déjalo ya! —pensó—. ¡Nadie ha ganado nada todavía!». La chica se había comido ya casi todo, así que le pidió más, un envío mucho más grande para que pudiera guardarlo y vivir de él los días siguientes, por si decidía esconderse y esperar a que muriera Reaper. Era un buen plan, con poco riesgo para ella e inevitable si el chico seguía negándose a comer. Pero ¿y si no lo hacía? ¿Y si recuperaba la razón y decidía comer de la ilimitada cantidad de regalos que Clemensia podía proporcionarle? De ser así, todo se resolvería de nuevo con un enfrentamiento físico, y Lucy Gray estaría en clara desventaja, a no ser que contara con más serpientes.

Después de que los drones soltaran los suministros, la chica los clasificó y se los guardó en los bolsillos, que no parecían tan espaciosos para tanta comida y bebida, además de la serpiente, pero era una joven muy astuta. Ni siquiera la había visto sacar la serpiente que había matado a Treech.

Festus les llevo sándwiches a mediodía a Coriolanus y a Clemensia, aunque los dos estaban demasiado nerviosos para probar bocado. El resto de los alumnos comió en sus asientos; nadie quería perderse ni un segundo. Coriolanus oía debates susurrados pero apasionados sobre quién ganaría al final del día. No recordaba que a nadie le hubiera importado eso en otros Juegos.

El implacable sol empezaba a secar la arena y a absorber los charcos, de modo que solo quedaban ya unos pocos de los que se pudiera beber. Lucy Gray descansó sobre unos escombros con la falda extendida para captar los rayos de sol. La tranquilidad trajo consigo a Loco, que ofreció un pronóstico detallado del tiempo, incluida una alerta por subida de las temperaturas y consejos para evitar los calambres, el agotamiento y los consiguientes golpes de calor. La cola en el puesto de limonada de las puertas del estadio era larga, y la gente se protegía con paraguas o se apretujaba en las pocas sombras disponibles. Hasta el fresco del Salón Heavensbee empezó a fallar, así que los estudiantes se quitaron las chaquetas y se abanicaban con los cuadernos. A media tarde, la escuela les llevó ponche de fruta, lo que le dio al acontecimiento un aire festivo.

Lucy Gray procuró mantener a Reaper a la vista, aunque él no intentó acercarse a ella. De repente, la chica se levantó, como si estuviera impaciente por terminar con aquello, y regresó junto al cadáver de Treech. Tras agarrarlo por un tobillo, empezó a arrastrarlo hacia la morgue de Reaper. Este pareció despertarse en cuanto ella tocó el cuerpo. Se inclinó hacia delante, gritó algo ininteligible y bajó corriendo de las gradas. Lucy Gray soltó a Treech y corrió hacia el túnel más cercano. Reaper tomó el relevo, transportó a Treech hasta colocarlo en la ordenada fila de tributos muertos y lo tapó con los restos de la bandera. Satisfecho, inició el camino de regreso a las gradas, pero, cuando acababa de llegar al muro, Lucy Gray salió corriendo de un segundo túnel, agarró uno de los trozos de bandera que cubrían los cadáveres y gritó. El chico se volvió y corrió detrás de ella. Lucy Gray se escondió a toda prisa detrás de la barricada. Reaper dejó la bandera en su sitio y remetió la tela por debajo de los cadáveres para fijarla en su sitio antes de apoyarse en un poste para descansar. Al cabo de unos minutos pareció dormirse, con los ojos cerrados para protegerse del sol. Lucy Gray salió de nuevo disparada, tiró de uno de los trozos de tela y, esta vez, lo arrastró por el suelo detrás de ella. Para cuando el chico se percató de lo que había hecho, ya estaba a cincuenta metros de él. La indecisión de Reaper le permitió poner más distancia de por medio, así que arrastró la bandera hasta el centro del campo, donde la soltó y corrió hacia las gradas. Enfadado, Reaper corrió a recuperar su bandera. Dio unos pasos hacia la chica, pero el cansancio le había pasado factura. Se llevó las manos a las sienes, jadeó muy deprisa a pesar de no estar sudando. Como la reciente actualización de Loco les había recordado, podía ser un síntoma de golpe de calor.

«Está intentando que corra hasta que caiga muerto —pensó Coriolanus—. Y puede que funcione».

Reaper se tambaleó un poco, como si estuviera borracho. Con la bandera tras él, se acercó al charco, uno de los pocos que no se habían secado durante la tarde. Se arrodilló y bebió hasta que solo quedó el barro del fondo. Cuando se puso en cuclillas, su rostro adoptó un gesto extraño, y empezó a masajearse con los dedos las costillas y el pecho. Vomitó parte del agua, y después siguió vomitando a gatas, antes de levantarse, aturdido. Todavía aferrado a la bandera, echó a andar despacio, a trompicones, de vuelta a su morgue. Se derrumbó al llegar y se arrastró hasta colocarse en la fila, al lado de Treech. Intentó cubrir al grupo con una mano, pero apenas logró taparse él antes de recoger sus extremidades y quedarse inmóvil.

Coriolanus continuaba paralizado, a la expectativa. ¿Ya estaba? ¿De verdad había ganado? ¿Los Juegos del Hambre? ¿El Premio Plinth? ¿La chica? Examinó el rostro de Lucy Gray, que contemplaba a Reaper desde las gradas, pero ella tenía la mirada perdida, como si se encontrara muy lejos de la acción de la arena.

El público del salón empezó a murmurar. ¿Reaper estaba muerto? ¿No deberían declararla ganadora? Coriolanus y Clemensia apartaron el micrófono de Lepidus mientras esperaban el resultado. Pasó media hora antes de que Lucy Gray bajara de las gradas y se acercara al chico. Le puso los dedos en el cuello para comprobar el pulso. Satisfecha, le cerró los párpados y volvió a depositar con mucha ternura la bandera sobre los tributos, como si acostara a un grupo de niños. Después se acercó al poste y se sentó a esperar con la espalda apoyada contra él.

Aquello pareció convencer a los Vigilantes de los Juegos, porque Loco hizo acto de presencia, saltando como un poseso, y anunció que Lucy Gray Baird, tributo del Distrito 12, y su mentor, Coriolanus Snow, habían ganado los Décimos Juegos del Hambre.

El Salón Heavensbee prorrumpió en aplausos alrededor de Coriolanus, y Festus organizó a unos cuantos compañeros para que lo levantaran, silla incluida, y lo pasearan por la tarima. Cuando por fin lo soltaron, Lepidus lo acribilló a preguntas, a las que solo pudo responder que la experiencia había sido tan estimulante como aleccionadora. Después, el alumnado al completo se dirigió al comedor, donde habían preparado tarta y posca para celebrarlo. Coriolanus se sentó en el lugar de honor, recibió las felicitaciones de todos y bebió más posca de la que le convenía. ¿Y qué? En aquel momento se sentía invencible.

Satyria lo rescató justo cuando empezaba a nublársele la vista, lo sacó del comedor y lo envió al laboratorio de biología avanzada.

—Creo que van a llevar a tu chica. No me extrañaría que os sacasen a los dos por la tele. Bien hecho.

Coriolanus le dio un abrazo espontáneo y corrió al laboratorio, agradecido por aquel instante de paz. Los labios se le estiraron en una sonrisa de loco. Había ganado. Había ganado gloria y fortuna, y puede que también amor. De un momento a otro tendría a Lucy Gray en sus brazos. «Ah, sí, los Snow siempre caen de pie, está claro». Se obligó a relajar las mejillas al llegar a la puerta y se alisó la chaqueta para disimular lo borracho que estaba. No creía que fuera buena idea que la doctora Gaul lo viera así.

Cuando abrió la puerta del laboratorio de biología avanzada, allí solo estaba el decano Highbottom, sentado a la mesa, como siempre.

—Cierra la puerta.

Coriolanus obedeció. Puede que el decano quisiera darle la enhorabuena en privado, o incluso disculparse por sus abusos. Los que caían en desgracia podrían necesitar algún día a las figuras emergentes. Pero, al acercarse al decano, un terror helado se apoderó de él. Allí, sobre la mesa, como muestras de laboratorio, había tres artículos: una servilleta de la Academia manchada de ponche de uva, la polvera de plata de su madre y un pañuelo blanco mugriento.

La reunión no duró más de cinco minutos, después de los cuales, tal como se acordó en ella, Coriolanus se fue derecho al Centro de Reclutamiento, donde se convirtió en el último, si bien no por ello más importante, agente de la paz de Panem.

Tercera parte

EL AGENTE DE LA PAZ

21

Coriolanus apoyó la sien en la ventanilla para intentar absorber algo del frío que pudiera conservar. El asfixiante tren se acababa de quedar despejado después de que media docena de sus compañeros reclutas se bajaran en el Distrito 9. A solas, por fin. Llevaba veinticuatro horas metido en el tren, sin un segundo de intimidad. El avance del vehículo se interrumpía de vez en cuando para hacer largas paradas sin explicación. Entre el traqueteo de las vías y la cháchara de los otros reclutas, no había pegado ojo. Lo que sí había hecho era fingir que dormía para que lo dejaran en paz. Puede que, ya que estaba solo, lograra echar una siesta y después despertar de aquella pesadilla en la que, al parecer, a juzgar por su tenacidad, se había convertido la vida real. Se restregó la mejilla rasguñada con el puño tieso y áspero de su nueva camisa de agente de la paz, lo que únicamente sirvió para aumentar su desespero.

«Qué sitio más feo», pensó, entumecido, mientras el tren seguía su camino a través del Distrito 9. Los edificios de hormigón, la pintura descascarillada y la miseria se cocían bajo el sol implacable. Seguro que el Distrito 12 era más feo todavía, con su capa extra de carbonilla. No había visto mucho de aquel lugar, salvo las imágenes granulosas de la plaza el día de la cosecha. No parecía reunir las condiciones necesarias para su ocupación humana.

Cuando pidió que lo asignaran allí, el oficial arqueó las cejas, sorprendido. «No es un destino habitual», dijo, pero se lo selló sin protestar. Al parecer, no todo el mundo había estado siguiendo los Juegos del Hambre, ya que no reconoció a Coriolanus ni mencionó a Lucy Gray. Mejor que mejor. En aquel momento, el anonimato era lo más deseable. Gran parte de la vergüenza que sufría se debía a lo que suponía llevar su apellido. Se sulfuró al recordar su encuentro con el decano Highbottom: «¿Lo oyes, Coriolanus? Es el sonido de un Snow al caer despatarrado».

Cómo odiaba al decano Highbottom: su rostro abotargado flotando sobre las pruebas; la punta de su bolígrafo señalando los artículos de la mesa del laboratorio.

—Esta servilleta. Hemos confirmado que tiene tu ADN. Se usó para sacar ilegalmente alimentos del comedor y meterlos en la arena. La recogimos como prueba en el lugar del crimen después de las bombas. Nada más que un análisis de rutina, y allí estabas tú.

—La estaban matando de hambre —había contestado Coriolanus, aunque se le quebró la voz.

—Es un procedimiento bastante estándar en los Juegos del Hambre. Pero no es tanto por darle de comer, cosa que pasamos por alto en todos los mentores, sino por robar a la Academia. Está estrictamente prohibido —dijo el decano—. Habría preferido destapar el asunto entonces, ponerte otra sanción y descalificarte de los Juegos, pero la doctora Gaul pensó que serías más útil herido, como mártir de la causa del Capitolio. Así que pusimos tu grabación berreando el himno mientras te recuperabas en el hospital.

—Entonces, ¿por qué lo saca a colación ahora?

—Solo para establecer un patrón de comportamiento. —El bolígrafo tocó la rosa de plata—. Pasemos a esta polvera. ¿Cuántas veces vi a tu madre sacarla del bolso para retocarse la cara? Tu madre, tan guapa y sosa ella, que se había convencido de que tu padre le daría libertad y amor. Saltar de la sartén para caer en las brasas, como suele decirse.

—No era así —fue lo único que consiguió responder Coriolanus, refiriéndose a lo de «sosa».

—Su única disculpa era la juventud y, la verdad, parecía destinada a ser una niña para siempre. Justo lo contrario de tu chica, Lucy Gray. Dieciséis años y parece que tenga treinta y cinco —comentó Highbottom—. Treinta y cinco bien exprimidos.

—¿Ella le dio la polvera? —preguntó el chico mientras se le caía el alma a los pies.

—No, no la culpes. Los agentes de la paz tuvieron que inmovilizarla en el suelo para quitársela. Como es natural, registramos a fondo a los vencedores al salir del estadio. —El decano ladeó la cabeza y sonrió—. Su forma de envenenar a Wovey y a Reaper fue muy inteligente. Juego sucio, claro, pero ¿qué le vamos a hacer? Enviarla de vuelta al Distrito 12 ya me parece suficiente castigo. Dijo que el veneno para ratas fue idea suya, que la polvera no era más que un regalo.

—Es verdad, lo era. Un regalo, símbolo de mi afecto. No sé nada de ningún veneno.

—Digamos que te creo, aunque no sea cierto. Pero digamos que te creo. Entonces, ¿cómo interpreto esto? —El decano Highbottom levantó el pañuelo con la punta del bolígrafo—. Uno de los ayudantes del laboratorio lo encontró ayer por la mañana en el tanque de las serpientes. Al principio, todos se mostraron muy desconcertados y se registraron los bolsillos para comprobar si habían perdido uno, porque ¿quién más había estado cerca de los mutos? De hecho, un joven llegó a decir que era suyo, que su alergia estaba siendo muy fuerte este año y que había perdido un pañuelo unos días antes. Pero, justo cuando estaba a punto de presentar su dimisión, alguien reparó en las iniciales. No las tuyas. Las de tu padre. Bordadas con primor en una esquina.

«CXS». Cosidas con el mismo hilo blanco del borde. Formaban

parte del dibujo del dobladillo, en realidad, con puntadas tan discretas que había que examinar bien el pañuelo para verlas, pero allí estaban. Coriolanus nunca se molestaba en mirar su pañuelo diario. Habría tenido alguna posibilidad de negar que fuera de su padre de no haber tenido un segundo nombre tan peculiar: Xanthos. Coriolanus no conocía ningún otro nombre que empezara por equis, y la única persona que lo ostentaba era su padre. Crassus Xanthos Snow.

No era necesario preguntar por la prueba de ADN, ya que estaba seguro de que el decano la había realizado y de que habían encontrado tanto su rastro como el de Lucy Gray.

—Entonces, ¿por qué no lo ha hecho público?

—Créeme, resultaba tentador. Pero en la Academia es tradición ofrecerles una alternativa a los alumnos expulsados —le explicó el decano—. En vez de arriesgarte a sufrir un escarnio público, puedes unirte a los agentes de la paz antes de que acabe el día.

—Pero... ¿por qué iba a hacer eso? Quiero decir, ¿qué excusa puedo poner para explicarlo? Sobre todo después de ganar el Premio Plinth para ir a la universidad... —tartamudeó.

—¿Quién sabe? ¿Porque eres todo un patriota? ¿Porque crees que aprender a defender tu país es más útil que la educación que puedan ofrecer los libros? —El decano Highbottom se echó a reír—. ¿Porque los Juegos del Hambre te han cambiado y has decidido ir allá donde Panem más te necesita? Eres un joven inteligente, Coriolanus. Seguro que se te ocurre algo.

—Pero... Pero... —La cabeza le daba vueltas, entre la posca y la adrenalina—. ¿Por qué? ¿Por qué me odia tanto? —le espetó—. ¡Creía que era amigo de mi padre!

—Yo también lo creía —respondió el decano, serio de nuevo—. Hace tiempo. Pero al final resultó que solo le gustaba porque podía utilizarme. Incluso ahora.

—¡Pero si está muerto! ¡Lleva muerto muchos años!

—Y se lo merece, pero está muy vivo en ti. —El decano lo espantó con la mano, como a una mosca—. Será mejor que te des prisa. La oficina cierra dentro de veinte minutos. Si corres, puede que llegues a tiempo.

Así que corrió, sin saber qué más podía hacer. Después de alistarse fue directo a la Ciudadela, con la esperanza de suplicarle piedad a la doctora Gaul. Le denegaron la entrada, incluso después de decirles que se le habían infectado los puntos. Los agentes de la paz llamaron al laboratorio, y desde allí respondieron que se fuera al hospital. A uno de los guardias le dio pena y aceptó intentar entregarle su último ensayo a la doctora Gaul. Sin promesas. En el margen, Coriolanus empezó a garabatear una nota en la que le rogaba que intercediera por él, pero se daba cuenta de que era inútil, así que acabó por escribir un simple «Gracias». No sabía muy bien por qué se las daba. Se negaba a permitir que la mujer se alimentara de su desesperación.

De camino a casa, las felicitaciones de los vecinos eran como puñales que se le clavaban en el corazón, pero la verdadera agonía llegó cuando entró en el piso y lo recibieron con bocinas de hojalata y vítores. Tigris y la abuelatriz habían sacado todos los artículos de fiesta con los que celebraban el año nuevo y habían comprado una tarta para la ocasión. Tras intentar esbozar una sonrisa, rompió a llorar. Y les contó todo lo sucedido. Cuando terminó, las dos permanecieron inmóviles y en silencio, como un par de estatuas de mármol.

—¿Cuándo te marchas? —le preguntó Tigris.

—Mañana por la mañana.

—¿Cuándo volverás? —le preguntó la abuelatriz.

No era capaz de responder que serían veinte años. La anciana no duraría tanto. Si volvía a verla, sería en el mausoleo.

—No lo sé —contestó.

La anciana asintió con la cabeza para darle a entender que lo comprendía y se levantó del asiento.

—Coriolanus, recuerda que, vayas donde vayas, siempre serás un Snow. Nadie te puede quitar eso.

Quizá fuera aquel el problema: la imposibilidad de ser un Snow en un mundo de posguerra; lo que eso lo había empujado a hacer. Sin embargo, se limitó a decir:

—Intentaré ser digno de ello algún día.

—Venga, Coryo —dijo Tigris, levantándose—. Te ayudaré a preparar la maleta.

Su prima lo acompañó al dormitorio sin llorar. Coriolanus sabía que intentaría tragarse las lágrimas hasta que él se fuera.

—No hay mucho que preparar. Me dijeron que me pusiera ropa vieja para tirar. Ellos te proporcionan los uniformes, los artículos de aseo, todo. Solo puedo llevar los objetos personales que quepan aquí dentro.

Sacó de la mochila una caja de veinte por treinta centímetros y de unos ocho de fondo. Los primos la contemplaron un buen rato.

—¿Qué vas a elegir? —le preguntó Tigris—. Algo que merezca la pena.

Fotografías de su madre con él en brazos, de su padre con el uniforme, de Tigris y la abuelatriz, de algunos de sus amigos. Una vieja brújula de latón, que antes fuera de su padre. El disco de polvos con aroma a rosas que antes guardaba en la polvera de plata de su madre, envuelto con delicadeza en su pañuelo de seda naranja. Tres pañuelos. Papel y sobres con el sello de la familia Snow. Su carné de estudiante de la Academia. Una entrada usada del circo al que había ido en su niñez, con una imagen del estadio estampada. Un fragmento de mármol de los escombros dejados por las bombas. Se sentía como Ma Plinth, con su puñado de recuerdos del Distrito 2 en la cocina.

A ninguno de los dos le apetecía dormir. Subieron a la azotea y contemplaron el Capitolio hasta que salió el sol.

—No podías ganar de ningún modo —dijo Tigris—. Los Juegos del Hambre son un castigo antinatural y cruel. ¿Cómo va a avenirse a ellos una buena persona como tú?

—No le digas eso a nadie más que a mí. No es seguro.

—Lo sé. Y eso también está mal.

Coriolanus se duchó y se vistió con unos pantalones de uniforme deshilachados, una camiseta andrajosa y unas chanclas rotas, y se bebió una taza de té en la cocina. Se despidió de la abuelatriz con un beso y le echó un último vistazo a su hogar antes de marcharse.

En el salón, Tigris le ofreció un viejo sombrero de ala ancha y un par de gafas de sol que habían pertenecido al padre de Coriolanus.

—Para el viaje.

El chico sabía reconocer un disfraz cuando lo veía, así que se lo puso, agradecido, y ocultó los rizos bajo el sombrero. Guardaron silencio mientras recorrían las calles, casi vacías, hasta el Centro de Reclutamiento. Después se volvió hacia ella; tenía la voz ronca de la emoción.

—Ahora tendrás que enfrentarte a todos los problemas tú sola: el piso, los impuestos, la abuelatriz... Lo siento mucho. Si no me perdonas nunca, lo entenderé perfectamente.

—No hay nada que perdonar. ¿Me escribirás en cuanto puedas?

Se abrazaron con tanta fuerza que se le saltaron algunos de los puntos del brazo. Después entró en el Centro, donde unos trescientos ciudadanos del Capitolio esperaban para embarcarse en su nueva vida. Puede que no superara el examen físico. Aunque, en un principio, la idea hizo que renaciera su esperanza, pronto se transformó en un motivo para el pánico. ¿Qué destino lo esperaba si no lo pasaba? ¿El escarnio público? ¿La cárcel? El decano Highbottom no lo había dicho, pero se imaginaba lo peor. No obstante, superó el examen sin problemas, e incluso le quitaron los puntos sin hacer comentarios. Aunque cuando le raparon el pelo se sintió desnudo sin sus característicos rizos, lo cierto era que tenía un aspecto tan distinto que desaparecieron por completo las ya de por sí escasas miradas curiosas que había recibido hasta entonces. Se puso un uniforme nuevo y le dieron un petate lleno de ropa, un juego de productos de aseo, una botella de agua y un paquete de sándwiches de paté de carne para el viaje en tren. A continuación firmó una pila de formularios, en uno de los cuales indicaba que enviasen la mitad de su exiguo salario a Tigris y la abuelatriz. Eso lo consoló un poco.

Rapado, vestido y vacunado, Coriolanus se unió a un autobús lleno de reclutas camino de la estación de ferrocarril. Era una mezcla de chicos y chicas del Capitolio, sobre todo recién salidos de los institutos que celebraban sus graduaciones antes que la Academia. Tras ocultarse en una esquina de la estación, se dedicó a ver las Noticias del Capitolio, temeroso de encontrarse con un reportaje sobre su aprieto, pero no emitían nada más que lo normal para un sábado: el tiempo; el tráfico que se desviaba por las obras de reconstrucción; una receta de ensalada de verduras para el verano. Era como si los Juegos del Hambre nunca se hubiesen celebrado.

«Me están borrando —pensó—. Y, para eso, primero tienen que borrar los Juegos».

¿Quién sabía lo de su caída en desgracia? ¿El profesorado? ¿Sus amigos? Nadie se había puesto en contacto con él. Puede que todavía no se hubiera divulgado la noticia. Pero lo haría. La gente especularía. Los rumores correrían como la pólvora. Al final se impondría una versión distorsionada de la verdad, retorcida y jugosa. Livia Cardew estaría encantada, seguro. Clemensia ganaría el Premio Plinth en la graduación. Durante el mes de vacaciones de verano, se preguntarían cómo le iría. Quizá algunos lo echaran de menos. Festus. Puede que Lysistrata. En septiembre, sus compañeros empezarían la universidad, y poco a poco lo olvidarían.

Para borrar los Juegos también tenían que borrar a Lucy Gray. ¿Dónde estaba? ¿De verdad la habrían enviado a casa? ¿Estaría en aquellos momentos de regreso al Distrito 12, encerrada en el mismo apestoso vagón de ganado que la había llevado hasta el Capitolio? Eso era lo que el decano Highbottom le había asegurado que ocurriría, pero la decisión final se encontraba en manos de la doctora Gaul, y cabía dentro de lo posible que ella no perdonara tan fácilmente su treta. Si así lo ordenaba, Lucy Gray acabaría en la cárcel, muerta o convertida en avox. O, peor aún, condenada a pasar lo que le quedara de vida en el laboratorio de los horrores de la doctora Gaul, sometida a sus experimentos.

Coriolanus recordó que estaba en el tren y cerró los ojos por si se le escapaba alguna lágrima. No podía permitirse que lo vieran llorar como un bebé, así que reprimió sus emociones y recuperó el control. Se calmó pensando que, en realidad, la mejor estrategia para el Capitolio seguramente fuera devolver a Lucy Gray al Distrito 12. Quizá con el transcurso del tiempo la doctora Gaul la sacara de nuevo de allí, sobre todo si él estaba fuera de escena. Puede que la llevara al Capitolio para cantar en la inauguración de los Juegos. Sus delitos, si alguno había cometido, eran nimios si los comparaban con los de él. Y los espectadores la adoraban, ¿no? Quizá su encantadora personalidad la salvara de nuevo.

De vez en cuando, el tren se detenía para vomitar más reclutas, ya fuera en el distrito que se les había asignado o para hacer transbordo y cambiar de vehículo, rumbo al norte, al sur o a donde fuera. A veces contemplaba a través de la ventanilla las ciudades muertas por las que pasaban, abandonadas, a merced de los elementos, y se preguntaba cómo habría sido el mundo cuando aquellos lugares estaban en su momento de mayor esplendor. Cuando aquello se llamaba Norteamérica en vez de Panem. Tenía que haber estado bien. Una tierra llena de Capitolios. Qué desperdicio...

Alrededor de la medianoche, la puerta de su compartimento se abrió, y dos chicas que se dirigían al Distrito 8 entraron a trompicones con dos litros de posca que habían logrado colar en el tren a hurtadillas. Tal como estaban las cosas, dedicó la noche a ayudarlas a consumirla y, cuando despertó, veinticuatro horas después, descubrió que el tren entraba en el Distrito 12 justo cuando daba inicio una sofocante mañana de martes.

Coriolanus salió al andén con un latido sordo en el cabeza y la boca como un zapato. Siguiendo órdenes, él y otros tres reclutas se pusieron en fila y esperaron una hora a que un agente de la paz que no parecía mucho mayor que ellos los sacara de la estación y los condujera por las calles de asfalto polvoriento. El calor y la humedad dejaban el aire en un estado a medio camino entre líquido y gaseoso, y Coriolanus no sabía si inhalaba o exhalaba. Tenía empapado el cuerpo entero y un lustre desconocido que no había forma de limpiar. El sudor no se secaba, únicamente se multiplicaba. La nariz le moqueaba sin parar, y la secreción ya empezaba a salir de color negro debido a la carbonilla. Le parecía oír el chapoteo de los calcetines dentro de las rígidas botas. Tras una hora de caminata a través de cenizas y calles de asfalto roto bordeadas de edificios horrorosos, llegaron a la base que habría de convertirse en su nuevo hogar.

La valla de seguridad que la rodeaba, además de los agentes de la paz armados de la puerta, consiguieron que se sintiera más seguro. Los reclutas siguieron a su guía a través de una mescolanza de insulsos edificios grises. En los barracones, las dos chicas se fueron por un lado, mientras que Coriolanus y el otro chico, un muchacho alto y delgado como un fideo llamado Junius, entraron en una habitación con cuatro literas y ocho taquillas. Dos de las literas tenían las camas bien hechas y dos de las vacías, situadas al lado de una ventana sucia que daba a un contenedor de basura, tenían la ropa de cama doblada encima. Los chicos siguieron torpemente las instrucciones para prepararlas, y Coriolanus se quedó con la de arriba por ayudar a Junius, que tenía vértigo. Después les dieron el resto de la mañana para ducharse, deshacer las maletas y revisar el manual de adiestramiento de los agentes de la paz antes de acudir a la cantina a las once para comer.

Coriolanus se metió en la ducha, echó la cabeza atrás y se tragó el agua tibia que caía del grifo. Se secó con la toalla tres veces antes de aceptar que la humedad de su piel era un estado permanente y ponerse el uniforme limpio. Después de sacar sus cosas del petate y guardar su preciada caja en el estante superior de su taquilla, subió a su cama y le echó un vistazo al manual (o fingió hacerlo) para evitar entablar conversación con Junius, un tipo nervioso que necesitaba un consuelo que Coriolanus no estaba en condiciones de ofrecerle. Lo que quería decirle era: «Tu vida se ha acabado, joven Junius; acéptalo». Sin embargo, semejante afirmación habría traído consigo más confidencias de las que estaba en condiciones de recibir. La súbita ausencia de responsabilidades en su vida (ni académicas ni familiares ni de cara al futuro) le había consumido la energía. Hasta la tarea más insignificante le resultaba abrumadora.

Unos minutos antes de las once, sus compañeros de barracón (un chico hablador de rostro redondo al que llamaban Sonrisitas y su diminuto amigo, el Pulga) los recogieron. El cuarteto se dirigió al comedor, en el que había varias mesas largas con sillas de plástico resquebrajado.

—¡Los martes hay estofado! —anunció el Sonrisitas.

Aunque apenas llevaba una semana como agente, no solo parecía conocer la rutina, sino que le encantaba. Coriolanus se hizo con una bandeja con compartimentos en la que habían servido algo parecido a comida para perros con patatas. El hambre y el entusiasmo de sus compañeros lo envalentonaron, así que probó un bocado y descubrió que estaba bastante comestible, aunque muy salado. También recibió dos mitades de pera en conserva y una gran taza de leche. No era elegante, pero llenaba. Se dio cuenta de que, como agente de la paz, seguramente no moriría de hambre. De hecho, tendría garantizada más comida consistente que en casa.

Sonrisitas decidió que todos eran amigos íntimos y, para cuando acabó la comida, Coriolanus y Junius habían sido rebautizados como el Finolis y el Fideo; uno por sus modales en la mesa, el otro por su físico. A Coriolanus le parecía bien el apodo con tal de no escuchar el apellido Snow. No obstante, ningún compañero hizo comentarios al respecto ni mencionó los Juegos del Hambre. Al parecer, los reclutas solo tenían acceso a un televisor en la sala de juegos, y la recepción era tan mala que apenas lo encendían. Si el Fideo había visto a Coriolanus en el Capitolio, no relacionó al mentor de los Juegos con el soldado que tenía al lado. Puede que nadie lo reconociera porque nadie esperaba que estuviera allí. O puede que su fama solo abarcara la Academia y los pocos desempleados del Capitolio que habían tenido tiempo para seguir la evolución del drama. Coriolanus se relajó lo suficiente para reconocer que su padre era un militar que había muerto en la guerra, que tenía una abuela y una prima en casa, y que había terminado el instituto la semana anterior.

Sorprendido, descubrió que el Sonrisitas y el Pulga, además de muchos otros de los agentes de la paz, no provenían del Capitolio, sino de los distritos.

—Claro —le explicó el Sonrisitas—, es un buen trabajo, si lo consigues. Mejor que el molino. Mucha comida y dinero suficiente para enviarle algo a la familia. Alguna gente lo desprecia, pero yo digo que la guerra se acabó y que un trabajo es un trabajo.

—Entonces, ¿no te importa controlar a los tuyos? —le preguntó Coriolanus sin poder evitarlo.

—Esta gente no es nada mío. Los míos están en el 8. No te dejan quedarte en tu distrito natal —respondió el chico, que se encogió de hombros—. Además, ahora tú eres mi familia, Finolis.

Aquella tarde, a Coriolanus le presentaron más miembros de su nueva familia cuando lo asignaron al servicio de cocina. Bajo las órdenes del Fogones, un viejo soldado que había perdido la oreja izquierda en la guerra, se desnudó hasta la cintura y se plantó frente a un fregadero de agua humeante, donde estuvo cuatro horas restregando ollas y lavando bandejas a manguerazos. Después le concedieron quince minutos para comerse otra ración de estofado antes de dedicar las horas siguientes a fregar la cantina y los pasillos. Le quedó una media hora de esparcimiento en su cuarto antes de que apagaran las luces a las nueve y se dejara caer en la cama en calzoncillos.

A las cinco de la mañana ya estaba vestido y en el campo para empezar en serio con el adiestramiento. La primera etapa estaba diseñada para poner en una forma medio decente a los nuevos soldados. Hizo sentadillas, corrió y se ejercitó hasta tener la ropa empapada y los talones ampollados. El entrenamiento de Sickle le resultó muy útil; la profesora siempre había insistido en la importancia del ejercicio riguroso, así que Coriolanus llevaba desde los doce años marchando en formación. El Fideo, por otro lado, con dos pies izquierdos y el pecho cóncavo, tuvo que soportar la alternancia de incentivos e insultos del sargento instructor. Aquella noche, mientras Coriolanus se quedaba dormido, oyó que el muchacho intentaba ahogar sus sollozos en la almohada.

Su nueva vida se limitaba a entrenar, comer, limpiar y dormir. Cumplía con cada uno de los pasos como un autómata, aunque con la suficiente competencia para evitar reproches. Con suerte, contaba con una preciada media hora para él antes de que apagaran las luces por la noche. Aunque tampoco le servía para mucho. Lo único que podía hacer era ducharse y tenderse en el catre.

Le atormentaba pensar en Lucy Gray, pero obtener información sobre ella era complicado. Si iba por ahí haciendo preguntas, alguien podría descubrir su participación en los Juegos, cosa que pretendía evitar por todos los medios. El día libre del pelotón era el domingo, y sus deberes acababan los sábados a las cinco. Como nuevos reclutas, estaban confinados en la base hasta el fin de semana siguiente. Cuando pudiera salir, Coriolanus pensaba ir a la ciudad para interrogar con cautela a los locales sobre Lucy Gray. El Sonrisitas le había dicho que los agentes de la paz solían ir a un viejo almacén de carbón llamado el Quemador, donde se podía comprar licor casero y, con suerte, algo de compañía. En el Distrito 12 también tenían una plaza, la misma que usaban para la cosecha, con un puñado de tiendecitas y comerciantes, aunque había más actividad durante el día.

Salvo el Fideo, que se había ganado el servicio de letrinas por sus limitaciones, sus compañeros de barracón fueron a la sala de juegos para echar unas partidas de póquer después de la cena del sábado. Coriolanus remoloneó con los fideos y la carne en conserva. Como el Sonrisitas solía distraerlos a todos con su cháchara, era la primera vez que de verdad podía pararse a examinar a los otros agentes de la paz. Había de todas las edades, desde adolescentes hasta un anciano que parecía coetáneo de la abuelatriz. Algunos charlaban entre ellos, pero la mayoría comía en silencio, con aire deprimido. ¿Estaría contemplando lo que le deparaba el futuro?

Decidió pasar la tarde en los barracones. Como le había dejado sus últimas monedas a la familia, no tenía dinero para apostar, ni siquiera calderilla, hasta que recibiera su paga el primer día del mes. Y, lo que era más importante, había recibido una carta de Tigris que deseaba leer en privado. Procuró disfrutar de la soledad, sin ver ni oír ni oler a sus camaradas. Tanto compañerismo lo abrumaba, acostumbrado como estaba a acabar los días en soledad. Se subió al catre y abrió la carta con cuidado.

Mi queridísimo Coryo:

Ahora mismo estamos a lunes por la noche, y noto tu ausencia en cuanto me rodea. La abuelatriz no parece comprender del todo lo que sucede, porque hoy ha preguntado dos veces cuándo volverás a casa y si debíamos esperarte para cenar. Empieza a correrse la voz sobre lo sucedido. Fui a ver a Pluribus, y él me dijo que había oído distintos rumores: que habías seguido a Lucy Gray hasta el 12 por amor; que te habías emborrachado para celebrarlo y te habías alistado por ganar una apuesta; que habías incumplido las normas y enviado regalos a Lucy Gray cuando estaba en la arena; que hubo algún tipo de enfrentamiento con el decano Highbottom. Yo me limito a contarle a la gente que estás cumpliendo con tu deber con el país, igual que tu padre.

Festus, Persephone y Lysistrata se pasaron por aquí esta noche, todos muy preocupados por ti, y la señora Plinth llamó para preguntar por tu dirección. Creo que quiere escribirte.

Nuestro piso ya está oficialmente en el mercado, gracias a la ayuda de los Dolittle. Pluribus dice que, si no logramos encontrar otra vivienda de inmediato, él tiene un par de habitaciones de sobra encima del club para nosotras, si queremos, y que puedo ayudarlo con los trajes, si decide volver a abrir. También ha logrado vendernos algunos muebles. Ha sido muy amable, y me ha pedido que os envíe recuerdos a Lucy Gray y a ti. ¿Has podido verla? Es el único punto positivo de toda esta locura.

Siento que la misiva sea tan corta, pero es muy tarde y tengo mucho que hacer. Solo quería enviarte unas líneas para recordarte lo mucho que te queremos y que te echamos de menos. Sé que te estarás enfrentando a grandes dificultades, pero no pierdas la esperanza. Es lo que nos ha mantenido a flote durante los peores momentos, antes, ahora y siempre. Escríbenos, por favor, y cuéntanos cómo es la vida en el 12. Aunque puede que no sea lo ideal, ¿quién sabe hasta dónde puede llevarte?

Los Snow siempre caen de pie,

TIGRIS

Coriolanus ocultó el rostro entre las manos. ¿El Capitolio se burlaba del apellido Snow? ¿La abuelatriz perdía la cabeza? ¿Su hogar pasaba a ser un par de cuartos cochambrosos encima de un club, donde Tigris se dedicaría a coser maillots con lentejuelas? ¿Ese era el destino de la gloriosa familia Snow?

¿Y qué pasaba con él, Coriolanus Snow, futuro presidente de Panem? Vio cómo sería su vida, tan trágica y sin sentido. Se imaginó al cabo de veinte años, rechoncho y estúpido, echada a perder su buena cuna, con la mente atrofiada hasta tal punto que solo generaba ya pensamientos animales de hambre y sueño. Lucy Gray, tras languidecer en el laboratorio de la doctora Gaul, llevaría mucho tiempo muerta, y su corazón habría muerto con ella. Veinte años malgastados y después ¿qué? Cuando terminara su tiempo de servicio. Bueno, evidentemente se alistaría de nuevo, porque, incluso entonces, la humillación sería demasiado grande. ¿Y qué le esperaría en el Capitolio si regresaba? La abuelatriz, muerta. Tigris, de mediana edad pero con aspecto envejecido, sería esclava de la máquina de coser, y su amabilidad se habría transformado en insipidez; su existencia, en un chiste para las personas a las que debía complacer para ganarse la vida. No, no regresaría nunca. Se quedaría en el 12 como aquel anciano del comedor, porque esa era su vida. Sin pareja, sin hijos, sin otro domicilio que no fuera el de los barracones. Los otros agentes de la paz serían su familia. El Sonrisitas, el Pulga, el Fideo, sus hermanos de armas. Y no volvería a ver a nadie de su hogar. Nunca más.

Un dolor horrible le atenazó el pecho, y se ahogó en una ola tóxica de nostalgia y desesperación. Estaba seguro de que se trataba de un ataque al corazón, aunque no intentó pedir ayuda, sino que se hizo un ovillo y apretó el rostro contra la pared. Porque no había salida. No había donde huir ni esperanza de rescate. Todos los futuros posibles se resumían en una muerte en vida. ¿Qué aspiraciones le quedaban? ¿Que llegara el siguiente día de estofado? ¿El vaso semanal de ginebra? ¿Que lo ascendieran de lavar platos a raspar platos? ¿No era mejor morir ya, deprisa, que alargar lo inevitable durante años?

En algún lugar que parecía muy lejano oyó un portazo. Unos pasos recorrieron el pasillo, se detuvieron un minuto y siguieron avanzando hacia él. Apretó los dientes, deseando que se le parara el corazón de inmediato, porque el mundo y él habían roto relaciones y tocaba despedirse. Sin embargo, los pasos se oían cada vez más fuerte y acabaron por detenerse frente a su puerta. ¿Alguien lo buscaba? ¿Sería el soldado de guardia? ¿Estaría observándolo en aquella postura tan humillante? ¿Disfrutando de su desgracia? Esperó a que llegara la risa, la burla y el servicio de letrinas que sin duda le caería.

Pero lo que oyó fue una voz tranquila que decía:

—¿Está ocupado este catre?

Una voz tranquila que le resultaba familiar...

Coriolanus se volvió hacia la puerta y abrió de golpe los ojos para confirmar lo que sus oídos ya sabían. Allí, en la entrada, con aspecto de sentirse muy cómodo con un uniforme al que todavía se le veían las dobleces, estaba Sejanus Plinth.

22

Coriolanus no se había alegrado tanto de ver a nadie en toda su vida.

—¡Sejanus! —exclamó.

Se bajó de un salto del catre, aterrizó con piernas temblorosas en el suelo de hormigón y abrazó al recién llegado.

Sejanus le devolvió el abrazo.

—¡Me sorprende que le des así la bienvenida a la persona que ha estado a punto de acabar contigo!

Una risa histérica brotó de los labios de Coriolanus y, por un momento, reflexionó sobre lo que decía Sejanus. Era cierto, aquel chico había puesto su vida en peligro al colarse en el estadio, pero culparlo por todo lo demás era excederse. Aunque Sejanus podía llegar a ser muy molesto, no había tenido nada que ver con la *vendetta* del decano Highbottom contra su padre ni con el fiasco del pañuelo.

—No, no, todo lo contrario.

Soltó a Sejanus y lo examinó. Las ojeras le circundaban la mirada, y debía de haber perdido siete kilos, como mínimo. Sin embargo, en general, parecía más relajado, como si le hubieran quitado de encima el gran peso con el que cargaba en el Capitolio.

—¿Qué haces tú aquí? —le preguntó.

—Hum, veamos. Después de desafiar al Capitolio al entrar en el estadio, a mí también estaban a punto de expulsarme. Mi padre recurrió a la junta y les dijo que pagaría un nuevo gimnasio para la Academia si permitían que me graduara y me alistara en el cuerpo de agentes de la paz. Accedieron, pero yo dije que no aceptaría el trato a no ser que te permitieran graduarte a ti también. Bueno, la profesora Sickle estaba deseando tener un gimnasio nuevo, así que dijo que daba igual, puesto que íbamos a estar los dos bastante ocupados durante los próximos veinte años.

Sejanus dejó caer su petate al suelo y sacó la caja con sus efectos personales.

—¿Me voy a graduar? —preguntó Coriolanus.

Sejanus abrió la caja, dio con una pequeña carpeta de cuero y se la ofreció con gran ceremonia.

—Enhorabuena, ya no eres un fracasado escolar.

Coriolanus abrió la carpeta y encontró un diploma con su nombre grabado con muchas florituras. Aquello debían de haberlo escrito con antelación, puesto que incluso indicaba que se había graduado «con matrícula de honor».

—Gracias. Supongo que es una estupidez, pero todavía me importa.

—En realidad, si en algún momento quieres presentarte al examen para candidatos a oficiales, puede que sí importe. Necesitas el título de secundaria. El decano Highbottom lo comentó como algo que deberían negarte. Dijo que habías roto una norma de los Juegos para ayudar a Lucy Gray. En fin, el caso es que perdió la votación. —Sejanus se rio entre dientes—. La gente empieza a hartarse de él.

—¿Así que no me odia todo el mundo?

—¿Por qué? ¿Por enamorarte? Creo que la mayoría siente lástima por ti. He descubierto que hay muchos románticos entre nuestros profesores. Y Lucy Gray causó una gran impresión.

—¿Dónde está? —le preguntó Coriolanus tras agarrarlo del brazo—. ¿Sabes qué le ha pasado?

—No. Pero suelen enviar a los vencedores de vuelta a sus distritos, ¿no?

—Temo que a ella le haya sucedido algo peor. Por haber hecho trampas en los Juegos —confesó Coriolanus—. Engañé a las serpientes para que no la mordieran. Pero lo único que hizo ella fue usar veneno para ratas.

—Así que era eso. Bueno, no he oído nada al respecto. Ni tampoco que la hayan castigado —lo calmó Sejanus—. Lo cierto es que tiene tanto talento que seguramente quieran volver a llevarla el año que viene.

—También lo he pensado. Quizá Highbottom tenía razón y la han enviado a casa. —Coriolanus se sentó en el catre del Fideo y examinó su diploma—. ¿Sabes qué? Cuando entraste, estaba pensando seriamente en la posibilidad de suicidarme.

—¿Qué? ¿Ahora? ¿Cuando por fin te has librado de las garras del decano Highbottom y de la malvada doctora Gaul? ¿Cuando la chica de tus sueños está al alcance de tu mano? ¿Cuando, en estos momentos, mi Ma está preparando una caja del tamaño de un camión llena de dulces para ti? —exclamó Sejanus—. ¡Amigo mío, tu vida no ha hecho más que empezar!

Coriolanus se echó a reír; los dos lo hicieron.

—¿Así que esto no es nuestra ruina? —preguntó.

—Yo lo llamaría nuestra salvación. Al menos, la mía. Ay, Coryo, si supieras lo mucho que me alegré de escapar... —dijo Sejanus, serio de repente—. Nunca me gustó el Capitolio, pero, después de los Juegos del Hambre, después de lo que le sucedió a Marcus... No sé si bromeabas con lo del suicidio, pero para mí no era ninguna broma. Lo tenía todo planeado...

—No. No, Sejanus. No les daremos esa satisfacción.

Sejanus asintió, pensativo, y se limpió la cara con la manga.

—Mi padre dice que mi vida no será mejor aquí. Que seguiré

siendo un chico del Capitolio para los distritos. Pero me da igual. Cualquier cosa será una mejora. ¿Qué tal es esto?

—Nos pasamos el día marchando o limpiando. Acabas con el cerebro embotado.

—Bien. No me vendría mal embotarlo un poco. Llevo un siglo atrapado en unos debates interminables con mi padre —dijo Sejanus—. En estos momentos no quiero mantener una conversación seria sobre nada.

—Entonces te van a encantar nuestros compañeros de barracón.

El dolor de pecho de Coriolanus había desaparecido, y albergaba una chispa de esperanza. Lucy Gray no había recibido ningún castigo, al menos en público. El mero hecho de saber que todavía le quedaban aliados en el Capitolio le levantó el ánimo, y la posibilidad de ascender a oficial que había mencionado Sejanus le resultaba atractiva. ¿Habría un modo de salir de su aprieto, al fin y al cabo? ¿Otro camino para obtener influencia y poder? De momento le bastaba con saber que era algo que el decano Highbottom temía.

—Esa es mi intención —explicó Sejanus—. Me construiré aquí una nueva vida preciosa en la que poder hacer del mundo un lugar mejor, a mi manera, aunque sea una contribución pequeña.

—Te va a costar trabajo. No sé por qué se me ocurriría pedir el Distrito 12.

—Una elección completamente aleatoria, por supuesto —bromeó Sejanus.

Coriolanus se ruborizó como un tonto.

—Ni siquiera sé cómo encontrarla. Ni si seguirá interesada en mí ahora que nuestras vidas han cambiado tanto.

—Estás de broma, ¿no? ¡Está coladita por tus huesos! —exclamó Sejanus—. Y no te preocupes, la encontraremos.

Mientras ayudaba a Sejanus a sacar las cosas del petate y a hacer la cama, el chico lo puso al día de las noticias del Capitolio. Sus sospechas sobre los Juegos del Hambre resultaron ser ciertas.

—A la mañana siguiente dejó de hablarse de ellos —dijo Sejanus—. Cuando fui a la Academia para mi reunión oí a parte del profesorado comentar que había sido un error involucrar a los estudiantes, así que creo que no volverán a hacerlo. Pero no me sorprendería que Loco Flickerman volviera el año que viene, ni que abrieran las estafetas para los regalos y las apuestas.

—Nuestro legado —repuso Coriolanus.

—Eso parece. Satyria le dijo a la profesora Sickle que la doctora Gaul está decidida a seguir adelante con ellos, como sea. Supongo que forma parte de su guerra eterna. En vez de batallas, tenemos los Juegos del Hambre.

—Sí, para castigar a los distritos y recordarnos que somos animales —dijo Coriolanus, concentrado en alinear los calcetines doblados de Sejanus en la taquilla.

—¿Qué? —preguntó Sejanus, que lo miró de un modo extraño.

—No sé, es como... ¿Te has dado cuenta de que siempre está torturando a ese conejo o derritiéndole la carne a algún bicho?

—¿Como si le gustara?

—Exacto. Creo que piensa que todos somos como ella. Asesinos natos. Violentos por naturaleza —respondió Coriolanus—. Los Juegos del Hambre son un recordatorio de que somos unos monstruos y necesitamos que el Capitolio nos salve del caos.

—Entonces, no solo el mundo es un lugar brutal, sino que la gente disfruta de esa brutalidad, ¿no? Como en el ensayo sobre lo que nos gustaba de la guerra. Como si se hubiera tratado de un gran espectáculo o algo así. —Negó con la cabeza—. Y yo que no quería pensar...

—Olvídalo —dijo Coriolanus—. Mejor alegrémonos de que ya no esté en nuestras vidas.

En ese momento apareció un taciturno Fideo que apestaba a letrinas y lejía. Coriolanus se lo presentó a Sejanus, quien, tras conocer su situación, lo animó con la promesa de que lo ayudaría con el entrenamiento.

—Yo también tardé un poco en acostumbrarme cuando llegué a la escuela. Pero si yo conseguí dominarlo, tú también podrás.

El Sonrisitas y el Pulga entraron poco después, y le dieron una cálida bienvenida a Sejanus. Los habían desplumado en la mesa de póquer, pero estaban muy emocionados con la salida del sábado siguiente.

—Va a tocar una banda en el Quemador.

Coriolanus estuvo a punto de saltarle encima.

—¿Una banda? ¿Qué banda?

—No me acuerdo —respondió el Sonrisitas, y se encogió de hombros—. Cantará una chica. Se supone que es muy buena. Lucy no sé qué.

«Lucy no sé qué». El corazón le retumbó en el pecho y esbozó una sonrisa que a punto estuvo de partirle la cara por la mitad.

—¿En serio? Estoy deseando que llegue el sábado —comentó Sejanus, que le devolvió la sonrisa.

Cuando se apagaron las luces, Coriolanus se tumbó en la cama y contempló el techo, sonriendo de oreja a oreja. Lucy Gray no solo seguía con vida, sino que estaba en el 12, y se reuniría con ella el fin de semana siguiente. Con su chica. Con su amor. Con su Lucy Gray. Habían sobrevivido al decano, al doctor y a los Juegos, no se sabía cómo. Después de tantas semanas de miedo, anhelo e incertidumbre, la envolvería en sus brazos y no la dejaría marchar. ¿No había ido al 12 para eso?

Pero no era solo por las noticias sobre Lucy Gray. Irónicamente, la aparición de Sejanus, que llevaba toda una década irritándolo, también había servido para devolverlo a la vida. No solo por su diploma y la promesa de tartas, ni por la noticia de que el Capitolio no se burlaba de él, ni siquiera por la esperanza de una carrera militar. Coriolanus se sentía muy aliviado de tener a alguien con quien hablar que conociera su mundo y, sobre todo, que conociera su valor en ese mundo. Resultaba alentador que Strabo Plinth hubiera permitido a Sejanus insistir en que la graduación de su amigo formara parte del trato del gimnasio, y se lo tomó como un pago parcial por haberle salvado la vida a Sejanus. El viejo Plinth no lo había olvidado, estaba seguro, y quizá estuviese dispuesto a usar su riqueza y su poder para ayudarlo en el futuro. Y, por supuesto, Ma lo adoraba. Al fin y al cabo, puede que las cosas no pintaran tan mal.

Con Sejanus y otros cuantos rezagados de los distritos tenían los reclutas suficientes para formar un pelotón completo de veinte agentes, así que empezaron a entrenar como tal. No cabía duda de que la formación de la Academia les había dado a Coriolanus y a Sejanus una clara ventaja en cuanto a forma física e instrucción, aunque era la primera vez que les enseñaban el uso de armas de fuego. El fusil estándar de los agentes de la paz era algo formidable, capaz de disparar cien balas antes de la recarga. Para empezar, los novatos se concentraban en aprender las partes del arma mientras las limpiaban, montaban y desmontaban hasta ser capaces de hacerlo dormidos. Coriolanus tenía tan malos recuerdos de la guerra que afrontó con recelo los primeros días de prácticas de tiro, aunque descubrió que contar con su propia arma le infundía seguridad. Se sentía más poderoso. Sejanus resultó tener una puntería innata, así que no tardaron en ponerle el mote de Certero. Coriolanus se daba cuenta de que el nombre le incomodaba, pero el chico lo aceptó.

El lunes posterior a la llegada de Sejanus, el 1 de agosto, fue decepcionante. Los reclutas descubrieron que tenían que pasar un mes entero de servicio antes de recibir su primera paga. El Sonrisitas era el más afectado, ya que contaba con aquel dinero para financiar su juerga del fin de semana. Coriolanus también se desanimó. ¿Cómo iba a ver a Lucy Gray si no tenía dinero para comprar la entrada?

Al cabo de tres días de entrenamiento y nada más que entrenamiento, el jueves hubo un momento feliz: por fin llegó el paquete de Ma, lleno a rebosar de delicias dulces. Los rostros del Fideo, el Sonrisitas y el Pulga eran todo un espectáculo mientras observaban a Sejanus sacar pastelitos de cereza, bolas de palomitas de caramelo y galletas de chocolate glaseadas. Sejanus y Coriolanus decidieron que serían propiedad común del barracón, para cimentar aún más su hermandad.

—¿Sabéis lo que os digo? —comentó el Sonrisitas con la boca llena de pastel—. Si quisiéramos, seguro que podríamos negociar con esto el sábado. Cambiarlo por ginebra y eso.

A todos les pareció buena idea, así que reservaron parte del botín para el gran acontecimiento del sábado noche.

Espoleado por el azúcar, Coriolanus escribió una carta de agradecimiento para Ma y otra para Tigris, en la que le aseguraba que se encontraba bien. Intentó restarle importancia a la agotadora rutina y resaltar la posibilidad de convertirse en oficial de carrera. Después cogió el ajado manual para la prueba de acceso, en el que había ejemplos de preguntas. Estaba diseñado para evaluar la aptitud académica y consistía, principalmente, en problemas verbales, matemáticos y espaciales, aunque tendría que aprenderse algunas reglas y normas básicas del apartado militar. Si aprobaba, no lo ascenderían de golpe a oficial, pero podría entrenarse para llegar a serlo. Le daba la sensación de que tenía posibilidades, aunque solo fuese porque muchos de los otros reclutas eran casi analfabetos, lo que le había quedado claro tras su puñado de clases sobre los valores y las tradiciones de los agentes de la paz. Le contó a Tigris la triste noticia sobre su paga, pero le aseguró que el dinero llegaría puntual como un reloj el 1 de septiembre. Mientras se sacaba con la lengua los trocitos de palomitas de entre los dientes, recordó mencionar la llegada de Sejanus y aconsejarle que, si necesitaba ayuda en una emergencia, podía intentar recurrir a Ma Plinth.

La mañana del viernes todos estaban muy tensos en el comedor, y el Sonrisitas se enteró de la historia a través de una enfermera que había conocido en la clínica. Más o menos un mes antes, en los días de la cosecha, un agente de la paz y dos jefes del Distrito 12 habían muerto en una explosión en las minas. La investigación había conducido a la detención de un hombre cuya familia se había contado entre los líderes de la rebelión durante la guerra. Iban a colgarlo a la una de la tarde. Cerrarían las minas para el acontecimiento, y se esperaba que asistieran los mineros.

Como era novato, Coriolanus creía que aquello no iba con él, así que siguió con su horario, como siempre. Sin embargo, durante la instrucción, el comandante de la base en persona, un viejo verde llamado Hoff, se pasó por allí y los observó durante un rato. Antes de marcharse, intercambió unas palabras con el sargento, y este llamó de inmediato a Coriolanus y a Sejanus.

—Vosotros dos vais a ir a la ejecución de esta tarde. El comandante quiere que haya un nutrido grupo de agentes a la vista y busca reclutas que se manejen bien en la instrucción. Presentaos para el transporte a las doce del mediodía, uniformados. Seguid las órdenes y todo irá bien.

Coriolanus y Sejanus comieron a toda velocidad y corrieron al barracón para cambiarse.

—Entonces, ¿el objetivo del asesino era ese agente de la paz en concreto? —preguntó Coriolanus mientras se ponía por primera vez el uniforme blanco, en vez del que llevaban de diario.

—He oído que intentaba sabotear la producción de carbón y mató a los tres por accidente —respondió Sejanus.

—¿Sabotear la producción? ¿Para qué?

—No lo sé. ¿Para poner de nuevo en marcha la rebelión?

Coriolanus sacudió la cabeza. ¿Por qué pensaba aquella gente que la rabia era lo único necesario para empezar una rebelión? No tenían ni ejército, ni armas, ni autoridad. En la Academia les habían enseñado que la última guerra la habían instigado los rebeldes del Distrito 13, que tenían acceso a las armas y a las comunicaciones, y lograron repartirlas entre sus cómplices de todo Panem. Pero el Distrito 13 había desaparecido en una nube nuclear de humo, junto con la fortuna de los Snow. No quedaba nada, y era una estupidez pretender resucitar la rebelión.

Cuando se presentaron al servicio, Coriolanus se sorprendió de que le entregaran un arma, dado que su entrenamiento con ellas había sido mínimo.

—No te preocupes, el comandante ha dicho que lo único que tenemos que hacer es permanecer en posición de firmes —le tranquilizó otro recluta.

Los subieron a la plataforma de una camioneta que salió de la base y bajó por una carretera que rodeaba el Distrito 12. Estaba nervioso, ya que era su primera misión real como agente de la paz, aunque también algo emocionado. Unas semanas antes no era más que un colegial, y de repente tenía el uniforme, el arma y el estatus de un hombre. Hasta el agente de menor rango disfrutaba del poder que le confería su relación con el Capitolio. Se enderezó, orgulloso, al pensar en ello.

A medida que la camioneta avanzaba por el perímetro del distrito, los edificios pasaron de deslucidos a sórdidos. Las puertas y las ventanas de las decrépitas casas estaban abiertas para mitigar el calor. Mujeres de rostros macilentos se sentaban en los umbrales, desde donde vigilaban el juego apático de niños medio desnudos a los que se les marcaban las costillas. En algunos patios había bombas de agua que daban fe de la falta de agua corriente y cables de alta tensión caídos que indicaban que la electricidad no siempre estaba garantizada.

Aquella pobreza asustó a Coriolanus. Él llevaba en la ruina casi toda su vida, pero los Snow siempre se habían esforzado por mantener el decoro. La gente que veía se había rendido, y una parte de él los culpaba por su situación. Sacudió la cabeza.

—Con la cantidad de dinero que despilfarramos en los distritos... —dijo, porque tenía que ser cierto. Es de lo que se quejaban todos en el Capitolio.

—El dinero es para nuestras industrias, no para los distritos en sí —replicó Sejanus—. La gente tiene que valerse por sus propios medios.

La camioneta salió traqueteando del camino cubierto de carbonilla y entró en una carretera sin asfaltar que rodeaba un amplio campo de tierra compacta y malas hierbas que llegaba hasta los árboles. En el Capitolio había pequeñas zonas arboladas en algunos parques, pero se trataba de vegetación podada y cuidada. Coriolanus supuso que lo que tenía frente a él era lo que la gente llamaba un bosque o incluso naturaleza salvaje. Había árboles de troncos gruesos, enredaderas y maleza por todas partes. Aquel desorden lo inquietaba. Y a saber qué clase de criaturas moraban en él. La mezcla de zumbidos, trinos y crujidos lo ponía nervioso. ¡Qué escándalo armaban los pájaros!

En la linde del bosque había un gran árbol con las ramas extendidas como enormes brazos nudosos. Justo bajo él habían montado una plataforma basta con dos trampillas.

—No dejan de prometernos una horca en condiciones —comentó el comandante al mando, un militar de mediana edad—. Hasta entonces, hemos tenido que fabricar esto. Antes los colgábamos de un árbol sin más, en el suelo, pero tardaban una eternidad en morir y ¿quién tiene tiempo para eso?

Una de las reclutas, a la que Coriolanus recordaba de su paseo hasta la base, levantó la mano, vacilante.

—¿Nos podría decir a quién vamos a colgar, por favor?

—A un descontento que intentó cerrar las minas —contestó el comandante—. Todos están descontentos, pero este es el cabecilla. Se llama Arlo no sé qué. Todavía buscamos a parte de su grupo, aunque no sé adónde piensan huir. No hay nada más por aquí. ¡Venga, todos abajo!

Coriolanus y Sejanus eran meras figuras decorativas. Tenían que permanecer en posición a discreción en la fila de atrás de uno de los dos pelotones de veinte agentes que flanqueaban la plataforma. Otros sesenta se habían desplegado por el perímetro del campo. A Coriolanus no le gustaba darle la espalda a la flora y la fauna silvestres, pero las órdenes eran las órdenes. Clavó la vista al frente, mirando al otro lado del campo, al distrito, del que empezaba a salir un flujo constante de gente. Por su aspecto, muchos llegaban directamente de las minas, a juzgar por el polvo negro que les cubría la cara. Se les unieron mujeres y niños un poco más limpios, aunque no mucho, y todos se distribuyeron por el campo. Coriolanus empezó a ponerse nervioso cuando las decenas se convirtieron en centenas, y seguía acudiendo gente que empujaba a la multitud para hacer sitio. Aquello le dio mala espina.

Un trío de vehículos avanzaba lentamente por la carretera sin asfaltar hacia la horca. Del primero, un coche viejo que se habría considerado de lujo antes de la guerra, salió el alcalde del Distrito 12, seguido de una mujer de mediana edad con el pelo teñido de rubio y de Mayfair, la chica a la que Lucy Gray había atacado con la serpiente el día de la cosecha. Permanecieron muy juntos a un lado de la plataforma. El comandante Hoff y media docena de oficiales salieron de un segundo coche en cuyo capó ondeaba una bandera de Panem. La incomodidad era patente en la muchedumbre cuando se abrió la puerta trasera del último vehículo, una furgoneta de los agentes de la paz. Dos agentes salieron de ella de un salto y se volvieron para ayudar al prisionero. El condenado, un hombre alto y delgado, con grilletes en pies y manos, consiguió permanecer erguido durante todo el camino hasta la plataforma. Arrastró con dificultad sus cadenas por los endebles escalones, y los guardias lo situaron sobre una de las dos trampillas.

El comandante ladró la orden de firmes, y el cuerpo de Coriolanus obedeció de inmediato. Técnicamente, tenía que mirar al frente, pero vislumbraba lo que ocurría por el rabillo del ojo y, además, se sentía protegido en la fila de atrás. Nunca había visto una ejecución en la vida real, solo en la televisión, y no lograba apartar la vista.

La multitud guardó silencio, y un agente de la paz leyó la lista de delitos de los que se acusaba al condenado, Arlo Chance, incluido el asesinato de tres hombres. Aunque intentaba proyectar la voz, lo cierto es que resultaba muy poco convincente en aquel ambiente caluroso y húmedo. Cuando terminó, el comandante hizo un gesto con la cabeza a los agentes de la plataforma, que ofrecieron una venda para los ojos al condenado. El hombre la rechazó, y los agentes le pusieron la soga al cuello. Arlo se mantuvo erguido y estoico, con la vista en lontananza, a la espera de su final.

Un redoble de tambores se escuchó en el otro extremo de la plataforma, lo que arrancó un grito a alguien. Coriolanus desvío la vista hacia el frente de la muchedumbre para localizar el origen. Una joven de piel aceitunada y larga melena negra salió de entre el gentío; un hombre intentaba retenerla y llevársela, pero ella luchaba con desespero por acercarse mientras gritaba:

—¡Arlo! ¡Arlo!

Los agentes de la paz se dirigieron hacia ella.

La voz tuvo un efecto electrizante en el condenado, que primero demostró sorpresa y después, horror.

—¡Corre! —gritó—. ¡Corre, Lil! ¡Corre! ¡Co...!

El golpe de la trampilla al abrirse y el subsiguiente chasquido de la cuerda al tensarse lo interrumpieron a media palabra y arrancaron un grito ahogado de la multitud. Arlo cayó cinco metros y pareció morir al instante.

En el fatídico silencio posterior, Coriolanus sintió que le bajaba el sudor por las costillas, a la espera de las reacciones. ¿Atacaría la gente? ¿Tendría que disparar? ¿Recordaba cómo funcionaba el arma? Procuró prestar atención por si llegaba la orden. Sin embargo, lo que oyó no fue eso, sino una voz espeluznante que brotaba del cadáver colgado.

—¡Corre! ¡Corre, Lil! ¡Co...!

23

Un escalofrío le recorrió el cuerpo, y notó que los demás reclutas se movían.

—¡Corre! ¡Corre, Lil! ¡Co...!

El grito subió de volumen y después pareció engullir a Coriolanus tras rebotar en los árboles y atacarlo por detrás. Por un momento temió haber enloquecido. Desobedeció sus órdenes y volvió la cabeza, como si esperara ver a un ejército de Arlos salir del tupido bosque que tenía a sus espaldas. Nada. Nadie. Entonces, la voz brotó de nuevo de una rama que estaba a pocos metros por encima de él.

—¡Corre! ¡Corre, Lil! ¡Co...!

Al ver al pajarillo negro recordó el laboratorio de la doctora Gaul, donde había visto las mismas criaturas encaramadas a lo alto de una jaula. El bosque debía de estar lleno de aquellos seres, e imitaban el grito agónico de Arlo igual que lo habían hecho con los gemidos de los avox en el laboratorio.

—¡Corre! ¡Corre, Lil! ¡Co...! ¡Corre! ¡Corre, Lil! ¡Co...! ¡Corre! ¡Corre, Lil! ¡Co...!

Mientras Coriolanus retomaba la posición de firmes, vio la agitación que los pájaros habían provocado en la última fila de los reclutas, aunque el resto de los agentes de la paz no parecían afectados. «Estarán ya acostumbrados», pensó, aunque dudaba que él pudiera acostumbrarse a oír un grito agónico convertido en estribillo. Las frases se transformaban sobre la marcha, desde la entonación de

Arlo hasta algo casi melódico, una serie de notas que reflejaban la inflexión de su voz, lo que resultaba aún más perturbador que las palabras en sí.

Entre la multitud, los agentes de la paz habían apresado a la mujer, Lil, y se la llevaban con ellos. La detenida dejó escapar un último gemido de desesperación, y los pájaros lo repitieron también, primero como una voz y después como parte de la melodía. Ya había desaparecido el habla humana, y lo que quedaba era un coro musical que representaba el diálogo entre Arlo y Lil.

—Sinsajos —refunfuñó el soldado que tenía delante—. Mutos asquerosos.

Coriolanus recordaba haber hablado con Lucy Gray antes de la entrevista.

«—Bueno, ya sabes lo que dicen: el espectáculo no se acaba hasta que canta el sinsajo.

»—¿El sinsajo? De verdad, ¿seguro que no te inventas estas cosas?

»—Esta no. El sinsajo es un pájaro que existe de verdad.

»—¿Y canta en tu espectáculo?

»—No en el mío, cariño. En el tuyo. En el del Capitolio, en todo caso».

Seguro que se refería a aquello. El espectáculo del Capitolio era la ejecución. El sinsajo era algún tipo de pájaro de verdad. No un charlajo. Distinto. Alguna variedad regional, supuso. Pero era extraño, porque el soldado los había llamado mutos. Forzó la vista para intentar localizar uno entre el follaje. Como ya sabía lo que buscaba, encontró varios charlajos. Quizá los sinsajos fueran idénticos... No, un momento, ¡allí!, un poco más arriba. Un pájaro negro, un poco más grande que los charlajos, abrió de repente las alas y dejó al descubierto dos manchas de un blanco deslumbrante mientras alzaba el pico para cantar. Coriolanus estaba convencido de haber visto su primer sinsajo, y lo odió al instante.

El canto de los pájaros alteró a los presentes; los susurros se transformaron en murmullos, que a su vez mutaron en protestas cuando los agentes metieron de un empujón a Lil en la furgoneta que había llevado hasta allí a Arlo. Coriolanus temía el potencial de aquella turba. ¿Estarían a punto de revolverse contra los soldados? Como un acto reflejo, su pulgar le quitó el seguro al arma.

Una andanada de balas lo sobresaltó; buscó cuerpos ensangrentados, pero solo vio a uno de los oficiales bajando el arma. El hombre se reía y asentía en dirección al comandante después de haber disparado a los árboles y espantar a la bandada. Entre los pájaros, Coriolanus distinguió decenas de pares de alas negras y blancas. Los tiros silenciaron a la multitud, y vio que los agentes de la paz los echaban de allí entre gritos de «¡Volved al trabajo!» y «¡Se acabó el espectáculo!». Mientras el campo se despejaba, el chico siguió en posición de firmes, con la esperanza de que nadie hubiera notado su sobresalto.

Cuando se metieron todos en la camioneta para regresar a la base, el comandante dijo:

—Debería haberos advertido sobre los pájaros.

—¿Qué son? —preguntó Coriolanus.

—Un error, en mi opinión —resopló el hombre.

—¿Una mutación? —insistió el chico.

—Más o menos. Bueno, ellos y su descendencia. Después de la guerra, el Capitolio soltó a todos los mutos charlajos para que se extinguieran solos, cosa que deberían haber hecho, porque son todos machos. Pero les echaron el ojo a las hembras de los sinsontes, que parecían estar bastante dispuestas. Ahora tenemos que soportar a estas aberraciones, a los sinsajos. Dentro de unos años habrán desaparecido todos los charlajos, y veremos si los nuevos bichos son capaces de reproducirse entre ellos.

Coriolanus no quería pasarse los veinte años siguientes escuchándolos cantar las ejecuciones locales. Si algún día llegaba a ser oficial, puede que organizara una partida de caza para exterminarlos. Pero ¿por qué esperar? ¿Por qué no sugerirlo en aquel momento, para los reclutas, como una práctica de tiro? Seguro que a nadie le gustaban esos pájaros. La idea logró que se sintiera un poco mejor. Se volvió hacia Sejanus para contarle su plan, pero el rostro de Sejanus estaba tan sombrío como en el Capitolio.

—¿Qué te pasa?

Sejanus mantuvo la vista fija en los bosques mientras la camioneta arrancaba.

—Me parece que he cometido un error de cálculo.

—¿A qué te refieres? —preguntó Coriolanus, pero el chico se limitó a negar con la cabeza.

De regreso a la base, devolvieron las armas y les dieron el resto del día libre hasta la cena de las cinco. En cuanto se hubieron puesto el uniforme de trabajo, Sejanus masculló algo sobre escribir a su Ma y desapareció. Coriolanus encontró una carta para él, que uno de sus compañeros de barracón debía de haber recogido. Reconoció la caligrafía elegante y enmarañada de Pluribus y se subió a su catre para leerla. En su mayor parte, confirmaba lo que Tigris ya le había contado: que Pluribus estaba al servicio de los Snow, tanto vendiendo sus bienes como ofreciéndoles alojamiento temporal mientras resolvían su situación. No obstante, un párrafo llamó la atención de Coriolanus.

Siento mucho cómo ha salido todo. El castigo de Casca Highbottom se me antoja excesivo, y me da en qué pensar. Creo que ya te mencioné que tu padre y él eran como uña y carne cuando estaban en la universidad. Pero también recuerdo que en una ocasión, a punto de acabar la carrera, se pelearon. Muy poco propio de ellos. Casca estaba furioso, decía que lo había hecho borracho y que lo que fuera no era más que una broma. Y tu padre respondió que debería estarle agradecido, que le había hecho un favor. Tu padre se fue, pero Casca se quedó bebiendo hasta que cerré. Le pregunté qué pasaba, pero solo me dijo: «Como polillas a la llama». Estaba muy borracho. Suponía que habrían hecho las paces, pero puede que no. Los dos empezaron a trabajar poco después, así que dejé de verlos tanto. La gente sigue con su vida.

Aquella breve anécdota le ofrecía la mejor explicación que había recibido hasta el momento sobre el odio del decano Highbottom. Una pelea. Un distanciamiento. Sabía que no habían hecho las paces, a no ser que volvieran a pelearse más adelante, a juzgar por el tono resentido con el que el decano había hablado de su padre. Qué hombrecillo más rencoroso, todavía picado por una discusión mantenida de adolescente. Incluso después de que su perseguidor imaginario estuviera muerto. «Déjalo estar de una vez —pensó—. ¿Qué importancia puede tener a estas alturas?».

Durante la cena, el Sonrisitas, el Fideo y el Pulga quisieron saber todos los detalles sobre la ejecución, y Coriolanus se esforzó por satisfacerlos. Todos recibieron con entusiasmo su idea de usar los sinsajos como blancos para las prácticas de tiro, y sus compañeros de barracón lo animaron a presentarles la idea a sus superiores. El único aguafiestas fue Sejanus, que permaneció en silencio y taciturno, y ofreció su bandeja de fideos para que se la comieran los demás. Coriolanus sintió una punzada de preocupación. La última vez que Sejanus había perdido el apetito, también perdió la cordura.

Más tarde, mientras fregaban la cantina, Coriolanus lo acorraló.

—¿Qué te preocupa? Y no me digas que nada.

Sejanus agitó la fregona dentro del cubo de agua gris.

—No lo sé. No dejo de preguntarme qué habría pasado hoy si la multitud hubiese llegado a las manos. ¿Habríamos tenido que disparar contra ella?

—Lo más probable es que no —respondió Coriolanus, aunque él se había preguntado lo mismo—. Creo que habría bastado con unos tiros al aire.

—Si al final tengo que ayudar a matar a la gente de los distritos, ¿en qué se diferencia de matarlos en los Juegos del Hambre?

El instinto de Coriolanus estaba en lo cierto: Sejanus se estaba dejando arrastrar a otro cenagal ético.

—¿Cómo pensabas que sería esto? Quiero decir, ¿qué esperabas hacer aquí?

—Creía que podría ser técnico sanitario —confesó Sejanus.

—Técnico sanitario —repitió Coriolanus—. ¿Como un médico?

—No, para eso hace falta formación universitaria —explicó Sejanus—. Algo más básico. Algo con lo que pudiera ayudar a los heridos, ya fueran de los distritos o del Capitolio, cuando estalle la violencia. Al menos, no le haría daño a nadie. Es que no sé si sería capaz de matar alguien, Coryo.

Coriolanus notó que se enfadaba con él. ¿Acaso se le había olvidado a Sejanus que había sido su imprudencia la que había provocado que él matara a Bobbin? ¿Que, en su egoísmo, le había robado a su amigo la posibilidad de afirmar algo semejante? Tuvo que reprimir una carcajada al pensar en el viejo Strabo Plinth: un gigante de la munición con un heredero pacifista. Se imaginaba las conversaciones que habrían tenido lugar entre padre e hijo. «Qué desperdicio —pensó—. Qué desperdicio de dinastía».

—¿Qué me dices de la guerra? —le preguntó a Sejanus—. Eres un soldado, por si no lo sabías.

—Lo sé. Supongo que en una guerra sería distinto. Pero tendría que luchar por algo en lo que creyera. Tendría que pensar que serviría para convertir el mundo en un lugar mejor. Preferiría ser técnico sanitario, aunque en estos momentos no están muy demandados. Sin una guerra. Tienen una larga lista de espera de personas que quieren formarse para trabajar en la clínica. Pero incluso para eso necesitas una recomendación, y el sargento no quiere dármela.

—¿Por qué no? Suena perfecto para ti.

—Porque se me dan demasiado bien las armas —respondió Sejanus—. Es la verdad. Soy un tirador de primera. Mi padre me enseñó cuando era muy pequeño, y todas las semanas tenía prácticas obligatorias de tiro al blanco. Lo considera parte del negocio familiar.

—¿Por qué no lo has ocultado? —preguntó Coriolanus mientras intentaba procesar la información.

—Creía estar haciéndolo. La verdad es que mi puntería es mucho mejor de lo que parece en los entrenamientos. Intentaba no destacar, pero el resto del pelotón es muy malo. —Sejanus se dio cuenta de lo que había dicho y añadió—: Menos tú.

—No, yo también —repuso el chico con una risa—. Mira, creo que le estás dando demasiadas vueltas al tema. Tampoco es que colguemos gente todos los días. Y, si algún día llega el momento, basta con que no tires a dar.

Pero sus palabras no sirvieron más que para espolear a Sejanus.

—¿Y si por culpa de eso el Fideo, el Sonrisitas o tú acabáis muertos? ¿Por no protegeros?

—¡Venga ya, Sejanus! —exclamó Coriolanus, exasperado—. ¡Tienes que dejar de rumiar tanto las cosas! Solo imaginas las peores situaciones posibles. No va a pasar. Vamos a morir todos aquí mismo, ya sea de viejos o de fregar demasiado, lo que llegue antes. Mientras tanto, ¡deja de dar en el blanco! ¡O invéntate un problema de la vista! ¡O aplástate la mano con la puerta!

—Que deje de compadecerme de mí mismo, vamos.

—Bueno, más bien que dejes de ser tan dramático, por lo menos. Así fue como acabaste en la arena, ¿lo recuerdas? —le dijo Coriolanus.

Sejanus reaccionó como si el chico lo hubiera abofeteado. Sin embargo, al cabo de un momento asintió para darle la razón.

—Así fue como casi nos mato a los dos. Tienes razón, Coryo. Gracias. Voy a meditar sobre lo que me has dicho.

Una tormenta marcó el inicio del sábado y dejó tras de sí una gruesa capa de lodo y un aire tan denso que Coriolanus se veía capaz de escurrirlo como una esponja. Había empezado a antojársele la comida salada que le gustaba preparar al Fogones, y siempre se zampaba hasta el último bocado. Los efectos del entrenamiento diario se hicieron notar: estaba más fuerte, más flexible y se sentía más seguro. Se hallaba al mismo nivel que los locales, por mucho que ellos se pasaran el día en las minas. Con el arsenal del que disponían los agentes, el combate cuerpo a cuerpo no parecía probable, pero estaría preparado si se daba el caso.

Durante las prácticas de tiro al blanco estuvo pendiente de Sejanus, cuya puntería no parecía tan buena. Bien. Que de repente bajara mucho de nivel resultaría sospechoso. Si cualquier otro chico hubiera afirmado poseer un gran talento, habría levantado sospechas, pero sabía que Sejanus no presumía. Si decía que era un tirador de primera, lo creía. Lo que significaba que sería una verdadera ayuda en la matanza de sinsajos si conseguía convencerlo para intentarlo. Al final de las prácticas, Coriolanus le contó su idea al sargento, y su respuesta lo complació:

—Puede que no sea mala idea. Matar dos pájaros de un tiro.

—Bueno, espero que más de dos —bromeó Coriolanus, y el sargento se lo recompensó con un gruñido.

Después de una asfixiante tarde en la lavandería, metiendo y sacando uniformes de las lavadoras y secadoras industriales, clasificando y doblando, Coriolanus engulló la cena y corrió a las duchas. ¿Era imaginación suya o tenía la barba más poblada? La admiró mientras se pasaba la cuchilla por el rostro. Otra señal de que dejaba atrás la niñez. Se secó el pelo con una toalla, aliviado al comprobar que lo tenía un poco más largo. En algunos mechones se le formaba hasta una onda.

La promesa de una banda en el Quemador aquella noche tenía a todo el mundo emocionado en los servicios. Al parecer, ninguno de los reclutas había seguido los Juegos del Hambre aquel año.

—Dicen que va a cantar una chica.

—Sí, del Capitolio.

—No, del Capitolio no. Fue allí por los Juegos del Hambre.

—Ah. Supongo que ganaría.

Con las caras relucientes por culpa del calor y el fregado, Coriolanus y sus compañeros de barracón salieron de la base. El soldado de guardia les dijo que mantuvieran la cabeza alta y los ojos abiertos.

—Supongo que los cinco podríamos con unos cuantos mineros —comentó el Fideo, mirando a su alrededor.

—En un combate cuerpo a cuerpo, seguro —repuso el Sonrisitas—. Pero ¿y si llevan armas?

—Aquí no pueden llevar armas, ¿no? —preguntó el Fideo.

—Legalmente no. Pero seguro que hay unas cuantas circulando por ahí después de la guerra. Escondidas bajo las tablas del suelo, en los árboles y demás. Con dinero se consigue cualquier cosa —afirmó el chico, asintiendo con aire cómplice.

—Y está claro que ellos no lo tienen —intervino Sejanus.

A Coriolanus también lo ponía nervioso ir a pie por el distrito, pero lo atribuyó al lío de emociones que experimentaba. Se debatía entre la emoción, el terror, la arrogancia y la inseguridad al pensar en ver a Lucy Gray. Quería decirle muchas cosas, tenía muchas preguntas y no sabía por dónde empezar. Puede que por otro de aquellos besos tan largos y lentos...

Al cabo de unos veinte minutos llegaron al Quemador. En los buenos tiempos era un almacén de carbón, pero, al reducirse la producción, lo habían abandonado. Seguramente sería propiedad de alguien del Capitolio, si no del Capitolio en sí, aunque no se veía que nadie lo mantuviera ni lo vigilara. A lo largo de las paredes había unos puestecillos improvisados en los que se exponían algunos cachivaches, casi todos de segunda mano. Entre ellos, Coriolanus vio de todo, desde trozos de caramelo hasta conejos muertos, pasando por sandalias tejidas a mano y gafas rotas. Le preocupaba que, después de la ejecución, los trataran con hostilidad, pero nadie se paraba a mirarlos dos veces, y mucha de la clientela procedía de la base.

El Sonrisitas, que había negociado en el mercado negro cuando estaba en su tierra, sacrificó estratégicamente una galleta para darla a probar: la partió en una docena de pedazos y permitió que los que parecían compradores en potencia los degustaran. La magia de Ma surtió efecto, y entre el intercambio directo con los contrabandistas y el dinero de otras partes interesadas acabaron en posesión de una botella de litro de un líquido transparente tan fuerte que consiguió que les lagrimearan los ojos con tan solo olerlo.

—¡Eso es bueno! —les prometió el Sonrisitas—. Aquí lo llaman licor blanco, pero es el aguardiente casero de toda la vida.

Cada uno de ellos le dio un trago, lo que provocó una ronda de toses y palmadas en la espalda, y se guardaron el resto para el espectáculo.

Todavía en posesión de media docena de bolas de palomitas de caramelo, Coriolanus preguntó por las entradas, pero la gente no le hacía caso.

—No cobran hasta después —dijo un hombre—. Será mejor que os busquéis ya un sitio si queréis ver bien. Se espera mucho público. La chica ha vuelto.

Conseguir un sitio suponía coger una caja vieja, un taburete o un cubo de plástico de la pila de la esquina y colocarlo en un lugar desde el que se viera el escenario, que no era más que un conjunto de palés de madera en un extremo del Quemador. Coriolanus eligió uno contra la pared, más o menos a la mitad. Con tan poca luz, a Lucy Gray le costaría verlo, que era lo que él pretendía. Necesitaba tiempo para decidir cómo acercarse a ella. ¿Habría oído que estaba en el 12? Seguramente no, porque, ¿quién se lo iba a contar? En la base lo conocían como Finolis, y nadie había hecho mención a su papel en los Juegos del Hambre.

Cayó la noche, y alguien activó un interruptor que encendió un batiburrillo de luces unidas por un cable vetusto y varios alargadores de aspecto sospechoso. Coriolanus buscó con la mirada la salida más cercana, para cuando se produjera el inevitable incendio. Entre la vieja estructura de madera y la carbonilla, una chispa perdida podía convertirlo rápidamente en un infierno. El Quemador empezó a llenarse de agentes de la paz y locales, sobre todo hombres, pero también bastantes mujeres. Habría ya unos doscientos espectadores cuando un chico delgaducho de unos doce años ataviado con un sombrero adornado con plumas de colores salió al escenario, montó un micrófono y llevó el cable hasta una caja negra que había a un lado. Después arrastró una caja de madera para colocarla detrás del micro y se retiró a una zona oculta por una manta raída. Su aspecto había despertado a la multitud, que empezó a dar palmadas al unísono de un modo que resultaba contagioso. Hasta Coriolanus se unió a ellos. La gente gritaba pidiendo que empezara el espectáculo, y, cuando parecía que no lo haría nunca, la manta se echó hacia atrás para dejar salir a una niña con un vaporoso vestido rosa. Les hizo una reverencia.

El público lanzó vítores mientras la chica empezaba a tocar un tambor que colgaba de la correa que llevaba al cuello y a bailar hasta llegar al micrófono.

—¡Yuju, Maude Ivory! —gritó un agente de la paz que estaba cerca de Coriolanus, y así supo que se trataba de la prima que había mencionado Lucy Gray, la que era capaz de recordar todas las canciones que oía.

Era mucho decir para una niña tan pequeña; no debía de tener más de ocho o nueve años.

Se subió a la caja que habían dejado detrás del micrófono y saludó al público.

—¡Hola a todos! ¡Gracias por venir esta noche! Hace calorcito, ¿eh? —preguntó en un tono de voz dulce y agudo, y la gente se rio—. Bueno, pues vamos a caldear el ambiente un poco más. ¡Me llamo Maude Ivory, y es para mí un placer presentaros a la Bandada! —La multitud aplaudió, y ella hizo reverencias hasta que se callaron lo suficiente para empezar con sus presentaciones—. ¡A la mandolina, Tam Amber!

Un joven alto y enjuto, ataviado con otro sombrero de plumas, salió de detrás de la cortina mientras rasgueaba un instrumento similar a una guitarra, aunque con una caja con forma de lágrima. Caminó hasta colocarse al lado de Maude Ivory sin dirigirse de ninguna manera al público y sin dejar de tocar las cuerdas con habilidad. A continuación, el niño que había colocado el micrófono apareció con un violín.

—¡Al violín, Clerk Carmine! —anunció Maude Ivory mientras él tocaba su instrumento por el escenario—. ¡Y Barb Azure al bajo!

Una joven esbelta con un vestido de cuadros hasta los tobillos saludó a la multitud, cargada con un instrumento que parecía una versión enorme del violín, y se colocó al lado de los demás.

—Y ahora, recién llegada de sus compromisos en el Capitolio, la única e inimitable... ¡Lucy Gray Baird!

Coriolanus contuvo el aliento cuando la chica salió al escenario, la guitarra en una mano, los volantes de su vestido verde lima agitándose a su alrededor, el rostro iluminado por el maquillaje. El público se puso en pie. Lucy Gray corrió alegremente hacia el grupo mientras Tam Amber echaba hacia atrás la caja de Maude Ivory, y ocupó el centro del escenario, detrás del micrófono.

—Hola, Distrito 12, ¿me habéis echado de menos? —Sonrió al recibir un sonoro rugido de la sala por respuesta—. Seguro que pensabais que no volveríais a verme, y lo mismo digo. Pero he vuelto. Ya te digo que si he vuelto.

Animado por sus colegas, un agente de la paz se acercó con timidez al escenario y le pasó una botella medio llena de licor blanco.

—Vaya, ¿qué tenemos aquí? ¿Es para mí? —preguntó mientras recibía la botella. El agente hizo un gesto para explicar que era del grupo—. Bueno, ¡si ya sabéis que dejé la bebida a los doce años! —Carcajadas del público—. ¿Qué pasa? ¡Es verdad! Claro que no tiene nada de malo guardar un poco a mano para uso medicinal. Mil gracias, os lo agradezco. —Miró la botella, lanzó una mirada cómplice a los presentes y le dio un trago—. ¡Para limpiar las cañerías! —exclamó con inocencia en respuesta a los abucheos—. Hay que ver, qué mal me tratáis, no sé ni para qué vengo. Pero lo hago. Me recuerda a esa vieja canción.

Lucy Gray rasgueó una vez la guitarra y miró al resto de la Bandada, que estaba reunida formando un semicírculo alrededor del micrófono.

—De acuerdo, pajarillos. A la de una, a la de dos, a la de un, dos, tres...

Entonces empezó la música, alegre y vivaz. Coriolanus notó que seguía el ritmo con el talón incluso antes de que Lucy Gray se inclinara sobre el micrófono.

Mi corazón es estúpido y no hay nada que hacer,
qué culpa tendrá Cupido, pobre bebé.
Lo acribillas, lo pateas, lo ejecutas,
y vuelve a ti una y otra vez.

Lo noto raro, no me quiere entender.
Atraes a las abejas, como la miel.
Lo aguijoneas, lo estrujas, lo tiras,
y vuelve a ti una y otra vez.

Ojalá me importara que
decidieras aplastarlo.
¿Por qué destrozaste sin más
mi máquina de amar?

¿Te halagaba que
tuvieras poder para despedazarlo?
Por eso decidiste machacar
mi máquina de amar.

Lucy Gray se apartó del micrófono para que Clerk Carmine se acercara a mover hábilmente los dedos por el violín para embellecer la melodía, con el apoyo del resto del grupo. Coriolanus no lograba quitarle los ojos de encima a Lucy Gray, que tenía el rostro iluminado de un modo que él no había visto hasta entonces. «¡Este es su aspecto cuando es feliz! —pensó—. ¡Es preciosa!». Y su belleza era evidente para todos, no solo para él. Eso podría convertirse en un problema. Los celos le atravesaron el corazón. Pero no. Era su chica, ¿no? Recordaba la canción que había cantado en la entrevista, sobre el chico que le había roto el corazón, y examinó a la Bandada en busca de un posible sospechoso. Solo estaba Tam Amber, con la mandolina, aunque no veía química entre ellos. ¿Sería uno de los locales?

La multitud aplaudió a Clerk Carmine, y Lucy Gray volvió al frente.

Atrapaste mi corazón y no lo soltaste.
La gente se burla de cómo lo trataste.
Lo atas, lo rajas, lo desnudas,
y vuelve a ti una y otra vez.

Mi corazón era como una liebre.
Todavía bombea, pero no está indemne.
Sécalo, hiérelo, soy una demente,
y vuelve a ti una y otra vez.

Quémalo, recházalo, no lo devuelvas,
rómpelo, ásalo, tira de las riendas,
arruínalo, derríbalo, y no hay quien lo entienda.
Porque vuelve a ti una y otra vez.

Después de los aplausos y los berridos, el público se tranquilizó para seguir escuchando.

Como ya sabía Coriolanus después de ayudar a Lucy Gray a ensayar en el Capitolio, la Bandada contaba con un repertorio amplio y variado, y también tocaba números estrictamente instrumentales. De vez en cuando, algunos de sus miembros salían y desaparecían detrás de la manta para dejar el escenario a una pareja o a un único intérprete. Tam Amber demostró ser muy ducho con la mandolina, y dejó al público fascinado con sus dedos, que se movían a la velocidad del rayo, mientras su rostro permanecía impasible y distante. Maude Ivory, una de las favoritas de los presentes, cantó con tono agudo una canción con un humor muy negro sobre la hija de un minero que se había ahogado, e invitó a los miembros del público a unirse a ella en el estribillo, cosa que, sorprendentemente, muchos hicieron. O puede que no fuera tan sorprendente, dado que casi todos estaban ya borrachos y contentos.

Ay, querida, ay, querida,
ay, querida Clementina,
perdida estás ya para siempre,
lo siento mucho, Clementina.

Algunas de las canciones le resultaban casi ininteligibles, con palabras desconocidas a las que le costaba encontrar sentido, y recordó que Lucy Gray le había contado que eran de otros tiempos. Durante esas, en concreto, los cinco miembros de la Bandada parecían encerrarse en sí mismos mientras se balanceaban y construían complicadas armonías con sus voces. A Coriolanus no le gustaban; el sonido le ponía nervioso. Tuvo que aguantar tres canciones de aquellas, como mínimo, antes de darse cuenta de que le recordaban a los sinsajos.

Por suerte, la mayoría de las canciones eran nuevas y más de su gusto, y acabaron con la que cantó en la cosecha...

No, señor,
no tengo nada que merezca la pena quitar.
Para vosotros, os lo doy gratis, qué más da.
No hay nada que robar que merezca la pena guardar.

La ironía del asunto no les pasó desapercibida a los asistentes. El Capitolio había intentado robárselo todo a Lucy Gray, pero había fracasado estrepitosamente.

Cuando terminaron los aplausos, le hizo un gesto de cabeza a Maude Ivory, y la chica corrió a meterse tras la cortina para sacar una cesta decorada con alegres cintas de colores.

—Mil gracias a todos —dijo Lucy Gray—. Bueno, ya sabéis cómo va esto. No cobramos entrada porque, a veces, la gente hambrienta es la que más necesita la música. Pero nosotros también tenemos que comer, así que, si queréis contribuir, Maude Ivory pasará por ahí con la cesta. Gracias por adelantado.

Los cuatro miembros mayores de la Bandada tocaron mientras Maude Ivory correteaba entre la gente recogiendo monedas en la cesta. Entre los cinco, Coriolanus y sus compañeros de barracón, apenas reunieron unas cuantas monedas, lo que no parecía bastante, aunque la niña se las agradeció con una educada reverencia.

—Espera —le dijo Coriolanus—. ¿Te gustan los dulces?

Levantó una esquina del paquete de papel marrón en el que guardaban las últimas bolas de palomitas para que Maude Ivory les echara un vistazo, y los ojos de la niña se abrieron como platos. Coriolanus las colocó en la cesta, ya que, de todos modos, las habían guardado para comprar las entradas. Como conocía a Ma, estaba seguro de que habría más cajas en camino.

Maude Ivory hizo una pirueta a modo de agradecimiento, recorrió a toda prisa el resto del local y después subió al escenario para tirarle de la falda a Lucy Gray y enseñarle el tesoro de la cesta. Coriolanus vio que los labios de Lucy Gray formaban una O de sorpresa y le preguntaban de quién eran las bolas. El chico sabía que aquel era su momento, así que dio un paso para salir de la zona oculta por las sombras. Le hormigueaba todo el cuerpo cuando la niña alzó la mano para señalarlo. ¿Qué haría Lucy Gray? ¿Lo saludaría? ¿Ignoraría su presencia? ¿Lo reconocería con su nuevo aspecto de agente de la paz?

Los ojos de la chica siguieron el dedo de Maude Ivory hasta dar con él. Primero pareció desconcertada, después lo reconoció y, a continuación, la alegría le iluminó el rostro. Sacudió la cabeza, sin poder creérselo, y se rio.

—Un momento, un momento de atención todo el mundo. Esta es... Es probable que esta sea la mejor noche de mi vida. Gracias a todos por venir. ¿Qué os parece una última canción antes de mandaros a la cama? Puede que ya me la hayáis oído cantar antes, pero adquirió un significado completamente distinto para mí en el Capitolio. Supongo que entenderéis por qué.

Coriolanus volvió a su asiento (ella ya sabía dónde encontrarlo) para escuchar y saborear su verdadero encuentro, que estaba a una canción de distancia. Se le empañaron los ojos cuando empezó a interpretar la canción del zoo.

Abajo en el valle, más que un valle, un edén.
Entrada la noche, se oye el silbato de un tren.
El tren, amor mío, escucha el silbato del tren.
Entrada la noche, se oye el silbato de un tren.

Alguien le dio un codazo en las costillas y, al volverse, vio a Sejanus sonriéndole de oreja a oreja. Al fin y al cabo, era bonito tener cerca a alguien que conociera la importancia de la canción. A alguien que supiera por lo que habían pasado.

Dame una torre, más alta que el cielo raso,
para que pueda ver a mi amor a su paso.
Para verlo, amor mío, para verlo a su paso.
Para que pueda ver a mi amor a su paso.

«Ese soy yo —quería decirle Coriolanus a las personas que lo rodeaban—. Soy su amor verdadero. Y le salvé la vida».

Escríbeme una carta, llena de letras un folio.
Ponle tu firma y la dirección de la cárcel del Capitolio.
La cárcel del Capitolio, amor mío, la cárcel del Capitolio.
Ponle tu firma y la dirección de la cárcel del Capitolio.

¿Debería saludarla primero? ¿O besarla directamente?

> Las rosas son rojas, la violeta es azul.
> Las aves del cielo saben que mi amor eres tú.

Besarla. Estaba claro, besarla directamente.

> Lo saben, amor mío, saben que él eres tú.
> Las aves del cielo saben que mi amor eres tú.

—Buenas noches a todos. Espero veros la semana que viene y, hasta entonces, no dejéis de cantar vuestra canción —se despidió Lucy Gray, y la Bandada entera saludó al público con una última reverencia.

Mientras los presentes aplaudían, ella sonreía a Coriolanus. El chico caminó hacia ella, rodeando a la gente que recogía sus improvisados asientos para dejarlos de nuevo en la pila de la esquina. Unos cuantos agentes la rodearon, y ella charló con ellos, pero Coriolanus se daba cuenta de que no dejaba de buscarlo con la mirada. Se detuvo para que pudiera librarse de sus admiradores, deleitándose con su aspecto, con su luz, con su evidente amor por él.

Los agentes de la paz le estaban dando las buenas noches y empezaban a retroceder. Coriolanus se repeinó con la mano y siguió avanzando. Estaban a tan solo cuatro metros de distancia cuando se produjo un altercado en el Quemador, ruidos de cristales rotos y protestas, y Coriolanus volvió la vista atrás para ver de qué se trataba. Un joven de pelo oscuro, más o menos de su edad, con una camiseta sin mangas y pantalones cortados a la altura de las rodillas, se abría camino entre la ya escasa multitud. El rostro le brillaba de sudor, y por sus movimientos se intuía que había excedido su umbral de tolerancia al licor blanco hacía un buen rato. Llevaba colgado del hombro un instrumento que parecía una caja, con parte del teclado de un piano en uno de los laterales. Detrás de él iba la hija del alcalde, Mayfair, que procuraba no rozarse con los clientes del

Quemador y no ocultaba su desprecio por ellos. Coriolanus miró hacia el escenario, donde la expresión anhelante de Lucy Gray se había transformado en una mirada fría. Los demás miembros de la banda la rodearon para protegerla, y la frivolidad desplegada durante el espectáculo se convirtió en una mezcla de rabia y tristeza.

«Es él —comprendió Coriolanus al tiempo que se le formaba un desagradable nudo en el estómago—. Es el amor del que hablaba en la canción».

24

La delicada figura de Maude Ivory se plantó directamente frente a Lucy Gray, con la carita enfurruñada y los puños crispados.

—Lárgate de aquí, Billy Taupe. Nadie quiere volver a tener nada contigo.

Billy Taupe se meció sobre los talones mientras examinaba al grupo.

—Más que querer, Maude Ivory, es necesidad.

—Tampoco necesitamos nada de ti. Aire, vamos. Y llévate a la comadreja esa que te acompaña —le ordenó la pequeña.

Lucy Gray la rodeó con un brazo y la presionó contra su pecho con una mano, bien para tranquilizarla o para retenerla.

—Sonáis de pena. De pena —farfulló Billy Taupe arrastrando las palabras, y le dio una palmada a su instrumento.

—Nos las apañamos perfectamente sin ti, Billy Taupe. Tú ya has tomado tu decisión. Ahora déjanos en paz —dijo Barb Azure, cuya voz serena destilaba firmeza.

Tam Amber, que no había abierto aún la boca, corroboró sus palabras asintiendo con la cabeza.

Una expresión dolida apareció brevemente en el rostro de Billy Taupe.

—¿También tú piensas eso, CC?

Clerk Carmine se abrazó a su violín por toda respuesta.

Aunque la Bandada era un crisol de tonos de piel, cabello y rasgos distintos, Coriolanus se fijó en que esos dos guardaban un parecido inconfundible. ¿Hermanos, quizá?

—Puedes venirte conmigo. Nos iría bien a los dos —le imploró Billy Taupe, pero Clerk Carmine no se movió de su sitio—. Está bien, como quieras. No te necesito. Nunca os he necesitado a ninguno, ni lo haré. Siempre me las he apañado mejor por mi cuenta.

Dos agentes de la paz se acercaron a él.

—Vamos, se acabó el espectáculo —dijo el que le había dado la botella de licor blanco a Lucy Gray mientras apoyaba una mano en el brazo de Billy Taupe, que se zafó de él y, ebrio como estaba, le pegó un empujón.

El ambiente tan sociable que se había respirado en el Quemador hacía unos instantes se esfumó de inmediato. Coriolanus podía notar la tensión, tan tirante como una soga. Los mineros que apenas habían reparado en él o se habían limitado a saludarle con un ademán mientras bebían de sus respectivas botellas adoptaron ahora un gesto beligerante. Los agentes de la paz se irguieron, alertados de repente, y el muchacho se sorprendió al ver que su cuerpo se ponía firme, casi como si les estuvieran pasando revista. Mientras media docena de soldados rodeaban a Billy Taupe, los mineros acortaron la distancia a su vez. Se preparaban para el intercambio de puñetazos, que sin duda estallaría de un momento a otro, cuando alguien interrumpió el suministro eléctrico de golpe, con lo que dejó el local a oscuras.

Tras un instante en el que todo se quedó paralizado, se desató el caos. Un puño impactó en la boca de Coriolanus, invitándolo a participar en la acción al instante. Comenzó a lanzar golpes a discreción, concentrado tan solo en establecer un mínimo perímetro de seguridad a su alrededor. Lo poseyó la misma ferocidad animal que había experimentado cuando los tributos lo perseguían en la arena. La voz de la doctora Gaul resonó en sus oídos. «Así es la humanidad en su estado natural. Así es la humanidad, descarnada».

Allí estaba de nuevo esa humanidad descarnada, y allí estaba también él de nuevo, formando parte de ella. Soltando puñetazos y patadas, enseñando los dientes en la oscuridad.

Fuera del Quemador empezó a sonar con insistencia una sirena, y los faros de una camioneta inundaron con su resplandor las inmediaciones de la puerta. Se oyeron silbatos, y voces que le ordenaban a gritos a la multitud que se dispersara. Se produjo un éxodo en masa hacia la salida. Coriolanus se enfrentó a la oleada, intentando localizar a Lucy Gray, pero después decidió que tendría más oportunidades de encontrarla en la calle. Se abrió paso a empujones entre los cuerpos, lanzando puñetazos ocasionales, y salió a la brisa nocturna, donde los vecinos de la zona se desbandaron en todas las direcciones y los agentes de la paz cerraron filas en una formación indisciplinada, lo que mostraba el escaso interés por perseguir a los que se habían dado a la fuga. La mayoría de ellos no habían estado nunca de servicio y carecían de la organización necesaria para hacer frente a aquella erupción espontánea. En la oscuridad, nadie estaba seguro siquiera de con quién había luchado. Lo mejor sería dejarlo correr. A Coriolanus, sin embargo, lo sacaba de sus casillas que, a diferencia de lo ocurrido durante el ahorcamiento, los mineros hubieran ofrecido resistencia.

Se apostó junto a la puerta para vigilarla mientras se chupaba el labio que alguien le había partido, pero los últimos rezagados terminaron de salir y no vio ni rastro de Lucy Gray o de la Bandada, ni siquiera de Billy Taupe. Era frustrante haber estado tan cerca y no haber hablado con ella. ¿Dispondría el Quemador de otra salida? Sí, recordó que había una puerta cerca del escenario; debían de haberla utilizado para escapar. Quien no había tenido tanta suerte era Mayfair Lipp, a la que encontró flanqueada por agentes de la paz. Aunque no la habían arrestado, tampoco era libre de irse.

—No he hecho nada malo. No tenéis derecho a retenerme —les escupió a los soldados.

—Lo siento, señorita —dijo un agente de la paz—. Por su propia seguridad, no podemos permitir que regrese a casa usted sola. O permite que la escoltemos, o llamamos a su padre para pedirle instrucciones.

La mención de su padre acalló a Mayfair, aunque no mejoró su actitud. Enfurruñada, apretó los labios en una línea fina y cruel que denotaba que alguien, tarde o temprano, iba a pagar por aquello.

El compromiso de acompañarla a casa no suscitó mucho entusiasmo en las filas, y Coriolanus y Sejanus acabaron reclutados para la misión, bien por haber causado buena impresión en el ahorcamiento o porque ambos estaban relativamente sobrios. Completaron el destacamento dos oficiales y otros tres agentes de la paz.

—A esta hora, y en vista de lo caldeados que están los ánimos —explicó uno de los oficiales—, vale más pecar de prudentes. No está lejos.

Mientras recorrían las calles, con la gravilla crujiendo bajo sus botas, Coriolanus escudriñó la oscuridad con los párpados entornados. En el Capitolio había farolas, pero allí debía guiarse por los parpadeos esporádicos de las ventanas y la mortecina claridad de la luna. Desarmado, sin la protección de su uniforme blanco siquiera, se sentía vulnerable, y procuró no despegarse del grupo. Los oficiales portaban pistolas; con suerte, eso mantendría a raya a cualquier posible asaltante. Recordó las palabras de la abuelatriz: «Tu padre solía decir que la gente de allí solo bebía agua porque no llovía sangre. No lo olvides, Coriolanus, por tu propio bien». ¿Estarían ahora al acecho, atentos y esperando a la menor oportunidad para calmar su sed? Extrañaba la seguridad de la base.

Afortunadamente, apenas unos bloques más tarde, las calles se abrieron a una plaza desierta que Coriolanus reconoció como el escenario de la cosecha anual. Unos reflectores distribuidos a intervalos irregulares lo ayudaron a distinguir el empedrado bajo sus pies.

—Sé llegar a casa desde aquí —dijo Mayfair.

—No tenemos ninguna prisa —replicó uno de los oficiales.

—¿Por qué no me dejáis en paz? —le espetó la muchacha.

—¿Por qué no dejas tú de codearte con ese inútil? —le sugirió el oficial—. No acabará bien, hazme caso.

—Bah, no te metas donde no te llaman.

Cruzaron la plaza en diagonal, la dejaron atrás y siguieron una carretera recientemente pavimentada hasta la calle siguiente. El grupo se detuvo frente a una casa de gran tamaño que en el Distrito 12 podría pasar por una mansión, aunque en el Capitolio nadie la habría mirado dos veces. Tras las ventanas, abiertas de par en par por el calor propio de agosto, Coriolanus atisbó unas habitaciones bien iluminadas y amuebladas, y oyó el zumbido de unos ventiladores eléctricos que hacían ondear las cortinas. Su olfato detectó una vaharada de la cena de esa noche (jamón, le pareció distinguir), lo que provocó que salivara ligeramente, paliando así el sabor a sangre de la herida del labio. Quizá fuese una suerte que Lucy Gray se le hubiera escapado; su boca no estaba en condiciones de besar a nadie.

Cuando uno de los oficiales apoyó una mano en la puerta, Mayfair lo apartó de un empujón, cruzó corriendo el camino de acceso y se metió en la casa.

—¿Deberíamos avisar a sus padres? —preguntó el otro.

—¿Para qué? —dijo el primero—. Ya sabes cómo se pone el alcalde. De alguna manera, las correrías nocturnas de su hija serán culpa nuestra. No estoy de humor para sermones.

El otro murmuró su asentimiento y el destacamento encaminó sus pasos de regreso a la plaza. Cuando Coriolanus se disponía a seguir al grupo, un débil resuello mecánico le llamó la atención y se volvió hacia la sombra de los arbustos que delimitaban ese lado de la casa. Distinguió a duras penas una figura inmóvil en la penumbra, con la espalda apoyada en la pared. Se encendió una luz en la segunda planta y, al extenderse hacia abajo, el resplandor amarillo reveló a Billy Taupe, con la nariz ensangrentada y el ceño fruncido, mirándolo directamente a él. Sostenía su instrumento, el origen de los resuellos, contra el pecho.

Coriolanus separó los labios para alertar a los demás, pero se contuvo. ¿Por qué? ¿Miedo? ¿Indiferencia? ¿Incertidumbre ante cómo podría reaccionar Lucy Gray? El grupo había dejado clara su postura por lo que a su rival respectaba; sin embargo, ignoraba cómo se tomarían que lo delatara y, posiblemente, lo enviara a la cárcel. ¿Y si su gesto transformaba a Billy Taupe en un personaje digno de compasión, alguien al que respaldar y perdonar? Presentía que la lealtad de la Bandada tenía raíces profundas. Aunque, por otra parte, ¿y si se lo agradecían? En particular Lucy Gray, quien bien pudiera estar interesada en saber que su antiguo amor había acudido corriendo en busca de refugio a la casa de la hija del alcalde. ¿Qué habría hecho ese hombre para ganarse el destierro de todo lo que tuviese algo que ver con la Bandada, el grupo y su hogar? Rememoró la última estrofa del tema, la balada, que Lucy Gray había cantado el día de la entrevista.

> Lástima que perdieras mi apuesta en la cosecha.
> ¿Qué harás cuando me vayan a enterrar?

Ahí debía de estar la respuesta, sin duda.

Mayfair apareció y cerró la ventana. A continuación, corrió la cortina para bloquear la luz y ocultar a Billy Taupe. Se oyó un susurro entre los arbustos, y el momento se desvaneció.

—¿Coryo? —Sejanus había vuelto a buscarlo—. ¿No vienes?

—Perdona, me había quedado absorto en mis pensamientos.

Sejanus inclinó la cabeza en dirección a la casa.

—Me recuerda al Capitolio.

—Nunca lo llamas «casa» —señaló Coriolanus.

—No. Para mí, mi casa siempre estará en el Distrito 2 —le confirmó Sejanus—. Aunque da igual. Seguramente nunca volveré a ver ni el uno ni el otro.

Durante el camino de regreso, Coriolanus reflexionó sobre sus propias posibilidades de pisar el Capitolio de nuevo. Antes de que llegara Sejanus, habría dicho que no tenía ninguna. Pero si conseguía volver convertido en oficial, quizá incluso en héroe de guerra, las cosas podrían ser muy distintas. Aunque para eso necesitaría una guerra en la que destacar, por supuesto, del mismo modo que la necesitaba Sejanus si quería ser técnico sanitario.

Sus hombros se relajaron cuando las puertas de la base se cerraron tras él. Se lavó la cara y se metió en el catre, arropado por los ebrios ronquidos que emitía el Fideo debajo de él. Notó los latidos de su pulso en el labio hinchado mientras repasaba lo ocurrido esa noche. Había sido como si estuviera en un sueño (ver a Lucy Gray, oírla cantar, la alegría de ella al distinguirlo entre la multitud), hasta que apareció Billy Taupe y estropeó su reencuentro. Razón de más para odiar a ese hombre, aunque ver cómo lo repudiaba la Bandada había sido extraordinariamente satisfactorio. Aquello confirmaba que Lucy Gray le pertenecía.

Ese domingo el desayuno llegó acompañado de la mala noticia de que, debido a los altercados de la noche anterior, ningún soldado podía salir de la base sin compañía. Los altos mandos incluso contemplaban la posibilidad de declarar el Quemador terreno vetado. El Sonrisitas, el Pulga y el Fideo, aún resacosos y magullados, expresaron su malestar ante esa medida; temían quedarse sin nada que los ayudase a sobrellevar la rutina como los obligasen a cancelar las escapadas de los sábados. A Sejanus solo le importaba porque para Coriolanus era importante, pues comprendía que aquello supondría un obstáculo añadido si quería ver a Lucy Gray.

—A lo mejor te visita ella aquí —aventuró mientras recogían las bandejas.

—¿Existe esa posibilidad? —preguntó Coriolanus, pero acto seguido deseó que no lo hiciera, aunque pudiese. No disponía de mucho tiempo libre y, además, ¿dónde les dejarían hablar? ¿A través de la valla? ¿Qué impresión daría eso? Embelesado por el romanticismo de la noche anterior, había planeado recibirla en público con un beso; en retrospectiva, sin embargo, eso habría suscitado un aluvión de preguntas por parte de sus compañeros de barracón, y sin duda habría hecho arquear las cejas a los oficiales. Toda su historia, incluido su alistamiento forzoso, saldría a la luz, y con ella las infracciones que había cometido en los Juegos. Por si fuera poco, en vista de la enemistad reinante entre los habitantes de la zona y los agentes de la paz, se le antojaba aconsejable mantener su relación en privado. Intercambiar susurros a través de la valla podría alentar los rumores de que era un simpatizante rebelde o, peor aún, un espía. No, si querían verse, tendría que acudir a ella. En secreto. Ese día representaba una oportunidad de oro para seguirle el rastro, pero necesitaría un compañero con el que salir de la base.

—Creo que deberíamos mantener lo nuestro en secreto. Podría meterse en líos si viniera. Sejanus, ¿tenías planes para hoy o...?

—Vive en un sitio que se llama la Veta. Cerca del bosque.

—¿Qué? —preguntó Coriolanus.

—Se lo pregunté a uno de los mineros anoche. Como quien no quiere la cosa. —Sejanus sonrió—. No te preocupes. Estaba tan borracho que ni se acordará. Y sí, encantado de acompañarte.

Sejanus les contó a sus compañeros de barracón que iban a la ciudad para ver si lograban cambiar un paquete de chicle del Capitolio por papel para escribir cartas, pero el pretexto resultó no ser necesario, puesto que todos los reclutas arrastraron de nuevo sus maltrechos cuerpos a los catres en cuanto terminaron de desayunar.

A Coriolanus le habría gustado llevar algún tipo de regalo, pero no tenía ni un céntimo. Mientras pasaban frente a la cantina, camino de la salida, se fijó en la máquina de hielo y se le ocurrió una idea. Con el calor que hacía, los soldados tenían permiso para coger todo el hielo que quisieran para enfriar las bebidas o para refrescarse. Frotarse el cuerpo con cubitos de hielo proporcionaba cierto alivio en la sauna de la cocina.

El Fogones, al que había conquistado esmerándose en fregar los platos, le dio una bolsa de plástico usada. Dadas las altas temperaturas, le pareció bien que llevaran hielo para evitar que les diese un golpe de calor. Coriolanus ignoraba si la Bandada tenía frigorífico, pero, a juzgar por las casas que habían visto camino del ahorcamiento, sospechaba que debía de tratarse de un lujo que pocos podían permitirse. Fuera como fuese, el hielo era gratis, y no quería presentarse con las manos vacías.

Estamparon su firma en la puerta, donde el guardia les advirtió que tuvieran cuidado, y encaminaron sus pasos en lo que recordaban que debía de ser la dirección aproximada de la plaza de la ciudad. Coriolanus experimentó una punzada de aprensión. Sin embargo, con las minas cerradas por ese día en el distrito reinaba el silencio, y los pocos transeúntes con los que se cruzaban no les hacían ni caso. En la plaza tan solo una pequeña panadería mantenía las luces encendidas, con las puertas abiertas de par en par para dejar que la brisa atemperara el calor de los hornos. La propietaria, una señora colorada como un tomate, mostró escaso interés en darles indicaciones a unos clientes que no iban a comprar nada, por lo que Sejanus le dio su refinada goma de mascar a cambio de una hogaza de pan. Ya más receptiva, la mujer los sacó a la plaza y señaló la calle que deberían seguir para llegar a la Veta.

Esta se extendía durante kilómetros más allá del centro de la ciudad, cuyas calles anodinas se disolvieron rápidamente en una maraña de caminos más estrechos, sin distintivos, que surgían y se desvanecían sin motivo aparente. Algunos discurrían frente a hileras de casas decrépitas, todas ellas idénticas; otros, frente a estructuras improvisadas que solo podrían calificarse de chozas en un alarde de generosidad. Muchos hogares estaban tan apuntalados, reformados o derruidos que de su armazón original tan solo quedaba el recuerdo. Muchos otros habían sido abandonados y saqueados para aprovechar lo que se pudiera.

Sin cuadrícula ni un punto de referencia, Coriolanus perdió la orientación casi de inmediato, y de nuevo se sintió aguijoneado por la aprensión. De vez en cuando se cruzaban con alguien que estaba sentado en el portal o a la sombra de sus hogares. Nadie les mostró ni un ápice de cordialidad. Las únicas criaturas sociables eran los mosquitos, cuya fascinación por su labio lastimado lo obligaba a espantarlos constantemente. Con el sol cayendo a plomo sobre ellos, la condensación de la bolsa de hielo, cada vez más derretido, le dejó una mancha de humedad en la pernera del pantalón. El entusiasmo de Coriolanus comenzaba a evaporarse con la misma rapidez. La embriaguez que lo había poseído la noche anterior en el Quemador, la placentera mezcla de anhelo y licor, ahora le parecía un sueño febril.

—A lo mejor esto ha sido una mala idea.

—¿En serio? —replicó Sejanus—. Estoy casi seguro de que vamos en la dirección correcta. ¿Ves esos árboles de ahí?

Coriolanus distinguió una franja verde a lo lejos. Siguió arrastrando los pies mientras pensaba con añoranza en su catre y recordaba que los domingos había mortadela frita con patatas. Quizá no tuviese madera de enamorado. Quizá, en el fondo, fuera más bien un lobo solitario. Coriolanus Snow, más lobo solitario que enamorado. Si algo había que reconocerle a Billy Taupe era que apestaba a sentimientos apasionados. ¿Sería eso lo que buscaba Lucy Gray?

¿Pasión?, ¿música?, ¿licor?, ¿la luz de la luna y un chico alocado con el que exprimir todo eso hasta la última gota? No un agente de la paz sudoroso que se presentara en su puerta un domingo por la mañana con el labio roto y una bolsa de hielo derretido.

Dejó que Sejanus tomase la delantera y lo siguió por los abruptos caminos de ceniza sin pronunciar palabra. Tarde o temprano su compañero se cansaría; entonces podrían regresar y ponerse al día con la correspondencia. Sejanus, Tigris, sus amigos, el claustro de profesores..., todos se habían equivocado por completo con él. Su motivación no había sido nunca el amor o la ambición, sino tan solo el deseo de conseguir su premio y un tranquilo empleo burocrático caracterizado por el papeleo que le dejase tiempo libre de sobra para asistir a meriendas elegantes. Cobarde y... ¿Cómo la había llamado el decano Highbottom? Ah, sí, «sosa». Soso, como su madre. Menuda decepción se habría llevado Crassus Xanthos Snow.

—Escucha —dijo Sejanus, agarrándole el brazo.

Coriolanus se detuvo y levantó la cabeza. Una voz atiplada hendía la mañana con una melodía melancólica. ¿Maude Ivory? Se dejaron guiar por la música. Al final del camino, en la linde de la Veta, una casita de madera se inclinaba en precario equilibrio, como un árbol azotado por un vendaval. El sendero de tierra del patio delantero estaba desierto, de modo que rodearon unas matas de flores silvestres, en variopintos estados de esplendor y descomposición, que daban la impresión de haber sido trasplantadas allí sin orden ni concierto. Cuando llegaron a la parte de atrás de la casa, encontraron a Maude Ivory sentada en un taburete improvisado, ataviada con un vestido viejo que le quedaba dos tallas grande. Partía nueces con una piedra sobre un bloque de hormigón, y las golpeaba al ritmo de su canción.

—Ay, querida. —Crac—. Ay, querida. —Crac—. ¡Ay, querida Clementina! —Crac. Levantó la cabeza y sonrió al verlos—. ¡Yo os conozco!

Se sacudió las cáscaras del vestido y entró corriendo en la casa.

Coriolanus se secó la cara con la manga, deseoso de que su labio no tuviera demasiado mal aspecto cuando apareciese Lucy Gray. Sin embargo, Maude Ivory salió acompañada de una somnolienta Barb Azure, que se había recogido apresuradamente el pelo en un moño. Al igual que la niña, había cambiado su traje por un vestido como los que podría ponerse cualquiera en el Distrito 12.

—Buenos días —saludó—. ¿Buscáis a Lucy Gray?

—Este es su amigo, el del Capitolio —le recordó Maude Ivory—. El que la presentó en televisión, aunque ahora está medio calvo. Él me dio las bolas de palomitas.

—Bueno, pues estaban muy ricas y te agradecemos todo lo que hiciste por Lucy Gray. Me imagino que la encontraréis en la Pradera. Siempre va allí a ensayar cuando todavía es temprano, para no molestar a los vecinos.

—¡Dejad que os enseñe el camino! —Maude Ivory bajó del porche de un salto y cogió la mano de Coriolanus como si fueran viejos amigos—. Por aquí.

Sin hermanos ni otros parientes de corta edad, Coriolanus tenía poca experiencia con niños, pero le hizo sentir especial el modo en que se había arrimado a él, aquella manita fría que presionaba con confianza la suya.

—Bueno, así que me has visto en la tele.

—Solo esa noche. El cielo estaba despejado y Tam Amber usó un montón de papel de aluminio. Normalmente solo recibimos estática, pero tener un televisor es todo un privilegio —le explicó la pequeña—. La mayoría de la gente no tiene. Aunque tampoco hay gran cosa que ver, aparte de noticias viejas y aburridas.

La doctora Gaul podía disertar cuanto quisiera sobre la importancia de que la población se implicara en los Juegos del Hambre, pero si prácticamente nadie en los distritos poseía un televisor en condiciones, el impacto se limitaría a la cosecha, cuando la asistencia era presencial.

Camino del bosque, Maude Ivory parloteaba sobre el espectáculo de la noche pasada y la posterior pelea.

—Siento que te llevaras un puñetazo —dijo, y le señaló el labio—. Pero así es Billy Taupe. Allí donde va, hay problemas.

—¿Es tu hermano? —preguntó Sejanus.

—Oh, no, pero es del mismo clado. Clerk Carmine y él son hermanos. Todas las demás somos primas de los Baird. Las chicas, quiero decir. Y Tam Amber es un alma perdida —sentenció muy seria Maude Ivory.

De modo que Lucy Gray no tenía el monopolio de hablar de forma curiosa. Debía de ser una característica común a los miembros de la Bandada.

—¿Un alma perdida? —preguntó Coriolanus.

—Eso es. La Bandada encontró a Tam Amber cuando no era más que un bebé. Alguien lo había dejado dentro de una caja de cartón en la orilla de la carretera, así que nos lo quedamos. Ellos se lo pierden, porque no hay otro recolector como él —declaró Maude Ivory—. Aunque no habla mucho. ¿Eso es hielo?

Coriolanus balanceó el mermado amasijo de cubitos.

—Lo que queda.

—Oh, Lucy Gray se pondrá loca de contenta. Tenemos una nevera, pero el congelador se estropeó hace tiempo. Qué lujo, ¿verdad? Tener hielo en verano. Como las flores en invierno. Raro.

Coriolanus se mostró de acuerdo.

—Mi abuela cultiva rosas en invierno. A la gente le encantan.

—Tú olías a rosas, según Lucy Gray. ¿Tienes la casa llena de ellas?

—El tejado —respondió Coriolanus.

—¿El tejado? —Maude Ivory soltó una risita—. Qué sitio más peculiar para poner flores. ¿No se caen?

—Es un tejado plano, y muy alto. Con sol de sobra. Se ve todo el Capitolio desde esa azotea.

—A Lucy Gray no le gustó el Capitolio. Intentaron matarla —dijo la niña.

—Ya. No me extraña que no le gustara.

—Dice que tú eras lo único bueno de allí, y ahora estás aquí. —Maude Ivory tiró de su mano—. Te quedarás, ¿no?

—Esa es la idea.

—Me alegro. Me caes bien, y ella se va a alegrar un montón.

El trío había llegado al borde de un gran campo que se internaba en el bosque. A diferencia de la franja cubierta de maleza que se extendía frente al árbol del ahorcado, allí la hierba se veía alta, limpia y lozana, salpicada de brillantes macizos de flores silvestres.

—Ahí está, con Shamus.

Maude Ivory apuntó a una figura solitaria sentada en una roca, de espaldas a ellos, con un vestido gris y la cabeza inclinada sobre una guitarra.

¿Shamus? ¿Quién era Shamus? ¿Otro miembro de la Bandada? ¿O habría malinterpretado el papel que representaba Billy Taupe en su vida y era Shamus su amado? Coriolanus hizo visera con una mano sobre los ojos para guarecerlos del resplandor del sol, pero solo pudo distinguir la figura de Lucy Gray.

—¿Shamus?

—Nuestra cabra. Que no te engañe su nombre de chico; puede dar hasta cinco litros de leche al día cuando está descansada —le explicó Maude Ivory—. Estamos intentando guardar nata suficiente para hacer mantequilla, pero se tarda una eternidad.

—Oh, me encanta la mantequilla —dijo Sejanus—. Lo que me recuerda que se me había olvidado darte este pan. ¿Has desayunado ya?

—La verdad es que no —contestó Maude Ivory mientras observaba la hogaza con interés.

Sejanus se la ofreció.

—¿Qué te parece si nos volvemos a la casa tú y yo para zampárnoslo ahora?

Maude Ivory se guardó el pan bajo el brazo.

—¿Y qué pasa con Lucy Gray y este? —preguntó, e inclinó la cabeza en dirección a Coriolanus.

—Pueden reunirse con nosotros cuando se hayan puesto al día.

—Vale —dijo la pequeña, que transfirió su mano a la de Sejanus—. Aunque es posible que Barb Azure nos obligue a esperarlos. Me puedes ayudar a partir nueces, mientras tanto. Son del año pasado, pero todavía no se ha puesto malo nadie.

—Bueno, es la propuesta más interesante que me han hecho en mucho tiempo. —Sejanus se volvió hacia Coriolanus—. ¿Te veo más tarde?

—¿Estoy bien? —preguntó tímidamente Coriolanus.

—Espléndido. Hazme caso, soldado, ese labio te sienta de maravilla.

Dicho lo cual, Sejanus y Maude Ivory encaminaron sus pasos de regreso a la casa.

Coriolanus se pasó la mano por el pelo y se adentró en la Pradera. No había caminado nunca por una hierba tan alta, y el cosquilleo que le producía en la yema de los dedos contribuyó a aumentar su nerviosismo. Aquello superaba todas sus expectativas, ser capaz de verla en privado, en un campo lleno de flores, con todo el día por delante. Todo lo contrario de lo que habría sido un reencuentro apresurado en el mugriento Quemador. Esto era, a falta de otro calificativo mejor, romántico. Avanzó con todo el sigilo que pudo. Por norma general, la muchacha lo desconcertaba, y agradeció la oportunidad de observarla sin sus defensas habituales en pie.

Al aproximarse, captó la letra que cantaba mientras rasgueaba la guitarra con delicadeza.

¿Vas, vas a volver
al árbol en el que colgaron
a un hombre por matar a tres?
Cosas extrañas pasaron en él,
no más extraño sería
en el árbol del ahorcado reunirnos al anochecer.

No le sonaba, pero lo transportó al ahorcamiento del rebelde de hacía dos días. ¿Habría estado ella allí? ¿Le habría inspirado este tema?

¿Vas, vas a volver
al árbol donde el hombre muerto
pidió a su amor huir con él?
Cosas extrañas pasaron en él,
no más extraño sería
en el árbol del ahorcado reunirnos al anochecer.

Ah, sí. Seguro que era el ahorcamiento de Arlo. ¿Dónde si no habría oído a un hombre muerto pedirle a su amada que huyera? «¡Corre! ¡Corre, Lil! ¡Co...!». Para eso se necesitarían aquellos sinsajos antinaturales. Pero ¿a quién invitaba a reunirse con ella en el árbol? ¿Podría tratarse de él? Quizá planeara entonar esa canción el próximo sábado, a modo de mensaje secreto, para que él se encontrase con ella junto al árbol del ahorcado. Lo cual le resultaría imposible, puesto que jamás le permitirían salir de la base a esas horas. Aunque eso ella no podía saberlo.

Lucy Gray tarareaba y probaba distintos acordes con los que acompañar la melodía, mientras él admiraba la curva de su cuello y la tersura de su piel. Al acercarse un poco más, su pie aterrizó sobre una rama vieja que se rompió con un brusco crujido. La muchacha se levantó de la roca de un salto y se volvió mientras se incorporaba, con los ojos abiertos de par en par por el miedo y la guitarra ante ella a modo de escudo. Por un momento, Coriolanus temió que fuese a huir corriendo, pero su alarma se transformó en alivio cuando lo encontró allí. Sacudió la cabeza, lo más parecido a un gesto de azoramiento que él hubiera visto jamás en ella, y dejó el instrumento apoyado en la piedra.

—Disculpa. Todavía tengo un pie en la arena.

Si su breve escarceo con los Juegos lo había dejado nervioso y todavía le provocaba pesadillas, no quería ni imaginarse el efecto que debían de haber surtido en ella. El mes anterior había dado un vuelco a sus vidas, alterándolas irrevocablemente. Una lástima, en realidad, puesto que ambos eran personas excepcionales a las que el mundo les había reservado su más estricto castigo.

—Sí, se queda uno con una honda impresión —dijo él.

Permanecieron donde estaban durante unos instantes, mientras se contemplaban mutuamente, antes de acortar la distancia que los separaba. La bolsa de hielo se le resbaló de la mano cuando Lucy Gray lo abrazó, fundiendo sus cuerpos. Coriolanus la estrechó con fuerza, al recordar el miedo que había pasado por ella, por él mismo, y cómo no se había atrevido ni siquiera a soñar con ese momento, que parecía tan inalcanzable. Sin embargo, allí estaban, a salvo en una pradera preciosa. A tres mil kilómetros de la arena. Y a plena luz del día, sin nadie que se interpusiera entre ambos.

—Me has encontrado.

¿En el Distrito 12? ¿En Panem? ¿En el mundo? Daba igual, no importaba.

—Sabías que lo haría.

—Esperaba que lo hicieras, pero no lo sabía. La suerte no parecía estar de mi parte.

Se apartó lo suficiente para liberar una mano y rozarle los labios con los dedos. Coriolanus notó los encallecimientos provocados por las cuerdas de la guitarra, la piel suave que los rodeaba, mientras la muchacha examinaba la herida de la noche anterior. Después, casi con timidez, lo besó, estremeciéndolo de la cabeza a los pies. Tras ignorar el dolor que sentía en los labios, Coriolanus la correspondió con avidez y curiosidad, alerta hasta el último nervio de su cuerpo. La besó hasta que el labio empezó a dolerle, y habría seguido si ella no se hubiese apartado.

—Ven. Vamos a la sombra —le dijo.

El hielo que quedaba crujió bajo los pies de Coriolanus. Lo recogió.

—Para ti —le aclaró el chico.

—Caray, gracias. —Lucy Gray le indicó que se sentara en la base de la roca. Levantó la bolsa, usó los dientes para practicar un agujero diminuto en una de las esquinas y la inclinó para que el agua derretida le goteara en la boca—. Ah. Esto debe de ser lo más refrescante que se pueda encontrar de aquí a noviembre. —Estrujó la bolsa con la mano, y se mojó la cara con un suave chorro—. Qué maravilla... Échate para atrás. —El muchacho inclinó la cabeza hacia atrás y notó el cosquilleo helado que se derramó sobre sus labios. Le dio tiempo a lamérselos antes de que se fundieran en otro beso largo, después de lo cual Lucy Gray recogió las rodillas contra el pecho y preguntó—: Bueno, Coriolanus Snow, ¿qué has venido a hacer a mi pradera?

Eso, ¿qué había ido a hacer él allí?

—Pues me apetecía pasar un rato con mi chica, eso es todo —respondió.

—Me cuesta creerlo. —Lucy Gray dejó vagar la mirada a su alrededor—. Desde la cosecha, nada me parece real. Y los Juegos fueron una pesadilla.

—Para mí también. Pero me gustaría saber qué pasó contigo. Cuando no te grababan las cámaras.

Sentados hombro con hombro, juntas las costillas y las caderas, con los dedos entrelazados, intercambiaron historias mientras compartían el agua helada. Lucy Gray empezó por rememorar los primeros días de los Juegos, que había pasado escondida con un Jessup cada vez más rabioso.

—No parábamos de movernos de un sitio a otro, por los túneles. Eso es como un laberinto. Y el pobre Jessup, cada vez más loco y enfermo... La primera noche nos acostamos cerca de la entrada. Fuiste tú, ¿verdad? El que entró para mover a Marcus.

—Sejanus y yo. Él se había colado para..., en fin, ni siquiera sé muy bien para qué. Para hacer una declaración de principios, supongo. A mí me enviaron con la misión de sacarlo de allí —explicó Coriolanus.

—¿Mataste tú a Bobbin? —preguntó en voz baja.

El muchacho asintió con la cabeza.

—No tuve elección. Y luego otros tres intentaron matarme a mí.

El semblante de Lucy Gray se ensombreció.

—Lo sé. Oí cómo se jactaban al volver de los tornos. Pensé que te habían matado. Me asustó la idea de perderte. No volví a respirar hasta que me mandaste el agua.

—Entonces ya sabes cómo fue para mí cada uno de aquellos momentos —dijo Coriolanus—. Solo podía pensar en ti.

—Y yo en ti. —La muchacha flexionó los dedos—. Me aferraba con tanta fuerza a esa polvera que se me quedaron grabados los contornos de la rosa en la palma de la mano.

Coriolanus tomó su mano y le dio un beso en la palma.

—Estaba desesperado por ayudar, y me sentía tan impotente...

Ella le acarició la mejilla.

—No, qué va. Sabía que cuidabas de mí. El agua, la comida..., y, créeme, acabar con Bobbin fue todo un regalo, aunque sé que para ti debió de ser espantoso. Para mí lo fue, al menos.

Lucy Gray confesó haberse cobrado tres vidas. Primero la de

Wovey, aunque eso no había sido premeditado. Se limitó a dejar una botella de agua con un par de sorbos y una pizca de polvo, como si a alguien se le hubiera caído por accidente en los túneles, y Wovey fue la primera en encontrarla.

—Mi objetivo era Coral.

Le explicó que Reaper, en cuyo charco había vertido veneno, contrajo la rabia después de que Jessup le escupiera a los ojos en el zoológico.

—Así que, en realidad, lo que hice fue acabar con su sufrimiento. Gracias a mí se ahorró todo por lo que Jessup había pasado. Y cargarme a Treech con aquella víbora fue un acto de defensa propia. Todavía no sé por qué me querían tanto esas serpientes. No creo que fuera por mis canciones. Las serpientes ni siquiera tienen buen oído.

Entonces habló él. Sobre el laboratorio, y Clemensia, y el plan de la doctora Gaul para introducir las serpientes en la arena; le contó que había dejado caer discretamente su pañuelo, el pañuelo de su padre, en el tanque para que se acostumbrasen a su olor.

—Pero lo encontraron, cargado de ADN de los dos.

—¿Por eso estás aquí? ¿No por culpa del matarratas de la polvera? —preguntó Lucy Gray.

—En efecto. Me cubriste las espaldas a las mil maravillas.

—Hice lo que pude. —La muchacha se quedó pensativa un momento—. Bueno, ya está. Yo te salvé a ti del fuego y tú a mí de las serpientes. Ahora somos responsables el uno de la vida del otro.

—Ah, ¿sí?

—Claro. Tú eres mío y yo soy tuya. Está escrito en las estrellas.

—No hay quien escape de eso. —Coriolanus se inclinó y la besó, henchido de felicidad, pues, aunque él no creyera en designios celestiales, ella sí lo hacía, y eso bastaría para garantizar su lealtad. Tampoco la suya podría ponerse en tela de juicio. Si no se había enamorado de ninguna de las chicas del Capitolio, dudaba que el Distrito 12 pusiera muchas tentaciones en su camino.

Le llamó la atención una extraña sensación en el cuello, y al volverse descubrió a Shamus mordisqueándole la camisa.

—Anda, hola. ¿En qué puedo ayudarla, señora?

Lucy Gray se rio.

—El caso es que sí que le podrías echar una mano, si te animas. Hay que ordeñarla.

—Ordeñar, mmm... No sabría muy bien por dónde empezar.

—Por traer un cubo. De la casa. —Lucy Gray disparó un chorro de agua en dirección a Shamus, y la cabra soltó el cuello de la camisa. Rasgó la bolsa, sacó el último par de cubitos, le metió uno en la boca a Coriolanus y ella hizo lo mismo con otro—. Qué agradable, poder disfrutar del hielo en esta época del año. Un lujo en verano y una maldición en invierno.

—¿Tan malo es?

—Por estos lares sí. En enero se congelaron las cañerías y tuvimos que derretir unos bloques enormes con la estufa para obtener agua. ¿Seis personas y una cabra? Te sorprendería lo trabajoso que es. Cuando empezó a nevar fue más fácil; se derrite enseguida.

Lucy Gray tomó la cuerda de Shamus en una mano y la guitarra en la otra.

—Déjame a mí.

Coriolanus extendió el brazo hacia el instrumento. Después se preguntó si la muchacha se fiaría tanto de él como para dejarlo a su cuidado.

Lucy Gray se la dio sin pensárselo dos veces.

—No es tan buena como la que nos prestó Pluribus, pero nos ayuda a costear el sustento. Lo malo es que nos estamos quedando sin cuerdas, y las de confección casera no dan la talla. Si le escribo, ¿crees que me podría mandar unas cuantas? Seguro que tiene de sobra, de cuando regentaba su club. Se las pagaría. Aún conservo casi todo el dinero que me dio el decano Highbottom.

Coriolanus se detuvo de golpe.

—¿El decano Highbottom? ¿El decano Highbottom te dio dinero?

—Sí, aunque bajo mano. Primero se disculpó por todo lo que había pasado, y luego me metió un fajo de billetes en el bolsillo. Me alegra tenerlo. La Bandada había dejado de actuar en mi ausencia. Estaban demasiado conmocionados por mi pérdida —dijo Lucy Gray—. En cualquier caso, podría pagarle esas cuerdas si se animase a echarme una mano.

Coriolanus prometió preguntarle en su próxima carta, pero la noticia de la generosidad del decano Highbottom lo había dejado perplejo. ¿Por qué querría ayudar a su chica aquel mal encarnado? ¿Por respeto? ¿Lástima? ¿Sentimiento de culpa? ¿Delirios inducidos por la morflina? Continuó dándole vueltas hasta que llegaron al porche delantero de la casa, donde Lucy Gray dejó a Shamus atada a una estaca.

—Entra. Te presentaré a la familia. —La muchacha lo tomó de la mano y lo llevó hasta la puerta—. ¿Cómo está Tigris? Ojalá hubiera podido darle las gracias personalmente por el jabón y el vestido. Ahora que he vuelto a casa le pienso enviar una carta, y quizá también una canción, si se me ocurre algo que merezca la pena.

—Le haría ilusión —replicó Coriolanus—. Las cosas no van muy bien por casa.

—Seguro que te echan de menos. ¿O sucede algo más?

Entraron en el edificio antes de que él pudiera responder. La vivienda consistía en una gran habitación abierta y lo que parecía ser una buhardilla habilitada como dormitorio. Al fondo, la cocina comprendía una estufa de carbón, un fregadero, un estante con platos y una vieja nevera. Contra la pared derecha se alineaba una ristra de disfraces; en la izquierda, su colección de instrumentos. En lo alto de una caja se asentaba un televisor antiguo, cuya gigantesca antena se bifurcaba como la cornamenta de un venado, envuelta en jirones de papel de aluminio. Salvo por unas cuantas sillas y una mesa, el lugar estaba desprovisto de mobiliario.

Encontraron a Tam Amber reclinado en una de las sillas, con su mandolina en el regazo pero sin tocarla. Clerk Carmine, con la cabeza asomada desde la buhardilla, observaba con gesto de contrariedad a Barb Azure y a Maude Ivory, que daba la impresión de estar indignada. Al verlos, cruzó corriendo la habitación y empezó a tirar de Lucy Gray hacia la ventana que daba al patio trasero.

—¡Lucy Gray, otra vez está causando problemas!

—¿Le habéis dejado pasar? —preguntó Lucy Gray, como si hubiese adivinado instintivamente a quién se refería.

—No. Dijo que solo quería llevarse el resto de sus cosas. Lo sacamos todo a la parte de atrás —replicó Barb Azure, que tenía los brazos cruzados en señal de desaprobación.

—Entonces, ¿dónde está el problema?

Aunque el tono de voz de Lucy Gray era tranquilo, Coriolanus notó que le apretaba la mano.

—Ahí —dijo Barb Azure, apuntando con la cabeza a la ventana de atrás.

Todavía a remolque, Coriolanus siguió a Lucy Gray y se asomó al patio. Maude Ivory se coló entre los dos.

—Sejanus me iba a ayudar con las nueces.

Billy Taupe estaba arrodillado en el suelo, al lado de un montón de ropa y unos cuantos libros. Hablaba rápidamente mientras garabateaba un dibujo de algún tipo en el suelo y gesticulaba a intervalos, señalando en todas las direcciones. Frente a él, agachado, Sejanus lo escuchaba con atención, asintiendo y haciéndole preguntas de vez en cuando. Si bien la presencia de Billy Taupe en lo que ahora consideraba su territorio le molestaba, Coriolanus no vio motivos para preocuparse. Aunque le costaba imaginarse de qué podrían hablar Sejanus y él. ¿Habrían encontrado algún agravio en común, como la incomprensión de sus respectivas familias, sobre el que quejarse?

—¿Estás preocupada por Sejanus? No pasa nada. Habla con todo el mundo. —Coriolanus intentó, sin éxito, distinguir lo que había dibujado Billy Taupe en la tierra—. ¿Qué es eso?

—Me parece que está dándole indicaciones —dijo Barb Azure a la par que cogía la guitarra que todavía llevaba en la mano—. Y, si estoy en lo cierto, tu amigo debería irse a casa.

—Yo me encargo. —Cuando Lucy Gray empezó a desenlazar sus dedos de los de Coriolanus, este intentó retenerla—. Gracias, pero no hace falta que cargues con mis problemas.

—Está escrito en las estrellas, supongo —replicó con una sonrisa.

Había llegado la hora de enfrentarse a Billy Taupe y establecer una serie de reglas. El chico debía aceptar que Lucy Gray ya no era suya, sino que pertenecía del todo y para siempre a Coriolanus.

Lucy Gray no respondió, aunque cesó en sus intentos por zafarse de él. El muchacho tuvo que entornar los párpados cuando salieron sin hacer ruido por la puerta trasera, abierta de antemano, al deslumbrante fulgor del sol de agosto que resplandecía en lo alto del cielo. Tan enfrascados estaban en su conversación Sejanus y Billy Taupe que este no reaccionó hasta que Lucy Gray y Coriolanus hubieron llegado casi hasta ellos, momento en el que se apresuró a borrar con la mano el dibujo que había hecho en la tierra.

Sin la advertencia de Barb Azure, Coriolanus ni se habría enterado; sin embargo, avisado como estaba, reconoció la imagen prácticamente de inmediato. Era un mapa de la base.

25

Sejanus, que se había sobresaltado en lo que Coriolanus no pudo por menos de tomarse como un gesto cargado de culpa, se incorporó rápidamente y se sacudió el polvo del uniforme. Billy Taupe, por su parte, se levantó despacio, casi con parsimonia, para encararse con ellos.

—Vaya, mira quién se ha dignado dirigirme la palabra —dijo, y esbozó una sonrisita nerviosa.

¿Sería la primera vez que hablaban desde los Juegos del Hambre?

—Sejanus, Maude Ivory está muy afectada porque todavía no has partido esas nueces.

—Cierto, he estado eludiendo mis responsabilidades. —Sejanus le tendió la mano a Billy Taupe, que no vaciló en estrechársela—. Encantado de conocerte.

—Lo mismo digo. A veces me dejo caer por el Quemador —replicó Billy Taupe—, por si te apetece seguir hablando.

—Lo tendré en cuenta.

Sejanus se encaminó a la casa.

Lucy Gray soltó la mano de Coriolanus e irguió los hombros para situarlos a la altura de los de Billy Taupe.

—Lárgate, Billy Taupe. Y no vuelvas.

—¿O qué, Lucy Gray? ¿Me echarás encima a tus agentes de la paz?

Se rio.

—Si es preciso.

Billy Taupe observó a Coriolanus de reojo.

—Menuda pareja de aburridos.

—No lo entiendes —dijo Lucy Gray—. Esta vez no hay excusas que valgan.

Billy Taupe adoptó una expresión colérica.

—Sabes que no fui yo el que intentó matarte.

—Lo único que sé es que sigues paseándote por ahí con la que sí lo intentó —replicó Lucy Gray—. Tengo entendido que la casa del alcalde ya es como un segundo hogar para ti.

—¿Y quién me mandó allí, me pregunto? Me revuelve el estómago verte manipular a estos críos. Pobre Lucy Gray —se burló—. Pobre corderita.

—No son tontos —escupió ella—. Tampoco ellos quieren volver a saber nada de ti.

La mano de Billy Taupe salió disparada, se cerró sobre su muñeca y la atrajo hacia él.

—¿Y exactamente adónde quieres que vaya?

Antes de que Coriolanus pudiera intervenir, Lucy Gray hundió los dientes en la mano de Billy Taupe, que soltó un grito y la liberó. Le lanzó una mirada furibunda a Coriolanus, que se había situado junto a ella en actitud protectora.

—A ti tampoco se te ve precisamente desamparada. ¿Este es tu niño rico del Capitolio? ¿Ha venido hasta aquí siguiendo tus pasos? Le aguardan unas cuantas sorpresas.

—Lo sé todo sobre ti —dijo Coriolanus. Aunque no era del todo cierto, al menos no le hacía sentirse en desventaja.

Billy Taupe se rio con incredulidad.

—¿Sobre mí? ¡Pero si soy la flor en medio de este estercolero!

—¿Por qué no haces lo que te ha pedido y te largas? —dijo con voz glacial Coriolanus.

—Vale. Ya aprenderás. —Billy Taupe recogió sus pertenencias en una brazada—. Antes de lo que te imaginas.

Se marchó dando largas zancadas, envuelto en el calor de la mañana.

Lucy Gray lo observó mientras se alejaba, acariciándose la muñeca que le había agarrado.

—Si quieres irte, ahora es el momento.

—No pienso irme a ninguna parte —dijo Coriolanus, aunque el enfrentamiento había sido inquietante.

—Es un canalla embustero. Coqueteo con todo el mundo, de acuerdo. Forma parte de mi trabajo. Pero lo que él insinúa..., sencillamente no es cierto. —Lucy Gray miró a la ventana—. ¿Y si lo fuera? ¿Y si tuviera que elegir entre eso o dejar que Maude Ivory se muriese de hambre? Ninguno de nosotros dejaría que ocurriera algo semejante, da igual lo que tuviésemos que hacer para evitarlo. Pero él se rige por unas normas determinadas y pretende que yo lo haga por otras distintas. Como siempre. Lo que a él lo convierte en víctima a mí, en basura.

Sus palabras despertaron en Coriolanus perturbadores ecos de la conversación mantenida con Tigris, y se apresuró a cambiar de tema.

—¿Ahora sale con la hija del alcalde?

—Así están las cosas. Lo mandé allí para que se ganara un dinero dándole clases de piano y, cuando me quise dar cuenta, su papi estaba pronunciando mi nombre en voz alta durante la cosecha —dijo Lucy Gray—. No sé lo que le habrá contado. El hombre se volvería loco si supiera que su hija anda con Billy Taupe. No he sobrevivido al Capitolio para volver aquí y tener que aguantar más de lo mismo.

Había algo en su porte, una preocupación descarnada, que convenció a Coriolanus. Le tocó el brazo.

—Pues construye una vida nueva.

La muchacha enlazó los dedos con él.

—Una vida nueva. A tu lado.

Una nube parecía cernerse sobre ella.

Coriolanus le dio un leve codazo.

—¿No había que ordeñar a la cabra?

Las facciones de Lucy Gray se relajaron.

—En efecto.

Lo condujo de nuevo a la casa, tan solo para descubrir que Maude Ivory se había llevado a Sejanus para enseñarle a ordeñar a Shamus.

—No ha podido negarse. Está castigado por hablar con el enemigo —dijo Barb Azure.

Sacó un cazo de leche de la nevera, lo dejó encima de la mesa y la examinó. Clerk Carmine cogió un tarro de cristal de una balda, con un artilugio extraño en lo alto. Una palanquita acoplada a la tapa con la que parecían moverse unas pequeñas palas dentro del bote.

—¿Qué haces? —quiso saber Coriolanus.

—Perder el tiempo. —Barb Azure se rio—. Intento acumular nata suficiente para hacer mantequilla. Solo que la leche de cabra no se separa como la de vaca.

—¿Y si le damos un día más? —sugirió Clerk Carmine.

—En fin, a lo mejor.

Barb Azure guardó el cazo de nuevo en el frigorífico.

—Le prometimos a Maude Ivory que lo intentaríamos —dijo Lucy Gray—. Le chifla la mantequilla. Tam Amber le hizo esta mantequera por su cumpleaños. Ya veremos si sale bien.

Coriolanus toqueteó la manivela.

—Entonces...

—En teoría, cuando se reúne la nata necesaria, basta con girar esa manivela y las palas la baten hasta convertirla en mantequilla —le explicó Lucy Gray—. Eso nos han contado.

—Parece mucho trabajo.

Coriolanus pensó en las porciones de mantequilla, tan bonitas y uniformes, que había cogido del bufé el día de la cosecha, sin pararse a pensar ni por un instante en su procedencia.

—Lo es. Pero, si funciona, habrá merecido la pena. Maude Ivory no duerme bien desde que se me llevaron. Aunque durante el día no se note tanto, por las noches se despierta gritando —le confesó Lucy Gray—. Intentamos llenarle la cabeza de pensamientos felices.

Barb Azure acarreó la leche fresca que habían traído Sejanus y Maude Ivory y la vertió en unas jarras mientras Lucy Gray repartía el pan. Coriolanus no había probado nunca la leche de cabra, pero Sejanus se relamió y le explicó que le recordaba a su infancia en el Distrito 2.

—¿He estado alguna vez en el 2? —preguntó Maude Ivory.

—No, cariño, eso queda al oeste —respondió Barb Azure—. La Bandada solía quedarse en el este.

—A veces íbamos al norte —dijo Tam Amber, y Coriolanus se dio cuenta de que era la primera vez que oía su voz.

—¿A qué distrito?

—A ninguno, en realidad —replicó Barb Azure—. A las zonas habitadas dejadas de la mano del Capitolio.

Coriolanus se compadeció de ellos. No existía ese sitio. Ya no, al menos. El Capitolio controlaba todo el mundo conocido. Por un momento se imaginó a un grupo de personas vestidas con pieles de animales, malviviendo en alguna cueva recóndita. Supuso que no era descabellado, pero esa vida sería un enorme paso atrás incluso para alguien de los distritos. Algo casi inhumano.

—Lo más probable es que allí hayan acabado como nosotros —dijo Clerk Carmine.

Barb Azure esbozó una sonrisita apenada.

—Sospecho que será siempre una incógnita.

—¿Queda más? Aún tengo hambre —se quejó Maude Ivory, pero el pan se había acabado.

—Cómete un puñado de esas nueces tuyas —le sugirió Barb Azure—. Nos darán de comer en la boda.

Para consternación de Coriolanus, descubrió que la Bandada tenía un encargo esa tarde: tocar en una boda en la ciudad. Esperaba volver a quedarse a solas con Lucy Gray para hablar más en profundidad sobre Billy Taupe, su relación con él y el motivo exacto por el que había dibujado un mapa de la base en la tierra. Pero tendría que ser en otra ocasión, puesto que la Bandada empezó a prepararse para la actuación en cuanto fregaron los platos.

—Lamento que debamos despedirnos tan pronto, pero así nos ganamos el pan. —Lucy Gray acompañó a Coriolanus y a Sejanus hasta la puerta—. La hija del carnicero va a pasar por el altar y tenemos que causar buena impresión. Allí habrá gente con dinero para contratarnos. Podríais esperar y acompañarnos, supongo, pero entonces...

—La gente murmuraría. —Coriolanus terminó la frase por ella, alegrándose de que la muchacha lo hubiera sugerido primero—. Será mejor que mantengamos esto entre nosotros. ¿Cuándo puedo verte otra vez?

—Cuando tú quieras. Sospecho que tu horario es más exigente que el mío.

—¿Tocaréis en el Quemador el próximo sábado?

—Si nos dejan. Después de los altercados de anoche. —Convinieron que Coriolanus acudiría tan pronto como le resultara posible para compartir unos minutos con ella antes del espectáculo—. Justo detrás del Quemador hay un cobertizo que utilizamos para cambiarnos. Puedes reunirte con nosotros allí. Si no hay actuación, ven a casa.

Coriolanus aguardó hasta que Sejanus y él llegaron a las callejelas desiertas que había cerca de la base antes de abordar el tema de Billy Taupe.

—Bueno, ¿y de qué habéis hablado?

—De nada, en realidad —replicó Sejanus, incómodo—. De lo que se rumorea por la zona.

—¿Y para eso necesitabais un mapa de la base?

Sejanus se detuvo de golpe.

—Nunca se te escapa nada, ¿verdad? Recuerdo que ya eras así en la escuela. Siempre observando a la gente. Fingiendo no estar presente. Eligiendo con cuidado los momentos en los que decidías involucrarte.

—Estoy involucrándome ahora, Sejanus. ¿Qué hacías hablando tan enfrascado con él, con un mapa de la base entre ambos? ¿Qué es? ¿Un simpatizante rebelde? —Coriolanus insistió al ver que Sejanus apartaba la mirada—. ¿Qué interés podría tener en una base del Capitolio?

Sejanus contempló el suelo durante un momento antes de responder:

—Se trata de la chica. La del ahorcamiento. La que detuvieron el otro día. Lil. Está encerrada allí.

—¿Y los rebeldes quieren rescatarla?

—No. Solo quieren comunicarse con ella. Asegurarse de que esté bien —le explicó Sejanus.

Coriolanus se esforzó por contener el enfado.

—Y tú te has comprometido a ayudarlos.

—No, no me he comprometido a nada. Pero si puedo, si me acerco por la caseta de los centinelas, quizá consiga averiguar algo. Su familia está desesperada.

—Ah, maravilloso. Estupendo. Así que ahora eres un confidente de los rebeldes. —Coriolanus reanudó la marcha por la carretera—. ¡Pensaba que ya se te habría pasado esa fase!

Sejanus lo siguió, pisándole los talones.

—No puedo dejarlo correr, ¿vale? Forma parte de mí. Además, fuiste tú el que dijo que podría ayudar a la gente de los distritos si accedía a salir de la arena.

—Creo que lo que dije fue que podrías luchar por los tributos, refiriéndome a que podrías procurarles unas condiciones más humanitarias —lo corrigió Coriolanus.

—¡Condiciones humanitarias! —estalló Sejanus—. ¡Les obligamos a asesinarse entre ellos! Y los tributos también son gente de los distritos, así que, la verdad, no veo la diferencia. Comprobar cómo está esa chica, Coryo, es algo sin importancia.

—No lo es, evidentemente —dijo Coriolanus—. No para Billy Taupe, al menos. ¿O por qué se dio tanta prisa en borrar ese mapa? Porque sabe lo que te pide. Sabe que está convirtiéndote en colaborador. ¿Y sabes tú lo que les pasa a los colaboradores?

—Pensaba...

—¡No, Sejanus, a eso no puedes llamarlo «pensar»! —lo atajó Coriolanus—. Y, para colmo de males, te codeas con individuos que tampoco tienen dos dedos de frente. ¿Billy Taupe? Pero ¿qué gana él con esto? ¿Dinero? Porque, por lo que dice Lucy Gray, los miembros de la Bandada no son rebeldes. Ni del Capitolio. Se empeñan en conservar su propia identidad, sea cual sea.

—No lo sé. Me dijo que..., que venía de parte de un amigo —tartamudeó Sejanus.

—¿Un amigo? —Coriolanus se dio cuenta de que estaba levantando la voz y la bajó hasta dejarla reducida a un susurro—. ¿Un amigo del bueno de Arlo, el que plantó aquellos explosivos en las minas? Plan brillante donde los haya, por cierto. ¿Qué esperaba conseguir con eso? No tienen recursos, absolutamente nada que les permita reiniciar una guerra. Y mientras tanto se dedican a morder la mano que les da de comer porque, sin las minas, ¿cómo piensan alimentarse aquí, en el 12? No andan sobrados de opciones, precisamente. ¿Qué clase de estrategia era esa?

—Una estrategia desesperada. ¡Mira a tu alrededor! —Sejanus lo agarró del brazo para obligarlo a detenerse—. ¿Cómo esperas que sigan adelante en estas condiciones?

Coriolanus experimentó una oleada de odio al recordar la guerra, la devastación que los rebeldes habían llevado a su vida. Se zafó de un tirón.

—Perdieron la guerra. Una guerra que habían empezado ellos. Decidieron asumir ese riesgo. Este es el precio que les toca pagar.

Sejanus miró alrededor, como si no estuviera seguro de qué dirección tomar, y se sentó con la espalda apoyada en una pared semiderruida en la orilla de la carretera. Coriolanus tuvo la desagradable sensación de estar tomando el relevo del viejo Strabo Plinth en la interminable discusión sobre hacia qué lado se decantaba la lealtad de Sejanus. Él no había firmado para eso. Por otra parte, si Sejanus perdía los papeles allí, resultaría imposible prever cómo acabarían las cosas.

Se sentó junto a él.

—Mira, creo que la situación va a mejorar, seguro, pero no así. Cuanta más estabilidad haya en todo el país, mayor será aquí también, pero no si siguen haciendo saltar minas por los aires. Con eso solo aumentará el número de cadáveres.

Sejanus asintió con la cabeza; seguían allí sentados cuando un grupo de niños harapientos pasó por su lado, pegándole patadas a una lata vieja por la carretera.

—¿Crees que he cometido traición?

—Todavía no —replicó Coriolanus con media sonrisa.

Sejanus arrancó unos hierbajos que sobresalían del muro.

—La doctora Gaul, sí. Mi padre fue a verla antes de apelar al decano Highbottom y la junta. Todo el mundo sabe que es ella la que realmente está al mando. Quería preguntarle si se me podría conceder la misma oportunidad que a ti, alistarme en los agentes de la paz.

—Creía que eso era automático —dijo Coriolanus—. Si te expulsan, como me pasó a mí.

—Esa esperanza albergaba mi padre. Pero la doctora dijo: «No confunda las acciones de un chico con las del otro. Una estrategia fallida no es equiparable a la traición que representa el apoyo a la causa de los rebeldes». —Una nota de amargura le teñía la voz—. Después de lo cual recibió un cheque con el que subvencionar un laboratorio nuevo para sus mutos. Debe de haber sido el billete de ida al Distrito 12 más caro de la historia.

Coriolanus soltó un silbidito.

—¿Un gimnasio y un laboratorio?

—Tú dirás lo que quieras, pero he hecho más por la reconstrucción del Capitolio que el mismísimo presidente —bromeó sin mucho entusiasmo Sejanus—. Tienes razón, Coriolanus. Me he portado como un imbécil. Otra vez. Me andaré con más cuidado de ahora en adelante. A ver qué me depara el futuro.

—Mortadela frita, lo más probable —replicó Coriolanus.

—Bueno, en tal caso, tú primero —dijo Sejanus, y reanudaron el camino de vuelta a la base.

Sus compañeros de barracón acababan de levantarse cuando llegaron. Sejanus se llevó al Fideo a practicar maniobras, y el Sonrisitas y el Pulga fueron a ver si había algo interesante en la sala de juegos. Coriolanus planeaba dedicar el tiempo que faltaba para la hora de la cena a estudiar para el examen de candidato a oficial, pero la conversación con Sejanus había plantado el germen de una idea en su cabeza. La semilla creció hasta estrangular cualquier otro pensamiento. La doctora Gaul lo había defendido. Bueno, defendido no, pero se había asegurado de que Strabo Plinth comprendiera que Coriolanus pertenecía a una categoría completamente distinta de la del delincuente de su hijo. El único crimen de Coriolanus había sido una «estrategia fallida», lo que, en realidad, no sonaba a crimen en absoluto. Quizá no lo hubiese dado aún por perdido. Le había dado la impresión de mostrar un interés especial en su educación durante los Juegos. Como si lo hubiera elegido a él por encima del resto. ¿Merecería la pena escribirle una carta para..., para...? En fin, ni siquiera él sabía qué esperaba lograr con eso. Pero más adelante, cuando se hubiese convertido en un oficial importante, si sus caminos volvían a cruzarse... Enviarle unas líneas no le haría daño. Ya lo habían despojado de cualquier cosa de valor. Lo peor que podía pasar era que la mujer lo ignorase.

Coriolanus mordisqueó el lapicero mientras se esforzaba por imponer orden en sus pensamientos. ¿Debería empezar disculpándose? ¿Por qué? La doctora Gaul sabría que no lamentaba haber hecho trampas para ganar, sino el hecho de que lo hubiesen pillado. Lo mejor sería prescindir por completo de toda disculpa. Podría contarle cómo era su vida allí, en la base, aunque se le antojaba demasiado prosaico. Todas sus conversaciones habían sido, por así decirlo, elevadas. Una lección permanente, con él como objetivo exclusivo. Y entonces se le ocurrió. Lo que había que hacer era continuar la lección. ¿Dónde lo habían dejado? Su redacción de una página sobre el caos, el control y... ¿Cuál era la tercera ce? Siempre le costaba acordarse. Ah, sí, el compromiso. Para cuyo cumplimiento hacía falta la fuerza del Capitolio. De modo que comenzó:

Estimada doctora Gaul:

Han pasado muchas cosas desde la última vez que hablamos, pero me beneficio a diario de nuestra conversación. El Distrito 12 constituye un palco de primera desde el que presenciar la batalla entre el caos y el control, y, como agente de la paz, disfruto de un asiento de primera fila.

Prosiguió enumerando los hechos de los que había sido testigo desde su llegada. La tensión palpable entre la ciudadanía y las fuerzas del Capitolio, que había amenazado con transformarse en violencia durante el ahorcamiento y se había desbordado hasta desembocar en los disturbios del Quemador.

Me recordó a mis escarceos con la arena. Una cosa es hablar en términos teóricos de la naturaleza esencial del ser humano y otra muy distinta analizarla cuando un puño te está machacando la boca. Solo que esta vez me sentía más preparado. No estoy seguro de que todos seamos tan inherentemente violentos como usted asegura, pero tampoco hace falta mucho para que la bestia aflore a la superficie, al menos al amparo de la oscuridad. Me pregunto cuántos de esos mineros habrían tenido el valor de lanzar algún golpe si el Capitolio hubiera podido verles las caras. Al sol del mediodía, en el ahorcamiento, refunfuñaron pero no se atrevieron a pelear.

En fin, así tengo algo en lo que pensar mientras se me cura el labio partido.

Añadió que no esperaba que le respondiera, pero le deseaba lo mejor. Dos hojas. Cordial y sucinto. Sin exageradas demandas de atención. Sin pedirle nada. Sin ofrecerle ninguna disculpa. Dobló la carta con esmero, cerró el sobre y lo dirigió a su nombre en la Ciudadela. A fin de evitar preguntas, sobre todo por parte de Sejanus, la dejó en el correo directamente. «La suerte está echada», pensó.

A la hora de la cena, la mortadela frita llegó acompañada de compota de manzana y de unos cuantos trozos grasientos de patata; devoró con fruición hasta el último bocado de la ración que se amontonaba en su bandeja. Después, Sejanus lo ayudó a preparar el examen, pero se mostró evasivo en lo que respectaba a su interés particular en él.

—Solo se celebran tres convocatorias al año, y una es este miércoles por la tarde —dijo Coriolanus—. Deberíamos presentarnos los dos. Aunque solo sea por practicar.

—No, todavía no me manejo bien con todas estas cuestiones militares. Pero creo que tú sí vas a superarlo —replicó Sejanus—. Aunque no lo domines, el resto será pan comido, y la puntuación media debería ser lo bastante alta para aprobar. Ánimo, preséntate antes de que se te olviden todas las matemáticas.

Llevaba razón. Los conocimientos sobre geometría de Coriolanus empezaban a estar un poco oxidados.

—Si te ascendieran a oficial, posiblemente te dejarían formarte como técnico sanitario. Las ciencias se te daban de miedo —observó Coriolanus en un intento por sondear en qué estaba pensando Sejanus tras su última conversación. Necesitaba un nuevo foco de atención, estaba claro—. Así podrías, no sé..., ayudar a la gente, como me dijiste.

—Eso es verdad. —Sejanus reflexionó unos instantes—. Creo que voy a hablar con los médicos de la clínica, a ver cómo han llegado ellos ahí.

A la mañana siguiente, después de una noche repleta de sueños extraños que iban desde besar a Lucy Gray hasta alimentar a las serpientes de la doctora Gaul, Coriolanus añadió su nombre a la lista para presentarse al examen. El oficial al mando le informó de que eso lo exoneraba del adiestramiento, lo que ya de por sí parecía incentivo suficiente, puesto que la semana prometía ser sofocante. Aunque, en realidad, no se trataba solo de eso. El calor, sí, pero también el tedio de la rutina diaria empezaba a hacer mella en él. Si lograba ascender a oficial, Coriolanus recibiría tareas más estimulantes.

La jornada introdujo dos alteraciones en el programa habitual.

La primera, que iban a empezar a desempeñar labores de vigilancia, fue recibida con escaso entusiasmo, pues todos sabían que no había nada más aburrido. Pese a todo, razonó Coriolanus, hacer guardia en la caseta frente a los barracones seguía siendo preferible a fregar sartenes. Tal vez pudiera incluso matar el rato escribiendo o leyendo.

La segunda lo puso nervioso. Cuando se personaron en la pista de tiro les informaron de que su sugerencia de disparar a los pájaros que se congregaban alrededor del patíbulo había sido aprobada. Sin embargo, la Ciudadela quería que antes capturasen aproximadamente un centenar de charlajos y sinsajos que deberían enviar al laboratorio, ilesos, para su estudio. Su pelotón había sido seleccionado para ayudar a colocar jaulas en los árboles esa misma tarde, lo que significaba que iba a trabajar codo con codo con científicos del laboratorio de la doctora Gaul. Un equipo de ellos había llegado esa mañana en aerodeslizador. Coriolanus solo conocía de vista a un puñado de gente de la Ciudadela, pero la idea de tropezarse con alguien del laboratorio, donde sin duda todos estaban al corriente de su estratagema con las serpientes y su consiguiente caída en desgracia, lo sacaba de quicio. Y entonces tuvo una idea espantosa: seguro que la doctora Gaul quería supervisar personalmente la captura de aquellas aves. Mandarle una carta desde la otra punta de Panem le había parecido una fruslería, pero el mero hecho de imaginarse hablando con ella cara a cara por primera vez desde su destierro bastaba para hacerlo temblar de pies a cabeza.

Mientras Coriolanus botaba en la caja de la camioneta, desarmado y tal vez muy pronto también desenmascarado, el optimismo con el que había empezado el fin de semana se desvaneció. Los demás reclutas, encantados de embarcarse en lo que para ellos era una excursión, parloteaban a su alrededor a medida que él se sumía en un silencio cada vez más obstinado.

Sejanus, sin embargo, comprendía su desasosiego.

—La doctora Gaul no estará allí, ¿sabes? —susurró—. Si nosotros participamos, eso significa que el trabajo es estrictamente para la plebe.

Coriolanus asintió con la cabeza, aunque no estaba muy convencido.

Cuando la camioneta aparcó debajo del árbol del ahorcado, se ocultó al fondo del pelotón para observar a los cuatro científicos del Capitolio, todos ellos ridículamente ataviados con sus batas blancas de laboratorio, como si se dispusieran a descubrir el secreto de la inmortalidad en vez de a capturar un puñado de pajarracos insulsos a cuarenta grados a la sombra. Examinó todos los rostros y, tras comprobar que ninguno le sonaba de nada, se tranquilizó. En el cavernoso laboratorio trabajaban cientos de científicos, y estos eran especialistas en aves, no en reptiles. Saludaron con amabilidad a los soldados y les indicaron que cada uno eligiese una de las trampas de tela metálica que habían llevado, parecidas a jaulas, mientras les explicaban cuál era el plan. Los reclutas obedecieron, cogieron las trampas y se sentaron en la linde del bosque, junto al patíbulo.

Sejanus levantó los pulgares en dirección a Coriolanus, celebrando la ausencia de la doctora Gaul, y él se disponía a devolverle el gesto cuando reparó en una figura que se erguía solitaria en un claro, hacia el interior del bosque. Una mujer con bata de laboratorio, inmóvil y de espaldas a ellos, con la cabeza echada hacia atrás mientras escuchaba la cacofonía de trinos. Los demás científicos esperaron respetuosamente a que hubiese acabado y emprendiera el camino de vuelta hacia ellos, sorteando los árboles. Al apartar una rama, Coriolanus pudo ver con claridad sus facciones, fácilmente olvidables salvo por las grandes gafas de color rosa que se apoyaban en su nariz. La reconoció de inmediato. Era la misma que le había echado la bronca por molestar a los pájaros cuando él corría sin rumbo en su intento por escapar del laboratorio tras haber visto a Clemensia desplomarse en un charco de pus arcoíris. La cuestión era si también ella se acordaría de él. Se encogió más aún tras la espalda del Sonrisitas y se concentró en analizar hasta el último detalle de su trampa para pájaros.

La mujer de las gafas rosas, a la que uno de los científicos presentó afectuosamente como «nuestra doctora Kay», les dio la bienvenida de forma cordial, les repitió cuál era su misión (reunir cincuenta charlajos y otros tantos sinsajos) y les explicó el plan que habían trazado para conseguirlo. Tenían que ayudar a sembrar el bosque de trampas, y utilizar comida, agua y aves artificiales a modo de señuelo para atraer a sus presas. Las trampas permanecerían abiertas durante un par de días, a fin de que los pájaros pudiesen ir y venir con total libertad. El miércoles deberían regresar, cambiar los cebos y preparar las trampas para capturar su objetivo.

Ansiosos por congraciarse por ella, los reclutas se dividieron en cinco grupos de cuatro, cada uno de los cuales siguió a uno de los científicos a una parte distinta del bosque. Coriolanus se pegó al hombre que les había presentado a la doctora Kay y se ocultó entre la fronda en cuanto le resultó posible. Además de las trampas, acarreaban unas mochilas que contenían distintos tipos de cebo. Recorrieron cien metros, hasta llegar a una marca roja pintada en un tronco que representaba la zona cero. Siguiendo las instrucciones de los científicos, se desplegaron en abanicos concéntricos a partir de ese punto y, por parejas, empezaron a plantar señuelos en las trampas para después colocarlas en las copas de los árboles.

Coriolanus se encontró formando equipo con el Pulga, que, tras haberse criado en el Distrito 11, donde los niños ayudaban a sus progenitores en el cuidado de los huertos de árboles frutales, resultó ser un escalador de primera. Se concentraron en su cometido durante un par de sudorosas pero fructíferas horas, con Coriolanus poniendo los cebos para que después el Pulga dejase las trampas entre las ramas. Una vez reunidos de nuevo, Coriolanus se escaqueó y fue a sentarse en la caja de la camioneta, donde se enfrascó en el examen de sus numerosas picaduras de insecto hasta que hubieron puesto algo de distancia entre él y la doctora Kay. La mujer no daba la impresión de haberse fijado especialmente en él. «No te pongas paranoico —pensó—. No se acuerda de ti».

El martes marcó la vuelta a la normalidad, aunque Coriolanus aprovechó las comidas y el breve rato libre del que disponían antes de que se apagaran las luces para preparar el examen. Ardía en deseos de ver de nuevo a Lucy Gray, que no dejaba de invadir sus pensamientos, pero hizo todo lo posible por concentrarse, prometiéndose que ya se permitiría soñar despierto cuando hubiera pasado la prueba. El miércoles se armó de valor para aguantar el entrenamiento físico, comió sin más compañía que la del manual para un repaso final y se dirigió al aula en la que les impartían las lecciones teóricas. Se habían apuntado dos agentes de la paz más, uno de veintimuchos, que aseguraba haberse presentado ya cinco veces, y otro que debía de rondar los cincuenta, edad que a Coriolanus se le antojó excesiva para aspirar a imprimirle otro rumbo a la vida.

Superar exámenes se contaba entre los mayores talentos de Coriolanus, que experimentó una familiar oleada de emoción al abrir las tapas del libreto. Le encantaban los retos, y su naturaleza obsesiva le permitió abstraerse casi de inmediato en aquella carrera de obstáculos mental. Tres horas más tarde, empapado de sudor, agotado y feliz, entregó el libreto y se dirigió a la cantina en busca de hielo. Se sentó en la franja de sombra que proyectaba su barracón mientras se frotaba el cuerpo con los cubitos y repasaba las preguntas en su cabeza. Volvió a sentir un alfilerazo de dolor pasajero por haber perdido la oportunidad de cursar una carrera universitaria, pero se repuso al fantasear con convertirse en un líder militar legendario, como su padre. Quizá ese hubiera sido su destino desde el principio.

El resto del pelotón aún estaba en el bosque con los científicos de la Ciudadela, trepando a los árboles y activando las trampas, por lo que decidió ir a recoger el correo dirigido a su cuarto. Lo recibieron dos grandes cajas enviadas por Ma Plinth, lo que prometía otra noche loca en el Quemador. Se las llevó, aunque no pensaba abrirlas antes de que volvieran los otros. Ma también le había mandado una carta aparte en la que le agradecía todo lo que había hecho por Sejanus y le rogaba que siguiera velando por el muchacho.

Coriolanus dejó la carta y suspiró al imaginarse convertido en el guardián de Sejanus. Aunque escapar del Capitolio hubiese aliviado su tormento temporalmente, ya había conseguido alterarse con sus ideas sobre los rebeldes. Conspirando con Billy Taupe. Preocupándose por la chica del calabozo. ¿Cuánto tardaría en cometer otro disparate equiparable a haberse colado en la arena? Lo mismo que tardaría la gente en recurrir a él, Coriolanus, para que le sacara las castañas del fuego.

La cuestión era que no albergaba ninguna esperanza de que Sejanus fuese a cambiar. Quizá le resultara imposible, por una parte, pero el quid de la cuestión era que tampoco quería. Ya había rechazado todo lo que una vida como agente de la paz podía ofrecerle: fingiendo no saber disparar, negándose a hacer el examen de candidato a oficial, dejando muy claro que no sentía el menor deseo de destacar al servicio del Capitolio. El Distrito 2 siempre sería su hogar. Los habitantes de los distritos siempre serían su familia. Los rebeldes siempre tendrían una causa justa de su parte..., y Sejanus siempre tendría la responsabilidad moral de ayudarlos.

Coriolanus notó que crecía en su interior una sensación nueva, amenazadora. En el Capitolio había intentado restarle importancia a la conducta errática de Sejanus, pero en el 12 la situación era distinta. Allí se le consideraba un adulto, y las consecuencias de sus actos se medían en términos de vida o muerte. Si ayudaba a los rebeldes, podría terminar delante de un pelotón de fusilamiento. ¿En qué pensaba Sejanus?

Llevado por un impulso, Coriolanus abrió la taquilla de Sejanus, sacó su caja y vertió el contenido en el suelo, con cuidado. Había un montoncito de recuerdos, un paquete de goma de mascar y tres botes con medicamentos recetados por un médico del Capitolio. Dos parecían contener comprimidos para dormir, mientras que el tercero era un dosificador de morflina con gotero incorporado en la tapa, parecido al que había visto usar en ocasiones al decano Highbottom. Sabía que Sejanus estaba medicado cuando sufrió la crisis, Ma se lo había contado, pero ¿por qué se había llevado eso allí? ¿Se lo habría metido Ma en la maleta por precaución? Examinó el resto de sus pertenencias. Una tira de tela, material de escritorio, un pequeño trozo de mármol toscamente tallado con la forma aproximada de un corazón y un montoncito de fotografías. Los Plinth se retrataban todos los años, por lo que pudo asistir al crecimiento de Sejanus desde que era un bebé hasta el año anterior. Todas las fotos eran de familia, salvo una antigua en la que aparecía un grupo de escolares. Coriolanus supuso que debía de ser de su clase, aunque no le sonaban las caras, y varios de los niños iban vestidos con prendas más bien harapientas que no eran de su talla. Localizó a Sejanus, con un traje elegante, sonriendo pensativamente desde la segunda fila. Detrás de él se erguía un chico que debía de ser bastante mayor. Al fijarse mejor, sin embargo, encajaron las piezas. Aquel era Marcus. En una foto escolar del último año de Sejanus en el Distrito 2. De sus compañeros de clase del Capitolio, Coriolanus incluido, no había constancia. Por alguna razón, le pareció que esa era toda la confirmación que necesitaba sobre hacia qué lado se inclinaba la lealtad de Sejanus.

En el fondo de la pila encontró un grueso marco de plata que contenía, para su sorpresa, el diploma de Sejanus. Lo habían sacado de su refinada carpeta de cuero para transferirlo a ese marco, como si quisieran exhibirlo. Pero ¿por qué? Aunque tuviera una pared donde colgarlo, Sejanus no lo haría ni loco. Coriolanus acarició el marco, deslizó los dedos por el metal deslucido y le dio la vuelta. El panel posterior se veía ligeramente torcido, y de un lateral asomaba una diminuta esquina de papel verde claro. «Eso no es un papel cualquiera», pensó torvamente, y quitó las trabillas para soltar el panel. Al desprenderse, un fajo de billetes que parecían recién salidos de la imprenta se desparramó por el suelo.

Dinero. Y una buena suma, además. ¿Para qué necesitaba Sejanus tanto efectivo en su nueva vida como agente de la paz? ¿Habría insistido Ma? No, ella no. La mujer daba la impresión de pensar que el dinero era la fuente de todas sus desgracias. ¿Strabo, entonces? ¿Pensando tal vez que, se encontrara su hijo con lo que se encontrase, el dinero lo protegería? Probablemente, aunque Strabo solía encargarse en persona de los sobornos. ¿Sería algo que Sejanus había hecho por iniciativa propia, sin que sus padres se enteraran? Esa alternativa ya era más preocupante. ¿Se trataría de las asignaciones semanales de toda una vida, ahorradas con esmero en previsión de una posible época de vacas flacas? ¿Retiradas del banco el día antes de su partida y ocultas en aquel marco? Sejanus siempre se quejaba de la costumbre que tenía su padre de resolver todos los problemas a golpe de dinero, pero ¿habría heredado él ese rasgo? El método Plinth para salir de apuros. Transmitido de padre a hijo. De mal gusto, pero eficaz.

Coriolanus recogió los billetes, los alineó en un montoncito y usó un dedo para contarlos. Allí había cientos, miles de dólares. Pero ¿de qué servía el dinero en el Distrito 12, donde no había nada que comprar? Nada que no cubriera el sueldo de un agente de la paz, por lo menos. La mayoría de los reclutas enviaban a sus hogares la mitad de la paga, puesto que el Capitolio les proporcionaba casi todo lo que necesitaban, a excepción del material de oficina y las noches que quisieran pasar en el Quemador. Supuso que debía de haber un mercado negro en el establecimiento, aunque no había visto gran cosa con la que tentar a un agente de la paz después de que este hubiera comprado su alcohol. No necesitaban conejos muertos, ni cordones, ni jabón de confección casera. Y, aunque así fuera, se lo podrían permitir sin problemas. Por otra parte, con dinero se podían comprar muchas cosas. Información, por ejemplo. Acceso. Silencio. Estaban los sobornos. Estaba el poder.

Coriolanus oyó voces y supo que el pelotón había vuelto. Se apresuró a ocultar los billetes en el marco de plata, con cuidado de dejar una esquinita verde expuesta a la vista. Cerró la caja y volvió a guardarla en la taquilla de Sejanus. Cuando aparecieron sus compañeros de barracón, lo encontraron en pie junto a las cajas de Ma con los brazos en cruz y una sonrisa de oreja a oreja.

—¿Quién está libre el sábado?

Mientras el Sonrisitas, el Fideo y el Pulga se dedicaban a romper los paquetes y a sacar los tesoros que contenían, Sejanus se sentó en la cama y los observó, divertido.

Coriolanus se apoyó en el catre, a su lado.

—Gracias al cielo que existe tu Ma. Estaríamos en la ruina sin ella.

—Y tanto —convino Sejanus—. No sumaríamos ni un penique entre todos.

Lo único que Coriolanus no había puesto nunca en tela de juicio era la sinceridad de Sejanus. Antes bien, a veces le habría gustado que no fuese tan franco. Pero eso era una mentira flagrante, pronunciada con tanta naturalidad como si hubiera sido verdad. Lo que significaba que, a partir de ese momento, debería recelar de todo lo que le dijera.

26

Sejanus se dio una palmada en la frente.

—¡Ah! ¿Cómo fue el examen?

—Bueno, ya lo veremos, supongo. Lo van a enviar al Capitolio para corregirlo. Me han advertido que los resultados pueden tardar unos días.

—Aprobarás —le aseguró Sejanus—. Te lo mereces.

Tan comprensivo. Tan falso. Tan autodestructivo. Como una polilla a la llama. Coriolanus se sobresaltó un poco al recordar la carta de Pluribus. ¿No era eso lo que no dejaba de mascullar el decano Highbottom después de la pelea con su padre de hacía tantos años? Casi. Había usado el plural. «Como polillas a la llama». Como si una bandada entera de polillas volara directa a una conflagración. Un grupo entero de personas empeñadas en autodestruirse. ¿A quién se referiría? En fin, ¿qué más daba? Era Cascajo Highbottom, un viejo drogado y rencoroso. Mejor ni planteárselo.

Después de la cena, Coriolanus cumplió su primera hora de guardia en un hangar al otro extremo de la base. Lo emparejaron con un veterano que se quedó dormido justo después de ordenarle que estuviera alerta, y dedicó el resto de la hora a obsesionarse con Lucy Gray; deseaba volver a verla o, al menos, hablar con ella. Le parecía una pérdida de tiempo estar de guardia en un sitio en el que era evidente que nunca pasaba nada cuando podría estar entre sus brazos. Se sentía atrapado en la base, mientras que ella podía campar a sus anchas toda la noche. En cierto modo, era mejor tenerla encerrada en el Capitolio, donde siempre sabía más o menos lo que hacía. En aquellos momentos, Billy Taupe bien podría estar intentando incrustársele de nuevo en el corazón. ¿Por qué fingir que no estaba un poco celoso? En retrospectiva, quizá tendría que haber hecho que lo detuvieran.

De vuelta en el barracón, escribió una nota rápida a Ma para alabar sus regalos, y otra a Pluribus para agradecer su ayuda y preguntarle por las cuerdas para Lucy Gray. Tenía el cerebro exhausto por el examen, así que durmió como un tronco y se despertó sudando por el calor de aquella mañana de agosto. ¿Cuándo cambiaba el tiempo? ¿En septiembre? ¿Octubre? A la hora de comer la cola de la máquina de hielo recorría media cantina. Como le tocaba servicio de cocina, Coriolanus se preparó para lo peor, pero descubrió que lo habían ascendido de lavar platos a picar. Habría sido un cambio agradable de no ser porque le tocaron las cebollas. Aunque podía soportar las lágrimas, cada vez le preocupaba más el olor que desprendían sus manos. Incluso después de fregar el suelo, en el barracón se quejaron del tufo, y no conseguía eliminarlo por mucho que se lavara las manos. ¿Seguiría apestando cuando viera de nuevo a Lucy Gray?

El viernes por la mañana, a pesar del calor y de su incomodidad al tener cerca a los científicos de la Ciudadela, se alegró de que por la tarde salieran a cazar pájaros. Cuando el Fideo se desmayó durante la instrucción, el sargento pidió a sus compañeros de barracón que lo llevaran a la clínica, donde Coriolanus aprovechó la oportunidad para pedir una lata de polvos para la erupción que el calor le había provocado en el pecho y el brazo derecho.

—Mantenlo seco —le aconsejó el sanitario, y Coriolanus tuvo que reprimir un resoplido: no había estado seco ni un segundo desde que llegara al baño de vapor que era el Distrito 12.

Después de comer sándwiches fríos de paté de carne, la camioneta los llevó botando hasta el bosque, donde los esperaban los científicos, todavía ataviados con sus batas blancas de laboratorio. Mientras se dividían en equipos, Coriolanus se enteró de que el Pulga, que el miércoles se había quedado sin pareja, había acabado trabajando con la doctora Kay. La mujer se había quedado tan impresionada con su agilidad para moverse por las ramas que había solicitado de nuevo que la acompañara. Era demasiado tarde para cambiar de pareja, así que Coriolanus siguió al grupo de la doctora al interior de la arboleda, aunque procuró permanecer a una distancia prudencial.

No sirvió de nada. Mientras observaba al Pulga trepar por el primer árbol con una nueva jaula con cebo y cambiarla por la antigua, en la que ya había un charlajo capturado, la doctora Kay se le acercó por detrás.

—Bueno, ¿qué te parecen los distritos, soldado Snow?

Estaba tan atrapado como el pájaro. Atrapado como los tributos del zoo. Huir entre los árboles no era una opción. Recordó el consejo de Lucy Gray, el que lo salvó en la casa de los monos: «Hazte con las riendas».

Se volvió hacia ella mientras esbozaba una sonrisa lo bastante avergonzada como para reconocer que lo había pescado, pero con el toque de guasa justo para demostrarle que no le importaba.

—Pues creo que he aprendido más sobre Panem en un día como agente de la paz que en trece años de escuela.

La doctora Kay se rio.

—Sí, aquí hay todo un mundo de educación al alcance de la mano. Me asignaron al Distrito 12 durante la guerra. Viví en tu base. Trabajé en este bosque.

—Entonces, ¿formaba parte del proyecto de los charlajos? —preguntó Coriolanus.

Al menos, ambos habían fracasado a la vista de todos.

—Yo lo dirigía —repuso la doctora en un tono muy significativo.

Así que un fracaso catastrófico a la vista de todos. Coriolanus se sintió más cómodo. Él solo se había puesto en ridículo en los Juegos del Hambre, no en una guerra civil. Quizá la doctora fuese más comprensiva y le ofreciera un informe favorable a la doctora Gaul a su regreso si conseguía causarle buena impresión. Puede que esforzarse por entablar una conversación con ella diera sus frutos. Recordó que los charlajos eran todos machos y no podían reproducirse entre sí.

—Entonces, estos charlajos son los mismos pájaros que usted empleó en labores de vigilancia durante la guerra, ¿no?

—Ajá. Estos eran mis bebés. Pensaba que no volvería a verlos. El consenso general era que no sobrevivirían al invierno. Es habitual que los animales creados mediante ingeniería genética tengan problemas para valerse por sí mismos. Pero mis pájaros eran fuertes, y la naturaleza va por libre.

El Pulga descendió hasta la rama más baja y les pasó la jaula con el charlajo.

—Deberíamos dejarlos en las trampas, por ahora.

No era una pregunta, sino una observación.

—Sí. Puede que ayude a reducir el estrés de la transición —coincidió la doctora Kay.

El Pulga asintió, bajó hasta el suelo y aceptó la trampa vacía que le entregaba Coriolanus. Sin preguntar, se fue al segundo árbol, y la doctora asintió para mostrar su aprobación.

—Algunas personas entienden a los pájaros.

Coriolanus sabía con absoluta certeza que jamás sería una de esas personas, aunque estaba dispuesto a fingir serlo durante unas cuantas horas. Se agachó junto a la trampa y examinó al charlajo, que no dejaba de trinar.

—La verdad es que nunca he llegado a entender cómo funcionaban —dijo, aunque tampoco se había molestado en investigarlo—. Sé que grababan conversaciones, pero ¿cómo los controlaba?

—Están entrenados para responder a órdenes de audio. Con un poco de suerte, te lo podré demostrar.

La doctora Kay se sacó del bolsillo un pequeño dispositivo rectangular del que sobresalían varios botones de colores, sin etiquetas de ningún tipo, aunque puede que el tiempo y el uso las hubieran borrado. Se arrodilló al otro lado de la jaula y examinó el pájaro con más cariño del que Coriolanus juzgó adecuado para una científica.

—¿A que es precioso?

—Mucho —respondió Coriolanus, procurando sonar convincente.

—De acuerdo, lo que oyes ahora, ese trino, es cosa suya. Es capaz de imitar a los demás pájaros o a nosotros y de decir lo que quiera. Está en modo neutro.

—¿Modo neutro? —dijo Coriolanus.

—¿Modo neutro? —Era el eco de su propia voz, que brotaba del pico del pájaro—. ¿Modo neutro?

«Es todavía más espeluznante cuando se trata de tu propia voz», pensó, aunque se rio, como si estuviera encantado.

—¡Ese soy yo!

—¡Ese soy yo! —repitió con la voz de Coriolanus el charlajo antes de ponerse a imitar a un pájaro cercano.

—Sí que lo era —dijo la doctora Kay—. Pero, en modo neutro, pasará rápidamente a otra cosa. A otra voz. Lo más normal es que se trate de una frase corta o de un fragmento de canto de ave. Cualquier sonido que le llame la atención. Para labores de vigilancia, debemos ponerlo en modo grabación. Dedos cruzados.

Pulsó uno de los botones del control remoto.

Coriolanus no oyó nada.

—Qué pena, me temo que es demasiado viejo.

Sin embargo, la doctora Kay esbozaba una sonrisa.

—No necesariamente —contestó—. Los tonos de las órdenes son inaudibles para los seres humanos, pero los pájaros los captan fácilmente. ¿Ves lo callado que está?

El charlajo había guardado silencio. Daba saltitos por su trampa, ladeando la cabeza, picoteando, igual que siempre, salvo por el detalle de que no verbalizaba.

—¿Está funcionando? —preguntó Coriolanus.

—Ahora lo veremos. —La doctora Kay pulsó otro botón de su mando a distancia, y el pájaro siguió trinando como si nada—. De nuevo en neutro. Vamos a ver lo que ha grabado.

Pulsó un tercer botón y, tras una breve pausa, el pájaro empezó a hablar.

—«Qué pena, me temo que es demasiado viejo». «No necesariamente. Los tonos de las órdenes son inaudibles para los seres humanos, pero los pájaros los captan fácilmente. ¿Ves lo callado que está?». «¿Está funcionando?». «Ahora lo veremos».

Una réplica exacta. Pero no. Los crujidos de los árboles, el zumbido de los insectos, los demás pájaros..., no se había grabado nada de eso. Únicamente el sonido puro de las voces humanas.

—Vaya —dijo Coriolanus, impresionado—. ¿Durante cuánto tiempo pueden grabar?

—Más o menos una hora, en un buen día —respondió la doctora—. Están diseñados para buscar zonas boscosas y después dejarse atraer por las voces humanas. Los liberábamos en el bosque, en modo grabación, y los recuperábamos con una señal que los dirigía de vuelta a la base, donde analizábamos las grabaciones. No solo aquí, sino también en el 11 y el 9, allá donde nos resultaran útiles.

—¿Y no bastaba con instalar micrófonos en los árboles?

—Se pueden pinchar los edificios, pero el bosque es demasiado grande. Los rebeldes conocían bien el terreno; nosotros, no. Cambiaban de ubicación. El charlajo es un dispositivo de grabación móvil y orgánico que, a diferencia de los micrófonos, no se puede detectar. Si los rebeldes capturaban uno, podían matarlo e incluso comérselo como si fuera un pájaro normal —explicó Kay—. En teoría, son perfectos.

—Pero, en la práctica, los rebeldes averiguaron lo que eran —dijo Coriolanus—. ¿Cómo lo consiguieron?

—No estoy segura. Algunos pensaban que habrían visto a los pájaros volver a la base, pero solo los recuperábamos por la noche, cuando era casi imposible detectarlos, y en grupos pequeños. Lo más probable es que no ocultáramos bien nuestro rastro. Que no nos asegurásemos de que la información que recibíamos pudiera haber procedido de otra fuente que no fuera una grabación en el bosque. Eso despertaría sospechas, y por mucho que las plumas negras sean un excelente camuflaje nocturno, su actividad diaria les daría una pista. Creo que entonces empezaron a experimentar con ellos, a proporcionarles información falsa para ver cómo reaccionábamos. —Se encogió de hombros—. O puede que tuviéramos un espía en la base. Dudo que lo sepamos nunca.

—¿Por qué no usa ahora el dispositivo de navegación para ordenarles que vuelvan a la base? En vez de...

Coriolanus se calló porque no quería parecer un quejica.

—¿En vez de arrastraros al bosque con el calor que hace para que os coman vivos los mosquitos? —Se rio—. Se desmanteló todo el sistema de transmisión, y nuestro viejo aviario me parece que ahora sirve de almacén. Además, prefiero manejarlos yo. No queremos que huyan volando y no vuelvan nunca, ¿no?

—Por supuesto que no —mintió Coriolanus—. ¿Harían eso?

—No sé bien qué harían, ahora que se han asilvestrado. Al final de la guerra, los solté en modo neutro. Cualquier otra cosa habría sido cruel. Un pájaro mudo habría tenido muchos problemas. El caso es que no solo sobrevivieron, sino que además se aparearon con los sinsontes hembra y tuvieron descendencia. Así que ahora hay una especie completamente nueva. —La doctora Kay señaló un sinsajo que se ocultaba entre el follaje—. Sinsajos, los llaman la gente de aquí.

—¿Y qué pueden hacer?

—No estoy segura. Los he estado observando los últimos días, y no son capaces de imitar el habla humana. Sin embargo, su capacidad para repetir música es mucho mejor y más prolongada que la de sus madres. Canta algo —le pidió a Coriolanus.

Coriolanus solo tenía una canción en su repertorio.

Joya de Panem,
poderosa ciudad
resplandeciente desde el albor.

El sinsajo ladeó la cabeza y repitió la canción. No las palabras, sino una réplica exacta de la melodía con una voz que parecía medio humana, medio aviar. Otros pájaros de la zona se unieron al canto y lo transformaron en un tejido armónico que, de nuevo, le recordó a la Bandada con sus viejas canciones.

—Deberíamos matarlos a todos —dijo el chico antes de poder contenerse.

—¿Matarlos? ¿Por qué? —preguntó la doctora Kay, sorprendida.

—Son antinaturales. —Intentó retorcer el comentario para que sonara a lo que diría un amante de los pájaros—. Puede que perjudiquen a las otras especies.

—Al parecer, son bastante compatibles. Y están por todo Panem, en los lugares en los que coexisten los charlajos y los sinsontes.

Nos llevaremos algunos para ver si pueden reproducirse, sinsajo con sinsajo. Si no, desaparecerán en cuestión de unos cuantos años. Si pueden, ¿qué tiene de malo otro pájaro cantor?

Coriolanus coincidió en que, probablemente, no fueran peligrosos. Se pasó el resto de la tarde preguntando dudas y tratando a los pájaros con delicadeza, por si conseguía compensar su insensible comentario. Los charlajos no le molestaban demasiado (parecían bastante interesantes desde el punto de vista militar), pero los sinsajos tenían algo que le repelía. Desconfiaba de su creación espontánea. La naturaleza sin control. Lo mejor era que murieran, y pronto.

Al final del día, aunque habían capturado más de treinta charlajos, ni un sinsajo había caído en las trampas.

—Puede que los charlajos no sospechen de las jaulas porque les resultan familiares. Al fin y al cabo, se criaron en ellas —meditó la doctora—. Da igual. Les daremos unos días más y, en caso necesario, sacaremos las redes.

«O los fusiles», pensó Coriolanus.

De vuelta en la base, al Fideo y a él los eligieron para descargar las cajas y ayudar a los científicos a colocarlas en el viejo hangar, reconvertido en hogar temporal de los pájaros.

—¿Os gustaría ayudarnos a cuidar de ellos hasta que los llevemos al Capitolio? —le preguntó la doctora.

El Fideo respondió con una de sus escasas sonrisas, y Coriolanus aceptó con entusiasmo. Además de querer causar buena impresión, hacía más fresco en el hangar, que contaba con ventiladores industriales. Era mejor para su erupción cutánea, que había aumentado de un modo alarmante con el calor del bosque. Al menos, sería un cambio.

Antes de que apagaran las luces, los compañeros de barracón desplegaron los regalos de Ma y planificaron los dos fines de semana siguientes en el Quemador, por si la mujer no enviaba las cajas periódicamente. Gracias a sus habilidades mercantiles, el Sonrisitas se convirtió en su tesorero y apartó lo bastante para dos rondas de licor blanco y los donativos para la cesta de la Bandada después del espectáculo. Dividieron lo que quedaba entre los cinco. De su parte, Coriolanus reservó otras seis bolas de palomitas de caramelo y solo se permitió comer una. El resto sería para la Bandada.

El sábado por la mañana, Coriolanus se despertó con el granizo que aporreaba el tejado de los barracones. De camino a desayunar, los compañeros se tiraron bolas de hielo del tamaño de naranjas, aunque a media mañana salió de nuevo el sol, más inclemente que nunca. Al Fideo y a él les tocaba cuidar de los charlajos por la tarde. Limpiaron las jaulas, y alimentaron y dieron de beber a los pájaros bajo la supervisión de dos científicos del Capitolio. A pesar de haber atrapado a algunos en parejas o tríos, en aquel momento cada pájaro residía en su propia jaula. Durante la última parte del turno, los trasladaron con cuidado, de uno en uno, a una zona del hangar en la que habían montado un laboratorio provisional. Asignaron números a los charlajos, los etiquetaron y repasaron el entrenamiento básico para comprobar si todavía respondían a las órdenes de audio de los controles remotos. Todos parecían conservar la habilidad para grabar y reproducir la voz humana.

Cuando los científicos no los oían, el Pulga sacudió la cabeza.

—¿Es eso bueno para ellos?

—No lo sé. Los diseñaron para hacerlo —respondió Coriolanus.

—Serían más felices si los hubiéramos dejado en el bosque.

Coriolanus no estaba seguro. Era posible que se despertaran en el Capitolio en cuestión de días, preguntándose el porqué de su atroz pesadilla de diez años en el Distrito 12. Quizá fueran más felices en un entorno controlado, donde no tendrían que enfrentarse a tantas amenazas.

—Seguro que los científicos cuidarán bien de ellos —comentó.

Después de la cena, intentó disimular su impaciencia mientras esperaba que sus compañeros de barracón se arreglaran. Como había decidido mantener en secreto su romance, pensaba escabullirse en cuanto llegaran al Quemador. El problema era Sejanus. Le había mentido sobre el dinero, aunque puede que solo intentara encajar con el resto del grupo, que estaba sin blanca. Después del incidente con el mapa, parecía sincero en su arrepentimiento, así que, con suerte, habría reconocido lo peligroso que era actuar de intermediario con Lil. Sin embargo, ¿intentaría Billy Taupe o algún otro de los rebeldes acercarse de nuevo a él, ya que, en un principio, se había mostrado dispuesto a ayudarlos? Era presa fácil. Lo más sencillo sería llevárselo con él a ver a la Bandada cuando se zafaran de los demás.

—¿Quieres venir entre bastidores conmigo? —le preguntó a Sejanus en voz baja al llegar al Quemador.

—¿Estoy invitado?

—Por supuesto —respondió Coriolanus, aunque en realidad solo lo habían invitado a él. Pero quizá fuera buena idea. Si Sejanus lograba mantener entretenida a Maude Ivory, Coriolanus podría disfrutar de unos momentos a solas con Lucy Gray—. Pero tendremos que librarnos de los otros.

Al final fue fácil: había más gente que la semana anterior, y el nuevo lote de licor blanco era especialmente fuerte. Mientras el Sonrisitas, el Pulga y el Fideo regateaban, encontraron la puerta junto al escenario y salieron al estrecho callejón trasero, que estaba vacío.

Lo que Lucy Gray consideraba un cobertizo resultó ser una especie de garaje viejo con cabida para unos ocho coches. Las enormes puertas usadas para la entrada de vehículos estaban cerradas con cadenas, pero había una puerta más pequeña en la esquina del edificio, justo frente a la puerta del escenario, y estaba abierta y sujeta con un bloque de hormigón. Cuando Coriolanus oyó cháchara y el sonido de los instrumentos al afinarse, supo que habían encontrado el lugar correcto.

Entraron y descubrieron que la Bandada se había apropiado del espacio, acomodados en viejos neumáticos y muebles sueltos, con las fundas de los instrumentos y el resto del equipo desperdigados por todas partes. Incluso con una segunda puerta abierta en la esquina del fondo, aquello era un horno. La luz de la noche entraba a través de unas cuantas ventanas rotas y atrapaba la densa capa de polvo que flotaba en el aire.

Cuando los vio, Maude Ivory se acercó corriendo, ataviada con su vestido rosa.

—¡Hola!

—Buenas noches —la saludó Coriolanus mientras hacía una reverencia y le entregaba el paquete de bolas de palomitas—. Dulces para la más dulce.

Maude Ivory retiró el papel y dio un saltito a la pata coja antes de hacer una reverencia a su vez.

—Mil gracias. ¡Esta noche cantaré una canción especial para ti!

—Esa era mi única esperanza —respondió Coriolanus.

Era divertido lo natural que parecía el registro formal del Capitolio con la Bandada.

—De acuerdo, pero no diré tu nombre, porque es un secreto —respondió ella entre risas.

Maude Ivory corrió a por Lucy Gray, que estaba sentada con las piernas cruzadas en un viejo escritorio, afinando la guitarra. Sonrió cuando vio la cara de emoción de la niña, aunque le dijo, seria:

—Guárdalas para después.

Maude Ivory correteó dando saltitos para enseñarle su tesoro al resto de la banda. Sejanus se unió a ellos, mientras que Coriolanus los saludó al pasar y fue en busca de Lucy Gray.

—No era necesario. La estás malacostumbrando.

—Solo intentaba hacerla feliz.

—¿Y qué pasa con mi felicidad? —bromeó ella. Coriolanus se inclinó para besarla—. Vale, es un buen comienzo.

Lucy Gray se deslizó sobre el escritorio y dio una palmada en la superficie del mueble, a su lado.

Coriolanus se sentó con ella y observó el cobertizo.

—¿Qué es este sitio?

—Ahora mismo es nuestra sala de descanso. Venimos aquí antes y después del espectáculo, y cuando salimos del escenario entre números.

—Pero ¿de quién es? —preguntó, ya que temía estar violando una propiedad privada.

Lucy Gray no parecía preocupada por el asunto.

—Ni idea —respondió—. Nos quedaremos aquí posados hasta que nos espanten.

Pájaros. Cuando hablaba de la Bandada, siempre había pájaros. Cantaban, se posaban, lucían plumas en los sombreros. Todos eran pájaros hermosos. Le contó lo de su trabajo con los charlajos pensando en impresionarla por haber sido elegido para la labor, pero solo sirvió para entristecerla.

—Odio pensar que están enjaulados después de haber probado la libertad —dijo Lucy Gray—. ¿Qué esperan encontrar en sus laboratorios?

—No lo sé. ¿Si sus armas todavía funcionan?

—Eso de que alguien controle tu voz de ese modo suena a tortura.

Se llevó la mano al cuello.

A Coriolanus le pareció un poco exagerado, pero intentó consolarla.

—No creo que exista un equivalente humano.

—¿En serio? ¿Siempre te sientes libre para decir lo que piensas,

Coriolanus Snow? —le preguntó ella; lo miraba de una forma curiosa.

¿Libre para decir lo que pensaba? Claro que sí. Bueno, dentro de lo razonable. Tampoco iba por ahí hablando más de la cuenta por cualquier tontería. ¿A qué se refería Lucy Gray? Se refería a lo que Coriolanus pensaba sobre el Capitolio, sobre los Juegos del Hambre y sobre los distritos. Lo cierto era que apoyaba casi todo lo que hacía el Capitolio y apenas le importaba el resto. Pero, llegado el caso, hablaría, ¿no? ¿Hablaría contra el Capitolio? ¿Como había hecho Sejanus? ¿A pesar de las repercusiones? No lo sabía, pero se puso a la defensiva.

—Sí. Creo que hay que decir lo que se piensa.

—Eso opinaba mi padre. Y acabó con más agujeros de bala que dedos hay en la mano.

¿Qué insinuaba? Aunque no lo dijera, seguro que esas balas procedían del arma de un agente de la paz. Puede que de alguien vestido igual que Coriolanus en esos momentos.

—A mi padre lo mató un francotirador rebelde.

—Te has enfadado —respondió Lucy Gray; suspiró.

—No. —Pero sí que estaba enfadado. Intentó tragarse la rabia—. Estoy cansado. Llevo toda la semana deseando verte. Y lamento lo de tu padre... y lo del mío, pero yo no gobierno Panem.

—¡Lucy Gray! —la llamó Maude Ivory desde la otra punta del cobertizo—. ¡Ya es la hora!

La Bandada se estaba reuniendo junto a la puerta, instrumentos en mano.

—Será mejor que me marche —dijo Coriolanus mientras se bajaba del escritorio—. Que vaya bien la actuación.

—¿Nos vemos después?

—Tengo que volver antes del toque de queda —respondió él mientras se sacudía el uniforme con las manos.

Lucy Gray se levantó y se pasó la correa de la guitarra por encima de la cabeza.

—Vale. Mañana tenemos pensado ir de excursión al lago, si estás libre.

—¿Al lago?

¿De verdad había destinos agradables en aquel lugar tan deprimente?

—Está en el bosque. Hay que caminar un poco, pero se puede nadar. Me gustaría que vinieras. Tráete a Sejanus. Tendríamos el día entero para nosotros.

Quería ir y estar con ella todo el día. Seguía molesto, aunque era una estupidez: en realidad, Lucy Gray no lo había acusado de nada. La conversación se había torcido. Y todo por aquellos estúpidos pájaros. La chica intentaba hacer las paces; ¿de verdad quería rechazarla? La veía tan poco que no podía permitirse estar de mal humor.

—De acuerdo. Iremos después de desayunar.

—Vale —respondió ella, y le dio un beso en la mejilla antes de reunirse con el resto de la Bandada, que ya salía del cobertizo.

De vuelta en el Quemador, Sejanus y él se abrieron paso por el interior en penumbra; el ambiente ya estaba cargado de sudor y licor. Encontraron a sus compañeros en el mismo sitio de la semana anterior. El Pulga les había reservado cajas; Coriolanus y Sejanus se acomodaron a ambos lados del chico, y los dos le dieron sendos tragos a la botella compartida.

Maude Ivory correteó hasta el micrófono para presentar al grupo. La música empezó a sonar en cuanto la Bandada ocupó el escenario.

Coriolanus se apoyó en la pared y procuró compensar el tiempo perdido con el licor blanco. No iba a ver a Lucy Gray después, así que ¿por qué no emborracharse? El nudo de rabia que se le había formado en el pecho empezó a deshacerse al contemplarla. Era tan atractiva, tan encantadora, tan vital... Se sentía mal por haber perdido los nervios, e incluso le costaba recordar qué era lo que lo había enardecido. Puede que nada en absoluto. Había sido una semana larga y estresante, entre el examen, los pájaros y la estupidez de Sejanus. Se merecía divertirse.

Le dio unos cuantos tragos más a la botella y se sintió en paz con el mundo. Las canciones, tanto las conocidas como las nuevas, lo acariciaban. En una ocasión se dio cuenta de que estaba cantando con el público y se calló de golpe, cohibido, antes de comprender que no le importaba a nadie o que, si le importaba, nadie estaba lo bastante sobrio como para recordarlo.

En cierto momento, Barb Azure, Tam Amber y Clerk Carmine abandonaron el escenario, al parecer para descansar un momento en el cobertizo, y dejaron a Maude Ivory sobre su caja, al micrófono, y a Lucy Gray tocando la guitarra a su lado.

—Le prometí a un amigo que esta noche le cantaría algo especial, así que aquí está —gorjeó Maude Ivory—. En la Bandada, todos debemos nuestros nombres a una balada, y esta pertenece a la bella dama que tengo a mi lado —explicó, y señaló con la mano a Lucy Gray, que se inclinó en una reverencia y recibió algunos aplausos—. En realidad es una historia muy vieja escrita por un tal Wordsworth. La hemos cambiado un poco para que tenga sentido, pero de todos modos hay que escucharla con atención.

Se llevó un dedo a los labios, y el público guardó silencio.

Coriolanus sacudió la cabeza e intentó concentrarse. Si era la canción de Lucy Gray, quería prestar atención para poder decirle algo bonito sobre ella al día siguiente.

Maude Ivory hizo un gesto con la cabeza a Lucy Gray para que empezara con la música y después cantó con voz solemne:

Mucho se hablaba de Lucy Gray:
y un día, paseando por la campiña
casualmente vi a la luz del día
a la solitaria niña.

Ni amigos ni vecinos tenía,
nadie que le hiciera compaña,
aquella dulce criatura que residía
en la ladera de la montaña.

Vale, así que había una niña que vivía en una montaña. Y, al parecer, le costaba hacer amigos.

Todavía juega el ciervo en el bosque
y corretea el conejo por el vergel;
pero el dulce rostro de la joven
nunca se volverá a ver.

Y se murió. ¿Cómo? Le daba la sensación de que estaba a punto de enterarse.

«Esta noche trae tormenta
así que a la ciudad debes ir.
Llévate el farol y recuerda
que tu madre debe venir».

«Eso haré, padre, y no se alarme,
porque apenas son las dos.
¡Todavía queda tarde
y la luna aún no llegó!».

Así el padre reanudó su tarea
de cortar leña para el día;

siguió manos a la obra mientras ella
alegre con el farol partía.

Tan ligera como una liebre
un nuevo sendero encontró,
sus pies escarabajearon la nieve
que al cielo en una nube subió.

Pero la tormenta se adelantó
y Lucy no dejaba de vagar;
y por más colinas que trepó
no llegó a la ciudad.

Ah. Muchas palabras sin ningún sentido, pero el caso es que la chica se perdió en la nieve. Bueno, era de esperar, si la habían enviado a la calle en plena tormenta. Era muy probable que hubiera muerto congelada.

Sus pobres padres, hasta ser de día,
gritaron y buscaron sin parar.
Pero nada veían ni oían
que los pudiera guiar.

Al alba subieron a una ladera
para ver el paisaje al completo
y otearon el puente de madera
que cruzaba un desfiladero.

Lloraron y exclamaron, ya a la vuelta:
«¡Nos vemos en el cielo, bella!»,
cuando la madre en la nieve encuentra
de su hija Lucy una huella.

Ah, bien. Encontraron sus huellas. Final feliz. Era una de esas tonterías, como la que le cantó Lucy Gray sobre el hombre que creían que había muerto congelado. Intentaron incinerarlo en un horno, y entonces se derritió y estaba perfectamente. Sam no sé qué.

Bajando de la empinada ladera
siguieron las huellas por la hiedra,
atravesando la majuela
y bordeando el largo muro de piedra.

Y entonces cruzaron un campo abierto
y las mismas marcas encontraron;
las siguieron sin perderlas un momento
hasta que al puente llegaron.

Bajaban de la orilla nevada,
hasta llegar a la mitad,
una a una aquellas pisadas
¡y después no había más!

Un momento, ¿qué? ¿La chica se había volatilizado?

Pero algunos afirman todavía
que la dulce niña no está muerta,
que a Lucy Gray se la veía
por la solitaria ladera.

Por la montaña se paseaba
sin perder ni un aliento
y cantaba una triste balada
que soplaba con el viento.

Ah, una historia de fantasmas. Puaj. Buuu. Qué ridiculez. Bueno, pondría todo su empeño en admirarla cuando viera a la Bandada al día siguiente. Pero, la verdad, ¿a quién se le ocurría ponerle a su hija el nombre de una niña fantasma? Por otro lado, si la niña era un fantasma, ¿dónde estaba su cadáver? Quizá se hubiera cansado de los negligentes de sus padres, esos que la enviaban a hacer recados en plena ventisca, y huyó para vivir en el bosque. Claro que, entonces, ¿por qué no había crecido? No le encontraba sentido a la historia, y el licor blanco tampoco ayudaba. Le recordaba a aquella vez que no había comprendido el poema de clase de retórica, y Livia Cardew lo había humillado delante de todo el mundo. Qué canción más horrorosa. Puede que nadie la mencionara... No, sí que lo harían. Maude Ivory esperaría una respuesta, así que le diría que era preciosa y no abundaría en el tema. Pero ¿qué pasaba si quería hablar más de ella?

Coriolanus decidió preguntárselo a Sejanus, al que siempre se le había dado bien la retórica, a ver si a él se le ocurría algo.

Sin embargo, cuando se echó hacia delante para mirar por encima del Pulga, descubrió que la caja de Sejanus estaba vacía.

27

Coriolanus escudriñó el interior del local mientras se esforzaba por disimular su preocupación. ¿Dónde se había metido Sejanus? La adrenalina y el licor blanco batallaban por hacerse con el control de su cerebro. Estaba tan absorto en la música y el alcohol que ni siquiera sabía en qué momento había desaparecido Sejanus. ¿Y si no había cambiado de parecer con respecto a Lil? ¿Habría aprovechado la confusión para mezclarse con la multitud? ¿Estaría conspirando con los rebeldes en esos precisos instantes?

Esperó a que el público hubiese terminado de aplaudir a Maude Ivory y a Lucy Gray para levantarse. En cuanto hizo ademán de dirigirse a la puerta, vio a Sejanus regresar a través de la luz neblinosa del recinto.

—¿Dónde estabas?

—En la calle. Ese licor blanco se empeña en salir de mí con la misma facilidad con la que entra.

Sejanus se sentó en la caja y se concentró en el escenario.

Coriolanus volvió a tomar asiento a su vez, con la vista puesta en el espectáculo y la cabeza en otra parte. El licor blanco no obligaba a nadie a salir corriendo para aliviarse. Era demasiado fuerte, y la cantidad consumida, demasiado pequeña. Otra mentira. ¿Qué significaba aquello? ¿Que ya no podía perder de vista ni un segundo a Sejanus? Se pasó el resto de la actuación lanzándole miradas furtivas para cerciorarse de que no se le escapara de nuevo y se quedó cerca de él después de que Maude Ivory recogiera el dinero en su cesta ribeteada de cintas, aunque Sejanus parecía enfrascado en ayudar al Pulga a convencer a un Fideo borracho de que había que volver a la base. No se le presentó ninguna oportunidad de retomar la conversación. Si Sejanus realmente se había escabullido para conspirar con los rebeldes, era evidente que su confrontación directa con él tras el incidente de Billy Taupe no había servido de nada. Tendría que idear otra estrategia.

El domingo amaneció demasiado soleado para la palpitante cabeza de Coriolanus. Vomitó el licor blanco que le encharcaba el estómago y se quedó en la ducha hasta que dejó de ver doble. Los huevos grasientos de la cantina eran un obstáculo insalvable, por lo que se limitó a mordisquear su tostada mientras Sejanus rebañaba las raciones de ambos, confirmando así sus sospechas de que la noche anterior apenas si había probado el alcohol o, al menos, no lo había hecho en la cantidad necesaria para que su organismo hubiese tenido que expulsarlo con tanta urgencia. Sus tres compañeros de barracón ni siquiera habían sido capaces de levantarse para ir a desayunar. Hasta que se le ocurriese una estrategia mejor tendría que vigilarlo como un halcón, sobre todo cuando abandonaran la base. De todas formas, aquel día, necesitaba que alguien lo acompañase hasta el lago.

Aunque el entusiasmo de Coriolanus había mermado, Sejanus aceptó la invitación encantado.

—Claro que sí, será un día de fiesta. ¡Llevemos hielo!

Mientras Sejanus convencía al Fogones para que le diese otra bolsa de plástico, Coriolanus fue a la clínica en busca de aspirinas. Se reunieron en la caseta del centinela y emprendieron la marcha.

Como no conocían ningún atajo para llegar a la Veta, volvieron a la plaza de la ciudad y desanduvieron los pasos que habían dado la semana anterior. Coriolanus contempló la posibilidad de intentar que Sejanus volviera a sincerarse con él, pero ¿qué podría disuadirlo cuando ni siquiera lo conseguía la amenaza de ser declarado culpable de traición? Además, tampoco sabía a ciencia cierta que hubiera estado conspirando con los rebeldes. Quizá fuese verdad que la noche anterior había salido a orinar, en cuyo caso su acusación solo conseguiría ponerlo a la defensiva. Los billetes escondidos eran la única prueba real de la que disponía, y tal vez Strabo hubiese insistido para que los aceptara mientras que Sejanus estaba decidido a no usarlos. No valoraba el dinero, y la riqueza amasada con el negocio de la munición debía de pesar sobre su conciencia. No era descabellado que salir adelante por sus propios medios se hubiese convertido en una cuestión de honor para él.

Si Lucy Gray aún estaba molesta por el rifirrafe que habían tenido, no dio muestras de ello. Lo recibió en la puerta de atrás con un beso y un trago de agua fría con el que reponer fuerzas hasta que llegasen al lago.

—Son dos o tres horas de caminata, según la de zarzas que nos encontremos, pero merece la pena.

Por una vez, la Bandada se despegó de sus instrumentos. También Barb Azure se quedó en casa, con el pretexto de vigilar sus pertenencias. Los despidió con un cubo en el que había metido una jarra con agua, una hogaza de pan y una manta vieja.

—Ha empezado a verse con una chica que vive un poco más abajo, siguiendo por la carretera —le confió Lucy Gray a Coriolanus cuando se hubieron alejado lo suficiente como para que Barb Azure no la pudiera oír—. Seguro que se alegran de tener la casa todo el día para ellos.

Con Tam Amber a la cabeza de la comitiva, cruzaron la Pradera y se adentraron en la espesura. Clerk Carmine, Maude Ivory y Sejanus caminaban en fila india tras él, con Lucy Gray y Coriolanus en la retaguardia. No había ningún camino. Avanzaron de uno en uno, sorteando troncos caídos, apartando las ramas e intentando rodear los arbustos espinosos que acechaban entre la maleza. Transcurridos diez minutos, del Distrito 12 únicamente quedaba el acre olor de las minas. En cuestión de veinte, incluso eso quedaba enmascarado por la vegetación. La sombra que proyectaban las copas de los árboles los guarecía del sol, aunque hacía poco por mitigar el calor. Su presencia no parecía inquietar a la fauna del bosque, por lo que el zumbido de los insectos, el parloteo de las ardillas y los trinos de las aves inundaban el aire.

Incluso después de dos jornadas campestres tendiendo trampas a los pájaros, el nerviosismo de Coriolanus iba en aumento conforme se alejaban de lo que allí entendían por civilización. Se preguntó qué otras criaturas (más grandes, más fuertes y con más colmillos) podrían estar al acecho en los árboles. No llevaba encima ningún tipo de arma. Al reparar en ese detalle, fingió necesitar un bastón para caminar y se detuvo un momento para desbastar una recia rama que encontró tirada en el suelo.

—¿Cómo es capaz de orientarse? —le preguntó a Lucy Gray mientras señalaba con la cabeza a Tam Amber.

—Todos nos sabemos perfectamente el camino. Este es nuestro segundo hogar.

Puesto que nadie más daba muestras de preocupación, Coriolanus se obligó a continuar durante lo que se le antojó una eternidad. Se alegró cuando Tam Amber por fin le indicó al grupo que se detuviera, pero fue solo para anunciar:

—Ya hemos cubierto la mitad del trayecto.

Se pasaron la bolsa de hielo para beber lo que se había derretido y chupar los cubitos restantes.

Maude Ivory se quejó de que le dolía un pie, y al quitarse el zapato, marrón y agrietado, desveló una ampolla de generoso tamaño.

—Con estos zapatos no se anda bien.

—Son un par viejo de Clerk Carmine. Intentamos que aguanten hasta el final del verano —dijo Lucy Gray, que le examinaba el pie con el ceño fruncido.

—Me aprietan —insistió Maude Ivory—. Quiero unas cajas de arenques, como en la canción de Clementina.

Sejanus se agachó y se ofreció a transportarla subida a su espalda.

—¿Y si, en vez de eso, te llevo yo a cuestas?

Maude Ivory se encaramó a él, encantada.

—¡Cuidado con mi cabeza!

Sentado ya el precedente, se fueron turnando para cargar con la niña, que, sin necesidad de seguir ahorrando aliento, lo usó para cantar a pleno pulmón.

> En su caverna, buscando un tesoro,
> excavando en la mina,
> vivía un hombre con fiebre del oro
> y su hija, Clementina.
>
> Liviana como un hada, era divina.
> El número nueve calzaba,
> y cajas de arenques sin tapa
> eran sandalias para Clementina.

Para desconsuelo de Coriolanus, un coro de sinsajos se hizo eco de la melodía entre las ramas más altas. No esperaba encontrarlos tan lejos; esos bichos eran una auténtica plaga. Sin embargo, Maude Ivory estaba entusiasmada y no dejaba de alentar el jolgorio. Coriolanus, encargado de recorrer el último trecho con ella, la distrajo dándole las gracias por la canción sobre Lucy Gray que había entonado la noche anterior.

—¿Qué te pareció? —quiso saber la pequeña.

El muchacho intentó eludir la pregunta.

—Me gustó mucho. Estuviste fantástica.

—Gracias, pero me refería a la canción. ¿Crees que la gente ve a Lucy Gray de verdad o solo sueñan con ella? Porque yo creo que sí, que la ve de verdad. Solo que ahora vuela como un pájaro.

—¿Sí?

Coriolanus, que opinaba que la críptica canción era susceptible de interpretarse de varias maneras, no era tan obtuso como para no reconocer la más erudita de ellas.

—De lo contrario, ¿cómo se explica que no deje huellas? Me parece que viaja volando y procura no cruzarse con nadie, porque ella es diferente y la matarían.

—Claro que es diferente. Es un fantasma, cabeza de chorlito —dijo Clerk Carmine—. Y los fantasmas no dejan huellas porque son como el aire.

—Entonces, ¿dónde está su cadáver? —preguntó Coriolanus, para el que la versión de Maude Ivory por lo menos tenía sentido.

—Se cayó del puente y murió, pero está tan abajo que nadie puede verla. O quizá hubiera un río y se la llevara. Fuera como fuese, está muerta y se dedica a vagar por ese lugar. ¿Cómo podría volar sin alas si no?

—¡No se cayó del puente! ¡La nieve habría tenido otro aspecto donde estaba ella! —insistió Maude Ivory—. Lucy Gray, ¿cuál es la correcta?

—Es un misterio, cariño. Como yo —respondió Lucy Gray—. Por eso es mi canción.

Coriolanus jadeaba y estaba muerto de sed cuando llegaron al lago, y le escocía el sarpullido debido al sudor. Al ver que los miembros de la Bandada se quitaban la ropa hasta quedarse en paños menores para zambullirse en el agua, los imitó sin perder ni un segundo. Se adentró anadeando y se dejó abrazar por el agua helada, que despejó las telarañas que aún le embotaban la cabeza y le alivió la irritación de la piel. Nadaba bien, después de que le hubieran enseñado de pequeño en la escuela, pero nunca lo había intentado en otro lugar que no fuese la piscina. El lecho fangoso del lago desapareció enseguida bajo sus pies, y experimentó por primera vez la sensación de encontrarse en aguas profundas. Llegó hasta el centro del lago y regresó flotando de espaldas mientras admiraba el paisaje. Los árboles del bosque formaban una empalizada inexpugnable a su alrededor, y aunque no se veía ninguna carretera de acceso, las orillas estaban salpicadas de casitas semiderruidas. La mayoría de ellas daban la impresión de ser irreparables, pero una estructura de hormigón, de aspecto más sólido que el resto, aún conservaba tanto el tejado como una puerta cerrada con firmeza para repeler la espesura. Una familia de patos pasó nadando a escasos metros de él, y divisó peces al fondo, bajo sus pies. La preocupación por no saber qué más podría merodear en las aguas lo impulsó a buscar de nuevo la orilla, donde la Bandada ya había enfrascado a Sejanus en algún tipo de juego de pelota para el que habían sustituido esta por una piña. Coriolanus se apuntó, y se alegró de poder hacer algo solo por diversión. La tensión de tener que comportarse como un adulto a diario se había vuelto agobiante.

Tras una breve pausa, Tam Amber desbastó unas ramas para improvisar un par de cañas de pescar a las que equipó con anzuelos y sedales de confección casera. Mientras Clerk Carmine removía la tierra en busca de lombrices, Maude Ivory reclutó a Sejanus para ir a recoger bayas.

—No os acerquéis a esa parte de ahí, junto a las rocas —les advirtió Lucy Gray—. A las serpientes les gusta ese sitio.

—Siempre sabe dónde encontrarlas —informó la niña a Sejanus mientras se alejaban—. Las coge con las manos y todo, pero a mí me dan miedo.

El cometido de Coriolanus, ya a solas con Lucy Gray, consistía en buscar leña seca para encender una fogata. A grandes rasgos, la excursión le estaba pareciendo bastante emocionante: nadar semidesnudo entre criaturas salvajes, hacer fuego al aire libre, disfrutar de un imprevisto momento de intimidad con Lucy Gray... La muchacha tenía una caja de cerillas, pero le dijo que estas eran un bien escaso y deberían conformarse con no gastar más de una. Cuando las llamas prendieron en un montón de hojas secas, Coriolanus se sentó junto a ella en el suelo para alimentarlas con ramitas pequeñas, primero, y después con trozos de madera más grandes. Hacía semanas que no se sentía tan feliz de estar vivo.

Lucy Gray se recostó contra su hombro.

—Escucha, lo siento si te molesté anoche. No pretendía culparte de la muerte de mi padre. Los dos éramos unos críos cuando ocurrió.

—Lo sé. Y yo lo siento si mi reacción fue exagerada. No puedo fingir que soy otra persona, eso es todo. Soy del Capitolio, aunque no esté de acuerdo con todas sus decisiones, y también creo que necesitamos mantener el orden.

—La Bandada cree que nuestra misión en la vida es reducir la tristeza, no contribuir a aumentarla. ¿Te parece que los Juegos del Hambre son justos?

—Ni siquiera sé muy bien por qué se celebran, la verdad. Pero creo que la gente se está olvidando demasiado deprisa de la guerra. De lo que nos hicimos los unos a los otros. De lo que somos capaces. Tanto los distritos como el Capitolio. Ya sé que aquí os debe de parecer que el Capitolio se pasa de estricto, pero solo intentamos que la situación no se vuelva incontrolable. De lo contrario, imperaría el caos y todos andarían por ahí matándose unos a otros, igual que en la arena.

Era la primera vez que Coriolanus intentaba expresar sus pensamientos de viva voz ante alguien que no fuese la doctora Gaul. Se sentía un poco inseguro, como un bebé que estuviese aprendiendo a andar, pero también lo embargaba la euforia de notar que era capaz de sostenerse en pie sin ayuda de nadie.

Lucy Gray se apartó ligeramente de él.

—¿Eso crees que haría la gente?

—Así es. Sin leyes y sin una fuerza capaz de hacerlas cumplir, creo que no nos distinguiríamos en nada de los animales —respondió Coriolanus con más aplomo que antes—. Te guste o no, el Capitolio es lo único que nos mantiene a todos a salvo.

—Hum. A mí también, entonces. ¿Y a qué debo renunciar por su protección?

Coriolanus removió el fuego con un palo.

—¿Renunciar? Pues no sé, a nada.

—La Bandada ha tenido que renunciar a muchas cosas —dijo Lucy Gray—. No podemos viajar. No podemos actuar sin permiso. No podemos cantar ciertos temas. Resístete en una redada y acabarás acribillado a tiros, como mi padre. Intenta mantener unida a tu familia y te abrirán la cabeza, como a mi madre. ¿Y si opinara que el precio que hay que pagar es demasiado elevado? A lo mejor no vale la pena correr tantos riesgos por mi libertad.

—Así que, al final, tu familia y tú sí que erais rebeldes.

A Coriolanus no le sorprendió.

—En mi familia éramos, ante todo, de la Bandada —replicó Lucy Gray con firmeza—. Ni de los distritos, ni del Capitolio, ni rebeldes, ni agentes de la paz. Éramos nosotros, sin más. Y tú también eres como nosotros. Quieres pensar por ti mismo. Ofrecer resistencia. Lo sé por todo lo que hiciste por mí en los Juegos.

Bueno, en ese sentido no le faltaba razón. Si el Capitolio consideraba necesarios los Juegos del Hambre y él había intentado frustrarlos, ¿significaba eso que él había refutado la autoridad del Capitolio? ¿Que había «ofrecido resistencia», por utilizar la misma expresión que ella? ¿No como Sejanus, abiertamente desafiante, sino de forma más discreta y sutil?

—Esto es lo que creo. Si el Capitolio no estuviera al mando, nosotros ni siquiera mantendríamos esta conversación, porque a estas alturas ya nos habríamos destruido mutuamente.

—La gente llevaba mucho tiempo sobre la faz de la Tierra antes de que existiera el Capitolio, y espero que sigamos aquí mucho después de que se haya extinguido —concluyó Lucy Gray.

Coriolanus pensó en las ciudades sin vida frente a las que había pasado en su traslado al Distrito 12. Lucy Gray afirmaba que la Bandada había viajado, por lo que ella también debía de haberlas visto.

—No muchas —respondió ella cuando se lo preguntó—. Antes Panem era espectacular. Fíjate ahora.

Clerk Carmine le llevó a Lucy Gray una planta que había recogido en el lago, de hojas con forma de punta de flecha y pequeñas flores blancas.

—Hala, has encontrado saetas. Buen trabajo, CC. —Coriolanus se preguntó si se trataría de una planta decorativa, como las rosas de la abuelatriz, pero la muchacha examinó inmediatamente las raíces, de las que colgaban unos tubérculos diminutos—. Un poco pronto todavía.

—Sí —murmuró Clerk Carmine.

—¿Para qué? —quiso saber Coriolanus.

—Para comerla. Dentro de unas semanas estos tubérculos se habrán convertido en patatas de buen tamaño y podremos asarlas —le informó Lucy Gray—. En algunos sitios las llaman patatas de los pantanos, pero a mí me gusta más saeta. Tiene un timbre bonito.

Tam Amber apareció con varios peces que limpió, destripó y troceó antes de envolverlos en hojas con unas ramitas de alguna especia que había encontrado por ahí, y Lucy Gray los colocó en las ascuas de la fogata. El pescado ya estaba listo cuando Maude Ivory y Sejanus llegaron con el cubo repleto de moras. Entre el paseo y la natación, Coriolanus había recuperado el apetito y devoró hasta el último bocado de su ración de pescado, pan y bayas. A continuación, Sejanus sacó una sorpresa: media docena de galletas con azúcar de Ma que había reservado del último envío.

Después de comer extendieron la manta bajo los árboles y medio se tumbaron en ella, medio se recostaron contra los troncos, para contemplar las nubes aborregadas que se perseguían por el cielo radiante.

—No había visto nunca ese tono —se sorprendió Sejanus.

—Se llama azur —le dijo Maude Ivory—. Como Barb Azure. Es su color.

—¿Su color? —preguntó Coriolanus.

—Claro. Todos tomamos nuestro nombre de una balada y nuestro apellido de un color. —La pequeña se incorporó de golpe para explicárselo—. Barb viene de *Barbara Allen* y de «azur», como el cielo. Yo, de *Maude Clare* y de *ivory*, que significa «marfil», como las teclas de un piano. Y Lucy Gray es especial, porque todo su nombre sale de la misma balada. «Lucy» y «Gray».

—Correcto. *Gray*, que significa «gris», como los días de invierno —dijo Lucy Gray con una sonrisa.

Coriolanus no se había fijado antes en la conexión; sencillamente había dado por sentado que a los miembros de la Bandada les gustaban los nombres estrafalarios. *Ivory* y *amber*, o «marfil» y «ámbar», evocaban en su recuerdo los antiguos ornamentos del joyero de la abuelatriz. Sin embargo, *azure*, *taupe* y *carmine*, o «azur», «marrón topo» y «carmín», no le sonaban. En cuanto a las baladas, ¿quién sabía de dónde habrían salido? Se le antojaba una forma muy rara de ponerles nombre a los hijos.

Maude Ivory le dio un golpecito en la barriga.

—Tu nombre suena como los de la Bandada.

—¿Y eso? —dijo él con una carcajada.

—Por lo de *snow*, o «nieve». Blanco como la nieve. Blancanieves. —Maude Ivory soltó una risita—. ¿No hay ninguna balada que haga referencia a algún Coriolanus?

—No, que yo sepa. ¿Por qué no compones tú una? —El muchacho le devolvió el golpecito—. La balada de Coriolanus Snow.

Maude Ivory se sentó encima de su estómago.

—La compositora es Lucy Gray. ¿Por qué no se lo pides a ella?

—Deja de chinchar, anda. —Lucy Gray tiró de Maude Ivory para colocarla a su lado—. Me parece que deberías echar una siesta antes de que volvamos a casa.

—Pero si me van a llevar a cuestas —replicó la pequeña mientras se contorsionaba para liberarse—. ¡Y así podré cantar todo el camino! Ay, querida, ay, querida...

—Oh, baja el volumen —protestó Clerk Carmine.

—Venga, intenta echarte un ratito —insistió Lucy Gray.

—Bueno, pero solo si me cantas algo tú a mí. La de cuando pasé las anginas.

Maude Ivory apoyó la cabeza en el regazo de la muchacha.

—De acuerdo, pero solo si te estás callada. —Lucy Gray le recogió el pelo detrás de la oreja a Maude Ivory y esperó a que se hubiese tranquilizado antes de empezar a cantar en voz baja.

> En lo más profundo del prado, allí, bajo el sauce,
> hay un lecho de hierba, una almohada verde suave;
> recuéstate en ella, cierra los ojos sin miedo
> y, cuando los abras, el sol estará en el cielo.
>
> Este sol te protege y te da calor,
> las margaritas te cuidan y te dan amor,
> tus sueños son dulces y se harán realidad
> y mi amor por ti aquí perdurará.

La canción no solo serenó a Maude Ivory, sino que también Coriolanus empezó a notar que sus preocupaciones se diluían. Con el estómago lleno, a la sombra de los árboles, escuchando el arrullo de la voz de Lucy Gray a su lado, comenzó a apreciar la naturaleza. Sí que era bonito aquel sitio. El aire limpio, cristalino. Los exuberantes colores. Se sentía tan libre y relajado... ¿Y si fuera esa su vida: levantarse a la hora que le diese la gana, salir a buscar lo que quisiera comer ese día y pasear con Lucy Gray a orillas del lago? ¿Quién necesitaba dinero, éxito y poder cuando tenía amor? ¿No decían que era lo más importante de todo?

En lo más profundo del prado, bien oculta,
una capa de hojas, un rayo de luna.
Olvida tus penas y calma tu alma,
pues por la mañana todo estará en calma.

Este sol te protege y te da calor,
las margaritas te cuidan y te dan amor,
tus sueños son dulces y se harán realidad
y mi amor por ti aquí perdurará.

Coriolanus estaba a punto de quedarse dormido cuando los sinsajos, que hasta ese momento se habían limitado a escuchar respetuosamente la canción de Lucy Gray, entonaron su propia versión. Notó que su cuerpo se ponía en tensión al tiempo que la placentera somnolencia se desvanecía. La Bandada, sin embargo, era toda sonrisas mientras las aves continuaban con la canción.

—Como terrones comparados con diamantes, eso es lo que somos comparados con ellos —murmuró Tam Amber.

—Bueno..., ellos dedican más tiempo a ensayar —dijo Clerk Carmine, y los demás se rieron.

Mientras escuchaba a los pájaros, Coriolanus reparó en la ausencia de charlajos. La única explicación que se le ocurría era que los sinsajos debían de haber dejado de necesitarlos para reproducirse y ahora lo hacían, o bien entre ellos o con los sinsontes de la región. Esta eliminación de las aves del Capitolio de la ecuación le produjo una profunda inquietud. Allí estaban esas criaturas, multiplicándose como conejos, sin ningún control en absoluto. Sin autorización. Apropiándose de la tecnología del Capitolio. No le gustaba ni un pelo.

Maude Ivory se había quedado dormida por fin, ovillada contra Lucy Gray, con los pies descalzos enredados en la manta. Coriolanus se quedó con ellas mientras los demás volvían al lago para darse otro chapuzón. Transcurridos unos instantes, Clerk Carmine regresó con una pluma azul brillante que había encontrado en la orilla y la dejó en la manta para Maude Ivory.

—No le digáis de dónde ha salido —refunfuñó.

—Vale. Es un detalle muy bonito, CC —dijo Lucy Gray—. Le hará mucha ilusión. —Cuando Clerk regresó al agua, ella sacudió la cabeza—. Me preocupa. Echa de menos a Billy Taupe.

—¿Y tú?

Coriolanus se incorporó sobre el codo para mirarla a la cara.

La muchacha no titubeó.

—No. No desde la cosecha.

La cosecha. Coriolanus se acordó de la balada que ella había cantado para la entrevista.

—¿A qué te referías con eso de que tú fuiste la apuesta que él perdió en la cosecha?

—Apostó a que podía tenernos a ambas, a Mayfair y a mí. Se equivocaba. Mayfair se enteró de mi existencia y yo de la suya. Le pidió a su padre que pronunciara mi nombre en la cosecha. No sé qué excusa le daría. No que bebía los vientos por Billy Taupe, eso seguro. Cualquier otra cosa. Aquí somos forasteros, de modo que mentir sobre nosotros sale barato.

—Me sorprende que sigan juntos —dijo Coriolanus.

—Bueno, Billy Taupe siempre alardea de lo mucho que le gusta estar solo, pero lo que en realidad quiere es una chica que cuide de él. Supongo que Mayfair debió de parecerle la candidata ideal para eso, de modo que empleó sus artes con ella. Nadie puede ser más zalamero que Billy Taupe cuando se lo propone. La pobre no tenía la menor oportunidad. Además, tiene que sentirse muy sola. Sin hermanos ni hermanas. Sin amigos. Los mineros odian a su familia, aficionada a acudir a los ahorcamientos en su deslumbrante cochazo. —Maude Ivory se agitó y Lucy Gray le acarició el pelo—. A nosotros nos tratan con recelo, pero a ellos los aborrecen.

A Coriolanus no le gustó lo mucho que parecía haberse desvanecido la rabia con la que Lucy Gray solía hablar antes de Billy Taupe.

—¿Pretende volver contigo?

La muchacha cogió la pluma y la hizo girar entre el pulgar y el índice antes de contestar.

—Sí, claro. Ayer se pasó por mi pradera. Grandes planes. Quería que me reuniera con él en el árbol del ahorcado y que nos escapáramos juntos.

—¿El árbol del ahorcado? —Coriolanus se acordó de Arlo, meciéndose mientras los pájaros profanaban sus últimas palabras—. ¿Por qué allí?

—Era nuestro rincón especial. El único lugar del Distrito 12 en el que se puede tener algo de intimidad. Quería ir al norte. Cree que hay gente allí arriba. Personas libres. Dijo que las buscaríamos y que después volveríamos a por los demás. Está acumulando víveres, no sé con qué. Pero ¿qué importa eso? Ya no puedo fiarme de él.

Coriolanus notó que los celos le formaban un nudo en la garganta. Pensaba que Lucy Gray había desterrado a Billy Taupe de su vida, y sin embargo allí estaba, contándole como si tal cosa que se había visto con él en la Pradera. Seguro que el encuentro no había sido fortuito. Billy Taupe sabía dónde encontrarla. ¿Cuánto tiempo habrían pasado allí juntos, con él esforzándose por seducirla, tentándola para que se escapara con él? ¿Y por qué se había quedado ella escuchándolo?

—La confianza es importante, sí.

—Más que el amor, incluso. Yo, por ejemplo, adoro un montón de cosas de las que no me fío ni un pelo. Las tormentas eléctricas, el licor blanco, las serpientes... A veces pienso que todas esas cosas me gustan tanto precisamente porque no puedo fiarme de ellas. ¿No es retorcido? —Lucy Gray respiró hondo—. Tú, sin embargo, sí me inspiras confianza.

Coriolanus presintió que le había costado reconocer eso, quizá más que una declaración de amor, pero la afirmación no borró la imagen de Billy Taupe engatusándola en la Pradera.

—¿Por qué?

—¿Por qué? Bueno, tendría que reflexionar al respecto.

Cuando lo besó, él la correspondió, aunque sin mucha convicción. Los nuevos acontecimientos le preocupaban. Tal vez hubiera sido un error dejarse atraer tanto por ella. Y no era eso lo único que le molestaba. También estaba la canción que tocó en la Pradera aquel primer día. Sobre la ejecución, había pensado él entonces, pero además mencionaba algo sobre encontrarse junto al árbol del ahorcado. Si ese era su antiguo rincón especial, ¿por qué seguía cantando acerca de él? Quizá solo lo utilizara para recuperar a Billy Taupe. Enfrentarlos para quedarse con el vencedor.

Maude Ivory se despertó y admiró su pluma, que a petición suya Lucy Gray le prendió en el cabello. Recogieron la manta, la jarra y el cubo, y se dispusieron a emprender el camino de vuelta. Coriolanus se ofreció voluntario para cargar con la niña durante la primera etapa del viaje. Una vez lejos del lago, se quedó rezagado a propósito para preguntarle:

—Dime, ¿has visto a Billy Taupe últimamente?

—Oh, no —respondió la pequeña—. Ya no es uno de los nuestros. —Eso complació a Coriolanus, aunque también indicaba que Lucy Gray se citaba con él a escondidas de la Bandada, lo que reavivó sus sospechas. Maude Ivory se agachó y le susurró al oído—: No dejes que se acerque a Sejanus. Es demasiado dulce, y Billy Taupe siente debilidad por las golosinas.

Seguro que también sentía debilidad por el dinero, pensó Coriolanus. Y, dicho sea de paso, ¿cómo podía permitirse todos esos víveres para la huida que supuestamente planeaba?

Tam Amber eligió una ruta ligeramente distinta y los desvió hacia unos arbustos con bayas para poder llenar el cubo por el camino. Cuando ya casi habían llegado a la ciudad, Clerk Carmine divisó un árbol cargado de manzanas que empezaban a madurar. Tam Amber y Sejanus prosiguieron la marcha mientras se alternaban para cargar con Maude Ivory y los pertrechos. Clerk Carmine se encaramó al árbol y comenzó a sacudir las manzanas, que Coriolanus apiló en la falda de Lucy Gray. Anochecía cuando por fin entraron en casa. Coriolanus estaba rendido y listo para volver a la base, pero Barb Azure estaba sentada a solas en la cocina, cribando las bayas.

—Tam Amber se ha llevado a Maude Ivory al Quemador para ver si alguien quiere cambiarles unos zapatos por moras. Les he dicho que elijan unos de abrigo, las temperaturas bajarán antes de que nos demos cuenta.

—¿Y Sejanus? —preguntó Coriolanus, asomándose al patio trasero.

—Se fue hace unos minutos —replicó Barb—. Dijo que te vería allí.

El Quemador. Coriolanus se despidió sin perder tiempo.

—Tengo que darme prisa. Si ven a Sejanus sin otro agente de la paz, lo amonestarán. Y a mí, ya puestos. Debemos ir siempre en pareja. Él lo sabe..., no sé en qué estaría pensando.

Aunque lo cierto era que sabía exactamente en qué pensaba Sejanus. Qué ocasión tan inmejorable para visitar el Quemador sin el entrometido de Coriolanus presente para controlarlo. Atrajo a Lucy Gray hacia él para darle un beso.

—Ha sido un día estupendo. Te lo agradezco. ¿Nos vemos el sábado, en el cobertizo?

Salió de allí disparado sin darle tiempo a contestar.

Se encaminó a paso ligero hacia el Quemador y, cuando llegó, asomó la cabeza por la puerta. Aproximadamente una docena de personas deambulaban por el interior, examinando la mercancía de los puestos. Vio a Maude Ivory sentada encima de un barril mientras Tam Amber le ataba los cordones de una bota. Sejanus estaba al fondo del almacén, hablando con una mujer. Mientras se acercaba, Coriolanus se fijó en lo que vendía. Quinqués de minero. Picos. Hachas. Cuchillos. De repente, comprendió qué era lo que podía adquirir Sejanus con todo ese dinero del Capitolio. Armas. Y no solo las que tenía ante él en esos momentos. Podría comprar armas de fuego. Como para confirmar lo turbio de sus tejemanejes, la mujer cerró la boca en cuanto él estuvo lo bastante cerca para oír lo que decían. Sejanus fue directamente a su encuentro.

—¿De compras? —preguntó Coriolanus.

—Estaba pensando en hacerme con una navaja plegable —dijo Sejanus—. Pero se le han agotado.

Perfecto. Muchos soldados las llevaban encima. Tenían incluso un juego al que jugaban cuando no estaban de servicio, donde apostaban dinero a ver quién lograba acertar en un blanco.

—Yo había pensado lo mismo. Cuando nos paguen.

—Por supuesto, cuando nos paguen —repitió Sejanus, como si eso hubiera que darlo por sobreentendido.

Coriolanus reprimió el impulso de golpearlo y se marchó del Quemador sin mirar siquiera a Maude Ivory y Tam Amber. Apenas pronunció palabra en el camino de vuelta, enfrascado como estaba en revisar su estrategia. Tenía que averiguar en qué andaba metido Sejanus. La lógica no había servido para ganarse su confianza. ¿Funcionaría apelar a la amistad? No perdía nada por intentarlo. A escasas calles de la base, apoyó una mano en el hombro de Sejanus. Los dos se quedaron parados.

—¿Sabes, Sejanus? Soy tu amigo. Más que un amigo. Eres lo más parecido a un hermano que tendré nunca. Y las familias se rigen por un código especial. Si necesitas ayuda... Quiero decir, si alguna vez te encuentras en una situación que tú creas que te supera... Me tienes aquí.

A Sejanus se le anegaron los ojos de lágrimas.

—Gracias, Coryo. Eso significa mucho para mí. Creo que eres la única persona del mundo en la que confío de veras.

Ah, la confianza otra vez. Flotaba en el aire.

—Ven aquí. —Le dio un abrazo a Sejanus—. Prométeme que no vas a hacer ninguna tontería, ¿vale?

Aunque notó que asentía con la cabeza, sabía que las probabilidades de que cumpliera su promesa eran prácticamente nulas.

Al menos lo ajetreado de su horario posibilitaba que Sejanus estuviera sometido a una supervisión constante, incluso cuando abandonaban la base. El lunes por la tarde volvieron a retirar las trampas de los árboles. Aunque se habían pasado todo el fin de semana sin nadie que los molestara, ningún sinsajo había caído en ellas. Contra todas las expectativas, la doctora Kay parecía satisfecha con los pájaros.

—Se ve que han heredado algo más aparte de un mimetismo avanzado. Su instinto de supervivencia también ha evolucionado. Olvidaos de cambiar las jaulas; tenemos charlajos de sobra. Mañana probaremos con las redes de niebla.

Cuando los soldados bajaron de las camionetas el martes por la tarde, los científicos ya habían seleccionado aquellas zonas en las que el tráfico de sinsajos era más denso. Se dividieron en grupos (a Coriolanus y al Pulga se les asignó acompañar de nuevo a la doctora Kay) y ayudaron a clavar una fila de postes. Entre ellos se extendía una red de niebla de tela muy fina diseñada para capturar a los sinsajos. Apenas visibles, las redes empezaron a dar resultado casi de inmediato; las aves se enredaban en ellas y caían en las hileras de bolsillos horizontales que había acoplados a las superficies de malla. La doctora Kay había dado instrucciones tanto para que las redes no se quedaran en ningún momento sin supervisión como para sacar enseguida a los pájaros y evitar que se embrollaran demasiado, a fin de que la experiencia fuese lo menos traumática posible. Ella se encargó personalmente de extraer los tres primeros sinsajos de sus redes, liberándolos cuidadosamente con una mano mientras los sujetaba con firmeza con la otra. Tras recibir permiso para intentarlo él, el Pulga demostró poseer un talento natural para desenredar con delicadeza a un sinsajo antes de meterlo en su correspondiente jaula. El pájaro de Coriolanus, por su parte, empezó a chillar como si lo estuvieran matando en cuanto el muchacho le puso las manos encima, y cuando le dio un apretón con la intención de disuadirlo, este le clavó el pico en la palma de la mano. La abrió en un acto reflejo y, antes de darse cuenta, su ave ya se había perdido de vista entre el follaje. Bicho apestoso. La doctora Kay le limpió y le vendó la mano, lo que le recordó el día de la cosecha, cuando Tigris había hecho lo mismo después de que él se pinchara con una espina de las rosas de la abuelatriz. Ni siquiera habían transcurrido dos meses. Cuántas esperanzas tenía aquel día, y qué diferencia respecto a su presente. Cazando mutos en los distritos. Se pasó el resto de la tarde cargando aves enjauladas en la camioneta. La mano lastimada no lo excusaba de tener que lidiar con los pájaros y, una vez en el hangar, reanudó la tarea de limpiar jaulas.

Coriolanus empezó a ver los charlajos con otros ojos. Eran unas obras de ingeniería impresionantes, la verdad. Había unos cuantos controles remotos desperdigados por el laboratorio, y los científicos le permitieron jugar con los pájaros después de catalogarlos.

—No pasa nada —le dijeron—. Es como si agradecieran la interacción.

El Pulga no quiso participar, pero cuando se aburrió, Coriolanus se dedicó a grabarles frases tontas y fragmentos sueltos del himno para comprobar cuántos era capaz de controlar con un solo clic. Hasta cuatro, en ocasiones, si sus jaulas estaban lo bastante cerca. Tuvo cuidado de borrarlos siempre haciendo una breve grabación final en la que él se quedaba callado, asegurándose así de que su voz no acabara en el laboratorio de la Ciudadela. Dejó de cantar por completo cuando los sinsajos empezaron a repetir la letra, aunque le producía cierta satisfacción oírlos entonar alabanzas al Capitolio. Sin embargo, no había forma de silenciarlos, así que podían estirar una melodía hasta el infinito.

En general, comenzaba a hartarse de la ubicuidad de la música en su vida. Quizá «invasión» fuera el término exacto. Últimamente era como si estuviera por todas partes: cantaban los pájaros, cantaba la Bandada, cantaban los pájaros y la Bandada... Puede que no compartiera la pasión de su madre por la música, a fin de cuentas. Al menos con esa intensidad. Acaparaba su atención con codicia, exigiéndole escuchar y embotando sus pensamientos.

El miércoles a media tarde habían recogido cincuenta sinsajos en total, suficientes para complacer a la doctora Kay. Coriolanus y el Pulga dedicaron el resto de la jornada a atender a las aves y a enviar los sinsajos nuevos a la mesa de laboratorio para que los numerasen y etiquetasen. Terminaron antes de cenar y después regresaron para preparar el traslado de los pájaros al Capitolio. Los científicos les enseñaron a sujetar las cubiertas de tela de las jaulas, las trasladaron al aerodeslizador y confiaron el vehículo a su cuidado. Coriolanus se ofreció a encargarse de las cubiertas mientras el Pulga llevaba las aves hasta el aerodeslizador y ayudaba a colocarlas en la zona de carga donde habrían de pasar el viaje.

Coriolanus empezó por los sinsajos, y se alegró de poder despedirse pronto de ellos. Movía las cajas de una en una hasta la mesa de trabajo, sujetaba las cubiertas, escribía con tiza la letra ese y el número del pájaro en la tela, y se las daba al Pulga. Este se disponía a marcharse con la decimoquinta jaula, cuyo ocupante parloteaba como un descosido, cuando Sejanus apareció en la puerta de un salto.

—¡Buenas noticias! —exclamó; parecía muy exaltado—. ¡Otro paquete de Ma!

El Pulga, alicaído por tener que decirles adiós a las aves, se animó un poco.

—Es la mejor.

—Se lo diré de tu parte. —Sejanus vio alejarse al Pulga y se volvió hacia Coriolanus, que acababa de recoger al charlajo etiquetado con el número 1. El pájaro trinaba sin parar en su jaula, imitando aún al último de los sinsajos. La sonrisa radiante de Sejanus se había desvanecido, sustituida por una expresión angustiada. Tras barrer el hangar con la mirada para cerciorarse de que estaban solos, habló en voz baja—. Escucha, solo dispongo de unos minutos. Sé que no vas a aprobar lo que estoy a punto de hacer, pero necesito que por lo menos lo entiendas. Después de lo que me dijiste el otro día, lo de ser como hermanos..., en fin, creo que te debo una explicación. Escúchame, por favor.

Así que eso era. Una confesión. Todas las apelaciones de Coriolanus a la cordura y la sensatez habían caído en saco roto. La pasión mal enfocada ganaba la partida. Había llegado el momento de que todas las piezas del puzle encajaran. El dinero. Las armas. El mapa de la base. Su complot de rebelde traidor iba a ser desvelado. Cuando Coriolanus lo oyera, sería como si él mismo se hubiese convertido también en traidor. Un traidor al Capitolio. Debería dejarse llevar por el pánico, huir corriendo o, al menos, intentar cerrarle el pico a Sejanus. Pero no hizo nada de eso.

En su lugar, sus manos actuaron como si tuvieran voluntad propia. Como aquella vez, cuando había soltado el pañuelo en el tanque de las serpientes antes de ser consciente siquiera de haber tomado la decisión. Su mano izquierda ajustó la cubierta de la jaula del charlajo mientras la derecha, oculta por su cuerpo a los ojos de Sejanus, bajaba hasta la mesa, donde había un control remoto. Coriolanus pulsó el botón de grabar, y el charlajo enmudeció.

28

Coriolanus le dio la espalda a la jaula y se apoyó con las manos encima de la mesa, expectante.

—Lo que ocurre es lo siguiente —dijo Sejanus, cuyo nerviosismo provocaba que levantara la voz—. Algunos rebeldes van a abandonar el Distrito 12. Quieren dirigirse al norte, con la intención de empezar una nueva vida lejos de Panem. Me aseguraron que, si les ayudaba con Lil, podría acompañarlos.

Coriolanus arqueó las cejas, como si dudase de la veracidad de esas declaraciones.

Las palabras de Sejanus continuaron brotando de sus labios atropelladamente.

—Lo sé, lo sé, pero me necesitan. El caso es que están empeñados en liberar a Lil para llevársela con ellos. De lo contrario, el Capitolio la colgará con la siguiente remesa de rebeldes encarcelados. En realidad, el plan es muy simple. Los guardias de la prisión trabajan en turnos de cuatro horas. Voy a meter droga en un par de los dulces de Ma y se los ofreceré a los centinelas del exterior. Esa medicina que me dieron en el Capitolio te tumba como... —Sejanus chasqueó los dedos—. Cogeré una de sus pistolas. Los guardias de dentro van desarmados, así que podré obligarles a entrar en la sala de interrogatorios a punta de pistola. Como está insonorizada, no los oirán por mucho que griten. Después iré a buscar a Lil. Su hermano puede sacarnos a través de la valla. Partiremos inmediatamente hacia el norte. Deberíamos disponer de varias horas antes de que descubran a los guardias encerrados. Puesto que no vamos a salir por la puerta, pensarán que estamos escondidos en la base y la cerrarán a cal y canto para registrar las instalaciones. Para cuando se imaginen lo que ha pasado, estaremos muy lejos. Sin heridos. Sin que nadie se entere de nada.

Coriolanus dejó caer la cabeza y se masajeó la frente con la punta de los dedos, como si intentara ordenar las ideas; ignoraba hasta cuándo podría permanecer callado sin levantar sospechas.

Pero Sejanus continuó hablando.

—No me podía ir sin decirte nada. Te has portado conmigo mejor de lo que se habría portado cualquier hermano. Jamás olvidaré lo que hiciste por mí en la arena. Ya encontraré la manera de contarle a Ma lo que ha sido de mí. Y a mi padre, supongo. Para que sepa que el apellido de los Plinth todavía perdura, aunque sea en la clandestinidad.

Ahí estaba. El apellido de los Plinth. Con eso tenía bastante. Coriolanus buscó el control remoto con la mano izquierda y activó el modo neutro oprimiendo el botón correspondiente con el pulgar. El charlajo retomó la canción que había estado entonando antes.

Algo llamó la atención de Coriolanus.

—Por ahí viene el Pulga.

—Por ahí viene el Pulga —repitió el pájaro con el tono de voz de Coriolanus.

—Silencio, pájaro tonto —le dijo al ave, satisfecho para sus adentros de haber reactivado su modo neutro normal. Nada que pudiera alertar a Sejanus. Se apresuró a colocar la tela en su sitio y la marcó con los caracteres Ch1.

—Nos hace falta otra botella de agua —dijo el Pulga mientras entraba en el hangar—. Se ha roto una.

—Se ha roto una —repitió con la voz del Pulga el charlajo, para acto seguido empezar a imitar a un cuervo que pasaba por los alrededores.

—Voy a buscarla.

Coriolanus le pasó la jaula y, mientras el Pulga se alejaba, se acercó al contenedor en el que guardaban los víveres y empezó a rebuscar. Sería mejor guardar las distancias con los otros charlajos si quería continuar la conversación. Como se pusieran a imitarlos todos a la vez, Sejanus podría preguntarse por qué estaba tan callado el de antes. Aunque, en realidad, no tenía por qué saber cómo funcionaban los pájaros. La doctora Kay no se lo había explicado a todos los miembros del grupo.

—Me parece una locura, Sejanus. Se me ocurren mil cosas que podrían salir mal. —Coriolanus usó los dedos para eliminar opciones de la lista—. ¿Y si a los guardias no les gustan los dulces de Ma? ¿O sí, pero uno de ellos se desploma y el otro no? ¿Y si los centinelas de dentro piden ayuda antes de que te dé tiempo a encerrarlos? ¿Y si no encuentras la llave de la celda de Lil? Además, ¿qué significa eso de que su hermano os va a sacar a través de la valla? ¿Qué espera, cortarla sin que nadie se dé cuenta?

—No, hay un punto débil en la tela metálica, detrás del generador. Está suelta. Mira, ya sé que tienen que salir bien muchas cosas, pero creo que lo lograremos. —Sejanus sonaba como si intentara convencerse—. Tienen que hacerlo. Y si no, pues me arrestarán ahora en vez de más tarde. Cuando esté metido en algo peor.

Coriolanus sacudió la cabeza, apenado.

—¿No puedo hacerte cambiar de opinión?

Sejanus se mostró inflexible.

—No, ya lo he decidido. No me puedo quedar aquí. Los dos lo sabemos. Tarde o temprano, explotaré. No puedo desempeñar las labores propias de un agente de la paz con la conciencia tranquila, como tampoco puedo seguir poniéndote en peligro con mis planes descabellados.

—Pero ¿cómo piensas sobrevivir ahí fuera?

Coriolanus encontró una caja en la que había otra botella de agua.

—Nos llevaremos unos cuantos víveres. Y tengo buena puntería —le recordó Sejanus.

No había mencionado antes que los rebeldes fuesen armados, pero, al parecer, así era.

—¿Y cuando se os acaben las balas?

—Ya se nos ocurrirá algo. Pescaremos, les tenderemos trampas a los pájaros... Dicen que hay gente en el norte.

Coriolanus pensó en Billy Taupe intentando seducir a Lucy Gray con ese imaginario asentamiento en la espesura. ¿Conocería su existencia gracias a los rebeldes o serían estos los que creían conocer su existencia gracias a él?

—Pero, aunque no haya nadie, por lo menos estaremos lejos del Capitolio —continuó Sejanus—. Eso es lo más importante para mí, ¿sabes? No el hecho de pertenecer a un distrito o a otro, de ser un estudiante o un agente de la paz. Se trata de vivir en un sitio donde no poseo el menor control sobre mi propia vida. Sé que huir puede parecer una cobardía, pero quizá una vez lejos de aquí pueda pensar con claridad e idear la manera de ayudar a los distritos.

«Buena suerte con eso —pensó Coriolanus—. Me sorprendería que consiguieras llegar al invierno». Sacó la botella de agua de su envoltorio.

—Bueno, supongo que lo único que puedo decir es que voy a echarte de menos. Y que te deseo lo mejor. —Notó que Sejanus se acercaba a él para darle un abrazo, pero en ese preciso instante el Pulga volvió a entrar por la puerta. Le tendió la botella—. He encontrado una.

—Te dejo para que puedas seguir trabajando.

Sejanus se despidió con la mano y se fue.

Coriolanus continuó cubriendo y marcando las jaulas como un

autómata mientras los pensamientos se sucedían, vertiginosos, en su cabeza. ¿Qué debería hacer? Una parte de él quería acercarse corriendo al aerodeslizador y borrar el charlajo número 1. Ponerlo en modo de reproducción, después neutro, después de grabación y de nuevo en neutro, en rápida sucesión, para que solo quedasen memorizados los gritos lejanos de los soldados que estaban en la pista. Pero, entonces, ¿qué opciones tendría? ¿Intentar disuadir de su plan a Sejanus? No confiaba en ser capaz de ello, y aunque lo consiguiese, solo era cuestión de tiempo que a Sejanus se le ocurriera otro plan. ¿Delatarlo al comandante de la base? Lo más probable era que lo negase todo, y puesto que la única prueba residía en el banco de memoria del charlajo, Coriolanus no tendría nada con lo que respaldar su acusación. Ni siquiera sabía a qué hora pensaban intentar la fuga, por lo que no podrían tenderles ninguna trampa. ¿Y cuál sería su relación con Sejanus después de eso? ¿O con el resto de la base, si se corría la voz? Quedaría como un chivato (y poco de fiar, además) y un agitador.

Había tenido cuidado de no decir nada mientras el charlajo estaba grabando para no incriminarse de ninguna manera. Pero la doctora Gaul captaría la referencia a la arena y se daría cuenta de que la grabación había sido intencionada. Si enviaba el ave a la Ciudadela, ella podría decidir cuál era el mejor camino a seguir para zanjar el problema. Seguramente llamaría a Strabo Plinth, relevaría a Sejanus de sus funciones y lo mandaría a casa antes de que pudiera causar más daños. Sí, eso sería lo mejor para todos. Dejó caer el control remoto en el contenedor de los suministros para pájaros. Si todo iba bien, en cuestión de días Sejanus Plinth habría dejado de ser un incordio.

La calma resultó ser efímera. Coriolanus se despertó tras unas pocas horas de sueño poblado de pesadillas. Estaba en las gradas del estadio, contemplando a Sejanus de rodillas junto al cadáver mutilado de Marcus. Espolvoreaba migas de pan sobre él, ajeno al ejército multicolor de serpientes que lo cercaba por todos los flancos. Coriolanus le gritaba con todas sus fuerzas que se levantara, que saliera corriendo, pero Sejanus no lo oía. Cuando las serpientes llegaron a él, sus alaridos resonaron por toda la arena.

Torturado por el sentimiento de culpa y empapado de sudor, Coriolanus comprendió que no había tenido en cuenta todo lo que implicaba haber enviado ese charlajo. Sejanus se metería en serios problemas. Se asomó por el lateral del catre y, por un momento, se tranquilizó al ver a Sejanus durmiendo plácidamente al otro lado del barracón. Exageraba. Lo más probable era que los científicos ni siquiera oyesen la grabación, y menos aún que se la enseñaran a la doctora Gaul. ¿Por qué iban a molestarse en poner al pájaro en modo de reproducción? No había ninguna razón, la verdad. Los charlajos ya habían sido examinados en el hangar. Su gesto era cuestionable, pero no desembocaría en la muerte de Sejanus, ni sepultado bajo una horda de serpientes ni de ninguna otra forma.

Aquel pensamiento lo sosegó, hasta que se dio cuenta de que, en tal caso, había vuelto a la casilla de salida y corría un grave peligro por el mero hecho de conocer el plan de los rebeldes. El rescate de Lil, la fuga..., incluso el punto débil de la valla detrás del generador pesaba sobre su conciencia. Esa fisura en la armadura del Capitolio. La mera idea de que los rebeldes dispusieran de un acceso secreto a la base. Lo atemorizaba y enfurecía a partes iguales. Ese incumplimiento del compromiso. Esa invitación al caos y a todo lo que vendría después. ¿No entendían aquellas personas que el sistema entero se colapsaría sin el control del Capitolio? ¿Que harían bien todos en huir al norte y vivir como animales, porque eso es a lo que se habrían visto reducidos?

Le hacía desear que el charlajo entregara su mensaje, después de todo. Pero si, por casualidad, los oficiales del Capitolio escuchaban la confesión de Sejanus, ¿qué harían con él? ¿Sería motivo suficiente para que lo ejecutaran haber comprado armas rebeldes para emplearlas contra agentes de la paz? No, espera, él no había grabado nada relacionado con las armas ilegales. Tan solo la parte en la que Sejanus reconocía que pensaba robar la de otro soldado..., aunque eso ya era bastante grave de por sí.

Quizá le hiciese un favor. Si lo pillaban antes de que pudiera actuar, quizá ingresara en prisión en vez de recibir otra pena más contundente. O, lo más seguro, el dinero del viejo Plinth lo sacaría de cualquier apuro al que se enfrentara. Subvencionaría la construcción de una base nueva para el Distrito 12 o algo por el estilo. Sejanus sería expulsado de los agentes de la paz, lo cual le haría feliz, y probablemente terminaría trabajando en algún despacho para el emporio de la munición de su padre, lo cual ya no le haría tan feliz. Desdichado o no, conservaría la vida. Y, lo más importante, se convertiría en el problema de otro.

El sueño eludió a Coriolanus durante el resto de la noche, y sus pensamientos volvieron a Lucy Gray. ¿Qué pensaría de él si se enterase de lo que le había hecho a Sejanus? Lo odiaría, por supuesto. Ella y su amor por los sinsajos, por los charlajos, por la Bandada, por todo el mundo. Seguro que defendía con uñas y dientes el plan de huida de Sejanus, sobre todo después de haber estado encerrada en la arena. Coriolanus seguiría siendo el monstruo del Capitolio y ella se arrojaría a los brazos de Billy Taupe, con lo que le arrebataría la escasa felicidad que le quedaba.

Por la mañana, se levantó del catre irritable y cansado. Los científicos habían volado al Capitolio la noche anterior y abandonado al pelotón a la monotonía de su rutina diaria. Se pasó la jornada intentando no pensar en que, dentro de un par de semanas, debería haber estado inmerso en el inicio de sus estudios universitarios. Eligiendo asignaturas. Descubriendo el campus. Comprando libros. Por lo que al dilema de Sejanus respectaba, había aceptado que nadie escucharía jamás la grabación del charlajo; tendría que acorralarlo y zarandearlo hasta meterle algo de sentido común en su densa mollera. Amenazar con denunciarlo tanto ante el comandante como ante su padre y cumplir con esa amenaza si persistía en su comportamiento. Ya estaba harto de tonterías. Por desgracia, el día no le ofreció ninguna oportunidad de presentar su ultimátum.

Para empeorar las cosas, el viernes llegó una carta de Tigris cargada de malas noticias. Por el piso de los Snow se habían paseado un montón de potenciales compradores y curiosos. Habían recibido dos ofertas, ambas muy por debajo de la suma que necesitarían para mudarse a los apartamentos más modestos que su prima había visto. Tantos visitantes alteraban a la abuelatriz, que se refugiaba entre sus rosales y fingía no verlos cuando aparecían. Sin embargo, había oído decir a una pareja que inspeccionaba la azotea que podría reemplazar su adorado jardín por un estanque con peces de colores. La idea de que aquellas rosas, el símbolo encarnado de la dinastía Snow, fueran a ser aniquiladas la sumió en un estado aún mayor de angustia y confusión. Temía dejarla a solas. Tigris no sabía qué hacer y le pedía consejo, pero ¿qué consejo le podría dar él? Les había fallado de mil maneras distintas y no se le ocurría qué hacer para paliar su desesperación. Rabia, impotencia, humillación..., eso era lo único que podía ofrecerles.

Para cuando llegó el sábado, prácticamente ardía en deseos de enfrentarse a Sejanus. Esperaba que terminasen a golpes. Alguien debería pagar por los infortunios de la familia Snow, ¿y qué mejor candidato para ello que un Plinth?

El Sonrisitas, el Pulga y el Fideo tenían más ganas que nunca de ir al Quemador, aunque empezaban a cansarse de tener que pasar los domingos recuperándose. Mientras se arreglaban para salir, los compañeros de barracón acordaron cambiar el licor blanco por sidra natural, mucho menos fuerte pese a que provocaba el mismo efecto etílico en el consumidor. Coriolanus no compartía su dilema, pues ya había decidido no consumir ni una gota de alcohol. Quería tener la cabeza despejada cuando Sejanus y él por fin se viesen las caras.

Al salir de los barracones recibieron un encargo inesperado del Fogones y se pasaron la media hora siguiente descargando un aerodeslizador lleno de cajas.

—Ya me lo agradeceréis el fin de semana que viene. Es la fiesta de cumpleaños del comandante —dijo el cocinero, que les dio a escondidas una botellita de lo que resultó ser whiskey barato. Toda una mejoría, comparado con el mejunje local.

Cuando llegaron al Quemador, apenas si tuvieron tiempo de agarrar unas cajas y asegurarse un hueco contra la pared del fondo antes de que Maude Ivory apareciera bailando en el escenario para presentar a la Bandada. No eran los mejores asientos del mundo, pero entre el whiskey del Fogones y el hecho de que podían disfrutar de los dulces de Ma en vez de tener que mercadear con ellos, nadie sintió la necesidad de quejarse, aunque Coriolanus lamentó para sus adentros no haber podido verse con Lucy Gray en el cobertizo. Colocó su caja prácticamente encima de la de Sejanus para que no se le pasara por alto si intentaba escaquearse de nuevo. Y en efecto, cuando ya llevaban media hora de espectáculo, notó que Sejanus se levantaba y lo vio dirigirse a la puerta principal. Coriolanus contó hasta diez antes de seguirlo, procurando llamar la atención lo menos posible, pero se encontraban cerca de la salida y nadie pareció darse cuenta.

Lucy Gray entonó una melodía lastimera, respaldada por el melancólico acompañamiento de la Bandada.

Vuelves tarde a casa y te dejas caer en la cama.
Hueles a cosas que se pueden comprar con dinero.
Pero estamos en la ruina, es lo que tú me aseguras.
Así que ¿de dónde ha salido y con qué lo has comprado?

No es por ti que sale y se pone el sol.
Eso es lo que tú crees, pero te equivocas.
Me cuentas mentiras, así no puedo más...
Voy a venderte por una canción.

La letra consiguió sacarlo de quicio. Daba la impresión de ser otro tema inspirado en Billy Taupe. ¿Por qué no componía algo sobre él en vez de obsesionarse con ese donnadie? Era él el que le había salvado la vida después de que Billy Taupe le comprase un billete solo de ida a la arena.

Coriolanus llegó a la calle justo a tiempo de ver que Sejanus doblaba la esquina del Quemador. La voz de Lucy Gray se diseminó por el aire nocturno mientras él se pegaba a un lateral del edificio.

Te levantas a las mil y no pronuncias palabra.
Has estado con ella, eso es lo que todos me cuentan.
No soy tu dueña, me has dejado esa idea muy clara.
Pero ¿cómo quieres que pase estas noches tan frías?

No es por ti que crece y mengua la luna.
Es lo que crees, pero te equivocas.
Me causas pesar, tristeza y dolor...
Voy a venderte por una canción.

Coriolanus hizo un alto en las sombras de la parte trasera del Quemador y vio que Sejanus cruzaba corriendo la puerta abierta del cobertizo. Los cinco miembros de la Bandada estaban en el escenario, así que ¿a quién esperaba encontrar allí? ¿Se trataría de una cita acordada de antemano con los rebeldes para consolidar sus planes de fuga? No le apetecía meterse en un nido infestado de ellos, por lo que ya había resuelto esperar a ver qué pasaba cuando la mujer del Quemador, a la que Sejanus supuestamente quería comprarle una navaja plegable, salió por la puerta guardándose un fajo de billetes en el bolsillo. Se adentró en el callejón y se alejó del local.

De modo que se trataba de eso. Sejanus había ido para darle dinero a cambio de armas, seguramente las mismas con las que planeaba cazar en el norte. Esta parecía una ocasión tan buena como cualquier otra para enfrentarse a él, con el contrabando aún caliente en sus manos. Se acercó al cobertizo con sigilo para no asustar a Sejanus, por si estaba manipulando alguna pistola en esos momentos. La música enmascaraba sus pasos.

Tan pronto estás aquí, como te vuelves a ir.
Esto no va de ti y de mí, no estamos solos.
Son jóvenes e inocentes, muy preocupados.
Tus idas y venidas, necesitan saberlo.

No es por ti que rutilan las estrellas.
Es lo que crees, pero te equivocas.
Hazles daño y te daré una lección...
Voy a venderte por una canción.

Durante la ronda de aplausos que siguió a la canción, Coriolanus se asomó a la puerta abierta del cobertizo. La única luz provenía de una lamparita como la que llevaban algunos de los mineros presentes en el ahorcamiento de Arlo, apoyada encima de una caja al fondo del cobertizo. Su resplandor le permitió distinguir a Sejanus y a Billy Taupe agachados sobre un saco de arpillera del que sobresalían varias armas. Dio un paso y se quedó paralizado, consciente de repente del cañón de una escopeta situada a escasos centímetros de sus costillas.

Contuvo el aliento y estaba empezando a levantar las manos despacio, cuando oyó el rápido repiqueteo de unos zapatos a su espalda y la risa de Lucy Gray, cuyas manos aterrizaron sobre sus hombros con un:

—¡Te pillé! He visto cómo te escabullías. Barb Azure dice que si te...

La muchacha se tensó al reparar en el arma.

—Adentro —les ordenó el hombre que la empuñaba.

Coriolanus se encaminó hacia la lámpara, con Lucy Gray agarrada con fuerza a su brazo. Oyó que el bloque de hormigón arañaba el suelo de cemento y la puerta se cerraba tras ellos.

Sejanus se levantó de un salto.

—No. No pasa nada, Spruce. Él está conmigo. Los dos vienen conmigo.

Spruce se acercó a la luz de la lámpara, y Coriolanus lo reconoció: era el hombre que había sujetado a Lil el día del ahorcamiento. El hermano que le había mencionado Sejanus, sin duda.

El rebelde los miró de arriba abajo.

—Habíamos acordado que esto iba a quedar entre nosotros.

—Es como mi hermano —replicó Sejanus—. Me cubrirá las espaldas cuando nos vayamos. Para ganar tiempo.

Coriolanus no había prometido hacer nada por el estilo, pero asintió con la cabeza.

Spruce apuntó el cañón hacia Lucy Gray.

—¿Y esta?

—Ya te he hablado de ella —dijo Billy Taupe—. Se viene al norte con nosotros. Es mi chica.

Coriolanus notó que Lucy Gray le apretaba el brazo un momento y después lo soltaba.

—Si me lleváis —dijo la muchacha.

—¿Vosotros dos no estabais juntos? —preguntó Spruce; sus ojos grises saltaron de Coriolanus a Lucy Gray.

Coriolanus se preguntaba lo mismo. ¿De verdad pensaba escaparse ella con Billy Taupe? ¿Habría estado utilizándolo, como sospechaba?

—Sale con mi prima, Barb Azure. Fue ella la que me pidió que lo buscara para decirle dónde se iban a ver esta noche —replicó Lucy Gray.

Así que solo había mentido para aliviar la tensión del momento. ¿Nada más? Sin tenerlas aún todas consigo, Coriolanus decidió seguirle la corriente.

—En efecto.

Spruce se lo pensó unos instantes, se encogió de hombros y dejó de encañonar a Lucy Gray al bajar el arma.

—A Lil le vendrá bien la compañía, supongo.

La mirada de Coriolanus se posó en el alijo de armas. Otras dos escopetas, un fusil reglamentario como los que usaban los agentes de la paz en las prácticas de tiro al blanco, un instrumento pesado que tenía pinta de lanzagranadas, varios cuchillos.

—Menuda remesa.

—Para cinco personas no es tanto —replicó Spruce—. Lo que me preocupa es la munición. Sería muy útil que pudierais conseguirnos más de la base.

Sejanus asintió con la cabeza.

—A lo mejor. En realidad, no tenemos acceso a la armería, pero puedo echar un vistazo.

—Claro que sí. Haz acopio.

Todas las cabezas se giraron de golpe hacia el sonido. Una voz femenina, procedente de la otra punta del cobertizo. Coriolanus se había olvidado de la segunda puerta, dado que nadie parecía usarla nunca. En la oscuridad absoluta que se extendía fuera del círculo de luz de la lámpara resultaba imposible distinguir si estaba abierta o cerrada, así como ver a la intrusa. ¿Cuánto tiempo llevaba allí escondida, entre las sombras?

—¿Quién va? —preguntó Spruce.

—Armas, munición —replicó burlona la voz—. Eso no lo encontraréis allí arriba, ¿eh? En el norte.

El veneno que destilaban esas palabras ayudó a Coriolanus a identificar a su dueña; la había visto la noche de la pelea en el Quemador.

—Es Mayfair Lipp, la hija del alcalde.

—Siguiendo el rastro de Billy Taupe como una perra en celo —masculló Lucy Gray entre dientes.

—Guarda siempre esa última bala en lugar seguro. Para que puedas volarte la tapa de los sesos antes de que te pillen —dijo Mayfair.

—Vete a casa —le ordenó Billy Taupe—. Te lo explicaré más tarde. No es lo que parece.

—No, no. Vamos, Mayfair, únete a la fiesta —la invitó Spruce—. No tenemos nada contra ti. No se puede elegir a un padre.

—No vamos a hacerte daño —dijo Sejanus.

Mayfair soltó una risita desagradable.

—Por supuesto que no.

—¿Qué ocurre? —le preguntó Spruce a Billy Taupe.

—Nada. Le gusta hablar, eso es todo. No va a hacer nada.

—Esa soy yo. Toda cháchara, nada de acción. ¿A que sí, Lucy Gray? Por cierto, ¿qué te pareció el Capitolio?

La puerta emitió un suave crujido, y Coriolanus presintió que Mayfair retrocedía, a punto de huir en cualquier momento. Con ella se desvanecería su futuro. No, más que eso, su misma vida. Si denunciaba lo que había oído, todos podían darse por muertos.

En un abrir y cerrar de ojos, Spruce levantó la escopeta dispuesto a disparar contra ella, pero Billy Taupe bajó el cañón hacia el suelo de un golpe. En un acto reflejo, Coriolanus cogió el fusil de los agentes de la paz y apretó el gatillo mientras apuntaba en dirección a la voz de Mayfair. Esta dejó escapar un grito, y la oyeron desplomarse en el suelo.

—¡Mayfair! —Billy Taupe cruzó el cobertizo corriendo y llegó al umbral donde yacía la chica. Regresó a la luz tambaleándose, con la mano reluciente de sangre, escupiéndole a Coriolanus como una fiera rabiosa—: ¿Qué has hecho?

Lucy Gray empezó a temblar, igual que había hecho en el zoológico cuando degollaron a Arachne Crane.

Coriolanus le dio un empujón, y los pies de la muchacha se dirigieron hacia la puerta.

—Vuelve. Sal al escenario. Esa es tu coartada. ¡Corre!

—Oh, no. ¡Si me cuelgan, ella se columpiará conmigo!

Billy Taupe se abalanzó sobre ella.

Sin vacilar, Spruce descargó la escopeta contra el pecho de Billy Taupe. La fuerza del impacto lo empujó de espaldas, y cayó desmadejado en el suelo.

En el silencio subsiguiente, Coriolanus oyó la música procedente del Quemador por primera vez desde que Lucy Gray terminara su número. Maude Ivory tenía a todo el almacén cautivado, cantando a coro con ella.

> Hay que mirar el lado bueno, siempre el lado bueno,

—Te conviene hacerle caso —le dijo Spruce a Lucy Gray—. Antes de que te echen en falta y a alguien se le ocurra buscarte.

> el lado bueno de la vida.

Lucy Gray no lograba apartar la mirada del cadáver de Billy Taupe. Coriolanus la agarró por los hombros y la obligó a mirarlo a él.

—Márchate. Yo me encargo de esto —le dijo mientras la empujaba hacia la puerta.

Eso nos ayudará, el camino iluminará

La muchacha la abrió, y se asomaron juntos al exterior. No había moros en la costa.

si miramos el lado bueno de la vida.
Sí, señor, el lado bueno de la vida.

El Quemador al completo prorrumpió en vítores embriagados, lo que significaba que la canción de Maude Ivory había acabado ya. Tenían el tiempo justo.

—Tú no has estado aquí—susurró Coriolanus al oído de Lucy Gray al soltarla. Trastabillando, la muchacha cruzó el asfalto y entró en el Quemador. Él empujó la puerta con el pie y la cerró.

Sejanus comprobó si Billy Taupe tenía pulso.

Spruce volvió a guardar las armas en el saco de arpillera.

—No te molestes. Están muertos. Yo no pienso soltar prenda. ¿Y vosotros?

—Lo mismo, por supuesto —dijo Coriolanus. Sejanus los miró fijamente, todavía conmocionado—. Él tampoco. Yo me encargo de eso.

—Deberías replantearte lo de venir con nosotros. Alguien va a tener que pagar el pato por esto.

Spruce cogió la lámpara y salió por la puerta de atrás, con lo que dejó el cobertizo sumido en la oscuridad.

Coriolanus caminó a tientas hasta encontrar a Sejanus, tiró de él y siguió los pasos de Spruce. Barrió el cadáver de Mayfair con la bota para meterlo en el cobertizo y usó el hombro para cerrar con firmeza la puerta del escenario del crimen. Listo. Había conseguido entrar y salir del cobertizo sin tocar nada con la piel. Salvo el arma con la que había matado a Mayfair, claro, cubierta sin duda con sus huellas dactilares y su ADN; pero Spruce se la llevaría cuando abandonara el Distrito 12, para no regresar jamás. Lo último que necesitaba era repetir el error del pañuelo. Aún podía oír al decano Highbottom burlándose de él...

«¿Lo oyes, Coriolanus? Es el sonido de un Snow al caer despatarrado».

Dedicó unos instantes a inhalar el aire nocturno. Unas notas musicales, alguna pieza instrumental, llegaban flotando hasta ellos. Supuso que Lucy Gray habría subido de nuevo al escenario, aunque quizá aún no hubiese recuperado la voz. Agarró a Sejanus por el codo, lo condujo detrás del cobertizo y examinó el paso que mediaba entre los dos edificios. Vacío. Corrieron hasta el lateral del Quemador y esperaron un momento antes de doblar la esquina.

—Ni una palabra —siseó.

Sejanus, con las pupilas dilatadas y el cuello de la camisa empapado de sudor, repitió:

—Ni una palabra.

Una vez dentro del Quemador, retomaron sus asientos. Junto a ellos, el Fideo estaba arrumbado contra la pared, en apariencia inconsciente. Detrás de él, el Sonrisitas intentaba ligar con una chica mientras el Pulga se dedicaba a apurar las últimas gotas de whiskey. Nadie daba la impresión de haberlos echado de menos.

El tema instrumental terminó y Lucy Gray, que ya se había repuesto lo suficiente como para cantar otra vez, eligió un número que requería la participación de la Bandada al completo. Muy lista. Casi con toda probabilidad serían ellos los que descubrieran los cadáveres, puesto que el cobertizo era su zona de descanso. Cuanto más tiempo los retuviese allí arriba, más convincente resultaría su coartada, más oportunidades tendría Spruce de sacar todas esas armas de los alrededores y más le costaría al público determinar la cronología de lo ocurrido.

El corazón de Coriolanus martilleaba en su pecho mientras intentaba evaluar la gravedad de la situación. Calculó que nadie pondría el grito en el cielo por Billy Taupe, salvo Clerk Carmine, posiblemente. Pero ¿Mayfair? ¿La única heredera del alcalde? Spruce estaba en lo cierto: alguien tendría que pagar el pato por ella.

Lucy Gray abrió la ronda de peticiones del público y consiguió mantener a los cinco miembros de la Bandada sobre el escenario durante el resto del programa. Maude Ivory se paseó entre los asistentes, como de costumbre, para recoger el dinero. Lucy Gray les dio las gracias a todos, la Bandada hizo una última reverencia, y el público empezó a dirigirse hacia la salida.

—Tenemos que volver ahora mismo —le dijo Coriolanus en voz baja a Sejanus.

Cada uno de ellos se echó un brazo del Fideo por los hombros y se marcharon con el Pulga y el Sonrisitas tras ellos. Habían recorrido unos veinte metros por la carretera cuando los gritos histéricos de Maude Ivory rasgaron el aire nocturno, que provocaron que todos se girasen sobre los talones. Puesto que seguir como si nada habría resultado sospechoso, Coriolanus y Sejanus también se dieron la vuelta, con el Fideo aún colgando entre ellos. Poco después oyeron los silbatos de los agentes de la paz, y una pareja de oficiales les ordenó por señas que se dirigieran a la base. Se mezclaron con el tumulto y no volvieron a cruzar palabra hasta que llegaron al barracón; entre los ronquidos de sus compañeros, se escondieron en el cuarto de baño.

—Nosotros no sabemos nada. Fin de la historia —susurró Coriolanus—. Salimos del Quemador un momento para mear. El resto de la noche estuvimos viendo el espectáculo.

—Vale —dijo Sejanus—. ¿Y los otros?

—Spruce ya estará lejos, y Lucy Gray no le va a contar nada a nadie, ni siquiera a la Bandada. No querrá ponerlos en peligro. Mañana nos levantaremos con resaca y nos pasaremos el día entero en la base.

—Eso..., sí... El día en la base.

Sejanus estaba tan conmocionado que solo acertaba a balbucear incoherencias.

Coriolanus le enmarcó el rostro con las manos.

—Sejanus, esto es cuestión de vida o muerte. Tienes que conservar la calma.

Aunque Sejanus le dio la razón, Coriolanus sabía que no iba a pegar ojo después de aquello. Lo oyó revolverse en la cama durante toda la noche. Tampoco él dejaba de darle vueltas al tiroteo. Había matado por segunda vez. Si la muerte de Bobbin había sido en defensa propia, ¿qué era la de Mayfair? No un asesinato premeditado. Ni de ningún otro tipo. Solo otra forma de defensa propia. Quizá la ley no lo viera de esa manera, pero él sí. Puede que Mayfair no hubiera empuñado ningún cuchillo, pero aun así tenía el poder de hacer que lo ahorcaran. Por no hablar de lo que podría haberles hecho a Lucy Gray y a los otros. Quizá por no haberla visto morir delante de él, por no haberse fijado ni siquiera con atención en el cadáver, se sentía menos afectado que después de matar a Bobbin. Tal vez matar por segunda vez fuera más fácil que hacerlo por primera. En cualquier caso, sabía que habría vuelto a disparar contra ella si hubiese tenido que hacerlo, y de alguna manera eso lo reafirmaba en sus actos.

A la mañana siguiente, incluso sus resacosos compañeros de barracón consiguieron arrastrarse hasta la cantina para desayunar.

El Sonrisitas se enteró de los rumores por su amiga enfermera, que había estado de guardia en la clínica la noche anterior, cuando trasladaron allí los cadáveres.

—Los dos son locales, pero una es la hija del alcalde. El otro es músico o algo por el estilo, aunque nunca lo hemos visto actuar. Les dispararon en el garaje ese que hay detrás del Quemador. ¡Justo durante el espectáculo! Solo que ninguno oímos nada por culpa de la música.

—¿Han encontrado al culpable? —quiso saber el Fideo.

—Todavía no —contestó el Sonrisitas—. Se supone que esta gente ni siquiera debería tener armas de fuego, pero, lo que yo os decía, ahí fuera se trapichea mucho con ellas. En cualquier caso, los mató uno de los suyos.

—¿Cómo saben eso? —preguntó Sejanus.

«¡Cierra el pico!», pensó Coriolanus. Conociendo a Sejanus, debía de estar a un paso de confesar un crimen que ni siquiera había cometido.

—Bueno, según la enfermera, creen que a la chica le dispararon con un fusil de los agentes de la paz, probablemente robado durante la guerra. Y el músico murió a causa de un disparo de escopeta, como las que usan los locales para cazar. Debieron de ser dos agresores distintos —les informó el Sonrisitas—. Han rastreado los alrededores, pero no han encontrado las armas. En mi opinión, habrán desaparecido hace tiempo, junto con los asesinos.

Los nervios de Coriolanus se apaciguaron. Pinchó un trozo de tortita.

—¿Quién encontró los cadáveres?

—La niña esa que canta..., la del vestido rosa, ya sabes —replicó el Sonrisitas.

—Maude Ivory —dijo Sejanus.

—Sí, creo que sí. Fuera como fuese, le dio un ataque. Interrogaron a la banda, pero ¿cuándo habrían tenido tiempo de hacerlo? Apenas si bajan del escenario y, de todas formas, no llevan armas encima —continuó el Sonrisitas—. Se han quedado hechos polvo, eso sí. Supongo que conocerían de algo a ese músico.

Coriolanus apuñaló un trozo de salchicha con el tenedor; se sentía mucho mejor. La investigación había empezado con buen pie. Pese a todo, aún podrían torcerse las cosas para Lucy Gray, que tenía el doble motivo de haber sido el antiguo amor de Billy Taupe y de que Mayfair la hubiera enviado a la arena. Y si entraba la arena en la ecuación, ¿lo podrían implicar a él? Nadie del 12 sabía que Lucy Gray y él eran pareja, salvo la Bandada, y ella se encargaría de que no hablaran. En cualquier caso, si ella ahora salía con otro, ¿qué podría importarles Billy Taupe a ninguno de los dos? Sin embargo, quizá hubieran querido acabar con Mayfair para vengarse, y Billy Taupe podría haber intentado defenderla. De hecho, eso no estaba muy lejos de lo que realmente había ocurrido. Pero cientos de testigos jurarían que, menos durante unos breves instantes, Lucy Gray había estado sobre el escenario durante todo el espectáculo. No se habían encontrado armas. Costaría demostrar su culpabilidad. Debería tener paciencia, dar tiempo para que las aguas volvieran a su cauce, y después podrían estar juntos de nuevo. En muchos sentidos, se veía más cerca de ella que nunca ahora que los unía este lazo nuevo e inquebrantable.

En vista de los acontecimientos de la noche anterior, el comandante ordenó cerrar la base a cal y canto durante toda la jornada. Coriolanus, de todas formas, tampoco tenía otros planes; necesitaba guardar las distancias con la Bandada durante algún tiempo. Sejanus y él se dedicaron a pasar el rato, esforzándose por aparentar normalidad. Jugando a los naipes, escribiendo cartas, limpiando sus botas. Mientras sacudían el barro seco de los cordones, Coriolanus susurró:

—¿Qué pasa con el plan de huida? ¿Aún sigue en marcha?

—No tengo ni idea —respondió Sejanus—. El cumpleaños del comandante será el próximo fin de semana. Esa era la noche que pensábamos irnos. Coryo, ¿y si detienen a una persona inocente por los asesinatos?

«Entonces, se acabaron nuestros problemas», pensó Coriolanus, pero se limitó a decir en voz alta:

—Lo considero muy poco probable, sin armas. Pero ya cruzaremos ese puente cuando lleguemos a él.

Coriolanus durmió mejor esa noche. El lunes se dio por finalizado el aislamiento; se rumoreaba que los asesinatos se habían cometido tras unas disputas internas entre los rebeldes. Si querían matarse entre ellos, adelante. El alcalde visitó la base y montó en cólera ante el comandante a cuenta de su hija, pero ya que había malcriado tanto a Mayfair y dejado que se asilvestrara como una gata montesa, el sentimiento generalizado era que no debería culpar a nadie más que a sí mismo por el hecho de que ella se hubiera dedicado a confraternizar con los rebeldes.

El martes por la tarde, el interés por los asesinatos se había reducido hasta tal extremo que Coriolanus empezó a trazar planes de futuro mientras pelaba patatas para el desayuno del día siguiente. Lo primero era asegurarse de que Sejanus hubiese renunciado a fugarse. Con suerte, lo ocurrido en el cobertizo le habría convencido de que jugaba con fuego. La noche del miércoles les tocaba turno de fregona juntos, por lo que ese sería el mejor momento para abordarlo. Si no accedía a renunciar a la huida, a Coriolanus no le quedaría más remedio que denunciarlo ante el comandante. Se sentía tan decidido que peló patatas con un brío nunca visto y acabó antes de tiempo, por lo que el Fogones le dio libre la última media hora del turno. Echó un vistazo al correo y encontró una caja de Pluribus, cargada de paquetes de cuerdas para todo un surtido de instrumentos musicales, con una nota en la que le decía que no se las iba a cobrar. Las guardó en su taquilla, sonriendo al imaginarse la alegría de la Bandada cuando pudieran volverse a ver sin peligro. Quizá dentro de un par de semanas, si los ánimos seguían tan calmados.

Mientras se dirigía a la cantina, Coriolanus empezó a sentirse como si no hubiera pasado nada. Los martes había estofado. Puesto que aún disponía de unos cuantos minutos, los aprovechó para coger otro bote de polvos para su sarpullido, que por fin empezaba a remitir. Sin embargo, al salir de la clínica, apareció a toda velocidad una de las ambulancias de la base, las puertas traseras se abrieron de golpe y dos técnicos sanitarios sacaron a un hombre tumbado en una camilla. Su camisa empapada de sangre indicaba que podría estar muerto, pero mientras lo llevaban al interior, giró la cabeza. Un par de ojos grises se posaron en Coriolanus, que no pudo reprimir un jadeo de sorpresa. Spruce. Las puertas de la clínica se cerraron tras él, lo que le impidió ver nada más.

Avisó a Sejanus en cuanto este hubo terminado su turno, pero ninguno de los dos sabía qué significaba aquello. Estaba claro que Spruce había tenido un encontronazo con los agentes de la paz, pero ¿por qué? ¿Lo habrían relacionado con los asesinatos? ¿Estarían al corriente del plan de huida? ¿Se habrían enterado de la compra de armas? ¿Qué les contaría ahora que lo habían capturado?

El miércoles, a la hora del desayuno, la fiel enfermera del Sonrisitas le informó de que Spruce había fallecido durante la noche a causa de sus heridas. No estaba segura, pero el consenso generalizado era que había tenido algo que ver con los asesinatos. Coriolanus se pasó la mañana en piloto automático, presintiendo que las cosas aún podían empeorar. Y, a la hora del almuerzo, lo hicieron. Una pareja de agentes de la policía militar se acercaron a su mesa en la cantina y arrestaron a Sejanus, que los acompañó sin rechistar. Co-

ciones de formar con un pelotón junto al árbol del ahorcado. El tamaño y la fogosidad de la multitud lo desconcertaron (le extrañaba que Sejanus hubiese ganado tantos partidarios en cuestión de unas cuantas semanas), hasta que llegó el furgón de los agentes de la paz y Sejanus se apeó junto con Lil, trastabillando los dos a causa de las cadenas. Al ver a la chica, muchos de los presentes empezaron a desgañitarse coreando su nombre.

Arlo, un antiguo soldado curtido por los años de trabajo en las minas, había logrado afrontar su final con una entereza admirable, por lo menos hasta que oyó la voz de Lil entre el gentío. Pero Sejanus y Lil, debilitados por el terror, aparentaban mucha menos edad de la que en realidad tenían, lo que únicamente reforzaba la impresión de que arrastraban al patíbulo a dos niños inocentes. Lil, cuyas piernas temblorosas eran incapaces de soportar su propio peso, avanzó remolcada por una pareja de agentes de la paz con gesto torvo que seguramente dedicarían toda la noche a esforzarse por borrar ese recuerdo con licor blanco.

Cuando pasó junto a él, Coriolanus clavó la mirada en Sejanus, pero lo único que vio fue al pequeño rechoncho de los distritos que se le había acercado por primera vez con su acento de palurdo y una bolsa de gominolas en la mano. Solo que este chico estaba mucho, mucho más asustado. Los labios de Sejanus formaron su nombre, «Coryo», y su rostro se crispó de dolor. Sin embargo, resultaba imposible determinar si intentaba suplicarle ayuda o recriminarlo por su traición.

Los agentes de la paz colocaron a los condenados juntos encima de las trampillas. Otro soldado intentó imponer su voz a los gritos de la multitud para leer la lista de cargos, pero lo único que entendió Coriolanus fue la palabra «traición». Apartó la mirada cuando los agentes de la paz se acercaron con las sogas, y se descubrió contemplando las facciones consternadas de Lucy Gray. La muchacha estaba casi en primera fila, con un viejo vestido gris y el cabello oculto bajo un pañuelo negro, con lágrimas rodando por sus mejillas mientras observaba fijamente a Sejanus.

Al iniciarse el redoble de tambores, Coriolanus cerró los ojos con fuerza, deseando ser capaz de bloquear también el sonido. Pero no podía, y lo oyó todo. El grito de Sejanus, el golpe seco de las trampillas y la última palabra de Sejanus, que los charlajos capturaron y repitieron una y otra vez, estridentes, bajo el sol cegador.

—¡Ma! ¡Ma! ¡Ma! ¡Ma! ¡Ma!

29

Coriolanus siguió adelante como pudo el resto de la tarde, procurando permanecer impertérrito y mudo en el camino de vuelta a la base, donde entregó su arma y se dirigió al barracón. Sabía que todos lo miraban; Sejanus era su amigo o, al menos, un miembro de su pelotón. Querían verlo derrumbarse, pero se negaba a concederles esa satisfacción. A solas, en su habitación, se quitó poco a poco el uniforme, colgó con meticulosidad cada prenda y alisó las arrugas con los dedos. Lejos de miradas curiosas, permitió que su cuerpo se desinflara, que sus hombros se hundieran por la fatiga. Lo único que había conseguido tragar en todo el día había sido un poco de zumo de manzana. Se sentía demasiado débil para reunirse con el pelotón para las prácticas de tiro, para enfrentarse al Pulga, al Fideo y al Sonrisitas. En cualquier caso, le temblaba demasiado la mano para sostener un fusil. Así que se sentó en el catre del Fideo, en ropa interior, y esperó en el asfixiante barracón a que pasara lo que tuviera que pasar.

Era cuestión de tiempo. Quizá lo mejor fuera entregarse antes de que lo detuvieran por la confesión de Spruce o, lo más probable, porque Sejanus había revelado los detalles de los asesinatos. Incluso de no ser el caso, el fusil de agente de la paz seguía allí fuera, con su ADN. Spruce no había huido, sino que, seguramente, se había escondido a la espera de poder rescatar a Lil; y, si se había quedado en el Distrito 12, allí estarían también las armas homicidas. Cabía dentro de lo posible que en aquellos momentos estuvieran analizando el fusil para confirmar que Spruce lo había utilizado para matar a Mayfair; y así descubrirían que, en realidad, el asesino era el soldado Snow. El que había delatado a su mejor amigo para que lo enviaran a la horca.

Coriolanus ocultó el rostro entre las manos. Era tan culpable de la muerte de Sejanus como lo había sido de matar a palos a Bobbin o de disparar a Mayfair. Había asesinado a la persona que lo consideraba su hermano. Sin embargo, mientras la vileza de aquel acto amenazaba con hundirlo, una vocecita no dejaba de preguntarle: «¿Tenías elección?». ¿La tenía? No. Sejanus estaba empeñado en autodestruirse, y Coriolanus se había visto arrastrado por sus acciones hasta acabar al pie del árbol del ahorcado.

Intentó analizarlo de manera racional. Sin él, Sejanus habría sucumbido en la arena, víctima de la manada de tributos que habían intentado matarlos cuando huían. Técnicamente, Coriolanus le había concedido unas cuantas semanas más de vida y una segunda oportunidad, una oportunidad para corregirse. Pero no la había aprovechado. No podía. No quería. Era quien era. Quizá hubiera sido mejor para él huir al bosque. Pobre Sejanus. Pobre, sensible, idiota y muerto Sejanus.

Coriolanus se acercó a su taquilla, sacó la caja de efectos personales, se sentó en el suelo y la vació frente a él. Lo único que había añadido desde su primer registro era un par de galletas caseras envueltas en pañuelos de papel. Coriolanus destapó una y le dio un mordisco. ¿Por qué no? El sabor dulce le recorrió la lengua y recordó... a Sejanus con un sándwich en el zoo, a Sejanus enfrentándose a la doctora Gaul, a Sejanus abrazándolo en la carretera que conducía a la base, a Sejanus colgando de la soga...

—¡Ma! ¡Ma! ¡Ma! ¡Ma! ¡Ma!

Se atragantó con la galleta, lo que le provocó un reflujo de zumo de manzana, ácido y amargo, mezclado con las migajas. Estaba cubierto de sudor; se echó a llorar. Apoyó la espalda en las taquillas, se pegó las rodillas al pecho y dejó que aquellos desagradables sollozos lo estremecieran. Lloró por Sejanus, por la pobre Ma y por la dulce Tigris, tan fiel, y por la débil abuelatriz, que, a pesar de sus falsas ilusiones, pronto perdería a su nieto de la forma más sórdida. Y por él, que estaría muerto cualquier día de estos. Empezó a boquear, aterrado, como si la soga ya empezara a robarle la vida. ¡No quería morir! Y menos en aquel campo, con los pájaros mutantes repitiendo sus últimas palabras. ¿Quién sabía la locura que soltaría en un momento semejante? Y él muerto mientras los pájaros lo gritaban a los cuatro vientos, para que después los sinsajos lo convirtieran en una canción macabra...

Al cabo de unos cinco minutos terminaron los chillidos y él se calmó acariciando con el pulgar el frío corazón de mármol de la caja de Sejanus. Lo único que le quedaba por hacer era intentar enfrentarse a su muerte como un hombre. Como un soldado. Como un Snow. Tras aceptar su destino, sintió la necesidad de poner sus asuntos en orden. Debía compensárselo de algún modo a sus seres queridos. Tras desenganchar el panel trasero del marco de plata descubrió que a Sejanus le había sobrado bastante dinero después de comprar las armas. Cogió uno de los elegantes sobres color crema que el chico se había traído del Capitolio, metió dentro el dinero, lo selló y puso la dirección de Tigris. Después de ordenar los enseres de Sejanus, devolvió la caja a la taquilla. ¿Qué más? Empezó a pensar en Lucy Gray, el primer, y ahora único, amor de su vida. Quería dejarle un recuerdo. Rebuscó en su caja y se decidió por el pañuelo naranja porque a la Bandada le encantaban los colores, y a Lucy Gray, más todavía. No sabía bien cómo dárselo, pero, si llegaba vivo al domingo, quizá lograra escabullirse de la base para verla por última vez. Colocó el pañuelo, bien doblado, al lado de las cuerdas que le había enviado Pluribus. Después de limpiarse de la cara los mocos y las lágrimas, se vistió y se acercó a la estafeta de correos para enviar el dinero a casa.

Durante la cena, les contó entre susurros a sus tristes compañeros cómo había sido la ejecución, aunque procuró suavizarla.

—Murió al instante. No sintió dolor.

—Todavía no puedo creerme que lo hiciera —dijo el Sonrisitas.

—Espero que no piensen que estamos todos involucrados —añadió con voz temblorosa el Fideo.

—El Pulga y yo somos los únicos de los distritos, así que, si acaso, los sospechosos de ser simpatizantes de los rebeldes seríamos nosotros —dijo el Sonrisitas—. ¿Tú de qué te preocupas? Sois del Capitolio.

—También lo era Sejanus —le recordó el Fideo.

—Pero no del todo, ¿verdad? Lo digo por cómo hablaba siempre del Distrito 2 —intervino el Pulga.

—No, no del todo —coincidió Coriolanus.

Se pasó la noche de guardia en la cárcel vacía. Durmió como un tronco, lo que tenía sentido, puesto que en cuestión de horas estaría más tieso que un uno.

Realizó la instrucción de la mañana en piloto automático y casi se sintió aliviado cuando, después de comer, el ayudante del comandante Hoff le pidió que lo acompañara. No era tan dramático como la policía militar, pero, como intentaban recuperar la normalidad en la tropa, era lo más adecuado. Seguro de que lo iban a trasladar directamente desde el despacho del comandante a la prisión, Coriolanus lamentó no haberse metido en el bolsillo algún recuerdo de su casa al que aferrarse durante sus últimas horas. Lo mejor habría sido el maquillaje en polvo de su madre, algo que lo tranquilizara mientras esperaba la horca.

Sin llegar a calificarse de imponente, el despacho resultó ser más elegante que cualquier otro espacio de la base; se dejó caer en el asiento de cuero al otro lado del escritorio de Hoff, agradecido de recibir su sentencia de muerte con clase. «Recuerda, eres un Snow —se dijo—. Abandona este mundo con dignidad».

El comandante dio permiso a su ayudante para salir, y este lo hizo y cerró la puerta. Hoff se acomodó en su silla y contempló a Coriolanus durante un buen rato.

—Menuda semana has tenido.

—Sí, señor.

Deseaba fervientemente que el hombre siguiera con su interrogatorio. Estaba demasiado cansado para jugar al gato y al ratón.

—Menuda semana —repitió Hoff—. Por lo que he oído, eras un estudiante ejemplar en el Capitolio.

Coriolanus no tenía ni idea de quién le había contado semejante cosa y se preguntó si habría sido Sejanus. Aunque daba igual.

—Quizá sea un adjetivo algo exagerado.

—Y modesto, además —repuso el comandante, sonriente.

«Por favor, deténgame de una vez», pensó Coriolanus. No necesitaba escuchar un largo discurso que concluyera con la decepción que había resultado ser.

—Me han contado que eras amigo íntimo de Sejanus Plinth —continuó Hoff.

«Allá vamos», pensó el chico. ¿Por qué seguir alargando aquello innecesariamente negando los hechos?

—Éramos más que amigos. Éramos como hermanos.

Hoff lo miró con compasión.

—Entonces no puedo más que expresar la más sincera gratitud del Capitolio por tu sacrificio.

Un momento, ¿qué? Coriolanus lo miró, desconcertado.

—¿Cómo dice, señor?

—La doctora Gaul recibió tu mensaje a través del charlajo. Me dijo que tuvo que resultarte muy difícil tomar la decisión de enviarlo. Tu lealtad al Capitolio te ha supuesto un grave coste personal.

Vaya, un aplazamiento. Al parecer todavía no había aparecido el fusil con su ADN y lo veían como un héroe trágico del Capitolio. Puso cara de sufrimiento, tal como correspondía a un hombre que lloraba a su amigo descarriado.

—Sejanus no era malo, es que estaba... trastornado.

—Estoy de acuerdo. Pero conspirar con el enemigo cruza una línea que no podemos permitirnos pasar por alto, me temo. —Hoff guardó silencio, pensativo—. ¿Crees que podría estar involucrado en los asesinatos?

Coriolanus abrió mucho los ojos, como si la idea jamás se le hubiera pasado por la cabeza.

—¿Los asesinatos? ¿Se refiere a los del Quemador?

—La hija del alcalde y... —El comandante hojeó algunos papeles y después decidió no molestarse—. El otro individuo.

—Ah... No creo. ¿Usted piensa que están relacionados? —preguntó Coriolanus fingiendo desconcierto.

—No lo sé. No me importa demasiado. El joven se relacionaba con los rebeldes, y ella se relacionaba con él. Es probable que el asesino me haya ahorrado muchos problemas.

—No parece algo propio de Sejanus —dijo el chico—. Nunca quiso lastimar a nadie. Aspiraba a ser técnico sanitario.

—Sí, eso mismo me ha dicho tu sargento. Entonces, ¿no mencionó haber comprado las armas?

—¿Armas? No, que yo sepa. ¿Cómo iba a conseguirlas? —preguntó Coriolanus, que empezaba a divertirse.

—Pues comprándolas en el mercado negro. Su familia es rica, por lo que me han contado. Bueno, no importa. Es probable que no resolvamos el misterio, a no ser que aparezcan las armas. He ordenado a un grupo de agentes de la paz que registren la Veta durante los próximos días. Mientras tanto, la doctora Gaul y yo hemos decidido que lo mejor será mantener en secreto tu papel en la detención de Sejanus, por tu seguridad. No queremos que los rebeldes intenten matarte, ¿verdad?

—Lo preferiría. Ya es duro de por sí enfrentarme a esa decisión en privado.

—Lo entiendo. Pero, cuando las aguas se calmen, recuerda que hiciste un servicio a tu país. Intenta pasar página. —Después, como si se le hubiera ocurrido en el último momento, añadió—: Hoy es mi cumpleaños.

—Sí, he ayudado a descargar el whiskey para la fiesta —dijo Coriolanus.

—Solemos pasarlo bien. Intenta divertirte.

Hoff se levantó y le tendió la mano.

Coriolanus se levantó y se la estrechó.

—Haré todo lo posible. Y feliz cumpleaños, señor.

Sus compañeros de barracón lo recibieron con alegría y lo acribillaron a preguntas sobre la llamada del comandante.

—Sabía que Sejanus y yo éramos amigos, y solo quería asegurarse de que yo estaba bien —les contó Coriolanus.

La noticia les levantó el ánimo a todos, y el cambio en su horario de tarde satisfizo a Coriolanus: en vez de tiro al blanco, iban a disparar a los charlajos y sinsajos del árbol del ahorcado. Su coro tras el grito final de Sejanus había sido la gota que colmaba el vaso.

Coriolanus disfrutó de lo lindo disparando a los sinsajos de las ramas; consiguió abatir a tres. «¡Ahora ya no sois tan listos! ¿Eh?», pensó. Por desgracia, la mayoría no tardó en alejarse volando hasta quedar fuera del alcance de las balas. Pero volverían. Y él también, si no lo colgaban primero.

En honor del cumpleaños del comandante, todos se ducharon y se pusieron uniformes limpios antes de ir a la cantina. El Fogones había preparado una comida que lo sorprendió por su elegancia: filete, puré de patatas con salsa de carne y guisantes frescos, no de lata. Cada soldado recibió una gran jarra de cerveza, y Hoff se quedó por allí para cortar una enorme tarta glaseada. Después de cenar, todos se reunieron en el gimnasio, decorado para la ocasión con banderolas y banderas. El whiskey fluía con soltura, y se hicieron muchos brindis espontáneos al micrófono que habían instalado para la ocasión. Sin embargo, Coriolanus no supo que les habían preparado un espectáculo hasta que algunos de los soldados empezaron a distribuir las sillas.

—Claro —le dijo un oficial—, hemos contratado a esa banda del Quemador. Al comandante le encanta.

Lucy Gray. Aquella sería su oportunidad, probablemente la única, de volver a verla. Corrió al barracón, sacó la caja de Pluribus con las cuerdas del instrumento y el pañuelo, y se apresuró a volver a la fiesta. Vio que sus compañeros le habían reservado una silla más o menos en el centro, pero prefirió quedarse al fondo. Si se presentaba la ocasión, no quería montar una escena para salir. Las luces se apagaron en la zona principal del gimnasio, de modo que solo quedó iluminada la que rodeaba el micrófono, y el público guardó silencio. Todos miraban el vestuario, que habían tapado con la manta que la Bandada usaba en el Quemador.

Maude Ivory salió correteando con un vestido amarillo ranúnculo de falda amplia y se subió a una caja que alguien había colocado detrás del micrófono.

—¡Hola a todos! Esta noche es especial, ¡ya sabéis por qué! ¡Alguien celebra su cumpleaños!

Los agentes de la paz aplaudieron como locos. Maude Ivory empezó a cantar la tradicional canción de cumpleaños, y todos se unieron en coro:

¡Feliz cumpleaños
para una persona muy especial!
¡Y que cumplas muchos más!
¡Una vez al año
celebramos tu cumpleaños,
comandante Hoff!
¡Y que cumplas muchos más!

Solo tenía esa estrofa, pero la cantaron tres veces mientras los miembros de la Bandada salían de uno en uno para ocupar su lugar en el escenario.

Coriolanus respiró hondo cuando apareció Lucy Gray luciendo el vestido arcoíris de la arena. Casi todos pensarían que era en honor del comandante, por su cumpleaños, pero el chico estaba convencido de que lo había hecho por él. Una forma de comunicarse, de cruzar el abismo que las circunstancias habían abierto entre ellos. Una corriente de amor puro le recorrió el cuerpo al recordar que no estaba solo en aquella tragedia. Se encontraban de vuelta en la arena, luchando por sobrevivir, los dos contra el mundo. Sintió una punzada agridulce al pensar en que la muchacha lo vería morir, pero también de agradecimiento por saber que ella sobreviviría. Él era el único que podía situarla en el lugar de los asesinatos, y ella no había tocado las armas. Al margen de lo que le sucediera a Coriolanus, era un alivio saber que Lucy Gray viviría por ambos.

Durante la primera media hora no le quitó los ojos de encima, mientras la Bandada interpretaba parte de su repertorio habitual. Después, el resto de la banda abandonó el escenario y la dejó sola en la zona iluminada. Se sentó en un taburete alto y (¿se lo estaba imaginando?) se dio una palmada en el bolsillo del vestido, como había hecho en la arena. Era su forma de decirle que pensaba en él. Que, a pesar de estar separados en el espacio, estaban juntos en el tiempo. Notaba un cosquilleo nervioso por todo el cuerpo, y procuró prestar mucha atención a aquella balada, que todavía no había escuchado:

Nacemos relucientes como diamantes,
suaves como flores
y sin feos temores.
Seguir así es tarea de gigantes...
Dura como el hielo,
como caminar por el fuego.

Este múndo es oscuro
y este mundo da miedo.
He sufrido bastante,
por eso voy con recelo.
Por eso
te necesito...
Porque eres puro como la nieve.

Oh, no, no se había imaginado nada. La mención de la nieve, refiriéndose a su apellido, lo confirmaba. Había escrito aquella canción para él.

Todos quieren ser héroes,
el pastelito de nata o
el que hace, no el que sueña.
Porque hacer algo cuesta,
es difícil cambiar algo,
como la leche en mantequilla
o el hielo en el agua de un vaso.

El mundo cierra los ojos
cuando los niños mueren,
y yo me convierto en polvo,
pero tú nunca cedes.
Por eso
te quiero...
Porque eres puro como la nieve.

A Coriolanus se le llenaron los ojos de lágrimas. Lo colgarían, pero ella estaría allí y sabría que era una persona buena de verdad. No un monstruo que había hecho trampas y había traicionado a su mejor amigo, sino alguien que había intentado con todas sus fuerzas ser noble en unas circunstancias imposibles. Alguien que lo había arriesgado todo para salvarla en los Juegos. Alguien que lo había arriesgado todo una vez más para salvarla de Mayfair. El héroe de su vida.

Fría y limpia,
jugando sobre mí,
me cubres.
Me calas, sí,
hasta el corazón.

Hasta el corazón.

Todos creen conocerme,
me ponen etiquetas
y escupen historietas.
Tú sabías que mentían,
viste mi yo ideal
y sí, es el real.

El mundo es cruel,
con problemas sin resolver.
Me pediste una razón...
Te ofrezco tres y otras veinte
para darte mi
confianza...
Porque eres puro como la nieve.

De haber alguna duda, aquello lo confirmaba: tres y otras veinte. Veintitrés. El número de tributos a los que había sobrevivido en los Juegos. Gracias a él.

Por eso
te doy mi confianza...
Porque eres puro como la nieve.

La mención a la confianza. Antes que la necesidad, antes que el amor, estaba la confianza. Lo que más valoraba Lucy Gray. Y él, Coriolanus Snow, era la persona en la que ella confiaba.

Mientras el público aplaudía, él permaneció inmóvil, agarrado a su caja, demasiado emocionado para unirse a los demás. El resto de la Bandada regresó al escenario, y Lucy Gray desapareció detrás de la manta. Maude Ivory colocó de nuevo la caja en su sitio, y así dio comienzo una melodía vibrante.

Bueno, la vida tiene un lado feo y oscuro,
pero también otro soleado y puro.

Coriolanus reconoció la canción, la del lado soleado. La que había cantado durante los asesinatos. Era su oportunidad. Salió por la puerta más cercana con toda la discreción posible. Después de dejarlos a todos dentro, rodeó corriendo el gimnasio para llegar al vestuario y llamó a la puerta exterior. Se abrió de golpe al instante, como si lo hubiera estado esperando, y Lucy Gray se echó en sus brazos.

Se quedaron así un momento, abrazados, pero el tiempo era oro.

—Siento muchísimo lo de Sejanus. ¿Estás bien? —le preguntó ella sin aliento.

Claro, no sabía nada de su participación en los hechos.

—La verdad es que no. Pero aquí sigo, por ahora.

Lucy Gray retrocedió para mirarlo a la cara.

—¿Qué ha pasado? ¿Cómo averiguaron que estaba ayudando a liberar a Lil?

—No lo sé. Supongo que alguien lo traicionó.

—Spruce —respondió ella sin vacilar.

—Probablemente —dijo Coriolanus, y le tocó la mejilla—. ¿Qué me dices de ti? ¿Estás bien?

—Estoy fatal. Ha sido horrible. Verlo morir así. Y, después, todo lo que ha pasado desde entonces. Sé que mataste a Mayfair para protegerme. A mí y al resto de la Bandada. —Apoyó la frente en su pecho—. Nunca podré agradecértelo lo suficiente.

Coriolanus le acarició el pelo.

—Bueno, se ha ido para siempre. Estás a salvo.

—No del todo, no. —Lucy Gray, afligida, se zafó de él y empezó a pasearse—. El alcalde... No me deja en paz. Está seguro de que la he matado yo. A los dos. Va en su horrible coche hasta nuestra casa y se queda ahí sentado durante horas. Los agentes de la paz ya nos han interrogado tres veces. El caso es que dicen que el alcalde está todo el día encima de ellos para exigirles que me detengan. Y si no me lo hacen pagar ellos, lo hará él.

—¿Qué te han dicho que hagas? —preguntó él, asustado.

—Evitarlo. Pero ¿cómo lo voy a evitar si lo tengo sentado a tres metros de la puerta de mi casa? —exclamó ella—. Mayfair era lo único que le importaba. Creo que no descansará hasta que me vea muerta. Ahora también se dedica a amenazar al resto de la Bandada. Voy..., voy a huir.

—¿Qué? ¿Adónde?

—Al norte, supongo. Como decían Billy Taupe y los demás. Si me quedo aquí, sé que encontrará el modo de matarme. He estado haciendo acopio de provisiones. Puede que ahí fuera sobreviva. —Lucy Gray volvió a echarse en sus brazos—. Me alegra poder despedirme de ti.

Huir. Lo iba a hacer de verdad. Internarse en la naturaleza salvaje y apostar su vida a esa posibilidad. Sabía que solo la perspectiva de una muerte segura la impulsaría a algo así. Por primera vez desde hacía muchos días, Coriolanus veía un modo de escapar de la soga.

—Nada de despedidas: me voy contigo.

—No puedes, no te lo permitiré. No quiero que arriesgues tu vida —le advirtió ella.

Coriolanus se rio.

—¿Mi vida? Mi vida consiste en preguntarme cuánto tardarán en encontrar esas armas y relacionarme con el asesinato de Mayfair. Están registrando la Veta. Podría ocurrir en cualquier momento. Nos iremos juntos.

—¿Lo dices en serio? —preguntó ella; tenía el ceño fruncido, como si no se lo creyera.

—Nos vamos mañana. Nos adelantaremos al verdugo.

—Y al alcalde —añadió ella—. Por fin nos libraremos de él, del Distrito 12, del Capitolio, de todo. Mañana. Al amanecer.

—Mañana, al amanecer —le confirmó él. Después le puso la caja en las manos—. De Pluribus. Salvo el pañuelo..., ese es de mi parte. Será mejor que me vaya antes de que alguien se dé cuenta de que he salido y sospeche. —Tiró de ella para darle un beso apasionado—. Volvemos a estar los dos solos.

—Los dos solos —repitió Lucy Gray; la alegría le iluminaba el rostro.

Coriolanus salió a toda prisa del vestuario, como si llevara alas en los talones.

> Demos la bienvenida con esperanza al alba,
> ya luzca el sol o se cubra el cielo.

No solo iba a vivir; iba a vivir con ella, como aquel día, en el lago. Pensó en el sabor del pescado fresco, el aire puro y la libertad para hacer lo que quisiera, como dictaba la naturaleza. Sin responder ante nadie. Y librarse para siempre de las agobiantes expectativas del mundo.

> Confiemos siempre en que el mañana
> nos proteja a todos con esmero.

Regresó al gimnasio y se sentó a hurtadillas en su sitio justo a tiempo de unirse al estribillo final.

> Hay que mirar el lado bueno, siempre el lado bueno,
> el lado bueno de la vida.
> Eso nos ayudará, el camino iluminará
> si miramos el lado bueno de la vida.
> Sí, señor, el lado bueno de la vida.

La cabeza de Coriolanus no dejaba de dar vueltas. Lucy Gray se unió de nuevo a la Bandada en una de aquellas melodías armoniosas con palabras ininteligibles, así que procuró no prestarles atención mientras intentaba adaptarse al nuevo giro de los acontecimientos. Huir con Lucy Gray al bosque. Qué locura. Pero, por otro lado, ¿por qué no? Era el único salvavidas a su alcance, y pretendía agarrarse bien a él y no soltarlo. Al día siguiente era domingo, su día libre. Se marcharía lo más temprano posible. Desayunaría lo que probablemente fuera su última comida civilizada cuando abriera el comedor, a las seis, y se echaría a la carretera. Sus compañeros de barracón seguirían durmiendo la resaca del whiskey. Tendría que salir a hurtadillas de la base... ¡La valla! Esperaba que fuera buena la información de Spruce sobre el punto débil detrás del generador. Después iría en busca de Lucy Gray corriendo con todas sus fuerzas.

Pero, un momento, ¿tenía que ir a su casa? ¿Con toda la Bandada presente, incluso puede que el alcalde? ¿O pretendía ella que se reuniera con él en la Pradera? Estaba meditando sobre ese asunto cuando terminó la canción y ella volvió a sentarse en el taburete con la guitarra.

—Casi se me olvida. Le prometí a uno de vosotros que cantaría esto hoy —dijo.

Y, de nuevo, como si nada, se llevó la mano al bolsillo. Empezó a cantar la canción en la que había estado trabajando cuando se acercó a ella en la Pradera.

> ¿Vas, vas a volver
> al árbol en el que colgaron
> a un hombre por matar a tres?
> Cosas extrañas pasaron en él,
> no más extraño sería
> en el árbol del ahorcado reunirnos al anochecer.

El árbol del ahorcado. Su viejo punto de encuentro con Billy Taupe. Ahí era donde quería reunirse con él.

¿Vas, vas a volver
al árbol donde el hombre muerto
pidió a su amor huir con él?
Cosas extrañas pasaron en él,
no más extraño sería
en el árbol del ahorcado reunirnos al anochecer.

Habría preferido no verse con ella en el sitio donde se encontraba con su antiguo amante, pero estaba claro que era mucho más seguro que reunirse en la casa. ¿Quién iba a haber allí un domingo por la mañana? En cualquier caso, Billy Taupe ya no era un problema. Lucy Gray tomó aire. Debía de haber alargado la canción...

¿Vas, vas a volver
al árbol donde te pedí huir
y en libertad juntos correr?
Cosas extrañas pasaron en él,
no más extraño sería
en el árbol del ahorcado reunirnos al anochecer.

¿Qué quería decir? ¿Billy Taupe le había dicho que fuera allí para huir juntos? ¿Le estaba diciendo ella a Coriolanus que iban a ser libres?

¿Vas, vas a volver
al árbol con un collar de cuerda
para conmigo pender?
Cosas extrañas pasaron en él,
no más extraño sería
en el árbol del ahorcado reunirnos al anochecer.

Ahora lo entendía. La canción, la persona que hablaba en la canción, era Billy Taupe, y él era el que cantaba a Lucy Gray. Billy Taupe había sido testigo de la muerte de Arlo, había oído a los pájaros cantar sus últimas palabras, le había suplicado a Lucy Gray que huyera con él y, cuando ella lo rechazó, él prefirió que la colgaran a su lado antes que dejarla vivir sin él. Coriolanus esperaba que aquella fuera la última canción sobre Billy Taupe. ¿Qué más podía decirse, en realidad? Aunque daba igual. Puede que aquella fuera su canción, pero se la estaba cantando a Coriolanus. Los Snow siempre caen de pie.

La Bandada interpretó algunos números más y después Lucy Gray dijo:

—Bueno, como mi padre solía decir, hay que irse a la cama con los pájaros si quieres saludarlos al alba. Gracias por venir a vernos. ¿Y qué os parece si felicitamos de nuevo al comandante Hoff?

El ebrio gimnasio al completo gritó un último «¡Feliz cumpleaños!» al comandante.

La Bandada hizo una última reverencia y abandonó el escenario. Coriolanus esperó en la parte de atrás para ayudar al Pulga a llevar al Fideo al barracón. Antes de darse cuenta ya habían apagado las luces, así que tuvieron que subir a la cama a oscuras. Sus compañeros se durmieron casi al instante, pero él permaneció despierto, repasando el plan de fuga. No necesitaba mucho. Nada más que él, la ropa que llevaba puesta, un par de recuerdos en los bolsillos y mucha suerte.

Coriolanus se levantó al amanecer, se puso un uniforme limpio, y se guardó un par de recambios de ropa interior y calcetines en los bolsillos. Eligió tres fotos de su familia, el disco de polvos compactos de su madre y la brújula de su padre, y también los escondió entre la ropa. Por último, colocó la almohada y la manta para intentar darles una forma humana convincente, y las tapó con la sábana. Mientras sus compañeros roncaban, le dio un último vistazo a la habitación y se preguntó si los echaría de menos.

Se unió a un puñado de madrugadores para desayunar pudin de pan, lo que le pareció un buen augurio para el viaje, ya que era el favorito de Lucy Gray. Le habría gustado poder llevarse un trozo, pero tenía los bolsillos llenos a reventar y no había servilletas en la cantina. Tras beberse su taza de zumo de manzana, se limpió la boca con el dorso de la mano, dejó la bandeja en su sitio y salió con la intención de dirigirse a toda prisa al generador.

En cuanto pisó la calle, un par de guardias se le acercaron. Guardias armados, no ayudantes.

—Soldado Snow —dijo uno—, se solicita su presencia en el despacho del comandante.

Notó un subidón de adrenalina. La sangre le latía en las sienes. No podía ser verdad. No era posible que lo detuvieran justo cuando tenía la libertad y una nueva vida con Lucy Gray al alcance de la mano. Miró rápidamente hacia el generador, situado a unos cien metros del comedor. No lo lograría ni con su reciente buena forma. Imposible. «Solo necesito cinco minutos más —le suplicó al universo—. Me bastaría con dos, incluso». El universo no le hizo caso.

Flanqueado por los guardias, echó los hombros atrás y marchó en dirección al despacho del comandante, preparado para enfrentarse a su final. Al entrar, el comandante Hoff se levantó, se puso firme y lo saludó.

—Soldado Snow —le dijo—, permíteme ser el primero en felicitarte. Mañana ingresas en la escuela de oficiales.

30

Coriolanus, perplejo, no sabía qué decir mientras los guardias le daban palmadas en la espalda y se reían.

—Pero..., pero...

—Eres la persona más joven que ha aprobado el examen —le explicó el comandante, que sonreía de oreja a oreja—. Normalmente, te entrenaríamos aquí, pero, con tu puntuación, se nos recomienda enviarte a un programa de élite en el Distrito 2. Lamentaremos tu marcha.

¡Cómo le habría gustado ir! Al Distrito 2, que en realidad no estaba tan lejos de su hogar en el Capitolio. A la escuela de oficiales, la escuela de oficiales de élite, nada más y nada menos, donde podría destacar y encontrar el modo de recuperar una vida que mereciera la pena vivir. Quizá fuera incluso mejor que la universidad para alcanzar el poder. No obstante, todavía había por ahí un arma homicida con su nombre. Su ADN lo condenaría, igual que le había pasado con el pañuelo. Por desgracia, por trágico que resultara, era demasiado peligroso quedarse. Le dolió tener que seguirle el juego al comandante.

—¿A qué hora me voy?

—Un aerodeslizador saldrá hacia allí mañana por la mañana, a primera hora, y tú irás en él. Creo que hoy tienes el día libre. Aprovecha para preparar las maletas y despedirte. —El comandante le estrechó la mano por segunda vez en dos días—. Esperamos grandes cosas de ti.

Coriolanus dio las gracias al comandante y salió del despacho; una vez fuera, se detuvo a sopesar sus opciones. No había nada que hacer. No había opciones. Odiándose y odiando a Sejanus Plinth aún más, se dirigió al edificio en el que se encontraba el generador, casi sin importarle que lo descubrieran. Qué amarga decepción que le arrebataran así su segunda oportunidad de alcanzar un futuro brillante. Tuvo que recordarse la existencia de la soga y de la horca, y de los sinsajos repitiendo sus últimas palabras, para recuperar la concentración. Estaba a punto de desertar de los agentes de la paz; tenía que espabilarse.

Cuando llegó al edificio, se volvió un segundo para mirar hacia la base, pero todos seguían dormidos, así que nadie lo vio rodearlo con cautela para llegar a la parte de atrás. Examinó la valla y, al principio, no encontró ninguna abertura. Se agarró a la malla metálica y la sacudió, frustrado. Y entonces, efectivamente, la malla se soltó del poste que la soportaba y dejó abierto un hueco en la alambrada por el que colarse. Una vez en el exterior, su recelo natural volvió a entrar en acción. Recorrió la parte trasera de la base, atravesó una zona arbolada y por fin llegó hasta la carretera que conducía al árbol del ahorcado. Después solo tuvo que seguir a paso ligero el mismo camino que había recorrido la camioneta en viajes anteriores, aunque sin correr, para no llamar la atención. De todos modos, poca atención había que llamar un caluroso domingo por la mañana poco después del alba. La mayoría de los mineros y agentes de la paz no se levantarían hasta varias horas después.

Al cabo de unos cuantos kilómetros llegó al deprimente campo y corrió hasta el árbol del ahorcado, deseando ocultarse en el bosque. No había ni rastro de Lucy Gray y, mientras pasaba bajo las ramas, se preguntó si habría malinterpretado el mensaje y lo estaría esperando en la Veta. Entonces vislumbró un punto naranja y lo siguió hasta un claro. Allí estaba ella, descargando una pila de bultos de una carretilla; se había envuelto la cabeza en el pañuelo de seda y estaba preciosa. Corrió a abrazarlo, y él respondió al abrazo a pesar de hacer demasiado calor para pegarse tanto. El beso posterior le levantó un poco el ánimo.

Tocó el pañuelo naranja.

—No parece muy discreto para una persona a la fuga.

Lucy Gray sonrió.

—Bueno, no quiero que me pierdas de vista. ¿Todavía quieres seguir adelante?

—No tengo elección. —Al darse cuenta de que había sonado un poco apagado, añadió—: Ahora tú eres lo único que me importa.

—Lo mismo digo. Ahora eres mi vida. Mientras estaba aquí sentada, esperándote, me he dado cuenta de que no habría sido capaz de hacer esto sin ti —reconoció—. No solo por lo duro que será, sino por la soledad. Puede que lo hubiera soportado unos cuantos días, pero después habría vuelto con la Bandada.

—Lo sé. Ni siquiera se me había pasado por la cabeza escapar hasta que tú lo mencionaste. La idea... intimida. —Pasó una mano por encima de los bultos—. Lo siento, no podía arriesgarme a traer gran cosa.

—Eso me había parecido. He reunido todo esto, y también he saqueado nuestro almacén. No pasa nada. Le he dejado a la Bandada el resto del dinero. —Como para convencerse, añadió—: Estarán bien sin mí.

Cogió un paquete y se lo echó al hombro.

Él recogió parte de las provisiones.

—¿Qué van a hacer? —preguntó—. Me refiero a la banda. Sin ti.

—Bueno, se las apañarán. Todos saben cantar sin desafinar y, de todos modos, a Maude Ivory le quedaban pocos años para sustituirme como voz principal. Además, parece que siempre me meto en problemas, así que quizá ya no sea tan bienvenida en el Distrito 12.

Anoche el comandante me pidió que no volviera a cantar *El árbol del ahorcado*. Que es demasiado oscura, me dijo. Más bien, demasiado rebelde. Le prometí que no volvería a escucharla de mis labios.

—Es una canción extraña —comentó Coriolanus.

Lucy Gray se rio.

—Bueno, a Maude Ivory le gusta. Dice que transmite auténtica autoridad.

—Como mi voz. Cuando canté el himno del Capitolio —recordó Coriolanus.

—Eso es. ¿Estás listo?

Habían dividido toda la carga entre los dos. Coriolanus tardó un momento en percatarse de lo que faltaba.

—Tu guitarra. ¿No te la llevas?

—Se la he dejado a Maude Ivory. Eso y los vestidos de mi madre —explicó, pero intentando restarle importancia—. ¿Para qué los quiero? Tam Amber cree que todavía queda gente en el norte, pero yo no estoy muy convencida. Creo que estaremos los dos solos.

Por un momento, el chico se dio cuenta de que él no era el único que dejaba sus sueños atrás.

—Buscaremos sueños nuevos ahí fuera —le prometió a Lucy Gray con más convicción de la que sentía. Sacó la brújula de su padre, la consultó y señaló—. El norte está por ahí.

—Se me había ocurrido ir primero al lago. Está más o menos hacia el norte. Me gustaría verlo por última vez, la verdad.

Parecía tan buen plan como cualquier otro, así que no se opuso. No tardarían en encontrarse a la deriva por la naturaleza, para no volver jamás. ¿Por qué no permitirle aquel capricho? Le remetió una punta del pañuelo, que se le había soltado.

—Pues al lago.

Lucy Gray miró hacia el pueblo, aunque lo único que distinguía Coriolanus era el patíbulo.

—Adiós, Distrito 12. Adiós, árbol del ahorcado, Juegos del Hambre y alcalde Lipp. Algún día me matará algo, pero no seréis vosotros.

Dicho lo cual, se volvió y se internó en el bosque.

—No hay mucho que echar de menos —coincidió Coriolanus.

—Echaré de menos la música y a mis bellos pájaros —respondió la chica con la voz un poco rota—. Aunque espero que algún día puedan seguirme.

—¿Sabes lo que no voy a echar yo de menos? A la gente —contestó Coriolanus—. Salvo por unas cuantas personas. Si lo piensas bien, casi todo el mundo es horrible.

—En realidad, la gente no es tan mala. El problema es lo que el mundo hace con ella. Como a nosotros, en la arena. Allí hicimos cosas que jamás se nos habrían ocurrido si nos hubieran dejado tranquilos.

—No sé qué decirte. Maté a Mayfair, y ahí no había ninguna arena a la vista.

—Pero solo para salvarme. —Lucy Gray lo meditó un momento—. Creo que los seres humanos poseemos una bondad natural. Lo comprendes cuando cruzas la línea que te separa del mal, porque, a partir de ahí, el mayor reto de tu vida es intentar quedarte en el lado correcto y no volver a cruzarla.

—A veces hay que tomar decisiones difíciles —respondió Coriolanus, que llevaba tomándolas el verano entero.

—Lo sé. Claro que lo sé. Soy una vencedora —dijo ella con tristeza—. En mi nueva vida, será un placer no tener que matar a nadie más.

—Ahí te doy la razón. Con tres he tenido de sobra para toda una vida. Y, sin duda, para todo un verano. —Un chillido salvaje en las inmediaciones le recordó que no llevaba ningún arma—. Voy a tallarme un bastón. ¿Quieres uno?

—Claro —respondió ella tras detenerse—. Tiene más de una utilidad.

Encontraron un par de ramas gruesas, y ella las sujetó mientras él les cortaba las ramitas más pequeñas.

—¿Cuál es la tercera?

—¿Qué? —preguntó Coriolanus.

Lucy Gray lo miraba con una expresión extraña. Al chico se le resbaló la mano y se clavó un trozo de corteza bajo la uña.

—Ay.

—La tercera persona a la que has matado —dijo ella sin prestar atención a su herida—. Acabas de decir que has matado a tres personas este verano.

Coriolanus se mordió la punta de la astilla para sacarla con los dientes, lo que le dio un poco de tiempo para pensar. ¿De quién podría tratarse? La respuesta era Sejanus, por supuesto, pero eso no podía reconocerlo.

—¿Te importa sacarme esto? —le pidió mientras alargaba la mano y agitaba la uña herida con la esperanza de distraerla.

—Déjame ver. —Lucy Gray examinó la astilla—. Entonces, Bobbin, Mayfair... ¿Quién es la tercera?

Coriolanus se devanó los sesos buscando una explicación plausible. ¿Podría haber estado involucrado en un accidente extraño? ¿Una muerte durante la instrucción? ¿Estaba limpiando un arma y se disparó por error? Decidió que lo mejor sería tomárselo a broma.

—Yo. Maté a mi antiguo yo para poder huir contigo.

Lucy Gray le sacó la astilla.

—Hala, ya está. Bueno, espero que tu viejo yo no persiga al nuevo. Ya sumamos fantasmas de sobra entre los dos.

El momento pasó, pero se llevó con él la conversación. No volvieron a hablar hasta que llegaron a la mitad del camino y pararon a hacer un descanso.

Lucy Gray desenroscó el tapón de la garrafa de plástico y se la ofreció.

—¿Se habrán dado ya cuenta de que no estás?

—Probablemente no —respondió Coriolanus—. ¿Y los tuyos? —preguntó antes de beber un buen trago de agua.

—El único que estaba despierto cuando me fui era Tam Amber. Le conté que iba a preguntar por una cabra. Llevamos mucho tiempo hablando sobre formar un rebaño y vender la leche para sacar algo más de dinero. Creo que quedan unas cuantas horas antes de que salgan a buscarme. Puede que sea ya de noche cuando se les ocurra mirar en el árbol del ahorcado y encuentren la carretilla. Sumarán dos y dos.

—¿Intentarán seguirte? —le preguntó él mientras le devolvía la jarra.

—Puede. Pero estaremos ya muy lejos. —Ella también bebió y se secó la boca con el dorso de la mano—. ¿Te perseguirán a ti?

Dudaba que los agentes de la paz se preocuparan mucho, al menos al principio. ¿Por qué iba a desertar si lo esperaba la escuela de oficiales? Si alguien se percataba de su ausencia, seguramente pensaría que había ido al pueblo con otro agente. A no ser que encontraran el arma, claro. No quería contarle lo de la escuela en aquel momento, con la herida todavía tan reciente.

—No lo sé. Además, cuando se enteren por fin de que he huido, no sabrán dónde buscar.

Siguieron caminando hacia el lago, los dos absortos en sus pensamientos. A Coriolanus todo le parecía irreal, como si se tratara de una excursión por placer, similar a la de dos domingos atrás. Como si fueran de pícnic y tuviera que asegurarse de regresar a tiempo para la mortadela frita y el toque de queda. Pero no. Después del lago seguirían internándose en la naturaleza y su vida se vería reducida a la supervivencia más básica. ¿Cómo comerían? ¿Dónde vivirían? ¿Y qué narices harían el resto del tiempo, cuando los retos de obtener comida y refugio estuvieran cubiertos? Ella, sin su música. Él, sin su escuela, sin su ejército y sin nada. ¿Tendrían una familia? No le parecía buena idea condenar a un niño a una existencia tan lóbrega. A cualquier niño, y menos a un hijo suyo. ¿A qué se podía aspirar cuando descartabas la riqueza, la fama y el poder? ¿Acaso el objetivo de la supervivencia era seguir sobreviviendo y nada más?

Concentrado en aquellas preguntas, el segundo tramo del camino se le pasó muy deprisa. Dejaron la carga en la orilla, y Lucy Gray se fue a buscar ramas para fabricar cañas de pescar.

—No sabemos lo que nos espera más adelante, así que será mejor comer bien ahora —le dijo a Coriolanus.

Le enseñó cómo atar el grueso sedal y los anzuelos a sus palos. Escarbar en el lodo blando en busca de lombrices le daba mucho asco, y se preguntó si sería una de sus actividades diarias. Lo sería, si tenían mucha hambre. Engancharon los cebos y se sentaron en silencio en la orilla, a la espera de que picaran, mientras los pájaros trinaban a su alrededor. Ella pescó dos. Él, ninguno.

Unas nubes oscuras y preñadas de agua aparecieron en el cielo y les dieron un respiro del sol brutal, aunque también contribuyeron al agobio de Coriolanus. Aquella era su nueva vida: desenterrar gusanos y quedar a expensas del clima. Elemental. Como los animales. Sabía que le habría resultado más sencillo de no ser una persona tan excepcional. El exponente más perfecto de las cotas que podía alcanzar la humanidad. El más joven en aprobar el examen para candidato a oficial. De haber sido una persona inútil y estúpida, la pérdida de la civilización no le habría afectado de ese modo. Se habría adaptado sin pestañear. Unas gotas de lluvia gordas y frías empezaron a caerle encima y le dejaban marcas húmedas en el uniforme.

—Con este tiempo no podremos cocinar —dijo Lucy Gray—. Será mejor que entremos. Podemos usar la chimenea.

Solo podía referirse a la única casa del lago que todavía tenía tejado. Probablemente, su último tejado hasta que construyera uno él mismo. ¿Y cómo se construía un tejado? Esa pregunta no había entrado en el examen.

Después de que Lucy Gray limpiara los peces y los envolviera con hojas, recogieron todos sus bártulos y corrieron a la casa mientras la lluvia los aporreaba. Habría sido divertido de no tratarse de la vida real. De no ser nada más que una aventura de unas cuantas horas con una chica encantadora y un futuro satisfactorio en otra parte. La puerta estaba atascada, pero Lucy Gray le dio un golpe con la cadera y se abrió. Entraron corriendo para protegerse del agua y soltaron sus paquetes. Consistía en una sola habitación con paredes, techo y suelo de hormigón. No había ni rastro de electricidad, aunque la luz entraba por las ventanas de las cuatro paredes y por la única puerta. A Coriolanus se le iluminaron los ojos al ver la chimenea, llena de viejas cenizas, con una ordenada pila de leña seca al lado. Al menos no tendrían que salir a buscarla.

Lucy Gray se acercó a la chimenea, dejó los peces en el pequeño hogar de hormigón y empezó a colocar las capas de leña y ramitas en una vieja rejilla metálica.

—Siempre dejamos madera aquí dentro para que esté seca.

Coriolanus meditó sobre la posibilidad de quedarse en la robusta casita, con madera en abundancia y el lago para pescar. Pero no, sería demasiado peligroso echar raíces tan cerca del Distrito 12. Si la Bandada conocía ese lugar, lo más probable era que otra gente también supiera de su existencia. Tenía que negarse incluso aquella última pizca de protección. ¿Acabaría al final en una cueva? Pensó en el precioso ático de los Snow, con sus suelos de mármol y sus lucernas de cristal. Su casa. Su legítima casa. El viento dejó entrar unas gotas de lluvia que le salpicaron de agua helada los pantalones. Cerró la puerta de golpe y se quedó paralizado. Había algo escondido detrás de ella. Una larga bolsa de arpillera. Por la abertura asomaba el cañón de una escopeta.

No podía ser. Incapaz de respirar, abrió la bolsa con la bota y vio la escopeta y un fusil de los agentes de la paz. La abrió un poco más y reconoció el lanzagranadas. No cabía ninguna duda de que se trataba de las armas del mercado negro que había comprado Sejanus en el cobertizo. Y, entre ellas, se encontraban las armas homicidas.

Lucy Gray encendió el fuego.

—He traído una vieja lata pensando que podríamos llevar las brasas de un lado a otro. Creo que no tengo cerillas, y cuesta prender fuego con un pedernal.

—Ajá —respondió Coriolanus—. Buena idea.

¿Cómo habían llegado hasta allí las armas? En realidad, tenía sentido. Billy Taupe podría haber llevado a Spruce al lago, o puede que Spruce lo conociera de antes. Durante la guerra, a los rebeldes les habría resultado útil contar con un escondrijo. Y Spruce era lo bastante listo para saber que no era buena idea arriesgarse a dejar las pruebas en el Distrito 12.

—Oye, ¿qué has encontrado? —preguntó Lucy Gray mientras se le acercaba; retiró la arpillera—. Ah. ¿Son las que estaban en el cobertizo?

—Eso creo. ¿Nos las llevamos?

Lucy Gray se echó hacia atrás, se levantó y lo meditó durante un buen rato.

—Mejor no. No confío en ellas. Aunque esto nos vendrá bien —añadió, y sacó un cuchillo largo; le dio unas vueltas a la hoja—. Creo que iré a desenterrar saetas, ahora que tenemos la chimenea encendida. Hay bastantes junto al lago.

—Pensaba que todavía no estaban maduras.

—En dos semanas pueden cambiar muchas cosas.

—Todavía está lloviendo —protestó él—. Te vas a empapar.

—Bueno, no estoy hecha de azúcar —respondió ella entre risas.

Lo cierto era que Coriolanus se alegraba de contar con unos minutos a solas para pensar. Cuando Lucy Gray salió, él volcó el saco de arpillera y las armas cayeron al suelo. Tras arrodillarse junto a la pila, recogió el fusil de agente de la paz con el que había matado a Mayfair y lo acunó en sus brazos. Allí estaba. El arma homicida. No en un laboratorio forense del Capitolio, sino allí, entre sus manos, en medio de la nada, donde no representaba ninguna amenaza. Lo único que tenía que hacer para salvarse de la horca era destruirla. Así sería libre para volver a la base. Libre para marcharse al Distrito 2. Libre para reunirse de nuevo sin miedo con la raza humana. Las lágrimas de alivio le anegaron los ojos, y empezó a reírse de pura alegría. ¿Cómo lo haría? ¿La quemaría en una fogata? ¿La desmontaría y esparciría los distintos componentes a los cuatro vientos? ¿La tiraría al lago? Una vez que el arma hubiera desaparecido, no quedaría nada que pudiera relacionarlo con los asesinatos. Absolutamente nada.

No, un momento. Quedaba una cosa. Lucy Gray.

Bueno, daba igual. Ella nunca lo contaría. Cuando le dijera que había un cambio de planes no le gustaría, claro. Le diría que iba a regresar con los agentes de la paz y que de allí partiría al Distrito 2 al alba. Que la abandonaba a su destino, básicamente. Aun así, ella jamás lo delataría. No era su estilo y, además, eso la implicaría en los asesinatos. Significaría también su muerte y, como habían demostrado los Juegos del Hambre, Lucy Gray poseía un extraordinario instinto de conservación. Además, lo amaba. Se lo había dicho la noche anterior, en la canción. Y, lo que era más importante, confiaba en él. Aunque, si la dejaba en los bosques para que se las apañara sola, estaba claro que lo consideraría una traición a esa confianza. Tenía que pensar en la manera correcta de darle la noticia. Pero

¿cuál sería? ¿«Siento un gran amor por ti, pero no tanto como el que siento por la escuela de oficiales»? Eso no iba a funcionar.

¡Y era verdad que la quería! ¡En serio! El problema era que le habían bastado unas cuantas horas en la naturaleza para saber lo mucho que odiaba su nueva vida. Entre el calor, las lombrices y esos pájaros que parloteaban sin cesar...

Pues sí que estaba tardando con las patatas.

Coriolanus miró por la ventana. La lluvia ya no era más que llovizna.

No había querido marcharse sin compañía. No soportaba la soledad. Su canción decía que lo necesitaba, que lo quería, que confiaba en él, pero ¿se lo perdonaría? Si la abandonaba... Billy Taupe la había hecho enfadar y había acabado muerto. Todavía recordaba sus palabras...

«Me revuelve el estómago verte manipular a estos críos. Pobre Lucy Gray. Pobre corderita».

Y recordaba que ella le había clavado los dientes en la mano. Pensó en su frialdad al matar en la arena. Primero a la pequeña Wovey, tan frágil; había que tener hielo en las venas para hacer algo así. Después, su calculado plan para acabar con Treech, provocándolo para que la atacase, en realidad, de modo que pudiera sacarse la serpiente del bolsillo. Y decía que Reaper tenía la rabia, así que eso había sido un asesinato piadoso, pero ¿quién sabía?

No, Lucy Gray no era ninguna corderita. Ni estaba hecha de azúcar. Ella era una vencedora.

Comprobó que el fusil estaba cargado y abrió la puerta de par en par. No la veía por ninguna parte. Se acercó al lago mientras intentaba recordar dónde había estado escarbando Clerk Carmine antes de llevarles la saeta. Daba igual. La zona pantanosa que rodeaba el lago estaba desierta, y la orilla, intacta.

—¿Lucy Gray?

La única respuesta fue la de un sinsajo solitario posado en una rama cercana, que se esforzó por imitar su voz pero falló, ya que sus palabras no eran especialmente musicales.

—Ríndete —masculló en dirección a la criatura—. No eres un charlajo.

Estaba claro que la chica se escondía de él. Pero ¿por qué? Solo cabía una respuesta: porque lo había averiguado. Todo. Que destruir las armas acabaría con las pruebas físicas de su relación con los asesinatos. Que ya no quería huir. Que ella era el último testigo que lo vinculaba con el crimen. Sin embargo, siempre se habían cubierto mutuamente las espaldas, así que ¿por qué de repente pensaba que le haría daño? ¿Por qué si, ayer mismo, consideraba que era puro como la nieve?

Sejanus. Tenía que haberse imaginado que Sejanus era la tercera persona a la que había matado Coriolanus. No tenía por qué saber nada del truco con los charlajos, solo que él era el confidente de Sejanus, que Sejanus era un rebelde y que Coriolanus defendía al Capitolio. Aun así, ¿pensar que sería capaz de matarla? Miró el fusil que llevaba en las manos. Quizá hubiera sido mejor dejarlo en el cobertizo. Daba mala impresión ir a buscarla con un arma. Como si pretendiera darle caza. Pero no iba a matarla, claro. Solo quería hablar con ella y asegurarse de que lo comprendiera.

«Suelta el fusil —se dijo, pero sus manos se negaban a cooperar—. Ella solo tiene un cuchillo». Un cuchillo muy grande. Al final solo consiguió colgárselo a la espalda.

—¡Lucy Gray! ¿Estás bien? ¡Me estás asustando! ¿Dónde estás?

Lo único que ella tenía que responder era: «Lo entiendo, me iré sola, como tenía pensado hacer desde el principio». Pero aquella misma mañana había reconocido que no creía ser capaz de aguantar sin nadie a su lado, que habría regresado con la Bandada al cabo de unos días. Lucy Gray sabía que él no la iba a creer.

—¡Lucy Gray, por favor, solo quiero hablar contigo! —gritó.

¿Cuál era el plan de la chica? ¿Esconderse hasta que él se cansara y volviera a la base? ¿Y regresar a casa por la noche, a hurtadillas? Eso no podía ser. Aunque ya no existiera el arma homicida, ella todavía era peligrosa. ¿Y si regresaba al Distrito 12 ahora y el alcalde conseguía que la detuvieran? ¿Y si la interrogaban o la torturaban? La historia saldría a la luz. Ella no había matado a nadie. Él sí. La palabra de Coriolanus contra la suya. Aunque no la creyeran, acabaría con su reputación. Se descubriría su romance, además de los detalles de su engaño en los Juegos del Hambre. El decano Highbottom estaría encantado de testificar sobre su personalidad. No podía arriesgarse.

Seguía sin encontrar ni rastro de ella. No le dejaba más alternativa que perseguirla por el bosque. Ya no llovía, pero el agua había dejado el aire húmedo y la tierra embarrada. Regresó a la casa y examinó el terreno hasta encontrar las livianas huellas de sus zapatos; las siguió hasta que llegó a la maleza que daba de nuevo paso al bosque y avanzó en silencio entre los árboles empapados.

El parloteo de los pájaros le impedía oír nada más, y la visibilidad era escasa por culpa del cielo nublado. Los hierbajos ocultaban las huellas de Lucy Gray, pero le daba la sensación de que iba por el buen camino. La adrenalina le aguzaba los sentidos, y encontró una rama rota por aquí y un poco de musgo aplastado por allá. Se sentía un poco culpable por asustarla de ese modo. ¿Qué estaría haciendo? ¿Estaría acurrucada entre la maleza, estremecida, intentando ahogar los sollozos? La idea de vivir sin él debía de partirle el corazón.

Algo de color naranja le llamó la atención; sonrió.

«No quiero que me pierdas de vista», le había dicho. Y así había sido. Se abrió paso entre las ramas hasta llegar a un pequeño claro con un dosel arbóreo. El pañuelo naranja estaba enganchado en unas zarzas; al parecer, a Lucy Gray se le había soltado en su huida y había acabado volando hasta allí. Bueno, eso le confirmaba que iba por el camino correcto. Fue a recuperarlo (quizá se lo quedara él, al fin y al cabo) cuando oyó un tenue crujido entre las hojas. Acababa de percatarse de la presencia de la serpiente cuando esta atacó, saltando como un resorte para clavarle los dientes en el antebrazo que había alargado para recuperar el pañuelo.

—¡Ay!

La serpiente lo soltó de inmediato y reptó bajo los arbustos antes de que Coriolanus tuviera ocasión de fijarse bien en su aspecto. Empezó a sucumbir al pánico mientras contemplaba la marca del mordisco. Pánico e incredulidad. ¡Lucy Gray había intentado matarlo! Aquello no era una coincidencia. El pañuelo en las zarzas. La serpiente a la espera. Maude Ivory le había dicho que Lucy Gray siempre sabía dónde encontrarlas. Le había puesto una trampa, y él había caído como un bobo. ¡Pobre corderita, ya te digo! Empezaba a comprender a Billy Taupe.

Coriolanus no sabía nada de serpientes; solo conocía los ejemplares arcoíris de la arena. Con los pies plantados en el suelo y el corazón desbocado, esperaba morir en el acto, pero, aunque le dolía, no se derrumbó. Aunque no sabía cuánto tiempo le quedaba, la chica pagaría por eso, tan cierto como que era un Snow. ¿Debería hacerse un torniquete en el brazo? ¿Chupar el veneno? Todavía no habían pasado por el entrenamiento de supervivencia. Temiendo que sus primeros auxilios acabaran por acelerar la acción del veneno, se tapó el antebrazo con la manga, se echó el fusil al hombro y siguió persiguiéndola. De haberse sentido mejor, se habría reído de la ironía: qué deprisa se había deteriorado la relación en sus propios Juegos del Hambre privados.

Ya no era tan fácil seguir su rastro, y se dio cuenta de que las anteriores pistas que le había dejado lo habían conducido directamente hasta la serpiente. Sin embargo, no podía andar lejos. Seguro que quería saber si la criatura lo había matado o si debía idear otro plan de ataque. Puede que pretendiese esperar a que se desmayara para degollarlo con el cuchillo. Intentando no jadear, se internó más en el bosque y apartó con cuidado las ramas usando la boca del fusil, pero era imposible vislumbrar su paradero.

«Piensa —se dijo—. ¿Adónde puede haber ido?». La respuesta lo golpeó como un saco de ladrillos. No querría enfrentarse a él, que estaba armado con un fusil, porque ella solo tenía un cuchillo. Así que habría regresado a la casa del lago para coger un arma de fuego. Puede que lo hubiera rodeado y estuviera de camino en aquel preciso instante. Procuró prestar atención y escuchar bien, y... ¡Sí! Le pareció oír que alguien se alejaba a su derecha, en dirección al lago. Echó a correr hacia el ruido, pero se paró de repente. Seguro que lo había oído y huía a través de la maleza, porque, como Coriolanus ya conocía su plan, a Lucy Gray le daba igual que la oyera. Calculaba tenerla a unos diez metros, de modo que se apoyó el fusil en el hombro y descargó una lluvia de balas en esa dirección. Una bandada de pájaros salió volando entre graznidos, y el chico oyó un débil grito. «Te tengo», pensó. Corrió entre los árboles hacia ella; las ramas y las espinas se le enganchaban en la ropa y le arañaban el rostro, pero le daba igual. Por fin llegó al lugar donde creía que estaría. No había ni rastro de ella. No importaba. Tendría que moverse de nuevo y, cuando lo hiciera, él la encontraría.

—Lucy Gray —dijo en su tono de voz normal—. Lucy Gray. No es demasiado tarde para encontrar una solución. —Por supuesto que lo era, pero no le debía nada a esa chica, y mucho menos la verdad—. Lucy Gray, ¿no quieres hablar conmigo?

Se sorprendió al escuchar cómo su voz resonaba dulcemente en el aire.

¿Vas, vas a volver
al árbol con un collar de cuerda
para conmigo pender?
Cosas extrañas pasaron en él,
no más extraño sería
en el árbol del ahorcado reunirnos al anochecer.

«Sí, ya lo pillo —pensó—, sabes lo de Sejanus. "Collar de cuerda" y todo eso».

Dio un paso en su dirección justo cuando un sinsajo repetía la canción. Después un segundo. Y un tercero. El bosque cobró vida con su melodía al formarse un coro de varias docenas. Se lanzó hacia los árboles y después abrió fuego sobre el punto del que procedía la voz. ¿Le habría acertado? No lo sabía, porque la canción de los pájaros lo ocupaba todo, lo desorientaba. Empezó a ver puntitos negros delante de él y le palpitaba el brazo.

—¡Lucy Gray! —bramó, frustrado.

Aquella chica lista tan retorcida y mortífera. Sabía que los pájaros cantores la cubrirían. Alzó el fusil y acribilló los árboles para intentar espantar a las aves. Muchas alzaron el vuelo, pero la canción se había propagado y resonaba por todo el bosque.

—¡Lucy Gray! ¡Lucy Gray!

Furioso, se giró en un círculo completo, tiroteando toda la zona una y otra vez hasta que se quedó sin balas. Entonces se dejó caer en el suelo, mareado y con náuseas, mientras los árboles estallaban: todos los pájaros chillaban con todas sus fuerzas, y los sinsajos ofrecían su versión de *El árbol del ahorcado*. La naturaleza se había vuelto loca. Los genes se habían echado a perder. El caos.

Tenía que salir de allí. Se le estaba hinchando el brazo. Debía volver a la base. Se obligó a levantarse y regresó como pudo al lago. En la casa, todo seguía como lo había dejado. Al menos, había evitado que ella volviera. Usó un par de calcetines como si fueran guantes para limpiar el fusil, metió todas las armas en el saco de arpillera, se lo echó al hombro y corrió al lago. Calculó que era lo bastante pesado para hundirse sin necesidad de lastrarlo con piedras, así que se metió en el agua y lo arrastró hasta la zona más profunda. Hundió el saco y lo vio perderse poco a poco en la penumbra.

Un cosquilleo alarmante le recorría el brazo. Nadó con torpeza hasta la orilla y regresó a la casa, entre trompicones. ¿Qué pasaba con sus suministros? ¿Era necesario tirarlos también al lago? No tenía sentido. O la chica estaba muerta y la Bandada encontraría la comida, o estaba viva y, con suerte, los usaría para escapar. Echó los peces al fuego para que se quemaran y se fue tras dejar la puerta bien cerrada.

La lluvia volvió con fuerza, un aguacero. Esperaba que se llevara con ella cualquier rastro de su visita. Las armas ya no estaban. Las provisiones eran de Lucy Gray. Lo único que quedaba eran sus huellas, y ya las veía desaparecer ante sus ojos. Las nubes parecían infiltrarse en su cerebro. Le costaba pensar. «Vuelve. Debes volver a la base». Pero ¿dónde estaba? Se sacó la brújula de su padre del bolsillo, sorprendido de que funcionara incluso después de meterse en el lago. Crassus Snow seguía ahí fuera, en alguna parte, protegiéndolo.

Coriolanus se aferró a la brújula como si fuera un salvavidas en medio de la tormenta y se dirigió al sur. Recorrió los bosques dando traspiés, aterrado y solo, pero sintiendo la presencia de su padre a su lado. Puede que Crassus no hubiera tenido una gran opinión de él, pero seguro que querría que continuara su legado. Además, cabía dentro de lo posible que Coriolanus se hubiera redimido un poco aquel día, ¿no? Por otro lado, nada de eso importaría si lo mataba el veneno. Se detuvo a vomitar y lamentó no haberse llevado la garrafa de agua. Se percató vagamente de que su ADN también estaría allí, pero ¿qué más daba? La garrafa no era un arma homicida. Daba igual. Estaba a salvo. Si la Bandada encontraba el cadáver de Lucy Gray, no informarían sobre ello. No querrían llamar la atención de ese modo, ya que eso podría relacionarlos con los rebeldes o desvelar su escondrijo. Si había cadáver. Ni siquiera había podido confirmar que estuviera herida.

Coriolanus consiguió salir del bosque y llegar al Distrito 12, aunque no exactamente al árbol del ahorcado. De los árboles pasó a un grupo de casuchas de los mineros y, de algún modo, dio con la carretera. Los truenos sacudían el suelo y los relámpagos rasgaban las nubes cuando llegó a la plaza. No vio a nadie hasta alcanzar la base y atravesar de nuevo la valla. Se fue derecho a la clínica, donde contó que se había agachado para atarse el zapato de camino al gimnasio y una serpiente había aparecido, como salida de la nada.

La doctora asintió con la cabeza.

—La lluvia las saca al exterior.

—Ah, ¿sí?

Coriolanus creía que iban a poner en duda su historia o que, al menos, la recibirían con escepticismo, pero la doctora no parecía sospechar nada.

—¿Le echaste un vistazo a la serpiente?

—La verdad es que no. Estaba lloviendo, y se movía muy deprisa. ¿Voy a morir?

—En absoluto —respondió ella, que se reía por lo bajo—. Ni siquiera era venenosa. ¿Ves las marcas de los dientes? No tiene colmillos. Eso sí, vas a tener la zona irritada unos días.

—¿Está segura? He vomitado, y notaba la cabeza embotada.

—Bueno, el pánico puede tener esos efectos. —Le limpió la herida—. Es probable que te deje cicatriz.

«Bien —pensó Coriolanus—. Eso me recordará que debo ser más cauteloso».

La doctora le puso varias inyecciones y le dio un bote de pastillas.

—Ven mañana y le echaremos otro vistazo.

—Mañana me trasladan al Distrito 2.

—Pues visita la clínica de allí cuando llegues. Buena suerte, soldado.

Coriolanus regresó a su habitación, sorprendido de que solo fuera media tarde. Entre el alcohol y la lluvia, sus compañeros ni siquiera se habían levantado. Se metió en el baño y vacío los bolsillos. El agua del lago había convertido los polvos con aroma a rosas en una pasta desagradable, así que los tiró a la basura. Las fotografías se habían pegado, y se hicieron trizas al intentar separarlas, así que siguieron el mismo camino que los polvos. La brújula era lo único que había sobrevivido a la escapada. Se quitó la ropa mojada y se restregó de la piel los últimos restos del lago. Una vez vestido, bajó su petate, metió de nuevo la brújula en su caja de efectos personales y la depositó en el fondo de la bolsa. Tras meditarlo un momento, abrió la taquilla de Sejanus y sacó su caja. Cuando llegara al Distrito 2 se la enviaría a los Plinth junto con una nota dándoles el pésame. Era lo menos que se esperaba del mejor amigo de Sejanus. Y ¿quién sabía? Quizá siguieran enviándole galletas.

A la mañana siguiente, después de una emotiva despedida por parte de sus compañeros de barracón, se subió a bordo del aerodeslizador que partía hacia su nuevo distrito. Todo mejoró de inmediato. Un asiento mullido. Un auxiliar de vuelo. Una selección de bebidas. Nada lujoso, ni mucho menos, pero completamente distinto al tren de los reclutas. Reconfortado por la comodidad, apoyó la sien en la ventanilla con la esperanza de echarse una siesta. La noche anterior, mientras la lluvia aporreaba el tejado del barracón, él no había dejado de preguntarse si Lucy Gray seguiría con vida. ¿Estaría muerta bajo la lluvia? ¿O acurrucada junto al fuego en la casa del lago? Si había sobrevivido, seguro que ya no pensaba volver al Distrito 12. Se quedó dormido oyendo en su cabeza la melodía de *El árbol del ahorcado* y se despertó varias horas después, cuando el aerodeslizador tomó tierra.

—Bienvenido al Capitolio —le dijo el auxiliar.

Coriolanus abrió los ojos de golpe.

—¿Qué? No. ¿Me he saltado mi parada? Tengo que presentarme en el Distrito 2.

—Este transporte sigue hacia el 2, pero tenemos órdenes de dejarlo aquí —respondió el auxiliar tras comprobar una lista—. Me temo que debe desembarcar. Tenemos que cumplir con un horario.

Se encontró en la pista de un aeropuerto pequeño que no le resultaba familiar. Una camioneta de los agentes de la paz se detuvo junto a él, y le ordenaron que subiera a la parte de atrás. Mientras el vehículo traqueteaba por la carretera, no consiguió sacarle nada al conductor; empezó a asustarse. Habían cometido un error. ¿O no? ¿Y si alguien lo había vinculado de algún modo a los asesinatos? Quizá Lucy Gray hubiera regresado para acusarlo, y ahora querían someterlo a un interrogatorio. ¿Drenarían el lago en busca de las armas? El corazón le dio un vuelco cuando entraron en la calle de los Sabios y dejaron atrás la Academia, tranquila y silenciosa en aquella tarde de verano. Allí estaba el parque en el que a veces quedaban después de clase. Y la panadería en la que hacían sus *cupcakes* favoritas. Al menos había podido echarle otro vistazo a su hogar. La nostalgia desapareció cuando la camioneta dio un violento giro y él se percató de que subían por el camino que conducía a la Ciudadela.

En el interior, los guardias le hicieron gestos para que subiera al ascensor.

—Lo espera en el laboratorio.

Coriolanus se aferró a la vana esperanza de que la persona que lo esperaba fuera la doctora Kay y no la doctora Gaul, pero su vieja némesis lo saludó desde el otro lado del laboratorio en cuanto salió del ascensor. ¿Por qué lo habían llevado allí? ¿Iba a acabar en una de sus jaulas? Mientras avanzaba hacia ella, la vio soltar una cría de ratón viva en un tanque de serpientes doradas.

—Y así regresa el vencedor. Toma, sujétame esto.

La doctora Gaul le puso en las manos un cuenco metálico lleno de roedores de color rosa que no paraban de moverse. Coriolanus reprimió las náuseas.

—Hola, doctora Gaul.

—Recibí tu carta. Y tu charlajo. Qué pena lo del joven Plinth. Aunque ¿lo es? En fin, me alegró saber que continuabas tus estudios en el 12. Que desarrollabas tu visión del mundo.

Se sintió de vuelta en sus antiguas tutorías, como si no hubiera sucedido nada.

—Sí, me ha abierto los ojos. He pensado mucho sobre todo lo que hablamos. El caos, el control y el compromiso. Las tres ces.

—¿Has pensado en los Juegos del Hambre? El día que nos conocimos, Casca preguntó cuál era su objetivo, y tú diste la respuesta tipo: castigar a los distritos. ¿Cambiarías ahora tu respuesta?

Coriolanus recordaba la conversación que había mantenido con Sejanus mientras desempaquetaba su petate.

—Entraría en más detalles. Castigar a los distritos no es su único objetivo, sino que forman parte de una guerra eterna. Cada edición de los Juegos constituye su propia batalla. Una batalla que nos cabe en la palma de la mano, en vez de luchar en una guerra real que escape a nuestro control.

—Hum. —Apartó un ratón de una de las bocas abiertas—. Eh, no seas glotona.

—Y nos recuerdan lo que nos hicimos los unos a los otros y que somos capaces de repetirlo porque somos lo que somos —continuó Coriolanus.

—Y, según tus conclusiones, ¿qué somos?

—Somos criaturas que necesitan al Capitolio para sobrevivir. —No pudo evitar meter una pulla—. Aunque debería saber que no sirven de nada. Los Juegos del Hambre, me refiero. En los distritos no los ve nadie. Excepto la cosecha. En la base ni siquiera teníamos un televisor en condiciones.

—Aunque eso podría convertirse en un problema, este año es un alivio, ya que he tenido que borrarlo todo, menudo desastre —dijo la doctora Gaul—. Fue un error mezclar a los alumnos, sobre todo cuando empezaron a caer como moscas. Presentaba al Capitolio como un ente demasiado vulnerable.

—¿Los ha borrado?

—No queda ni una copia, jamás volverán a emitirse. —Sonrió—. Tengo una grabación maestra en la caja fuerte, por supuesto, pero solo para mi entretenimiento personal.

Coriolanus se alegraba de que los hubiera eliminado. Era otra forma de borrar a Lucy Gray del mundo. El Capitolio la olvidaría, los distritos apenas la conocían y el 12 nunca la había aceptado como una de los suyos. En unos cuantos años, solo quedaría el vago recuerdo de la chica que una vez cantó en la arena. Hasta que eso también se olvidara. Adiós, Lucy Gray, apenas te conocimos.

—No ha sido una pérdida absoluta. Creo que volveremos a contar con Flickerman el año que viene. Y tu idea de las apuestas también se mantiene —dijo la doctora.

—Tiene que conseguir que verlos sea obligatorio. En el 12 nadie verá por voluntad propia algo tan deprimente. El poco tiempo libre que tienen lo dedican a beber para olvidar el resto de sus vidas.

La doctora Gaul se rio entre dientes.

—Parece que has aprendido mucho en tus vacaciones de verano, Snow.

—¿Vacaciones? —preguntó él, perplejo.

—Bueno, ¿qué ibas a hacer aquí? ¿Holgazanear por el Capitolio?, ¿peinarte los rizos? Me pareció que un verano con los agentes de la paz sería mucho más instructivo. —Se fijó en su cara de desconcierto—. No creerás que, después de invertir todo este tiempo en ti, iba a entregarte a esos imbéciles de los distritos, ¿no?

—No lo entiendo, me dijeron...

—He ordenado que te licencien con honores, con efecto inmediato. Vas a estudiar en la universidad, bajo mi supervisión.

—¿En la universidad? ¿Aquí, en el Capitolio? —preguntó él, sorprendido.

La doctora soltó el último ratón en el tanque.

—Las clases empiezan el jueves.

EPÍLOGO

Una tarde radiante de octubre, hacia la mitad del periodo académico de otoño, Snow bajó la escalinata de mármol del Centro de Investigación de la Universidad, ignorando modestamente las cabezas que se giraban a su paso. Lucía un aspecto espectacular con su traje nuevo, sobre todo ahora que había recuperado los rizos, y su coqueteo con las fuerzas de los agentes de la paz le prestaba cierto caché que volvía locos a sus rivales.

Acababa de terminar un curso especial de estrategia militar impartido por la doctora Gaul, tras haber pasado la mañana en la Ciudadela, donde se había personado para realizar sus prácticas como Vigilante de los Juegos. Si se podían llamar así; lo cierto era que los demás lo trataban como si fuese un miembro del equipo de pleno derecho. Ya estaban trabajando en ideas para implicar a los distritos, además de al Capitolio, en los Juegos del Hambre del año siguiente. Había sido Snow el que señaló que, aparte de la vida de los dos tributos que quizá ni siquiera conocían, los habitantes de los distritos no se jugaban nada en la arena. La victoria de sus respectivos tributos tenía que serlo también para todo el distrito. Se les había ocurrido la idea de que todos los habitantes del distrito recibieran un paquete con alimentos si su tributo resultaba ser el ganador. Y para que se ofrecieran como voluntarios unos tributos con más aptitudes, Snow sugirió que el vencedor podría recibir una casa en una zona especial de la ciudad, bautizada provisionalmente como la Aldea de los Vencedores, que sería la envidia de toda esa gente que vivía en chabolas. Eso y un simbólico premio en metálico deberían bastar para atraer a una cuadrilla decente de participantes.

Sus dedos acariciaron la mochila de cuero, tan suave como la seda, regalo de los Plinth por su reincorporación a la escuela. Seguía sin saber muy bien cómo llamarlos; «Ma» era fácil, pero le rechinaba referirse a Strabo Plinth como si fuera su padre, por lo que usaba mucho «señor». Tampoco era como si lo hubiesen adoptado; a sus dieciocho años, era demasiado mayor. De todas formas, con que lo hubieran nombrado heredero se conformaba. No pensaba renunciar jamás al apellido Snow, ni por todos los emporios de la industria armamentística del mundo.

Los hechos se habían sucedido con absoluta naturalidad. Su regreso a casa. El dolor generalizado. La fusión de ambas familias. La muerte de Sejanus había sumido en la desesperación a los Plinth. Strabo lo había expresado en pocas palabras:

—Mi esposa necesita una razón para vivir. Y yo, ya puestos. Tú has perdido a tus padres. Nosotros, a nuestro hijo. Se me había ocurrido que podríamos encontrar una solución juntos.

Había comprado el piso de los Snow para que no tuvieran que mudarse, y el de los Dolittle, en la planta de abajo, para él y Ma. Se habló de hacer reformas, de construir una escalera de caracol y tal vez incluso un ascensor privado para conectar ambas viviendas, pero no había ninguna prisa. Ma ya se presentaba a diario para ayudar a la abuelatriz, que se había resignado a tener una nueva «doncella», y Tigris y ella se llevaban de maravilla. Ahora los Plinth se hacían cargo de todos los costes: los impuestos del piso, su matrícula, la cocinera... También le daban una generosa asignación semanal. Eso le venía bien porque, aunque había interceptado y reservado el sobre con dinero que le envió a Tigris desde el Distrito 12, la vida en la universidad era cara si uno quería aprovecharla al máximo. Strabo nunca cuestionaba sus gastos ni se molestaba por las nuevas adquisiciones con las que ampliaba su vestuario, y parecía alegrarse cuando Snow le pedía consejo. Eran sorprendentemente compatibles. En ocasiones, casi se le olvidaba incluso que el viejo Plinth provenía de los distritos. Casi.

Esa noche habría sido el decimonoveno cumpleaños de Sejanus, y habían acordado reunirse para celebrar una cena tranquila con la que recordarlo. Snow había invitado a Festus y a Lysistrata a unirse a la fiesta, puesto que Sejanus les había caído mejor a ambos que a la mayoría de sus compañeros de clase y podía contarse con que dijeran algo positivo sobre él. Planeaba enseñarles a los Plinth la caja que había sacado de la taquilla de Sejanus, pero antes debía resolver otro asunto pendiente.

El aire fresco que lo acompañó durante todo el paseo hasta la Academia había infundido una calma acerada a sus pensamientos. No se había tomado la molestia de anunciar su visita; prefería dejarse caer por sorpresa. Las clases habían terminado hacía una hora, y sus pasos resonaban en los pasillos. La mesa de la secretaria del decano Highbottom estaba vacía, de modo que se acercó a la puerta del despacho y llamó con los nudillos. El decano Highbottom lo invitó a pasar. Entre la pérdida de peso y los temblores, tenía peor aspecto que nunca, encorvado sobre el escritorio.

—Vaya, ¿a qué debo este honor? —preguntó.

—Esperaba recuperar la polvera de mi madre, puesto que usted ya no va a necesitarla —replicó Snow.

El decano Highbottom abrió un cajón y dejó la polvera encima de la mesa con un golpe seco.

—¿Eso es todo?

—No. —Sacó la caja de Sejanus de la mochila—. Esta noche voy a devolverles los efectos personales de Sejanus a sus padres. No sé muy bien qué hacer con esto. —Vació el contenido sobre el escritorio y cogió el diploma enmarcado—. He pensado que no querría tenerlo rodando por ahí. Un diploma de la Academia. Concedido a un traidor.

—Qué considerado por tu parte —dijo el decano Highbottom.

—Es mi adiestramiento como agente de la paz. —Snow aflojó el dorso del marco y sacó el diploma. A continuación, como llevado por un impulso, lo reemplazó con una foto de la familia Plinth—. De todas formas, creo que esto les gustará más a sus padres. —Los dos se quedaron mirando los restos de la vida de Sejanus. Después barrió con la mano los tres botes de medicamentos, que cayeron en la papelera del decano Highbottom—. Cuantos menos malos recuerdos, mejor.

El decano Highbottom lo observó con suspicacia.

—¿Has descubierto lo que es la compasión en los distritos?

—En los distritos, no. En los Juegos del Hambre —lo corrigió Snow—. Debo darle las gracias por eso. Al fin y al cabo, usted es el responsable de su creación.

—Oh, creo que la mitad del mérito es de tu padre.

Snow frunció el ceño.

—¿A qué se refiere? Pensaba que los Juegos del Hambre habían sido idea suya. Algo que se le ocurrió en la universidad.

—Para la clase de la doctora Gaul. En la cual no me iba demasiado bien, puesto que la aversión que me provocaba me impedía participar. Nos distribuimos por parejas para el proyecto final, de modo que estaba con mi mejor amigo. Crassus, por supuesto. El encargo consistía en idear un castigo para nuestros enemigos, tan radical que jamás consiguieran olvidar su agravio. Era como un rompecabezas, mi especialidad; y, como todas las creaciones que valen la pena, muy sencillo en el fondo. Los Juegos del Hambre. El más perverso de los impulsos, astutamente camuflado de acontecimiento deportivo. Un entretenimiento. Yo estaba borracho, y tu padre me emborrachó más todavía apelando a mi vanidad mientras yo daba cuerpo a la idea, aunque me aseguraba que solo era una broma privada. A la mañana siguiente me desperté aterrado por lo que había hecho, dispuesto a romperlo en pedazos, pero ya era demasiado tarde. Sin mi permiso, tu padre se lo había dado a la doctora Gaul. Quería aprobar con la mejor nota, ya sabes. No se lo perdoné nunca.

—Está muerto —le recordó Snow.

—Pero ella, no —replicó el decano Highbottom—. Debería haberse quedado en mera teoría. Además, ¿quién sería capaz de llevar a cabo algo así, salvo el monstruo más vil? Después de la guerra, la doctora rescató la propuesta, y a mí con ella, y me presentó ante todo Panem como el artífice de los Juegos del Hambre. Aquella noche probé por primera vez la morflina. El concepto era tan sobrecogedor que pensé que no se ejecutaría jamás. Me equivocaba. La doctora Gaul lo impulsó y lleva diez años arrastrándome con él.

—Respalda la idea que tiene ella de la humanidad, sin duda —dijo Snow—. Sobre todo en lo tocante a los niños.

—¿En qué sentido? —preguntó el decano Highbottom.

—Les atribuimos una inocencia innata. Y si hasta los más inocentes de los nuestros pueden convertirse en asesinos durante los Juegos del Hambre, ¿qué significa eso? Que nuestra naturaleza fundamental es violenta —le explicó Snow.

—Autodestructiva —murmuró el decano Highbottom.

Snow recordó la carta de Pluribus, en la que comentaba el desencuentro de su padre con el decano Highbottom, y citó sus palabras:

—Como polillas a la llama. —El decano entornó los párpados, pero Snow se limitó a sonreír y añadió—: Está usted poniéndome a prueba, lo sé. La conoce mucho mejor que yo.

—Ya no estoy tan seguro. —El decano Highbottom deslizó un dedo sobre la rosa plateada de la polvera—. Bueno, ¿y qué dijo cuando anunciaste que te ibas?

—¿La doctora Gaul?

—Tu pajarito cantor. Al irte del 12. ¿Se apenó al verte marchar?

—Supongo que fue un poco triste para los dos. —Snow se guardó la polvera y recogió las cosas de Sejanus—. Será mejor que me vaya. Nos van a traer muebles nuevos para el salón y le prometí a mi prima que estaría allí para controlar a los transportistas.

—Adelante, vuelve a tu piso.

A Snow no le apetecía hablar de Lucy Gray con nadie, y menos con el decano Highbottom. El Sonrisitas le había mandado una carta a la antigua dirección de los Plinth, mencionando su desaparición. Todo el mundo sospechaba que el alcalde debía de haberla matado, aunque no podían probarlo. En cuanto a la Bandada, Hoff había sido reemplazado por otro comandante, y su primera orden había sido prohibir los espectáculos en el Quemador; según él, la música solo traía problemas.

«Sí —pensó Snow—. Eso es innegable».

La suerte que había corrido Lucy Gray continuaba siendo un misterio, por tanto, igual que la de la niña que compartía su nombre en esa canción demencial. ¿Estaría viva?, ¿muerta?, ¿sería un fantasma que vagaba por la espesura? Quizá nadie lo averiguara jamás. Daba igual; la nieve había sido la perdición para ambas. Pobre Lucy Gray. Pobre chica fantasma, que ahora solo podía cantar con sus pájaros.

¿Vas, vas a volver
al árbol donde el hombre muerto
pidió a su amor huir con él?

Podía sobrevolar el Distrito 12 todo lo que quisiera, que ni ella ni sus sinsajos volverían a representar una amenaza para él.

A veces recordaba algún momento cargado de dulzura y casi deseaba que las cosas hubieran terminado de otra manera. Pero lo suyo no habría funcionado nunca, aunque él se hubiese quedado. Sencillamente eran demasiado distintos. Y a él no le gustaba el amor, no le gustaba que le hiciera sentir estúpido y vulnerable. Si alguna vez se casaba, elegiría a alguien incapaz de conmoverlo. Alguien a quien odiara, incluso, para que nunca pudiera manipularlo como había hecho Lucy Gray. Que nunca le hiciera sentir celos. Que nunca le hiciera sentirse débil. Livia Cardew sería la candidata perfecta. Se imaginó a los dos, el presidente y su primera dama, supervisando los Juegos del Hambre dentro de unos años. Continuaría con los Juegos, por supuesto, cuando gobernase Panem. La gente lo tacharía de tirano, estricto y cruel. Pero al menos se aseguraría de perpetuar su supervivencia, les daría la oportunidad de evolucionar. ¿A qué más podía aspirar la humanidad? La verdad, deberían darle las gracias.

Pasó frente al club nocturno de Pluribus y se permitió esbozar una ligera sonrisa. Se podía conseguir veneno para ratas en muchos sitios, pero él había recogido discretamente una pizca del callejón la semana anterior y se la había llevado a casa. Meterlo en el bote de morflina no había sido tarea sencilla, y menos con guantes, pero al final había conseguido introducir por la abertura una dosis que consideró suficiente. Había tomado la precaución de limpiar bien el envase. Nada despertaría las sospechas del decano Highbottom cuando lo sacara de la papelera y se lo guardara en el bolsillo, ni cuando desenroscara el tapón con dosificador y se echara unas gotitas de morflina en la lengua. Aunque no podía por menos de abrigar la esperanza de que, cuando el decano exhalara su último aliento, comprendiese lo mismo que tantos otros habían descubierto al desafiarlo. Lo que todo Panem sabría algún día. Algo inevitable.

Los Snow siempre caen de pie.

FIN

AGRADECIMIENTOS

Me gustaría agradecerles a mis padres tanto su amor como su apoyo constante a mi trabajo de escritora: a mi padre le doy las gracias por hablarme de los pensadores ilustrados y del debate sobre el estado de naturaleza desde que era muy joven; y a mi madre, la graduada en Filología Inglesa, por cultivar mi faceta lectora y por tantas horas felices alrededor del piano.

Mi marido, Cap Pryor, y mi agente literaria, Rosemary Stimola, hace tiempo que se convirtieron en mis primeros lectores. Sus comentarios sobre los borradores iniciales de esta novela han sido de un valor incalculable para la evolución del joven Coriolanus Snow y su mundo de posguerra, y estoy segura de que les habrán ahorrado muchos quebraderos de cabeza a mis editores. Y, hablando de editores, jamás ha contado una autora con un equipo con más talento. Esta vez llegaron en distintas oleadas, empezando por la asombrosa Kate Egan, que con tanta maestría me ha guiado a lo largo de diez libros, junto con David Levithan, mi excelentísimo director editorial, que estaba en todas partes a la vez: dándole forma a ese título, recortando esos pasajes indomables y organizando entregas clandestinas del manuscrito en (¿dónde si no?) la producción *Coriolanus* de Shakespeare in the Park. La segunda oleada trajo consigo a la inteligente pareja formada por Jen Rees y Emily Seife, seguida por mis correctoras con ojo de halcón, Rachel Stark y Joy Simpkins, que cuidaron hasta el último detalle. Os estoy profundamente agradecida a todos por ayudarme a moldear esta historia con la belleza de vuestros cerebros y corazones.

Ha sido un placer volver a estar en manos del magnífico equipo de Scholastic Press. Rachel Coun, Lizette Serrano, Tracy van Straaten, Ellie Berger, Dick Robinson, Mark Seidenfeld, Leslie Garych, Josh Berlowitz, Erin O'Connor, Maeve Norton, Stephanie Jones, JoAnne Mojica, Andrea Davis Pinkney, Billy DiMichele y todo el equipo de ventas de Scholastic: mil gracias a todos.

Debo dedicarles un agradecimiento especial a Elizabeth B. Parisi y a Tim O'Brien, que me han vuelto a deslumbrar con su fabulosa cubierta, muy en consonancia con sus diseños para la trilogía de Los Juegos del Hambre, pero única para este libro.

Mi mayor admiración y gratitud para los artistas que crearon las canciones que aparecen en el mundo de Panem. Tres de ellas son clásicos de dominio público: *Down in the Valley*; *Oh, My Darling, Clementine* y *Keep on the Sunny Side*, compuesta por Ada Blenkhorn y J. Howard Entwisle. William Wordsworth escribió en 1799 el poema «Lucy Gray», que apareció en su obra *Baladas líricas.* He modificado un poco la letra de estas canciones para que encajaran en el repertorio de la Bandada. El resto conserva las originales. *La balada de Lucy Gray Baird* está pensada para cantarse con una variación de la melodía de una balada tradicional que ha acompañado desde hace tiempo a las historias de los desdichados finales de vividores, bardos, soldados, vaqueros y demás. Dos de las otras canciones aparecieron por primera vez en la trilogía de Los Juegos del Hambre. En la versión cinematográfica, la música de *Deep in the Meadow* [«En lo más profundo del prado»] fue compuesta por T Bone Burnett y Simone Burnett, y la música de *The Hanging Tree* [«El árbol del ahorcado»] fue compuesta por Jeremiah Caleb Fraites y Wesley Keith Schultz, de The Lumineers, con arreglos de James Newton Howard.

Gracias, como siempre, a mis maravillosos agentes, la ya mencionada Rosemary Stimola y a mi representante en la industria del entretenimiento, Jason Dravis, en cuya ayuda confío por completo para moverme por el mundo editorial y cinematográfico, con la inestimable colaboración de nuestros linces legales, Janis C. Nelson, Eleanor Lackman y Diane Golden.

Me gustaría transmitir mi amor a mis amigos y a mi familia, sobre todo a Richard Register, que siempre está a un mensaje de distancia, y a Cap, Charlie e Izzy, que se han embarcado en esta aventura con perspectiva, paciencia y humor.

Y, finalmente, a todos los lectores que han vivido conmigo las historias de Katniss y Coriolanus: gracias de todo corazón por acompañarme en este viaje.